Le Christianisme Rosicrucien ne considère pas la compréhension intellectuelle de DIEU et de l'Univers comme une fin en soi ; loin de là, car plus l'intellect est développé, plus grand est le danger d'en mésuser. Par conséquent, ces enseignements scientifiques sont donnés dans l'unique dessein d'aider l'aspirant à croire et à entreprendre de conformer sa vie aux enseignements du CHRIST, ce qui est le seul moyen d'arriver à la vraie Fraternité.

Le Christianisme Rosicrucien ne considère pas la compréhension intellectuelle de DIEU et de l'Univers comme une fin en soi ; loin de là, car plus l'intellect est développé, plus grand est le danger d'en mésuser. Par conséquent, ces enseignements scientifiques sont donnés dans l'unique dessein d'aider l'aspirant à croire et à entreprendre de conformer sa vie aux enseignements du CHRIST, ce qui est le seul moyen d'arriver à la vraie Fraternité.

COSMOGONIE
DES
ROSE-CROIX

Chez le même éditeur

Collection Rosicrucienne (MAX HEINDEL) :

Cosmogonie des Rose-Croix.
Mystères de la Rose-Croix.
Santé et Guérison (Principes occultes).
Christianisme de la Rose-Croix.
Mystères des Grands Opéras.
Lettres aux Etudiants.
Philosophie de la Rose-Croix, Réponses aux questions, tomes 1 et 2.
Enseignements d'un Initié, tomes 1 et 2.
Franc-Maçonnerie et Catholicisme.
Trame de la Destinée.
Initiation ancienne et initiation moderne.
Message des Astres (avec Mme A. FOSS-HEINDEL).
Astrodiagnostic (avec Mme A. FOSS-HEINDEL).

Collection Astrologie :

Bases techniques et fondements spirituels de l'Astrologie.
Astrologie spiritualiste (J.P. Labrousse).
Tables des Maisons - Placidus.
Ephémérides de 1900 à 2000 à 0 h 00.
Ephémérides de 1900 à 1950 à 0 h 00.
Ephémérides de 1950 à 2000 à 0 h 00.
Ephémérides de 2000 à 2050 à 0 h 00.
Posters astrologiques couleurs.

Collection Epheta

Petit livre de Santé.

COLLECTION ROSICRUCIENNE

MAX HEINDEL

COSMOGONIE DES ROSE-CROIX

ou

PHILOSOPHIE MYSTIQUE CHRÉTIENNE

Traité élémentaire sur l'évolution passée de l'homme, sa constitution présente et son développement futur

Son Message et sa Mission :

UN INTELLECT ÉQUILIBRÉ, UN CŒUR SENSIBLE, UN CORPS SAIN

ST-MICHEL ÉDITIONS
07200 SAINT-MICHEL-DE-BOULOGNE — FRANCE

14e édition en langue française.

DOGME OU CHRIST

Il n'aime pas Dieu, celui qui hait son prochain,
Qui foule aux pieds le cœur et l'âme de son frère.
Qui cherche à entraver, à obscurcir son mental
Par la peur de l'enfer, n'a pas compris le but final.

Toutes les religions nous ont été données par Dieu,
Et c'est le Christ qui est la Voie, la Vérité, la Vie.
Il donne le repos à ceux qu'un lourd fardeau écrase,
La paix à ceux que l'épreuve ou le péché accable.

A sa requête, l'Esprit Universel est venu
Dans toutes *les Eglises et non pas dans une seule ;*
Le jour de Pentecôte, une langue de flamme
Couronna chaque *apôtre, telle une auréole.*

Depuis lors, tels des vautours affamés et féroces,
Nous avons combattu pour des mots vides de sens.
Au moyen des dogmes, des édits et des lois,
Nous avons envoyé nos frères sur le bûcher.

Le Christ est-il donc à deux faces ?
Pierre et Paul n'ont-ils pas été crucifiés ?
Alors, pourquoi serions-nous divisés
Si l'amour du Christ nous inclut tous, vous et moi ?

Son amour, fait de douceur, n'est pas limité
Par des dogmes qui divisent et élèvent des murailles ;
Il comprend et embrasse tous *les êtres humains,*
Quelles que soient leurs dénominations, ou les nôtres.

Alors, pourquoi ne pas croire en sa parole ?
Pourquoi ces dogmes qui nous désunissent ?
Puisqu'ici bas, une seule chose compte,
Que l'amour du prochain habite en chaque cœur.

Il n'est qu'un seul idéal nécessaire au monde,
Il n'est qu'un seul baume pour la pauvre humanité,
Il n'est qu'une seule voie conduisant vers le ciel ;
Cette voie, c'est la sympathie mutuelle, c'est l'amour.

MAX HEINDEL.

UN MOT POUR LE SAGE

Le Fondateur de la religion chrétienne énonçait une maxime occulte quand il disait : « Quiconque ne recevra pas le royaume de Dieu comme un petit enfant, n'y entrera point. » (Marc, 10 : 15). Tous les occultistes reconnaissent l'importance et la portée de cet enseignement du Christ et s'efforcent de le mettre en pratique dans leur vie quotidienne.

Quand une philosophie nouvelle est offerte au monde, chacun l'accueille d'une manière différente.

Les uns s'emparent avidement de tout nouveau concept philosophique pour s'assurer jusqu'à quel point *il concorde avec leurs idées personnelles.* Pour eux, la théorie philosophique nouvelle est d'une importance secondaire. Son premier mérite est d'apporter une justification à leurs propres idées. Si l'œuvre répond à leur attente, ils l'adopteront avec enthousiasme et s'y attacheront avec un parti-pris absolument déraisonnable. Dans le cas contraire, il est probable qu'ils rejetteront l'ouvrage, écœurés et déçus comme si l'auteur leur avait fait une offense personnelle. D'autres, ayant découvert que le livre contient des choses qu'ILS n'ont encore ni lues, ni entendues auparavant et qu'ils n'ont pas conçues dans leur propre cerveau, adoptent une attitude sceptique et s'y enferment. Ils penseraient probablement qu'on est souverainement injuste à leur égard, si on leur disait que leur attitude mentale est le comble de la suffisance et de l'intolérance. Tel est néanmoins le cas. En agissant ainsi, ils ferment leur esprit à toute vérité peut-être cachée dans ce qu'ils rejettent d'emblée avec dédain.

Ces deux classes de lecteurs tournent le dos à la lumière. Leurs idées préconçues empêchent la vérité de les pénétrer de ses rayons. A cet égard, le petit enfant est tout l'opposé de ses aînés. Il n'est pas aveuglé par le sentiment de sa supériorité et de la valeur de son grand savoir ; il ne se sent pas non plus obligé de prendre un air entendu ou de cacher son ignorance sous un sourire ou un ricanement. Franchement ignorant, dégagé de toute idée préconçue et, par suite, *éminemment réceptif*, il accepte tout ce qu'on lui dit dans cette magnifique disposition d'esprit qu'on pourrait appeler « la Foi enfantine » et dans laquelle il n'y a pas l'ombre d'un doute. C'est ainsi que l'enfant s'en tient aux enseignements qu'il a reçus jusqu'à confirmation ou preuve du contraire.

Dans toutes les écoles de philosophie occulte, la première chose qu'on recommande aux élèves prêts à recevoir un enseignement nouveau, c'est d'oublier tout ce qu'on leur a déjà appris, de ne se laisser influencer par aucune préférence ni aucun préjugé, et de maintenir leur esprit dans un état d'attente calme et pondérée. Aussi vrai que le scepticisme nous voile la vérité, ainsi cette attitude paisible et confiante permet à l'intuition, ou « enseignement intérieur », de découvrir ce qui est juste dans une affirmation. C'est le seul moyen de cultiver un sens absolument sûr de perception de la vérité.

On ne demande pas à l'élève de croire d'emblée qu'un certain objet qu'il voit blanc est en réalité noir, quand on lui affirme qu'il en est ainsi, mais il doit cultiver une disposition d'esprit qui « croit tout » (I Corinthiens 13 : 7) *comme étant possible*. Cela lui permettra de mettre temporairement de côté les notions mêmes qu'on admet généralement comme « faits établis » et de rechercher s'il n'y aurait pas, par hasard, un point de vue non découvert jusqu'ici par lui, et d'où l'objet pourrait paraître noir. A vrai dire, il ne se permettrait pas de considérer quoi que ce soit comme « *fait établi* », car il sait trop bien à quel point il est important de conserver son esprit dans l'état souple d'*adaptation* qui caractérise le petit enfant. Il se rend compte, par toutes les fibres de son être, que « maintenant nous voyons comme dans un miroir, d'une manière obscure » (I Corinthiens 13 : 12) et, tel Ajax, il doit être sans cesse sur le qui-vive, aspirant à « la lumière, toujours plus de lumière. »

Un tel état d'esprit présente de grands avantages ; grâce à lui, des opinions qui paraissent absolument contradictoires peuvent parfaitement se concilier, comme nous le verrons dans un cas mentionné dans le présent ouvrage. *Seul, un esprit ouvert est capable de découvrir le lien d'harmonie qui existe entre toutes choses.* L'auteur réclame donc tout d'abord l'impartialité du lecteur comme base de son jugement *ultérieur*. Si, après l'avoir bien pesé et jaugé, le lecteur trouve ce livre imparfait, l'auteur ne s'en plaindra pas. Ce qu'il redoute, c'est un jugement prématuré, émis à la légère, après une étude incomplète et hâtive. Selon lui, une opinion n'est digne de celui qui l'exprime que lorsqu'elle *repose sur une connaissance approfondie du sujet.*

Il est d'ailleurs prudent de ne porter des jugements qu'avec circonspection, car pour beaucoup d'entre nous il est excessivement difficile de rétracter une opinion émise à la hâte. C'est pourquoi le lecteur est prié de différer l'expression de ses louanges ou de son blâme, jusqu'à ce qu'une étude suffisante lui permette de juger en toute connaissance de cause.

La Cosmogonie des Rose-Croix n'est pas une œuvre dogmatique; elle s'adresse uniquement à la raison. Elle n'est pas non plus une œuvre de controverse et n'est publiée que dans le désir et l'espoir d'aplanir quelques-unes des difficultés qui se présentent à l'esprit de celui qui a étudié les très profondes philosophies du passé. Toutefois, pour éviter de sérieux malentendus, l'étudiant devra se pénétrer de cette idée qu'il n'y a pas de révélation infaillible et immuable sur un sujet aussi complexe, embrassant tout ce qui existe sous le soleil et même au-delà.

Prétendre faire, sans erreur possible, des révélations d'une telle ampleur serait, de la part de l'auteur, l'affirmation d'une omniscience que les Frères Aînés eux-mêmes ne se targuent pas de posséder, car ils avouent franchement que leurs jugements sont parfois en défaut. Il ne saurait donc être question pour nous de donner le dernier mot sur le mystère du monde dans le présent ouvrage, qui ne contient pas autre chose que les enseignements les plus élémentaires des Rose-Croix.

Les Frères de l'Ordre de la Rose-Croix ont, du Mystère du Monde, la conception la plus étendue et la plus logique, dont l'auteur ait eu connaissance pendant les nombreuses années qu'il a consacrées exclusivement à l'étude de cette question. Dans la mesure où il a pu le vérifier par lui-même, il a trouvé ces enseignements en accord avec les faits tels qu'il les a constatés. Cependant, il est convaincu que la Cosmogonie des Rose-Croix est loin d'être le dernier mot sur le sujet. A mesure que nous avançons, de plus vastes perspectives sur la vérité s'ouvrent devant nous, perspectives qui découvriront bien des choses que nous voyons encore « comme dans un miroir, d'une manière obscure ». Nous avons également l'absolue certitude que toutes les philosophies de l'avenir suivront les mêmes directives, qui nous paraissent absolument sûres.

D'après ce qui précède, il est évident que l'auteur ne présente pas cet ouvrage comme étant l'alpha et l'oméga, l'extrême limite des connaissances occultes. Quoiqu'il ait pour titre la « Cosmogonie des Rose-Croix », l'auteur déclare hautement qu'il ne doit pas être considéré comme une vérité révélée une fois pour toutes aux Rose-Croix soit par le fondateur de l'Ordre, soit par toute autre entité. Nous répétons donc une fois de plus que cet ouvrage *comprend seulement ce que l'auteur a appris et compris des enseignements des Rose-Croix,* concernant le Mystère du Monde. Ces connaissances ont été corroborées par ses recherches personnelles dans les Mondes Intérieurs, par ses investigations sur la condition de l'homme avant sa naissance et après sa mort, etc. Sachant parfaitement quelle responsabilité encourt celui qui, sciemment ou non, induit les autres en erreur, l'auteur désire se prémunir et prémunir les autres autant que possible contre cette éventualité.

Les enseignements contenus dans cet ouvrage seront donc acceptés ou rejetés par le lecteur selon son propre jugement. L'auteur a pris grand soin de les exposer avec clarté, dans un langage simple et accessible à tous. C'est pourquoi il a tenu à se servir toujours du même terme pour rendre la même idée ; quand un mot a été choisi pour exprimer une idée nouvelle, l'auteur en donne de prime abord une définition précise. Il s'est toujours servi du langage le plus simple, en exposant le sujet avec le plus de netteté possible afin d'éviter toute ambiguïté. Il appartient à l'étudiant de juger dans quelle mesure ce but a été atteint. Toutefois, l'auteur s'étant appliqué à transmettre de son mieux les enseignements reçus, se sent dans l'obligation de mettre le lecteur en garde afin qu'il ne considère pas cet ouvrage comme un exposé complet et définitif de la doctrine des Rose-Croix — ce qui risquerait de lui donner un poids qu'il n'a pas. Cela ne serait loyal ni envers les Frères de l'Ordre, ni envers le lecteur et aurait pour conséquence de rendre l'Ordre responsable des erreurs qui peuvent se rencontrer dans ce livre comme dans toute œuvre humaine. C'est là le motif de l'avertissement qui précède.

Pendant les quatre années qui se sont écoulées depuis que ces lignes ont été écrites, l'auteur a poursuivi ses recherches dans les mondes invisibles et il a atteint dans ces domaines de la Nature l'expansion de conscience qui se développe par la pratique des préceptes enseignés dans l'Ecole Occidentale des Mystères. D'autres chercheurs ayant suivi la méthode du développement de l'âme telle qu'elle est décrite dans cet ouvrage comme étant particulièrement adaptée aux peuples de l'Occident, ont été capables de vérifier par eux-mêmes les faits contenus dans ces enseignements. La compréhension que l'auteur a eue des connaissances transmises par les Frères Aînés a pu être ainsi confirmée ; elle semble avoir été correcte dans l'ensemble. C'est pourquoi il considère comme son devoir de le signaler, afin d'encourager ceux qui ne peuvent encore s'en rendre compte par eux-mêmes.

Il eût été préférable de dire que le corps vital est formé de *prismes* plutôt que de *pointes :* c'est, en effet, par réfraction à travers ces prismes minuscules que le fluide solaire incolore prend la teinte rosée signalée par l'auteur ainsi que par d'autres écrivains.

D'autres découvertes importantes ont été faites ; nous savons, par exemple, aujourd'hui, que la corde d'argent *se renouvelle à chaque vie ;* qu'une partie prend naissance dans l'atome-germe du corps du désir dans le grand tourbillon du foie, tandis que l'autre partie prend naissance dans l'atome-germe du corps dense dans le cœur. Ces deux parties (1) se rejoignent dans l'atome-germe du corps éthérique dans le plexus solaire ce qui unit les véhicules supérieurs au véhicule inférieur et accomplit la « *vivification* ». Le développement ultérieur de la corde d'argent entre le cœur et le plexus solaire, pendant les sept premières années de la vie, a une relation importante avec le mystère de l'enfance, de même que la croissance de la partie reliant le foie au plexus solaire, qui a lieu dans le deuxième septénaire de la vie, contribue au travail de l'adolescence. L'achèvement de la corde d'argent marque la fin de l'enfance. Ensuite l'énergie solaire qui entre dans le corps humain par la rate et se colore par réfraction dans l'atome-germe prismatique du corps vital situé dans le plexus solaire, commence à donner à l'aura la couleur distinctive et individuelle que l'on observe chez les adultes.

---

(1) Au sujet de la troisième partie de la Corde d'argent, voici ce qu'en dit Max Heindel au n° 137 du volume II des Questions et Réponses :

« Il y a encore une autre partie de la Corde d'argent, qui croît à partir de l'atome-germe de l'intellect situé approximativement au sinus frontal où l'Esprit de l'homme a son siège. Elle passe entre le corps pituitaire et la glande pinéale, puis descend en reliant la thyroïde, le thymus, la rate et les glandes surrénales pour rejoindre finalement la seconde partie de la Corde d'argent dans l'atome-germe du corps du désir, dans le grand tourbillon de ce véhicule qui se trouve dans le foie. Le chemin que prend cette partie de la Corde d'argent est indiqué dans l'archétype, mais il faut environ 21 ans pour opérer la jonction. L'union de la première et de la deuxième partie (quatre mois après la conception) marque la *vivification physique*, laquelle dépend de la destruction complète des globules sanguins nucléés qui apportent la vie de la *mère physique ;* elle dépend aussi de la libération de toute interférence par la gazéification du sang, devenu le véhicule direct de l'Ego. La jonction de la deuxième et de la troisième partie de la Corde d'argent apporte une *vivification mentale* et, en conséquence, l'émancipation de Mère Nature, laquelle a ainsi terminé le travail de gestation nécessaire pour la construction du temple de l'Esprit. »

TABLE DES MATIÈRES

DEUXIEME PARTIE

COSMOGÉNÈSE ET ANTHROPOGÉNÈSE

TROISIEME PARTIE

NOMENCLATURE DES FIGURES ET TABLEAUX

TABLEAU 1

				L'UNIQUE ESPRIT UNIVERSEL
PUR ESPRIT		VOLONTÉ IMAGINATION		Esprit-Groupe des Minéraux · Esprit-Groupe des Plantes · Esprit Groupe des Animaux · Ego Humain
MONDE	EGO	PENSÉE ABSTRAITE	7	
			6	
			5	
DE LA PENSÉE	INTELLECT	LE POINT FOCAL DE L'INTELLECT →	4	
		PENSÉE CONCRÈTE	3	
			2	
			1	
MONDE	CORPS	DÉSIRS SUPÉRIEURS	7	
			6	
			5	
DU	DU	SENTIMENTS →	4	
DÉSIR	DÉSIR	DÉSIRS INFÉRIEURS	3	
			2	
			1	
MONDE	CORPS VITAL	ÉTHER-RÉFLECTEUR. MÉMOIRE	7	
		ÉTHER-LUMIÈRE. SENS	6	
		ÉTHER-VITAL. REPRODUCTION	5	
		ÉTHER-CHIMIQUE. ASSIMILATION	4	
PHYSIQUE	CORPS PHYSIQUE	GAZ. RESPIRATION	3	
		LIQUIDES SANG	2	MINÉRAUX · PLANTES · ANIMAUX · HOMME
		SOLIDES OS	1	

PREMIÈRE PARTIE

Constitution actuelle de l'homme et Méthode de Développement

INTRODUCTION

L'Occident est sans nul doute à l'avant-garde de l'humanité. Or, pour certaines raisons données dans les pages qui suivent, les Rose-Croix maintiennent que ce n'est ni le judaïsme, ni *le christianisme populaire,* mais bien le véritable christianisme ésotérique qui deviendra la religion mondiale.

Si le grand Bouddha, admirable et sublime, peut bien être la vraie « Lumière de l'Asie », c'est le Christ qui sera reconnu comme étant la « Lumière du Monde ». De même que le soleil qui dépasse en éclat l'étoile la plus brillante du Ciel, dissipe toute trace d'obscurité et donne la vie et la clarté à tous les êtres, ainsi, dans un avenir assez proche, la véritable religion du Christ l'emportera sur toutes les autres religions et les supplantera pour le bien éternel de l'humanité.

Dans l'état actuel de notre civilisation, il existe chez l'homme, entre son intellect et son cœur, un gouffre large et profond. Cet abîme se creuse davantage chaque jour ; à mesure que l'intellect vole de découverte en découverte dans le monde de la science, le cœur est relégué au second plan. Pour être satisfait, l'intellect exige impérieusement qu'on lui fournisse des explications appuyées de preuves tangibles sur l'homme et sur les créatures qui l'environnent dans le monde des phénomènes. Le cœur, au contraire, a le pressentiment de quelque chose de plus élevé et il aspire à des vérités plus hautes que celles qui peuvent être embrassées par l'intellect seul. L'âme humaine voudrait enfin prendre son essor sur les ailes éthérées de l'intuition et parvenir aux sources éternelles de la lumière et de l'amour spirituels ; mais les arrêts de la science lui ont coupé les ailes, et elle demeure ici-bas, enchaînée et silencieuse, tandis que ses aspirations irréalisées la rongent comme le vautour rongeait le foie de Prométhée.

N'y a-t-il donc point de terrain d'entente sur lequel la tête et le cœur puissent se rencontrer, l'un assistant l'autre dans la recherche de la vérité universelle, et chacun d'eux recevant égale satisfaction ?

Aussi vrai que la lumière préexistante a créé l'œil qui la perçoit, aussi vrai que le primordial désir de s'accroître a formé les organes d'assimilation et de digestion, et que la pensée, existant avant le cerveau, l'a construit et le construit encore pour lui permettre de s'exprimer ; aussi vrai que l'intellect se fraie de nos jours un chemin et qu'il arrache ses secrets à la nature à force d'audace, le cœur, lui aussi, trouvera moyen de vaincre les obstacles et d'exaucer ses désirs. Actuellement, il est dominé par le cerveau, mais un jour viendra où il aura concentré suffisamment ses forces pour briser ses chaînes et devenir plus puissant que l'intellect.

Il est également certain qu'il ne saurait y avoir de contradiction dans la nature ; en sorte que le cœur et l'intellect doivent pouvoir se rencontrer et s'unir. Indiquer ce terrain d'entente est précisément l'objet de ce livre. Nous voulons montrer où et comment l'intellect, aidé par l'intuition du cœur, peut sonder plus profondément les mystères de l'être, ce que ni l'un ni l'autre ne pourrait faire isolément ; comment le cœur uni à l'intellect peut être préservé de l'erreur ; comment chacun d'eux, sans faire violence à l'autre, peut agir en toute liberté et trouver dans l'action pareil apaisement.

Ce n'est que lorsque cette union sera parfaitement accomplie que l'homme pourra atteindre la compréhension la plus élevée et la plus exacte de sa propre nature et du monde dont il fait partie. Cette union, seule, lui conférera un esprit large et un grand cœur.

A chaque naissance, ce qui paraît être une vie nouvelle arrive au milieu de nous. Pendant des jours, des mois et des années, nous voyons la petite forme croître et faire de plus en plus partie de notre existence. Puis vient l'heure où la forme meurt et se désintègre. Cette vie venue on ne sait d'où est passée dans l'Au-delà invisible. Et nous nous demandons douloureusement : « d'où venait-elle ? Pourquoi était-elle ici ? Où est-elle allée ? »

Sur chaque foyer, le squelette de la mort projette son ombre redoutable. Jeunes ou vieux, malades ou bien portants, pauvres ou riches, tous, sans exception, nous devons disparaître dans cette ombre funèbre. A travers les âges retentit la clameur pitoyable de ceux qui demandent que leur soient révélées l'énigme de la vie, l'énigme de la mort !

Pour la plupart d'entre nous, ces trois grandes questions : d'où venons-nous? pourquoi sommes-nous ici ? où allons-nous ? sont demeurées jusqu'à ce jour sans réponse. C'est malheureusement l'opinion du plus grand nombre que personne n'est capable d'acquérir des connaissances précises sur ces questions d'un intérêt si profond pour l'humanité. Rien n'est plus faux. Tous, sans exception, nous pouvons arriver à obtenir des informations sur ces sujets énigmatiques. Car rien ne nous empêche de faire des recherches personnelles sur la condition de l'esprit humain avant la naissance et après la mort. Personne n'est particulièrement favorisé et point n'est besoin de dons spéciaux. Chacun de nous possède la faculté de tout connaître sur ce sujet, mais... oui, il y a un « mais », et un « MAIS » qui doit être écrit en majuscules ; ces facultés, existantes chez tous, ne sont que latentes chez la plupart. Un effort persistant est nécessaire pour les éveiller : et cet effort est le gros écueil. Si ces facultés « éveillées et conscientes » pouvaient s'obtenir pour une somme d'argent, même élevée, beaucoup la paieraient volontiers en échange d'un avantage aussi considérable, mais peu nombreux en vérité sont ceux qui consentent à vivre la vie requise pour éveiller ces facultés, que seuls des efforts patients et persévérants peuvent arriver à susciter. Cet éveil ne peut s'acheter, et il n'existe pas non plus de « route express » pour atteindre ce but.

On reconnaît qu'il est indispensable de travailler pour savoir jouer du piano et qu'il est inutile de songer à devenir horloger si l'on n'a pas fait d'apprentissage. Pourtant, quand il s'agit de l'âme, de la mort et de l'au-delà, et des grandes causes de l'existence, beaucoup sont d'avis qu'ils en savent autant que n'importe qui, et qu'ils ont le droit d'exprimer une opinion, alors même qu'ils n'ont peut-être jamais consacré à ces questions une heure de réflexion.

Nul ne doit s'attendre à ce que son opinion soit prise sérieusement en considération s'il n'a pas une connaissance approfondie du sujet dont il parle. Quand le témoignage d'experts est requis en justice, leur compétence ne doit pas faire l'ombre d'un doute, faute de quoi leurs déclarations n'auraient aucune valeur. Si leurs études et leur expérience les qualifient pour exprimer une opinion, celle-ci est accueillie avec le plus grand respect et la plus grande déférence ; et si le témoignage d'un expert est corroboré par celui d'autres experts, également qualifiés, l'avis de chacun d'eux ajoute un poids considérable à l'opinion émise par le premier.

Le témoignage irréfutable d'un tel homme l'emporte aisément sur celui d'une douzaine ou d'un million d'hommes qui ne savent rien de ce dont ils parlent, car rien multiplié par un million, n'en reste pas moins rien. C'est aussi vrai dans la vie courante qu'en mathématiques.

Nous admettons assez volontiers ce qui précède dans les affaires d'ordre matériel, mais quand il s'agit du monde hyperphysique, quand les relations de Dieu à l'homme et les mystères les plus profonds de l'immortelle étincelle divine appelée du terme vague « âme », viennent à être discutés, alors chacun réclame à grands cris que ses idées sur les questions spirituelles soient prises en considération autant que les opinions de personnes avisées — qui, par une vie de patientes et pénibles recherches, sont parvenues à la connaissance de ces sujets transcendants.

Bien plus, non contents d'exiger *autant* d'égards pour leurs opinions que pour celles des sages, ils se permettent de tourner les assertions de ces derniers en ridicule ; ils cherchent à les accuser d'imposture et, avec la parfaite assurance découlant d'une profonde ignorance, ils affirment solennellement que puisqu'ils ne savent rien sur la question, il est tout à fait impossible que d'autres en sachent davantage. L'homme qui reconnaît son ignorance a fait le premier pas vers le savoir.

Le sentier qui mène à la connaissance personnelle des mondes hyperphysiques n'est pas facile à gravir. Rien qui vaille ne s'obtient sans un effort persévérant. On ne répétera jamais assez qu'il n'existe à cet égard ni dons spéciaux, ni « chance ». Tout ce que nous sommes, tout ce que nous possédons, est le résultat d'un effort. Ce qui nous manque est latent dans notre être et peut être développé par des méthodes appropriées.

Si le lecteur, qui a parfaitement saisi ce qui précède, en vient à se demander ce qu'il doit faire pour acquérir cette connaissance personnelle, l'anecdote suivante pourra lui servir à mieux comprendre cette idée fondamentale de la philosophie occulte.

Un jour, un jeune homme vint voir un sage et lui demanda : « Seigneur, que dois-je faire pour acquérir la sagesse ? » Le sage ne daigna pas répondre. Ayant répété plusieurs fois la question sans plus de résultat, le jeune homme finit par se retirer ; mais il revint le lendemain, les mêmes paroles sur les lèvres. Toujours pas de réponse ; il revint le troisième jour en répétant encore : « Seigneur que dois-je faire pour acquérir la sagesse ? »

Finalement, le sage se dirigea vers une rivière voisine, et, entrant dans l'eau, pria le jeune homme de le suivre. Arrivé à une profondeur suffisante, il le saisit par les épaules et le maintint sous l'eau en dépit des efforts que faisait le jeune homme pour se libérer. Au bout d'un moment, le sage le relâcha et quand l'adolescent eut à grand-peine recouvré son souffle, le sage lui demanda : « Mon fils, quand vous étiez plongé sous l'eau, quel était votre suprême désir ? »

Sans hésitation le jeune homme répondit : « De l'air, de l'air ! J'avais besoin d'air ! »

— N'auriez-vous pas préféré la richesse, les plaisirs, la puissance ou l'amour, mon fils ? N'avez-vous songé à aucune de ces choses ?

— Non, Seigneur, j'avais besoin d'air et ne pensais qu'à cela.

— Eh bien, reprit le sage, pour acquérir la sagesse, il faut la désirer aussi intensément que vous désiriez de l'air, il y a un instant. Il faut lutter pour elle à l'exclusion de toute autre ambition dans la vie. Elle doit être votre seule et unique aspiration, nuit et jour. Si vous cherchez la sagesse avec une telle ferveur, certainement, mon fils, vous deviendrez un sage. »

C'est là une nécessité primordiale pour celui qui aspire à acquérir des connaissances occultes ; il doit avoir soif de savoir, être animé d'un zèle qui renverse tous les obstacles, mais le motif suprême qui doit le pousser à rechercher ces connaissances ne peut être qu'un ardent désir de faire du bien à l'humanité et de travailler pour les autres dans l'oubli complet de soi-même — sinon la connaissance occulte est dangereuse.

Celui qui, au moins dans une certaine mesure, ne possède pas ces qualités et plus particulièrement la dernière (l'altruisme) ne pourra pas entreprendre sans danger de fouler le sentier difficile de l'occultisme. Pour arriver à acquérir la connaissance directe, une autre condition est requise : il faut avoir reçu les premiers éléments de philosophie occulte.

Il faut avoir acquis certains pouvoirs pour entreprendre par soi-même l'étude des conditions de l'homme avant sa naissance et après sa mort, mais personne ne doit désespérer d'arriver à les connaître faute de posséder ces facultés occultes. De même qu'on peut apprendre ce qu'est l'Afrique, par exemple, soit en y allant soi-même, soit en lisant des descriptions faites par des voyageurs qui y sont allés, ainsi il est possible de développer les facultés nécessaires qui permettent de se rendre personnellement dans les mondes hyperphysiques, ou bien on peut se renseigner en lisant des rapports que d'autres personnes ont pu faire d'après leurs propres investigations.

Le Christ a dit : « La Vérité vous affranchira. » Mais la Vérité ne se découvre pas une fois pour toutes. La Vérité est éternelle et sa recherche aussi doit être éternelle. La philosophie occulte ne reconnaît pas de « foi révélée pour toujours ». Certaines vérités fondamentales demeurent immuables, mais on peut les observer sous des angles différents, offrant des aspects divers qui tous se complètent — par conséquent, autant que nous puissions en juger actuellement, il nous est impossible d'atteindre la Vérité avec un grand V.

Si cet ouvrage diffère de quelques autres ouvrages philosophiques, cela tient à ce que les points de vue où nous nous plaçons sont différents. L'auteur a le plus grand respect pour les conclusions et les idées apportées par d'autres chercheurs. Il souhaite ardemment que les pages qui suivent permettent au lecteur de compléter ses opinions et de les préciser davantage.

CHAPITRE PREMIER

LES MONDES VISIBLES ET INVISIBLES

Le premier pas en occultisme est l'étude des Mondes Invisibles. Ils sont cachés à la plupart d'entre nous, parce que nos sens supérieurs subtils sont en sommeil, de même qu'il nous faut des sens physiques éveillés pour avoir conscience du Monde matériel. La majorité des hommes se trouve, vis-à-vis des plans hyperphysiques, dans les mêmes conditions que l'aveugle de naissance vis-à-vis de notre monde des sens ; il est incapable de percevoir la lumière et la couleur qui l'environnent de toutes parts ; elles sont pour lui inexistantes et incompréhensibles, simplement parce que le sens de la vue lui fait défaut. Il peut sentir les choses qu'il touche, elles lui semblent bien réelles, mais la lumière et la couleur sont hors de sa connaissance.

La plupart des hommes sentent et voient les objets ; ils entendent les sons du Monde physique, mais les autres domaines de la nature, que le clairvoyant appelle les Mondes hyperphysiques, leur sont aussi incompréhensibles que la lumière et la couleur pour l'aveugle de naissance. Cependant, le fait que ce dernier ne peut les percevoir n'est pas un argument contre leur existence et leur réalité. Le fait que la plupart des gens ne peuvent voir les Mondes hyperphysiques, ne signifie pas non plus que personne ne soit capable de les observer. Que l'aveugle recouvre la vue et il verra la lumière et la couleur. Si, au moyen de méthodes appropriées, ceux qui ne peuvent voir les Mondes hyperphysiques éveillent leurs sens supérieurs, ils pourront contempler ces Mondes, jusque-là cachés à leurs yeux.

Alors que bien des gens doutent de l'existence de ces Mondes, beaucoup d'autres vont à l'extrême opposé ;

convaincus de la réalité de l'Invisible, ils pensent que toute la vérité est immédiatement accessible au clairvoyant et que, dès qu'une personne peut « voir », elle sait tout ce qui concerne ces Mondes supérieurs.

C'est là une profonde erreur, que nous nous gardons bien de commettre quand il s'agit de la vie courante. Nous ne pensons pas en effet que l'aveugle de naissance qui vient soudain de recouvrer la vue, connaisse immédiatement tout ce qui concerne le monde visible. Bien plus, nous savons que ceux qui ont toujours eu une vue normale sont loin de tout connaître sur ce qui les entoure et qu'il faut même des années d'application et d'études persévérantes pour acquérir quelque connaissance de cette partie infinitésimale de l'Univers avec laquelle nous sommes mis en contact dans notre vie journalière. Si donc, nous retournons l'aphorisme d'Hermès : « Sur la Terre comme au Ciel », nous en concluons sans peine qu'il doit en être de même dans les autres mondes. Cependant, il faut reconnaître que, sur les plans hyperphysiques, il est beaucoup plus facile d'acquérir des connaissances que sur la Terre, ce qui ne veut pas dire qu'on puisse se passer d'études sérieuses ou éviter des erreurs d'observation qui, selon les témoignages de chercheurs dignes de foi, peuvent être commises beaucoup plus aisément dans ces mondes que dans le nôtre.

Les clairvoyants doivent d'abord suivre un entraînement spécial avant que leurs observations puissent avoir une valeur réelle. Plus ils sont avancés, plus grande est leur modestie en parlant de ce qu'ils ont constaté et plus ils s'en rapportent aux versions d'autres clairvoyants. Ils savent qu'il leur reste beaucoup à apprendre et que les particularités qu'un chercheur isolé peut observer au cours de ses recherches sont limitées.

Cela explique d'ailleurs pourquoi les versions occultes peuvent différer les unes des autres, ce qui porte les gens superficiels à y trouver des arguments contre l'existence des plans hyperphysiques. Ils prétendent que si vraiment ces mondes existent, les chercheurs doivent nécessairement en rapporter des descriptions identiques. Un exemple emprunté à la vie quotidienne montrera combien ce raisonnement est faux.

Supposons qu'un quotidien envoie dans une ville vingt

correspondants avec ordre de la décrire. Ils sont tous, ou du moins ils sont tous supposés être, des observateurs dignes de foi. Leur métier n'est-il pas de tout voir ? Ils sont donc censés être capables de fournir des descriptions aussi exactes qu'on est en droit d'attendre d'eux. Cependant, il est bien certain que, sur les vingt rapports, il n'y en aura pas deux exactement semblables. Certains pourront présenter des traits communs importants, mais d'autres seront uniques par la nature et l'abondance de leurs développements.

La diversité de ces rapports est-elle un argument contre l'existence de la ville décrite ? Certainement non ! Les divergences proviennent de ce que chaque journaliste a observé la ville selon son point de vue personnel. On peut même ajouter que l'ensemble de ces divers rapports, loin d'apporter de la confusion et du trouble dans les esprits, donnerait au contraire une meilleure compréhension et une plus juste description de la ville que la lecture d'un seul récit, chacun d'eux complétant les autres.

Il en est de même pour les observations rapportées par les différentes personnes qui étudient les plans supérieurs. Chacune d'elles les observe à sa manière et les décrit selon son point de vue personnel. Les descriptions peuvent donc différer les unes des autres, bien qu'étant toutes fidèles.

On nous demande parfois : « A quoi bon étudier ces mondes ? Ne vaut-il pas mieux ne s'occuper que d'un seul à la fois et se contenter pour le moment des leçons à apprendre sur la Terre ? S'il existe vraiment des plans invisibles, n'est-il pas préférable d'attendre que nous les habitions pour y faire des recherches ? A chaque jour suffit sa peine. »

Si nous pouvions savoir, sans aucun doute possible, que nous serons tôt ou tard appelés à demeurer dans un pays lointain où, pendant de nombreuses années, nous serons forcés de vivre dans des conditions nouvelles et nous sentir dépaysés, nous accueillerions avec empressement toute occasion de nous renseigner sur cette contrée avant de nous y rendre. Les connaissances ainsi acquises nous permettraient de nous adapter plus facilement aux nouvelles conditions d'existence qui nous y seraient réservées.

Or, dans la vie, nous n'avons qu'une seule certitude : la Mort ! Donc, quand nous passons dans l'Au-delà, la connaissance de ce qui nous y attend doit présenter assurément un énorme avantage.

Mais ce n'est pas tout : Pour bien comprendre le Monde Physique, qui est celui des effets, il est nécessaire de comprendre le Monde hyperphysique, qui est celui des causes. Nous voyons des trains qui passent, nous entendons la sonnerie du téléphone, mais l'agent mystérieux, cause de ces phénomènes, reste invisible pour nous. Nous l'appelons Electricité. Or, ce nom ne nous apprend rien de la force elle-même ; nous ne faisons qu'en percevoir les manifestations.

Lorsqu'un vase rempli d'eau froide est soumis à une température suffisamment basse, des cristaux de glace commencent aussitôt à se former ; il est facile d'étudier la façon dont ils se forment, car l'eau se cristallise selon certaines lignes de force qui existaient, invisibles, avant la congélation. Les magnifiques fougères glacées qu'on observe en hiver sur les vitres sont des manifestations visibles de courants existant sur les plans hyperphysiques. Bien qu'ignorés de la plupart d'entre nous, ils n'en ont pas moins sur nous une action puissante.

Les Mondes supérieurs sont le domaine des causes et des forces. Nous ne pouvons réellement comprendre le monde physique si nous ne connaissons rien des autres mondes et si nous n'avons pas quelques éclaircissements sur les forces et les causes dont toutes les choses matérielles ne sont que les effets.

Aussi étrange que cela puisse paraître, les plans hyperphysiques, qui semblent n'être qu'un mirage ou quelque chose de moins substantiel encore, sont, à vrai dire, beaucoup plus réels que le monde matériel tangible. Les choses qui s'y trouvent y sont plus durables et plus indestructibles que celles de notre monde. Un exemple nous fera comprendre cela sans peine. Lorsqu'un architecte veut construire une maison, il ne commence pas par se procurer des matériaux et par donner l'ordre à ses ouvriers de placer au hasard les briques les unes sur les autres, sans ordre ni plan préconçus. Il se représente d'abord la maison dans son esprit. Elle y prend forme peu à peu. L'idée de la construction à édifier se précise et se définit :

c'est la forme-pensée d'une maison. Cette construction est encore invisible pour tous, sauf pour l'architecte qui en dresse les plans sur le papier. C'est d'après cette image objective que les ouvriers font une construction qui répond fidèlement à la forme-pensée reproduite par l'architecte dans son dessin.

Cette forme-pensée est donc devenue une réalité objective. Le matérialiste soutiendrait que la maison est maintenant beaucoup plus réelle et plus durable que l'image qui se trouvait dans l'esprit de l'architecte. Mais réfléchissons un peu : La maison n'aurait pu être construite sans la forme-pensée. L'objet matériel peut être détruit par la dynamite, par un tremblement de terre, par un incendie, etc., mais la forme-pensée subsiste. Sa durée sera aussi longue que la vie de l'architecte et, grâce à elle, d'autres maisons semblables pourront être édifiées. L'architecte lui-même ne saurait la détruire et, même après sa mort, elle peut être retrouvée par ceux qui savent lire dans la « mémoire de la nature » dont nous parlerons plus tard.

Puisque l'existence de ces Mondes est logique, nous allons, en adoptant l'attitude de ceux qui sont convaincus de leur réalité, de leur permanence et de l'utilité qu'il y a à les connaître, les étudier successivement en commençant par le Monde Physique.

LA REGION CHIMIQUE DU MONDE PHYSIQUE

D'après les enseignements des Rose-Croix, l'Univers est divisé en sept Mondes ou sept différents états de matière :

1° le Monde de Dieu ;
2° le Monde des Esprits Vierges ;
3° le Monde de l'Esprit Divin ;
4° le Monde de l'Esprit Vital ;
5° le Monde de la Pensée ;
6° le Monde du Désir ;
7° le Monde Physique.

Cette division n'est pas arbitraire, mais nécessaire, parce que la substance de chacun de ces Mondes est soumise à des lois pratiquement inopérantes dans les autres. Par exemple, dans le Monde Physique, la matière est soumise à la gravitation et aux phénomènes de contraction et d'expansion. Dans le Monde du Désir, il n'y a ni froid, ni chaleur, et les formes s'y élèvent aussi facilement qu'elles descendent. Le temps et la distance sont aussi des facteurs qui gouvernent l'existence dans le Monde Physique, alors qu'ils sont pour ainsi dire inexistants dans le Monde du Désir.

La matière de ces Mondes varie aussi en densité ; le Monde Physique étant le plus dense des sept.

Chaque Monde est divisé en sept régions ou subdivisions de la matière. Dans le Monde Physique, les solides, les liquides et les gaz forment les trois subdivisions les plus denses ; les quatre autres sont formées d'éthers de densités variables. Des subdivisions analogues sont nécessaires dans les autres Mondes, parce que la substance dont ils se composent n'a pas une densité uniforme.

Il reste à faire encore deux autres distinctions ; les trois subdivisions denses du Monde Physique — les solides, les liquides et les gaz — constituent ce qu'on appelle la Région Chimique. La substance de celle-ci est la base de toutes les formes denses.

L'Ether est aussi de la matière physique. Il n'est pas homogène, comme l'admet la science officielle, mais il existe sous quatre états différents. C'est grâce à lui que l'esprit *vitalise* les Formes de la Région Chimique. Les quatre subdivisions plus subtiles ou éthériques du Monde Physique constituent ce qu'on appelle la Région Ethérique.

Dans le Monde de la Pensée, les trois subdivisions supérieures fournissent les bases de la pensée abstraite ; aussi sont-elles appelées dans leur ensemble la Région de la Pensée Abstraite. Les quatre subdivisions plus denses fournissent la substance mentale au moyen de laquelle nous donnons corps à nos idées et les concrétisons ; elles constituent la Région de la Pensée Concrète.

L'attention consacrée par l'occultiste aux caractéristiques du Monde Physique pourrait paraître superflue, si ce n'était qu'il considère toutes choses d'un point de vue très différent de celui du matérialiste. Ce dernier reconnaît trois états de la matière : les solides, les liquides et les gaz. Tous sont des corps chimiques dérivés des constituants chimiques de la Terre. C'est avec cette matière que toutes les *formes* des minéraux, des plantes, des animaux et des hommes sont construites : elles sont donc réellement chimiques au même titre que les substances auxquelles on donne habituellement ce nom. Que nous considérions la montagne ou le nuage qui enveloppe son sommet, la sève de la plante ou le sang de l'animal, la toile de l'araignée, l'aile du papillon ou le squelette de l'éléphant, l'air que nous respirons ou l'eau qui nous désaltère, toutes ces choses sont composées en dernière analyse de la même matière chimique.

Qu'est-ce donc qui détermine le modelage de cette substance fondamentale et qui crée ainsi la variété multiple des formes que nous observons autour de nous ? C'est l'Esprit Unique, Universel, qui se manifeste dans le monde visible, sous les aspects de quatre grands torrents de Vie, à des degrés divers de développement. Cette quadruple impulsion spirituelle modèle la matière chimique de la Terre en formes variées qui constituent les quatre Règnes : minéral, végétal, animal et humain. Quand une forme n'est plus utilisable comme moyen d'expression des trois courants de vie supérieure, les forces chimiques la désintègrent, afin que la matière puisse retourner à son état primordial et servir à la construction de nouvelles formes. La vie, ou plutôt l'esprit qui façonne la forme à sa propre image est, par conséquent, distinct de la matière qu'il emploie, de même qu'un charpentier est distinct de la maison qu'il construit pour son propre usage.

Puisque toutes les formes des minéraux, des plantes, des animaux et de l'homme sont constituées de matière chimique, elles doivent logiquement être aussi inertes et aussi dépourvues de sensation que l'est cette matière chimique dans son état primitif ; c'est ce qu'affirment les Rose-Croix.

Certains savants prétendent que tous les tissus, vivants ou morts, sont doués de sensibilité, à quelque règne qu'ils appartiennent. Ils rangent même, parmi les choses pourvues de sensation, les substances ordinairement classées comme minérales. Dans le but de prouver le bien-fondé de leurs affirmations, ils présentent des graphiques avec des courbes d'énergie obtenues au cours de certains essais. Une autre classe de chercheurs enseigne que le corps humain est privé de sensation, à part le cerveau qui en serait le *siège*. Ils disent que c'est le cerveau qui perçoit la douleur et non le doigt blessé. Ainsi la Science est divisée, sur ce point comme sur la plupart des autres. La position prise par chacun des camps opposés est en partie correcte ; tout dépend de ce que nous entendons par « sensation ». Si ce mot signifie l'aptitude à répondre à des chocs, comme le rebondissement d'une balle de caoutchouc sur le sol, alors il est correct d'attribuer quelque degré de sensation aux substances minérales, végétales et animales. Mais s'il doit signifier plaisir et douleur, amour et haine, joie et tristesse, il serait absurde de l'attribuer aux formes inférieures, à des tissus prélevés, à des minéraux à l'état natif, ou même au cerveau, parce que de tels sentiments sont l'expression de l'esprit immortel et conscient et que le cerveau n'est que la table d'harmonie de l'instrument sur lequel l'esprit humain joue la symphonie de la vie, comme un musicien s'exprime sur son violon.

De même qu'il y a des gens incapables de comprendre qu'il doit y avoir et qu'il y a des Mondes hyperphysiques, il en est d'autres qui, ayant acquis une connaissance superficielle de ces Mondes, prennent l'habitude de considérer avec mépris le Monde Physique. Une telle attitude est aussi incorrecte que celle du matérialiste. Les Etres sublimes qui, dans leur sagesse, exécutent les desseins et la volonté de Dieu, nous ont placés dans ce milieu matériel pour que nous apprenions de grandes et d'importantes leçons, ce que nous ne pourrions faire si nous étions soumis à d'autres conditions. Notre devoir est d'utiliser notre connaissance des Mondes supérieurs pour profiter de notre mieux des leçons que ce monde matériel nous enseigne.

Dans un certain sens, le Monde Physique est une sorte d'école pratique, de station expérimentale, où nous apprenons à travailler correctement dans les autres mondes. Que nous ayons ou non connaissance de leur existence, ce résultat est finalement obtenu, ce qui prouve bien la sagesse supérieure des auteurs de cette méthode. Si nous ne connaissions que les Mondes hyperphysiques, nous commettrions de nombreuses erreurs qui ne deviendraient apparentes qu'en subissant l'épreuve des conditions du Monde Physique. Prenons, par exemple, le cas d'un inventeur qui élabore dans son cerveau le plan d'une machine. Il la construit d'abord en pensée ; il l'imagine complète, en mouvement et accomplissant parfaitement le travail qui lui est assigné. Ensuite, il fait un dessin de son projet ; à ce moment, il trouvera peut-être qu'il faut modifier sa première conception. Enfin, ses dessins lui ont donné l'assurance que son plan est réalisable ; il commence alors à construire la machine elle-même avec les matériaux qu'il a choisis.

Une fois le montage terminé, il est presque certain que des modifications seront nécessaires pour obtenir un bon fonctionnement de la machine. Il se peut même qu'elle doive être complètement remaniée ou qu'elle soit tout à fait inutilisable sous sa forme primitive. Il faudra donc la mettre au rebut et établir de nouveaux plans. Il convient de remarquer, et c'est là le point capital, que ces plans nouveaux seront étudiés dans le but de faire disparaître les défauts constatés. Si la machine n'avait pas été construite matériellement, ce qui a permis de découvrir les défauts de l'idée primitive, la seconde idée, plus correcte, n'aurait jamais pu prendre naissance.

Ce qui précède s'applique également à toutes les conditions de la vie, qu'elles soient sociales, commerciales ou philanthropiques. Bien des projets qui paraissent parfaits à leurs auteurs, et font bonne figure sur le papier, échouent souvent quand leur utilité pratique est mise à l'épreuve.

Toutefois, cela ne doit pas nous décourager. C'est un fait que « nous apprenons davantage par nos erreurs que par nos succès ». Nous devrions donc considérer le Monde Physique comme une école d'expérience de grande valeur, dans laquelle nous sont enseignées des leçons d'une importance capitale.

LA REGION ETHERIQUE DU MONDE PHYSIQUE

Dès que nous pénétrons dans ce domaine de la nature, nous nous trouvons dans le monde invisible, intangible, où nos sens nous font défaut ; cette partie du Monde Physique est donc inexplorée, en pratique, par la science matérialiste.

L'air est invisible ; cependant la science moderne sait qu'il existe. En effet, la vitesse du vent peut se mesurer au moyen d'instruments ; une fois comprimé, l'air est rendu visible sous forme d'air liquide. Il n'en est pas de même de l'éther. La science trouve qu'il est nécessaire d'expliquer d'une manière quelconque la transmission de l'électricité, avec ou sans fil. Elle est obligée d'admettre pour cela l'existence d'une substance plus subtile que toutes celles qu'elle connaît. Elle la nomme « éther ». Elle n'est pas absolument certaine que cet éther existe, car les savants, malgré toute leur ingéniosité, n'ont pu trouver jusqu'ici un récipient dans lequel ils puissent recueillir et isoler cette substance trop insaisissable au gré du savant qui ne dispose d'aucun instrument pour la mesurer, la peser ou l'analyser.

Il est certain que les conquêtes de la science moderne sont merveilleuses. Cependant, le moyen d'arriver à connaître les secrets de la nature ne réside pas tant dans l'invention d'instruments nouveaux que dans le perfectionnement du chercheur lui-même.

L'homme possède en effet des facultés qui suppriment la distance et compensent la petitesse des dimensions à un degré tel qu'elles dépassent en puissance le télescope et le microscope autant que ces derniers dépassent en puissance l'œil nu. Elles constituent les moyens de recherche de l'occultiste et sont pour lui le « Sésame, ouvre-toi ! » dans sa recherche de la vérité.

Pour le clairvoyant expérimenté, l'Ether est aussi tangible que le sont les solides, les liquides et les gaz de la Région Chimique pour le commun des mortels. Il voit que les forces qui donnent la vie aux formes minérales, végétales, animales et humaines, circulent à travers ces formes par l'intermédiaire des quatre états de l'éther. Les noms et les fonctions spécifiques de ces quatre éthers sont les suivants :

1° *Ether chimique.* — Cet éther est à la fois positif et négatif dans ses manifestations. Il constitue le champ d'action des forces qui régissent l'assimilation et l'élimination. L'assimilation est l'opération par laquelle les divers éléments nutritifs des aliments sont incorporés à la plante, à l'animal et à l'homme. Elle s'accomplit grâce à des forces que nous étudierons plus tard et qui agissent par le pôle positif de l'éther chimique ; elles attirent les éléments nécessaires et les mettent en place dans les formes. Elles n'opèrent pas aveuglément, ni machinalement, mais d'une manière sélective (bien connue des savants par ses effets); elles accomplissent ainsi leur fonction qui est d'assurer la croissance et l'entretien du corps.

L'élimination s'effectue par des forces d'une nature semblable, qui agissent par le pôle négatif de l'éther chimique. Elles rejettent hors du corps les particules inutilisables des aliments, ainsi que celles qui, ayant cédé leurs éléments utiles aux tissus, doivent être éliminées de l'ensemble. Cette opération, comme toutes celles qui sont indépendantes de la volonté de l'homme, s'effectue d'une manière sélective, intelligente et non pas simplement mécanique. Un exemple frappant nous est offert par les reins. Ces organes, quand le sujet est en bonne santé, n'éliminent que l'urine ; dans certains états morbides, au contraire, ils laissent filtrer la précieuse albumine en même temps que l'urine, car, sous l'empire de conditions anormales, la sélection nécessaire ne se fait plus.

2° *Ether Vital.* — De même que l'éther chimique est le champ d'action des forces ayant pour objet le maintien de la forme individuelle, ainsi l'éther vital est le champ d'action de celles qui assurent le maintien des espèces — c'est-à-dire des forces de la reproduction.

Tout comme l'éther chimique, l'éther vital a aussi un pôle positif et un pôle négatif. Les forces qui agissent positivement sont celles qui sont actives chez la femelle pendant la période de gestation ; elles lui permettent d'accomplir le travail positif et actif de mettre au monde un être nouveau. Celles qui agissent négativement mettent le mâle en état de produire le liquide séminal.

Par leur action sur l'ovule fécondé ou sur la semence de la plante, les forces positives produisent des plantes et des corps de sexe masculin ; celles qui agissent par l'intermédiaire du pôle négatif produisent au contraire des plantes et des corps de sexe féminin.

3° *Ether-Lumière.* — Cet éther possède également deux pôles. Les forces agissant par le pôle positif sont la cause de la chaleur du sang chez l'homme et les animaux supérieurs et en font ainsi des sources de chaleur individuelle. Les forces qui travaillent par le pôle négatif régissent les fonctions passives des cinq sens : de la vue, de l'ouïe, du toucher, du goût et de l'odorat. Ce sont ces forces qui forment et alimentent l'œil.

Chez les animaux à sang froid, les forces positives régissent la circulation du sang, tandis que les forces négatives ont, vis-à-vis de l'œil, les mêmes fonctions que chez l'homme et chez les animaux supérieurs. Lorsque les yeux font défaut, il est à présumer que ces forces construisent et alimentent d'autres organes des sens, comme elles le font chez tous les êtres qui en sont pourvus.

Dans les plantes, les forces positives agissent sur la circulation des sucs. On peut s'en rendre compte par les mouvements de la sève qui se ralentissent consisérablement en hiver quand l'éther est moins imprégné de lumière solaire et qui reprennent leur activité dès que le soleil d'été communique de nouveau à la plante toute sa vigueur. Les forces négatives travaillent à déposer la chlorophylle, substance verte des feuilles, et à colorer les fleurs. D'ailleurs, toutes les colorations, dans tous les règnes, sont dues à l'action du pôle négatif de l'éther-lumière. Les animaux ont le pelage coloré sur le dos ; les couleurs des fleurs sont toujours plus vives, plus intenses sur les parties exposées au soleil. Dans les régions polaires, où les rayons solaires sont plus faibles, les couleurs sont plus claires ; dans certains cas, leur élaboration est presque nulle, tant et si bien qu'en hiver elles ne se manifestent plus du tout ; les animaux sont alors complètement blancs.

4° *Ether-réflecteur.* — Nous avons vu précédemment que les plans d'une maison qui existent dans la pensée de l'architecte peuvent se retrouver, même après la mort de ce dernier, dans la mémoire de la nature. En effet, tous les événements du passé laissent, dans l'éther-réflecteur, une image ineffaçable. De même que les fougères géantes de l'enfance de la Terre ont laissé leur empreinte dans la houille et que les mouvements d'un glacier d'une époque préhistorique peuvent se retrouver grâce aux stries dont il a sillonné les roches au long de son parcours, ainsi les pensées et les actions des hommes sont imprimées par la nature d'une manière indélébile sur l'Ether-réflecteur, où l'œil expérimenté du clairvoyant peut lire toute leur histoire.

L'Ether-réflecteur mérite son nom pour plus d'une raison ; ses images ne sont, en effet, que la *réflexion* de la vraie mémoire de la nature qui est située dans un monde beaucoup plus élevé. Aucun clairvoyant réellement expérimenté ne se soucierait de faire des recherches dans cet Ether, car ses images sont floues et vagues, si on les compare à celles du monde supérieur.

Les personnes qui lisent dans l'Ether-réflecteur sont celles qui n'ont pas le choix de faire mieux. C'est de là que les voyants ordinaires et les médiums tirent en général leurs informations. Au début de son entraînement, l'élève d'une école d'occultisme déchiffre également dans une faible mesure, le message de l'Ether-réflecteur, mais son instructeur l'avertit de l'insuffisance de cette source d'information pour le mettre en garde contre des conclusions erronées.

Cet Ether est aussi l'intermédiaire par lequel la pensée agit sur le cerveau de l'homme. Il est en relation étroite avec la quatrième subdivision du Monde de la Pensée qui est la plus élevée des quatre subdivisions de la Région de la Pensée concrète, demeure de l'intellect humain. C'est là que se trouvent des clichés absolument nets de la mémoire de la nature dont l'Ether-réflecteur ne présente que les images réfléchies.

LE MONDE DU DESIR

Comme le Monde Physique, et comme tout autre plan de la Nature, le Monde du Désir est divisé en sept « Régions », mais on n'y distingue pas de grandes divisions correspondant à la région chimique et à la région éthérique du Monde Physique. La « matière Désir » constitue les désirs et existe sous sept états correspondant aux sept subdivisions ou Régions du Monde du Désir. Dans le Monde du Désir, un désir est aussi tangible que l'est, en ce monde physique, tout objet matériel.

La Région Chimique est le domaine de la forme ; la Région Ethérique, celui des forces qui maintiennent les activités de la vie dans les formes et permettent à celles-ci de se mouvoir et de se reproduire. Dans le Monde du Désir, nous rencontrons les forces qui agissent sur le corps physique vivifié et le poussent à l'action dans un sens ou dans l'autre.

S'il n'existait pas d'autres activités que celles des Régions Chimique et Ethérique du Monde Physique, il y aurait bien des formes douées de vie, capables de se mouvoir et de se reproduire, *mais sans que rien ne les y invite.* Cette impulsion est donnée par les forces *cosmiques* actives dans le Monde du Désir. Sans leur action qui se manifeste à travers toutes les fibres du corps vitalisé et qui le pousse à agir, il n'y aurait pour l'individu ni expérience ni développement moral possible. Les fonctions des divers Ethers assureraient bien l'entretien, la croissance et la reproduction de la forme, mais l'épanouissement moral ferait entièrement défaut. L'évolution serait une impossibilité pour la forme et pour la vie, car c'est seulement pour répondre aux exigences du développement spirituel que les formes évoluent vers des états supérieurs. Nous reconnaissons immédiatement, d'après ce qui précède, la grande importance de ce domaine de la nature.

Les désirs, les souhaits, les passions et les sentiments trouvent leur expression dans la substance des différentes régions du Monde du Désir, comme les traits du visage sont modelés dans la Région Chimique du Monde Physique. Ils s'y manifestent par des formes dont la durée d'existence est proportionnée à l'intensité du sentiment initial. Dans le Monde du Désir, la distinction entre les forces et la matière n'est pas aussi marquée, ni aussi apparente que dans le Monde Physique. On pourrait presque dire que les idées de force et de matière y sont identiques ou interchangeables. Il n'en est pas tout à fait ainsi, mais nous pouvons déclarer néanmoins que, dans une certaine mesure, le Monde du désir est composé de force-matière.

Quand on parle de la matière du Monde du Désir, il est exact de dire qu'elle est d'un degré moins dense que celle du Monde Physique : toutefois, nous en aurions une conception complètement erronée si nous imaginions que c'est une substance qui a les caractéristiques de la matière physique, mais plus subtile. Cette idée, bien que soutenue par beaucoup d'étudiants des philosophies occultes, est une erreur profonde due principalement à la difficulté qu'on éprouve à donner une impression exacte des mondes supérieurs. Malheureusement, notre langage est fait pour décrire des choses matérielles ; il est, par suite, tout à fait impropre à décrire les caractéristiques des mondes hyperphysiques. Tout ce que l'on peut tenter de faire, c'est de rechercher des analogies, de faire des comparaisons qui ne sont que des approximations, plutôt que des descriptions exactes.

La montagne ou la pâquerette, l'homme, le cheval, l'oiseau, la libellule ou un morceau de fer sont composés, en dernière analyse, de la même substance atomique. Nous ne pouvons pas dire pourtant que la pâquerette soit une forme plus subtile du fer. De même, il est impossible d'expliquer par des mots la modification subie par la matière quand de l'état physique elle est transmuée en matière-Désir. Si cette substance n'était pas différente de la matière physique, elle serait soumise aux mêmes lois, ce qui n'est pas le cas.

L'inertie ou la tendance d'un corps à conserver le *statu quo* est la loi qui régit la matière dans la Région Chimique. Une certaine quantité de force est nécessaire pour vaincre cette inertie et mettre en mouvement un corps au repos ou encore pour arrêter un corps en mouvement. Il n'en est pas de même pour la substance du Monde du Désir. Cette matière est pour ainsi dire vivante. Constamment en mouvement, fluide, prenant avec une facilité et une rapidité inconcevables toutes les formes imaginables ou inimaginables, elle brille et scintille sans arrêt, passant par des milliers de teintes toujours changeantes. Il n'existe rien de comparable dans les phénomènes dont notre conscience physique a la connaissance. On peut se faire une idée très vague de l'apparence de cette substance en observant le chatoiement des couleurs sur une coquille de nacre qu'on fait miroiter au soleil.

Le Monde du Désir est un monde de lumière et de couleur se modifiant sans cesse, où les énergies des animaux et de l'homme se mêlent à celles d'innombrables Hiérarchies d'êtres spirituels qui ne se manifestent pas dans notre Monde Physique, mais qui sont aussi actifs dans le Monde du Désir que nous le sommes ici-bas, sur la Terre. Nous nous occuperons plus tard de quelques-unes de ces hiérarchies en parlant de leur corrélation avec l'évolution de l'homme.

Les forces émanant de cette immense légion d'Etres divers modèlent la substance sans cesse changeante du

Monde du Désir en formes innombrables et variées, d'une stabilité plus ou moins grande, suivant l'énergie de l'impulsion qui leur a donné naissance.

Cette description, bien pâle, permet de comprendre pourquoi il est si difficile pour le néophyte, dont la vision intérieure vient seulement de s'éveiller, de trouver son équilibre mental dans le Monde du Désir. Le clairvoyant expérimenté cesse bientôt de s'étonner des descriptions invraisemblables données si souvent par les médiums. Ils peuvent être parfaitement sincères, mais leurs chances d'erreur sont énormes et, le plus surprenant, c'est qu'il leur arrive parfois de donner une description correcte. Dans les premiers mois de notre enfance, il nous a fallu apprendre à regarder et à voir. Quant on observe un bébé, on remarque qu'il cherche à saisir des objets qui se trouvent à l'autre extrémité de la pièce, ou de l'autre côté de la rue, ou même à atteindre la lune. Il est absolument incapable d'apprécier les distances. L'aveugle qui a recouvré la vue depuis peu, ferme souvent les yeux en allant d'un endroit à un autre, jusqu'à ce qu'il ait appris à se servir de sa vue. Il prétend qu'il lui est plus facile de se diriger en s'aidant du toucher qu'avec l'aide de ses yeux.

De même, la personne dont les organes intérieurs de perception ont été éveillés doit d'abord apprendre à utiliser correctement ses facultés nouvellement acquises. Au début, le néophyte tâche d'appliquer au Monde du Désir ses connaissances du Monde Physique, parce qu'il ignore encore les lois du Monde auquel il a maintenant accès. Cette ignorance est pour lui la source de difficultés et de perplexités sans nombre. Avant de pouvoir comprendre ce qu'il voit, il doit redevenir comme un petit enfant qui s'assimile de nouvelles notions sans chercher à les rattacher à des expériences antérieures.

Pour arriver à une compréhension correcte du Monde du Désir, il est nécessaire de se souvenir qu'il s'agit du Monde des sentiments, des désirs et des émotions. Ces facultés de l'âme sont toutes dominées par deux grandes forces — l'Attraction et la Répulsion. Elles se manifestent d'une manière différente suivant qu'elles agissent dans les trois régions les plus denses ou dans les trois régions supérieures du Monde du Désir. La Région centrale peut être considérée comme une zone neutre : c'est la région du sentiment. Là, ce qui fait pencher la balance du côté de l'attraction ou de la répulsion, c'est l'intérêt ou l'indifférence qu'un certain objet ou une certaine idée suscite en nous. Ces forces rejettent l'objet ou l'idée dans les trois régions supérieures ou dans les trois régions inférieures du Monde du Désir, à moins qu'elles ne les repoussent complètement. Nous allons voir comment cela s'opère.

Dans la substance plus fine et plus ténue des trois régions supérieures, l'Attraction règne seule, mais elle agit aussi dans une certaine mesure sur la substance des trois Régions inférieures où elle s'oppose à la Répulsion qui y domine et qui, sans cette influence, aurait vite fait de désintégrer toute forme qui risquerait de s'y aventurer.

Dans la région la plus dense, c'est-à-dire la plus basse, où la Répulsion se manifeste avec le plus de puissance, elle déchire et met en lambeaux, d'une manière terrible à voir, les formes qui y prennent naissance. Pourtant, elle est loin d'être une force hostile. Rien dans la nature n'est hostile ; tout ce qui paraît l'être ne travaille, en définitive, que pour le bien, comme le fait la Répulsion dans la Région la plus basse du Monde du Désir où les formes ne sont que des créations démoniaques, édifiées par les passions et les désirs les plus vils de l'homme et des bêtes.

Dans le Monde du Désir, chaque forme tend à attirer tout ce qui est de même nature qu'elle, afin de se développer par ce moyen. Si cette tendance venait à prévaloir dans les régions inférieures, le mal croîtrait comme les mauvaises herbes. Ce serait, dans le Cosmos, l'anarchie complète. Le fait que la Répulsion ait la prépondérance dans cette Région, empêche ce résultat. Quand la forme d'un désir vil est attirée par une autre forme de même nature, il y a discordance entre leurs vibrations et elles ont l'une sur l'autre un effet destructeur. Par conséquent, au lieu de s'unir et d'amalgamer le mal avec le mal, elles agissent avec un pouvoir réciproque de destruction qui a pour effet de maintenir le mal dans des limites possibles. Maintenant que nous avons vu comment ces deux forces agissent, nous sommes à même de comprendre cette maxime occulte : « Un mensonge est à la fois un meurtre et un suicide dans le Monde du Désir ».

Tout ce qui se passe dans le Monde Physique se reflète

sur tous les autres plans de la nature et donne naissance à une forme dans le Monde du Désir. Le récit véridique qu'on fait d'un événement, crée des formes semblables à celles qui correspondent à cet événement. Ces deux formes s'attirent mutuellement et se fondent ensemble, l'une renforçant l'autre. Au contraire, un rapport mensonger crée une forme hostile, différente de celle qui a trait à l'événement, c'est-à-dire *de la vraie forme.* Comme elles se rapportent au même sujet, elles s'attirent, mais, leurs vibrations n'étant pas synchrones, elles se détruisent l'une l'autre. Par conséquent, des mensonges méchants et malveillants, s'ils ont assez de force et s'ils sont répétés assez souvent, finissent par détruire tout ce qui est bon. Inversement, la recherche du bien dans le mal pourra, avec le temps, transmuer le mal en bien. Si la forme créée pour s'opposer au mal est faible, elle n'aura pas d'influence et elle sera détruite par la forme mauvaise ; mais si elle est vigoureuse et souvent renouvelée, elle aura pour effet de désintégrer le mal et de le remplacer par le bien. Il est indispensable de comprendre qu'on n'obtient pas ce résultat en se livrant à de fausses affirmations ou en niant le mal, mais au contraire en se mettant à la recherche du bien. L'occultiste met scrupuleusement en pratique ce principe de la recherche du bien en toutes choses, parce qu'il en connaît toute la puissance dans la lutte contre le mal.

Une anecdote de la vie du Christ illustre ce principe. Un jour qu'Il allait en compagnie de ses disciples, Il passa près du cadavre nauséabond d'un chien en putréfaction. Les disciples se détournèrent avec dégoût en exprimant leur répugnance ; mais le Christ regarda le cadavre et dit : « Les perles mêmes ne sont pas plus blanches que ses dents. » Il était résolu à trouver le bien, parce qu'Il savait quel effet bienfaisant résulterait dans le Monde du Désir du fait de lui avoir donné expression.

La Région la plus basse de ce monde est appelée « Région de la Passion et des Désirs sensuels ». La seconde subdivision peut être nommée « Région des Impressions » ; les forces jumelles d'Attraction et de Répulsion s'y équilibrent à peu près. C'est pour ainsi dire une Région neutre, de sorte que toutes nos impressions construites avec la substance de cette subdivision sont neutres. Ce n'est que lorsque les deux sentiments que nous rencontrons dans la quatrième Région entrent en jeu que les deux forces jumelles commencent à agir. La simple impression, quelle qu'en soit l'origine, est en soi tout à fait distincte du sentiment qu'elle fait naître. Cette impression est neutre ; c'est une activité manifestée dans la deuxième Région du Monde du Désir, où des images sont formées par les forces de la perception sensorielle dans le corps vital de l'homme.

Dans la troisième Région, l'Attraction — force qui assemble et construit — l'emporte déjà sur la Répulsion, dont l'action est de détruire. Si nous songeons que le mobile principal de cette force de Répulsion est une tendance à s'affirmer, à repousser les autres forces pour élargir son champ d'action, nous comprendrons aussi qu'elle cède très facilement le pas au désir de nouvelles choses. La substance de la troisième Région du Monde du Désir est donc principalement soumise à la force d'Attraction vers de nouveaux objets, mais dans un but égoïste : c'est la Région des Souhaits.

La Région des Désirs vils peut être comparée aux solides du Monde Physique ; la Région des Impressions aux liquides. La nature changeante de la Région des Souhaits la rend comparable à la partie gazeuse du Monde Physique. Ces trois subdivisions fournissent la substance des formes qui contribuent à l'expérience, au développement de l'âme et à l'évolution, éliminant les éléments complètement destructeurs et retenant ceux qu'il est possible d'utiliser pour le progrès.

La quatrième Région du Monde du Désir est la « Région du Sentiment ». C'est de là qu'émane notre sentiment au sujet des formes dont nous avons parlé plus haut. Leur rapport avec nous et l'effet qu'elles exercent sur nous, dépendent de l'émotion qu'elles nous inspirent. Il importe peu, pour le moment, que les idées ou les objets présentés soient bons ou mauvais ; l'intérêt ou l'indifférence sont les seuls facteurs qui déterminent leur sort.

Si une idée ou un objet éveille notre intérêt, ce dernier exercera sur eux le même effet que l'air et le soleil ont sur les plantes. Ils croîtront et fleuriront dans notre vie. Si, au contraire, nous les avons accueillis avec indifférence, ils disparaîtront de notre existence comme une fleur qui se fane loin du soleil, au fond d'une cave.

De cette région centrale du Monde du Désir émane donc le stimulant qui nous pousse à agir ou, au contraire, la décision qui nous écarte de toute action (ce qui est aussi une action au point de vue de l'occultisme). En effet, dans l'état actuel de notre évolution, les sentiments jumeaux d'Intérêt et d'Indifférence sont la source même de l'action ; ils sont les ressorts qui meuvent le Monde. Dans une autre époque, ils n'auront plus aucun poids. Le facteur décisif de l'action sera alors le *Devoir*.

L'Intérêt met en mouvement les forces d'Attraction et de Répulsion.

L'Indifférence flétrit simplement l'idée ou l'objet contre lequel elle est dirigée, tout au moins en ce qui concerne nos rapports avec lui.

Si l'intérêt que nous prenons pour un objet ou une idée produit la Répulsion, cela nous en écarte naturellement, mais il y a une très grande différence entre l'action de la Répulsion et le simple sentiment d'indifférence.

Un exemple nous fera, peut-être, comprendre plus aisément la manière d'agir de ces deux Sentiments et de ces deux Forces.

Trois hommes passent le long d'un chemin. Ils aperçoivent un chien malade, couvert d'ulcères et qui souffre apparemment d'une douleur et d'une soif intenses. Tout cela est évident pour les trois hommes ; les témoignages de leurs sens sous ce rapport sont identiques. Maintenant, laissons le Sentiment entrer en scène. Deux d'entre eux éprouvent de l' « Intérêt » pour l'animal, mais le troisième ne ressent que de l' « Indifférence ». Il poursuit donc son chemin, abandonnant le chien à son sort. Les autres restent ; tous les deux s'intéressent à la pauvre bête, mais chacun manifeste son sentiment d'une manière différente. L'intérêt de l'un est fait de sympathie, du désir d'aider, qui le pousse à s'occuper du chien malade, à soulager ses souffrances et à lui prodiguer des soins pour le guérir. Chez lui, le sentiment a éveillé la force d'Attraction. L'intérêt de l'autre homme est d'un ordre différent. Il ne voit dans cette misérable bête qu'un spectacle répugnant qui le révolte ; il veut s'en débarrasser et en débarrasser le monde au plus vite. Il conseille donc de tuer l'animal sur-le-champ et de l'enterrer. Chez lui, le sentiment a éveillé la force destructive de Répulsion.

Quand l'Intérêt met en œuvre la Force d'Attraction et qu'il a pour objet des choses et des désirs vils, ces derniers gagnent les régions inférieures du Monde du Désir, où agit la force neutralisante de Répulsion, comme nous l'avons vu précédemment. De la lutte entre les forces jumelles d'Attraction et de Répulsion proviennent toute la douleur et toute la souffrance qu'entraînent les mauvaises actions ou les efforts mal dirigés, intentionnellement ou non.

Nous voyons ainsi l'importance capitale du Sentiment que nous éprouvons envers toute chose, car c'est de lui que dépend la nature de l'ambiance que nous nous créons. Si nous aimons le bien, nous veillerons comme des anges gardiens sur tout ce que nous rencontrerons de bon autour de nous ; dans le cas contraire, nous peuplerons notre route des démons que nous aurons créés.

Les noms des trois Subdivisions Supérieures du Monde du Désir sont : la Région de la « Vie de l'Ame », la Région de la « Lumière de l'Ame » et la Région du « Pouvoir de l'Ame ». Elles sont le domaine de l'Art, de l'Altruisme, de la Philanthropie et de toutes les activités de la vie supérieure de l'âme. Si nous nous disons que ces régions rayonnent, dans les formes des trois subdivisions inférieures, les qualités que leurs noms indiquent, nous aurons une idée exacte des activités supérieures et inférieures du Monde du Désir. Toutefois le pouvoir de l'âme peut être mis temporairement aussi bien au service du mal qu'à celui du bien ; mais finalement la Répulsion détruit le vice et, sur ses ruines éparses, l'Attraction élève la vertu. Tout, en définitive, travaille pour le BIEN.

Le Monde Physique et le Monde du Désir ne sont pas séparés l'un de l'autre dans l'espace. Ils sont « plus proches de nous que nos mains et nos pieds ». Il n'est pas nécessaire de se déplacer pour passer de l'un à l'autre ou d'une région à la suivante. Les diverses subdivisions du Monde du Désir existent toutes en nous, de même que les solides, les liquides et les gaz. Nous pouvons encore comparer les lignes de force le long desquelles les cristaux de glace se forment dans l'eau, aux causes invisibles qui, ayant leur origine dans le Monde du Désir, se manifestent dans le Monde Physique et nous poussent à agir, de quelque manière que ce soit.

Le Monde du Désir, avec ses habitants innombrables, interpénètre le Monde Physique comme les lignes de force sillonnent l'eau en tous sens. Invisible, mais partout présent et actif, il est la cause puissante de tous les phénomènes du Monde Physique.

LE MONDE DE LA PENSEE

Le Monde de la Pensée comprend aussi sept subdivisions, de qualité et de densité différentes ; il est divisé comme le Monde Physique en deux parties principales : 1° la Région de la Pensée Concrète, qui comprend les quatre subdivisions les plus denses, et 2° la Région de la Pensée Abstraite, qui comprend les trois subdivisions renfermant la substance la plus subtile. Le Monde de la Pensée est au centre des cinq Mondes d'où l'homme tire ses divers véhicules. En lui, l'esprit et le corps se rencontrent. C'est aussi le plus élevé des trois mondes dans lesquels l'évolution de l'homme se poursuit actuellement, car les deux Mondes plus élevés sont encore pratiquement hors de la portée des êtres humains.

Nous savons que la matière de la Région Chimique est employée dans la construction de toutes les formes physiques. Ces formes reçoivent la vie et la faculté de se mouvoir grâce aux forces agissant dans la Région Ethérique ; quelques-unes de ces formes vivantes sont poussées à l'action par les Sentiments jumeaux du Monde du Désir. La Région de la Pensée concrète fournit la substance mentale destinée à revêtir les idées qui prennent naissance dans la Région de la Pensée abstraite et qui, ainsi concrétisées, deviennent les *formes-pensées*. Celles-ci servent de régulateur et de balancier aux impulsions produites dans le Monde du Désir par les impressions du Monde des phénomènes (physiques).

Les trois Mondes qui sont actuellement le champ de l'évolution humaine, se complètent donc mutuellement en formant un Tout grandiose. Ils témoignent de la Sagesse Infinie du Grand Architecte qui a construit le système auquel nous appartenons, l'Etre grandiose que nous revérons sous le nom sacré de Dieu.

En considérant de plus près les diverses subdivisions de la Région de la Pensée Concrète, nous remarquons que les archétypes des formes *physiques*, à quelque règne qu'ils appartiennent, se trouvent dans la subdivision la plus basse, la « Région Continentale ». Nous y rencontrons aussi les archétypes des îles et des continents du globe terrestre. Toutes les modifications que subit la surface de la Terre doivent être élaborées en premier lieu dans cette « Région Continentale ». Il faut tout d'abord que les archétypes soient modifiés. Alors les Intelligences que nous dénommons « Lois de la Nature » — afin de cacher notre ignorance — sont en mesure de réaliser les nouvelles conditions physiques destinées à provoquer dans la configuration de la Terre les changements décidés par les Hiérarchies directrices de l'évolution. Ces hiérarchies dressent le plan des modifications à la manière d'un architecte qui établit le projet des transformations à apporter à un édifice avant que les ouvriers ne leur donnent une expression concrète. Tous les changements qui se produisent dans la flore et dans la faune sont également dus à des métamorphoses de leurs archétypes respectifs.

Ce serait une erreur de croire que les archétypes de toutes les formes les plus diverses du Monde Physique sont simplement des maquettes dans le sens que nous donnons à cette expression, c'est-à-dire des reproductions d'objets en miniature, ou encore des objets-types établis avec d'autres matières que celles convenant à leur emploi final. Ce ne sont pas seulement des images ou des modèles des formes qui nous environnent, mais bien des archétypes *créateurs*. Ils modèlent et façonnent les formes du Monde Physique à leur propre image, ou à leurs images, car souvent plusieurs s'unissent pour former une certaine espèce. Chaque archétype donne alors une partie de lui-même pour construire la forme voulue.

La deuxième subdivision de la Région de la Pensée Concrète est appelée « Région Océanique ». Dire qu'elle est la vitalité palpitante et ondoyante est la meilleure description qu'on puisse en donner. Toutes les forces dont les quatre Ethers de la Région Ethérique constituent le champ d'action y sont visibles comme archétypes. C'est un torrent de vie qui déferle et palpite à travers toutes les formes, comme le sang à travers le corps. C'est là que le clairvoyant expérimenté peut voir à quel point « la Vie est Une ».

La « Région Aérienne » est la troisième subdivision de la Région de la Pensée Concrète. Nous y rencontrons les archétypes des désirs, des passions, des souhaits, des sentiments et des émotions que nous éprouvons dans le Monde du Désir. Toutes les activités de ce monde nous y apparaissent comme des conditions atmosphériques. Les sentiments de plaisir et de joie sont, pour les sens du clairvoyant, comme la caresse d'une brise d'été ; les vagues désirs de l'âme ressemblent à la plainte du vent dans le feuillage, tandis que les passions des nations en guerre rappellent les éclairs aveuglants de la foudre. Les émotions de l'homme et des animaux sont également reproduites dans l'atmosphère de cette Région.

La « Région des Forces Archétypales », — quatrième subdivision de la Région de la Pensée Concrète, — est la région centrale la plus importante des cinq Mondes où s'accomplit entièrement l'évolution de l'homme. D'un côté se trouvent les trois Régions supérieures du Monde de la Pensée, le Monde de l'Esprit Vital et celui de l'Esprit Divin. De l'autre côté, nous rencontrons les trois Régions inférieures du Monde de la Pensée, le Monde du Désir et le Monde Physique. Cette Région est donc une sorte de « frontière » entre les Royaumes Spirituels et les Mondes de la forme ; c'est le point focal par lequel l'Esprit se reflète dans la matière.

Comme son nom l'indique, cette région est la demeure des Forces Archétypales qui dirigent l'activité des Archétypes dans la Région de la Pensée Concrète. C'est de cette région que l'Esprit travaille sur la matière pour lui donner les formes les plus variées.

La figure 1 exprime cette idée d'une façon schématique. Les formes du monde inférieur sont des images réfléchies de l'Esprit situé dans les mondes supérieurs. La cinquième région du Monde de la Pensée, la plus rapprochée du point focal du côté Esprit, se reflète dans la troisième région du même Monde, la plus voisine du foyer, du côté de la Forme. La sixième région se reflète dans la seconde, et la septième dans la première.

D'autre part, l'ensemble de la Région de la Pensée Abstraite est reflété dans le Monde du Désir, le Monde de

FIGURE I

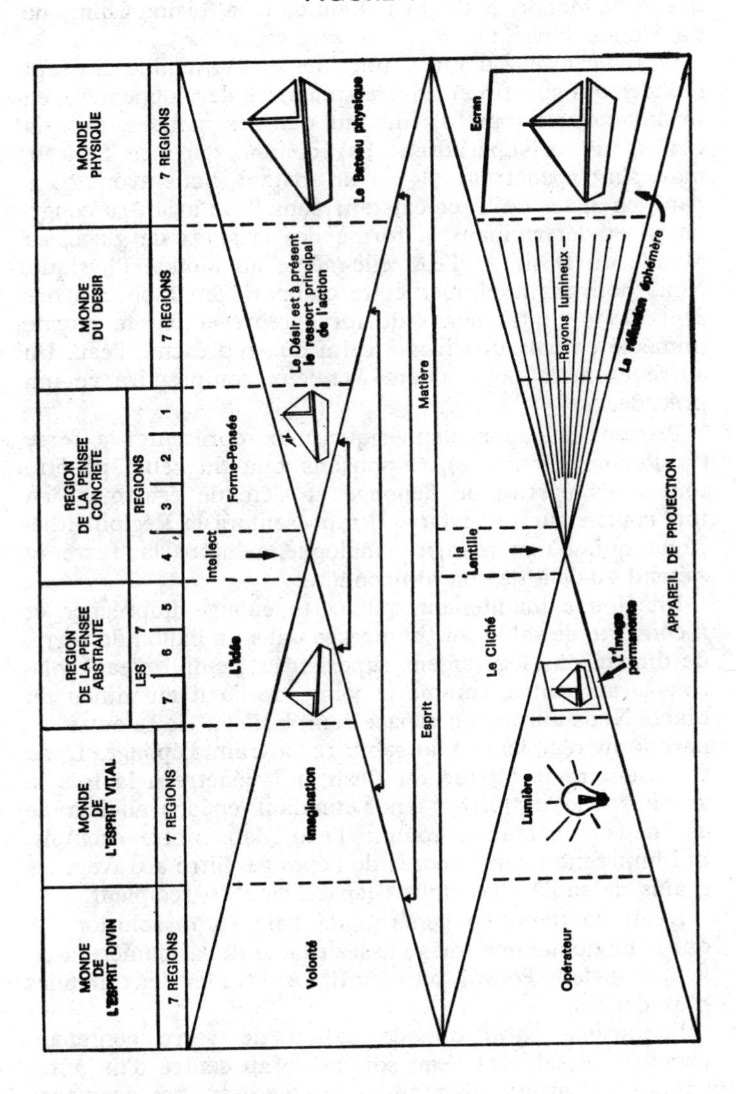

Permanence relative des mondes visibles et invisibles (par comparaison avec un appareil de projection).

l'Esprit Vital dans la Région Ethérique du Monde Physique, et le Monde de l'Esprit Divin dans la Région Chimique du Monde Physique.

Le tableau n° 2 donnera une idée de l'ensemble des sept mondes qui constituent notre sphère de développement, en tenant compte toutefois du fait que ces mondes, dans la réalité, ne se superposent pas comme dans ce tableau, mais s'interpénètrent. Il y a un instant, nous avons comparé les lignes de force existant dans l'eau avant sa congélation et déterminant la forme des cristaux de glace, au Monde du Désir, et l'eau elle-même au Monde Physique. Nous pouvons appliquer cette comparaison à chacun des sept Mondes : les lignes de force représentent le monde immédiatement supérieur à celui que représente l'eau. Un autre exemple nous aidera à mieux comprendre ce qui précède.

Prenons une éponge sphérique pour représenter la Terre (la Région Chimique). Supposons que du sable pénètre toutes les parties de l'éponge et s'étende également en une couche sur sa surface. Il représentera la Région Ethérique qui, d'une manière analogue, pénètre la Terre et s'étend au-delà de son atmosphère.

Imaginons maintenant que cette éponge imprégnée et recouverte de sable soit immergée dans un ballon de verre, de dimensions légèrement supérieures, rempli d'eau ; plaçons-la au centre, comme le jaune de l'œuf au milieu du blanc. Nous aurons un espace rempli d'eau claire entre les parois du récipient et le sable recouvrant l'éponge. L'eau représentera le Monde du Désir qui pénètre à la fois la Terre solide et l'Ether en s'étendant encore au-delà de ces deux substances, comme l'eau, dans notre exemple, qui imprègne tous les pores de l'éponge, filtre à travers les grains de sable et remplit l'espace vide du récipient.

L'eau contient, en général, de l'air en dissolution, ce qui nous donne une image assez exacte de la manière dont le Monde de la Pensée, plus subtil, pénètre les deux mondes plus denses.

Supposons enfin que le ballon de verre contenant l'éponge, le sable et l'eau soit placé au centre d'un autre ballon plus grand ; l'air qui se trouve entre ces deux récipients représenterait alors la partie du Monde de la Pensée qui s'étend au-delà du Monde du Désir.

TABLEAU 2

		Les sept mondes	Véhicules de l'homme	
MONDE DE DIEU		LES SEPT MONDES Comprend DIEU 7 Régions		
MONDE DES ESPRITS VIERGES		Ce monde comprend 7 Régions et il est la demeure des Esprits Vierges quand ils ont été différenciés en Dieu avant leur pèlerinage à travers la matière		
MONDE DE L'ESPRIT DIVIN		Ce monde comprend 7 Régions et il est la demeure de la plus haute influence spirituelle dans l'homme.	Esprit Divin	L'Ego
MONDE DE L'ESPRIT VITAL		Comprend 7 Régions et est la demeure du deuxième aspect du triple esprit dans l'homme.	Esprit Vital	L'Ego
MONDE DE LA PENSEE	Région de la Pensée abstraite	La 7e Région contient l'idée-germe de la forme dans les minéraux, les plantes, les animaux et l'homme. La 6e Région contient l'idée-germe de la vie dans les plantes, les animaux et l'homme. La 5e Région contient l'idée-germe des désirs et des émotions dans les animaux et l'homme : elle est la demeure du troisième aspect de l'esprit dans l'homme.	Esprit Humain	L'Ego
MONDE DE LA PENSEE	Région de la Pensée concrète	La 4e Région contient les forces archétypales et l'intellect humain. Elle est le point focal au travers duquel l'esprit se réfléchit dans la matière. La 3e Région : archétypes des désirs et des émotions. La 2e Région : archétypes de la vitalité universelle. La 1re Région : archétypes de la forme.	Intellect	le trait d'union entre la Personnalité et l'Ego
MONDE DU DESIR		7e Région : Pouvoir de l'âme 6e Région : Lumière de l'âme 5e Région : Vie de l'âme } — Attraction. 4e Région : Sentiments { Intérêt / Indifférence 3e Région : Souhaits 2e Région : Impressions 1re Région : Passions et vils désirs } Répulsion.	Corps du Désir	La Personnalité
MONDE PHYSIQUE	Région Ethérique	7e Région : Ether réflecteur, mémoire. 6e Région : Ether lumière, perception sensorielle. 5e Région : Ether vital, reproduction. 4e Région : Ether chimique, assimilation et élimination.	Corps Vital	La Personnalité
MONDE PHYSIQUE	Région Chimique	3e Région : Gaz. 2e Région : Liquides. 1re Région : Solides.	Corps Physique	La Personnalité

Chaque planète de notre système solaire comporte ainsi trois Mondes qui s'interpénètrent. Si nous représentons chacune de ces planètes par une éponge distincte, et le quatrième Monde, celui de l'Esprit Vital, par l'eau d'un immense ballon dans laquelle ces éponges sont toutes plongées, nous voyons que ce Monde remplit les espaces interplanétaires et pénètre les différentes planètes, comme l'eau remplit l'espace entre les éponges et les pénètre toutes. Il forme un lien commun entre les corps célestes de notre système solaire. Pour pouvoir voyager de l'un à l'autre, il est nécessaire d'avoir un véhicule adapté au Monde de l'Esprit Vital et que nous puissions consciemment diriger, de même qu'il faut avoir une embarcation et savoir la diriger pour aller d'un continent à l'autre.

Le Monde de l'Esprit Divin nous met en rapport avec d'autres systèmes solaires, d'une manière analogue à celle dont le Monde de l'Esprit Vital nous relie aux autres planètes de notre propre système solaire.

Si nous considérons tous ces systèmes comme des éponges distinctes plongées dans l'eau qui représenterait alors le Monde de l'Esprit Divin, il est évident que pour se rendre de l'un à l'autre il faudrait pouvoir utiliser en pleine conscience le véhicule le plus sublime de l'homme, l'Esprit Divin.

CHAPITRE II

LES QUATRE RÈGNES

Les trois Mondes de notre planète sont actuellement le champ d'évolution de certains règnes parvenus à des degrés divers de développement. Nous ne nous occuperons pour le moment que de quatre d'entre eux : les règnes minéral, végétal, animal et humain.

Ces quatre règnes sont en relation avec les trois Mondes de différentes manières, selon les progrès atteints à l'école de l'expérience par ces groupes de vie en évolution. En ce qui concerne la forme, les corps de tous les règnes sont composés des mêmes substances, les solides, les liquides et les gaz de la Région Chimique. Le corps tangible de l'homme est, en réalité, un composé chimique, au même titre que les pierres, quoique celles-ci ne soient «animées» que par la vie minérale. Mais, du point de vue purement physique, et en écartant toute autre considération, nous devons faire plusieurs distinctions importantes en comparant l'homme aux minéraux. L'homme se déplace, croît et reproduit son espèce, ce dont les minéraux sont incapables.

Si nous rapprochons l'homme des formes du règne végétal, nous trouvons que la plante et l'homme ont un corps physique qui peut croître et se reproduire. Mais l'homme a des facultés que la plante ne possède pas. Il peut sentir, se déplacer et percevoir des objets qui lui sont extérieurs.

En étudiant l'homme par rapport aux animaux, nous voyons qu'ils ont, en commun, des facultés de sentiment, de mouvement, de croissance, de reproduction et de perception sensorielle. L'homme possède en plus la parole, un cerveau supérieurement organisé, et aussi des mains, ce qui est un très grand avantage physique. Remarquons le développement du pouce, qui donne à la main humaine une dextérité supérieure, même à celle des anthropoïdes. L'homme a, de plus, un langage défini qui lui sert à exprimer ses sentiments et ses pensées ; tous ces avantages placent le corps physique de l'homme dans une classe à part, au-dessus des trois règnes inférieurs.

Afin de connaître la raison d'être de ces divergences entre les quatre règnes, nous devons nous adresser aux Mondes invisibles et chercher quelles sont les causes qui accordent à l'un ce qu'elles refusent à l'autre.

Pour agir dans n'importe quel monde et pour exprimer les qualités qui lui sont propres, il est nécessaire de posséder d'abord un véhicule composé de la substance de ce monde. Dans le Monde Physique, il faut un corps physique adapté à notre milieu d'existence. Sinon, nous serions des fantômes invisibles pour la plupart des êtres de ce monde. Il nous faut un corps vital pour être capables d'exprimer la vie, de croître ou de manifester les autres qualités inhérentes à la Région Ethérique.

Pour manifester des sentiments et ressentir des émotions, il est indispensable d'avoir un véhicule composé de la substance du Monde du Désir ; et, pour rendre possible la faculté de penser, un intellect formé de la substance de la Région de la Pensée concrète.

Si nous examinons les rapports des quatre règnes avec la Région Ethérique, nous constatons que les minéraux ne possèdent pas de corps vital distinct ; nous comprenons aussitôt pourquoi ils ne peuvent croître, se reproduire et manifester une vie consciente.

La science matérialiste, pour expliquer certains faits reconnus, admet l'hypothèse que, dans les solides les plus denses comme dans les gaz les plus raréfiés et les plus ténus, pas un atome n'est en contact avec son voisin ; elle affirme qu'il existe une enveloppe d'éther autour de chacun d'eux et que tous les atomes de l'univers flottent dans un océan d'éther.

L'occultiste sait que ce qui précède est vrai pour la Région Chimique ; il sait aussi que les minéraux ne possèdent pas de corps vital distinct. C'est l'éther planétaire seul qui enveloppe les atomes des minéraux. Comme nous l'avons vu, il est nécessaire d'avoir un *corps* vital, un *corps* du désir et un *corps* mental distincts, pour exprimer les qualités inhérentes à chaque monde. Les atomes des Mondes du Désir et de la Pensée, et même ceux des mondes supérieurs, interpénètrent les minéraux aussi bien que le corps de l'homme. Si l'éther planétaire vital qui enveloppe les atomes des minéraux suffisait à les rendre capables de sentir et de se reproduire, l'éther du Monde de la Pensée planétaire suffirait de même à leur donner la faculté de penser. Cela est impossible parce que des véhicules (corps) *distincts*, composés de la substance de chaque monde, leur font défaut. Seul l'éther planétaire les interpénétrant, ne peut les mettre en mesure de croître individuellement. L'éther chimique, le plus dense des quatre, est le seul qui soit actif dans les minéraux, ce qui explique leurs propriétés chimiques.

Quand on étudie les rapports des plantes, des animaux et de l'homme avec la Région Ethérique, on remarque que tous ont un corps vital distinct et que, de plus, ils sont pénétrés par l'éther planétaire qui forme cette Région. Il y a toutefois une différence entre le corps vital des plantes et celui des animaux et de l'homme. Chez les végétaux, seuls l'Ether Chimique et l'Ether Vital sont en pleine activité ; aussi la plante peut-elle croître, grâce à l'action de l'Ether Chimique, et reproduire son espèce au moyen de l'Ether Vital de son propre corps vital. L'Ether-Lumière est présent, mais il est en partie latent ou inactif ; l'Ether-Réflecteur est absent. Il est donc évident que les facultés de perception sensorielle et de mémoire, qui sont les fonctions spéciales de ces deux éthers, ne peuvent être exprimées par le règne végétal.

En observant le corps vital des animaux, nous voyons que les Ethers Chimique, Vital et Lumière y sont dynamiquement actifs. Aussi les animaux possèdent-ils les facultés d'assimilation et de croissance dues à l'action de l'Ether Chimique, et celle de reproduction, due à l'Ether Vital, ces éthers étant les mêmes que chez les plantes. En outre, l'Ether-Lumière leur donne la faculté de produire la chaleur interne et celle de la perception sensorielle. Cependant le quatrième éther est inactif ; aussi n'ont-ils ni pensée, ni mémoire. Nous verrons plus tard que ce qui, chez eux, en présente les apparences est d'une autre nature.

Etudions maintenant l'homme : nous constatons que les quatre éthers sont tous dynamiquement actifs dans son corps vital supérieurement organisé. Grâce à l'Ether

Chimique, il peut assimiler sa nourriture et croître. Les forces actives dans l'Ether Vital le rendent capable de reproduire son espèce ; celles de l'Ether-Lumière maintiennent la chaleur du corps physique et agissent sur le système nerveux et sur les muscles, ouvrant ainsi les portes de communication avec le monde extérieur par le moyen des sens. L'Ether-Réflecteur permet à l'Esprit de commander son véhicule par la pensée ; de plus, il emmagasine les expériences passées, constituant ainsi la mémoire.

Le corps vital de la plante, de l'animal et de l'homme s'étend au-delà de la périphérie du corps physique, comme la Région Ethérique, qui est le corps vital de notre planète, s'étend au-delà de sa partie dense, ce qui exprime une fois de plus la vérité de l'axiome d'Hermès : « Sur la Terre comme au Ciel ». L'extension du corps vital de l'homme au-delà du corps physique est d'environ quatre centimètres. Cette partie extérieure est très lumineuse ; sa coloration est à peu près celle d'une fleur de pêcher fraîchement éclose. Elle est souvent observée par des personnes qui ont une légère tendance à la clairvoyance involontaire et qui, généralement d'ailleurs, ne semblent pas avoir conscience de percevoir quelque chose d'insolite ; en fait, elles ne se rendent pas compte de ce qu'elles voient.

Le corps physique est construit dans la matrice de ce corps vital pendant la vie intra-utérine et, à une exception près, il en est la copie conforme, molécule pour molécule. Sa forme est déterminée par les lignes de force du corps vital, tout comme celles qui existent dans l'eau préparent la formation des cristaux de glace au moment de la congélation.

Pendant toute la durée de la vie, le corps vital construit et régénère la forme matérielle. Sans l'activité du cœur éthérique, le cœur physique succomberait rapidement sous l'effort constant que nous lui demandons. Tous les excès auxquels nous soumettons le corps matériel sont neutralisés, dans la mesure du possible, par le corps vital, qui lutte sans cesse contre la désintégration du corps dense.

Le corps vital de l'homme est féminin et négatif, tandis que celui de la femme est masculin et positif ; c'est l'exception à laquelle nous avons fait allusion il y a un instant. Nous avons ainsi l'explication de plusieurs problèmes troublants de la vie. Le fait que la femme cède facilement à ses émotions est dû à la polarité de son corps vital positif. Il produit un excès de sang et la force à agir sous l'effet d'une pression intérieure énorme qui briserait l'enveloppe physique sans la soupape de sûreté du flux périodique et des larmes qui diminuent la pression dans des cas spéciaux, car les larmes ne sont pas autre chose qu'une « saignée blanche ».

L'homme peut avoir et a certainement des émotions aussi fortes que celles de la femme, mais il est capable de les contenir ordinairement sans verser de larmes, parce que son corps vital négatif ne produit pas plus de sang qu'il n'en peut supporter sans gêne.

A l'opposé des véhicules supérieurs de l'homme, le corps vital (excepté dans certains cas que nous expliquerons en parlant de l' « Initiation ») ne quitte pas le corps physique avant la mort de ce dernier. Quand elle survient, les forces chimiques du corps matériel ne sont plus tenues en échec par la vie qui évolue. Elles ramènent alors la matière qui le compose à son état primordial et la désintègrent, afin de la rendre disponible pour la construction d'autres formes dans l'économie de la nature. La décomposition est donc provoquée par l'activité des forces planétaires dans l'éther chimique.

La texture du corps vital peut être comparée grossièrement à celle d'un de ces cadres pour portraits, faits de centaines de petites pièces de bois qui s'emboîtent les unes dans les autres en présentant d'innombrables petites aspérités. Le corps vital a des millions de pointes ; elles pénètrent dans les centres creux des atomes physiques et les imprègnent de force vitale, ce qui les fait vibrer beaucoup plus rapidement que les minéraux qui ne sont pas activés, ni animés de cette façon.

Quand il arrive qu'une personne se noie, tombe d'une certaine hauteur ou est sur le point de mourir de froid, le corps vital abandonne le corps matériel dont les atomes deviennent pour cette raison momentanément inertes ; mais en cas de rappel à la vie, il reprend sa position normale, et les « pointes » s'encastrent à nouveau dans les atomes physiques. L'inertie de ces derniers les fait résister à la reprise des vibrations, ce qui occasionne une sensation de picotement et de fourmillement bien caractéristique. Nous avons — d'une manière analogue — conscience de la mise en marche ou de l'arrêt d'une pendule alors que nous n'entendons pas son tic-tac auquel nous ne prêtons pas attention tant que la pendule marche régulièrement.

Il peut arriver que le corps vital se retire partiellement. Ainsi quand notre bras garde une mauvaise position, nous avons la main engourdie. A ce moment, on pourrait voir la main éthérique pendre sous la main physique comme un gant. Quand le bras revient à une position normale où la circulation n'est plus entravée, la main éthérique reprend sa place et ses pointes provoquent cette sensation assez désagréable de picotement.

Parfois, dans le sommeil hypnotique, la tête du corps vital se divise en deux et pend en dehors de la tête physique, une moitié sur chaque épaule, ou bien s'affaisse en rouleau autour du cou. Dans ce cas, l'absence de picotement au moment du réveil vient de ce que, pendant le sommeil hypnotique, une partie du corps vital de l'opérateur s'était substituée à une partie de celui de sa victime.

L'administration d'anesthésiques rejette hors du corps physique une partie du corps éthérique en même temps que les véhicules supérieurs. Si la dose est suffisamment forte pour expulser l'éther vital, la mort peut s'ensuivre. On peut observer un phénomène analogue dans le cas des médiums à matérialisations. La différence entre un médium de ce genre et une personne ordinaire est la suivante : chez la personne ordinaire, le corps éthérique et le corps physique sont, en l'état actuel de notre évolution, étroitement unis, tandis que chez le médium la connexion des deux véhicules est lâche. Il n'en a pas toujours été ainsi ; et un jour viendra où le corps vital pourra quitter aisément le corps physique, comme il a été capable de le faire autrefois ; mais ce phénomène ne peut avoir lieu actuellement d'une façon normale. Quand un médium abandonne son corps vital à des entités du Monde du Désir qui veulent se matérialiser, le corps vital se retire généralement du sujet par le côté gauche, à travers la rate, qui est son « passage spécial ». Les forces vitales ne peuvent plus alors circuler dans le corps physique, comme elles le font à l'état normal, et les médiums deviennent extrêmement faibles ; un très grand nombre d'entre eux ont recours à des boissons alcooliques pour combattre cet épuisement, et deviennent petit à petit d'incurables ivrognes.

La force vitale du soleil, qui nous entoure à l'état de fluide incolore, est absorbée par le corps à travers la partie éthérique de la rate, où elle subit un curieux changement ; elle devient rose pâle et se répand ensuite le long des nerfs à travers tout le corps physique. Elle est au système nerveux ce que l'électricité est au télégraphe. Si les appareils et les télégraphistes sont prêts à entrer en action et que l'électricité fasse défaut, on ne peut envoyer de messages. L'Ego, le cerveau et le système nerveux ont l'air d'être en parfait état ; il n'en est pas moins vrai que si la force vitale qui doit transmettre le message de l'Ego aux muscles par l'intermédiaire des nerfs vient à manquer, le corps restera inerte. C'est ce qui se produit dans la paralysie. Dans ce cas, c'est le corps vital qui est malade et le fluide vital solaire ne peut plus circuler.

Dans la plupart des maladies, le mal provient des véhicules invisibles. Les médecins les plus habiles, qu'ils aient ou non connaissance de ce fait, emploient la suggestion pour augmenter l'effet de leur traitement ; ils agissent ainsi sur les corps supérieurs. Le malade guérira d'autant plus rapidement que le médecin pourra lui inspirer plus de confiance et d'espoir.

Quand le sujet est en bonne santé, son corps éthérique élabore un surplus de force vitale qui, après être passé dans le corps physique, rayonne en ligne droite dans la périphérie, dans toutes les directions, comme les rayons d'un cercle à partir du centre. En cas de mauvaise santé, le corps vital s'affaiblit et devient incapable d'élaborer la même quantité d'énergie, mais le corps dense continue de s'en nourrir. Les rayons fluidiques sortant du corps sont alors tordus et recourbés, ce qui indique une réduction de la force d'expansion. En cas de bonne santé, la puissance considérable de ces radiations emporte avec elle les micro-organismes nuisibles ; mais en cas de maladie, quand la force vitale est diminuée, elles n'éliminent pas aussi facilement les germes pathogènes. Aussi le danger de contracter des maladies est-il alors beaucoup plus grand que lorsque la santé est robuste.

Quand certaines parties du corps physique sont amputées, seul l'éther planétaire accompagne la partie détachée.

Après la mort, le corps matériel et le corps vital qui viennent de l'abandonner se désintègrent simultanément. Il en est de même de la contre-partie éthérique d'un membre amputé. Elle se désintègre graduellement en même temps que la partie physique, ce qui explique pourquoi un opéré soutient qu'il souffre encore du bras dont on l'a amputé. Une relation existe encore entre un membre enseveli à quelque distance que ce soit et le corps dont on l'a détaché. On a pu citer le cas d'un homme qui se plaignait d'une vive douleur dans le bras qu'on venait de lui enlever — comme si on lui avait enfoncé, disait-il, un clou dans la chair. Ses plaintes étaient telles qu'on a exhumé le membre : il était effectivement traversé par un des clous de la caisse dans laquelle il avait été enfermé. Le clou fut arraché et la douleur disparut instantanément. On explique d'une façon analogue les douleurs ressenties par des personnes amputées, douleurs persistantes pendant deux ou trois ans, parce que le mal reste dans le membre éthérique non détaché, mais au fur et à mesure que la partie amputée se désintègre, le membre éthérique en fait autant et la douleur cesse.

Nous allons maintenant étudier le rapport qui existe entre les quatre Règnes de la Nature et le Monde du Désir, comme nous venons de le faire pour la Région Ethérique du Monde physique.

Là, nous découvrons que ni les minéraux, ni les plantes n'ont de Corps du Désir distinct. Ils sont seulement pénétrés par le Corps du Désir planétaire. Faute de posséder un véhicule particulier fait de substance du Monde du Désir, ni les minéraux, ni les végétaux ne peuvent avoir de sentiments, de désirs ou d'émotions, toutes facultés inhérentes à ce monde.

Quand on brise une pierre, elle n'éprouve pas de sensation ; mais on aurait tort de croire que ce fait ne cause aucune sensation ailleurs. C'est là un point de vue matérialiste ou celui de la foule mal informée. L'occultiste sait qu'il n'y a pas d'action, grande ou petite, qui ne soit ressentie à travers tout l'univers, et quoique la pierre ne puisse éprouver de sensation, parce qu'elle n'a pas de Corps du Désir distinct, l'Esprit de la Terre, lui, en éprouve une parce que la pierre est pénétrée par le Corps du Désir de notre planète. Quand un homme se coupe le doigt, celui-ci, qui n'a pas de véhicule du désir propre, ne ressent pas de douleur, mais l'homme l'éprouve, car c'est son Corps du Désir qui pénètre le doigt. Lorsqu'une plante est arrachée avec la racine, l'Esprit de la Terre le sent, de même qu'un homme sent qu'on lui arrache un cheveu. Notre Terre est un corps vivant, sensible. Toutes les formes dépourvues de Corps du Désir distinct qui permettrait à leur esprit en évolution d'éprouver des sensations sont comprises dans le Corps du Désir de la Terre qui, *lui*, est doué de sensibilité. Quand on brise une pierre, quand on cueille une fleur, cela fait plaisir à la Terre, tandis que si on arrache des plantes avec la racine, cela lui fait mal. Nous en donnerons la raison dans la dernière partie de cet ouvrage. Au point où nous en sommes de notre étude, l'explication serait prématurée et incompréhensible pour la plupart de nos lecteurs.

Le Monde du Désir palpite dans le corps physique et dans le corps vital des animaux et de l'homme, de la même manière que dans les minéraux et les plantes ; les premiers ont, en outre, un corps du désir distinct, qui leur permet d'éprouver des désirs, des émotions et des passions. Il y a toutefois une différence entre l'homme et l'animal. Le véhicule du désir de l'animal est entièrement construit de la substance des Régions les plus denses de ce monde, tandis que chez les races humaines, même les plus primitives, il entre un peu de matière des Régions supérieures dans la composition du corps du désir. Les sentiments des animaux et des races les moins élevées de l'humanité sont presque entièrement bornés à la satisfaction des désirs et des passions qui trouvent leur expression dans la substance des plans inférieurs du Monde du Désir. Pour qu'ils puissent éprouver des émotions qui les conduisent à un degré supérieur de développement, il est nécessaire qu'ils possèdent la substance correspondante dans leur corps du désir. A mesure que l'homme fait des progrès dans l'école de la vie, il s'instruit par ses expériences ; ses désirs deviennent alors plus purs et meilleurs. Son corps du désir subit peu à peu un changement correspondant de sa substance. Celle, plus pure et plus lumineuse, des Régions supérieures remplace les couleurs sombres des subdivisions inférieures. De plus, les dimensions du corps du désir augmentent. Celui d'un saint est une chose admirable à contempler ; la finesse de ses nuances et sa transparence lumineuse défient toute comparaison. Il faut le voir pour s'en rendre compte.

A notre époque, aussi bien la matière des Régions inférieures que celle des subdivisions supérieures entrent dans la composition du corps du désir chez la grande majorité des hommes. Il n'y en a pas qui soient si dégradés qu'ils ne possèdent quelques bons côtés. Ces qualités trouvent leur expression dans la matière des Régions supérieures que nous trouvons dans leur véhicule du désir. Mais, d'autre part, il en est bien peu parmi nous qui soient bons au point de ne pas avoir en eux de la matière des Régions inférieures.

Comme nous l'avons vu dans l'exemple de l'éponge, du sable et de l'eau, le corps vital et le corps du désir planétaires pénètrent la matière dense de la Terre. De même, ils interpénètrent les véhicules de la plante, de l'animal et de l'homme. Durant sa vie sur la Terre, le corps du désir de l'homme n'a pas la même forme que son corps dense et son corps vital. Il ne prend cette forme qu'après la mort. Avant cela, il a la forme d'un ovoïde lumineux qui, pendant les heures de veille, entoure complètement le corps physique comme l'albumine entoure le jaune de l'œuf.

Notre corps du désir s'étend de trente à quarante centimètres en dehors de notre corps physique. Il possède plusieurs centres de perception, qui sont encore à l'état latent chez la grande majorité des êtres humains. L'éveil de ces centres correspond à l'acquisition de la vue pour l'aveugle de notre exemple précédent. La substance du corps du désir de l'homme est constamment agitée d'un mouvement d'une rapidité inconcevable. Aucune particule n'a de place fixe, comme dans le corps physique. Les molécules qui, à un moment donné, se trouvent dans la tête, peuvent, un instant après, se trouver aux pieds, puis de nouveau dans la tête. Il n'y a pas d'organes des sens dans le corps du désir comme dans les corps éthérique et physique, mais bien des centres de perception qui, lorsqu'ils sont actifs, présentent l'aspect de tourbillons, situés pour la plupart près de la tête, et qui conservent toujours la même position par rapport au corps physique. Pour la majorité des gens, ce sont de simples remous, sans utilité

FIGURE 2 A

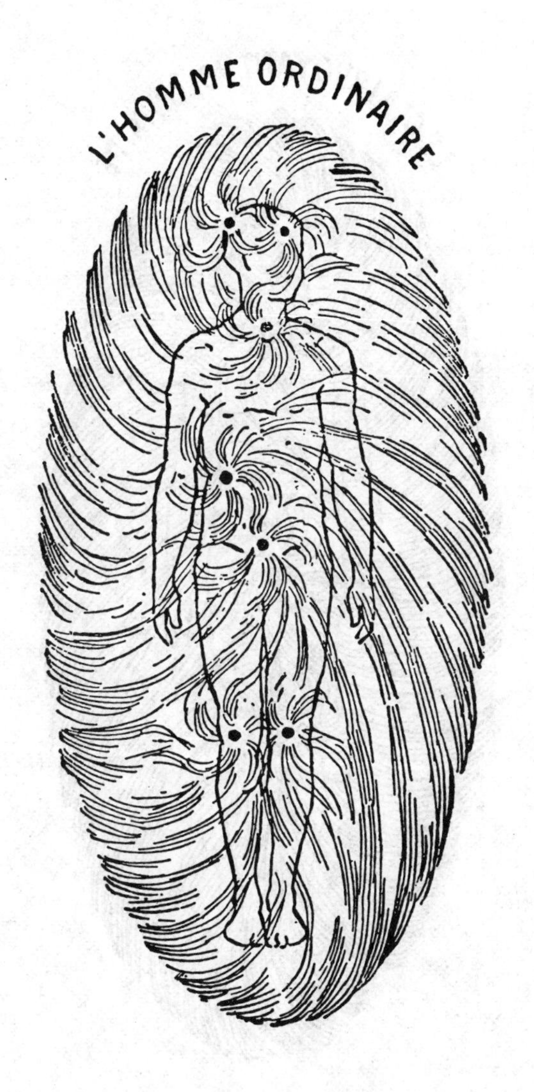

COURANTS DU CORPS DU DESIR

FIGURE 2 B

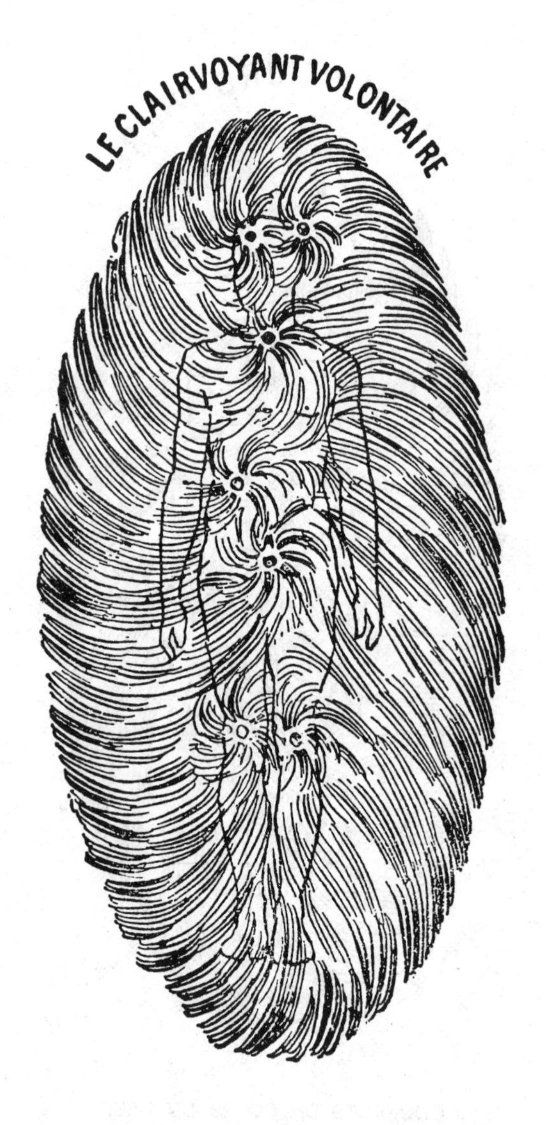

COURANTS DU CORPS DU DESIR

FIGURE 2 C

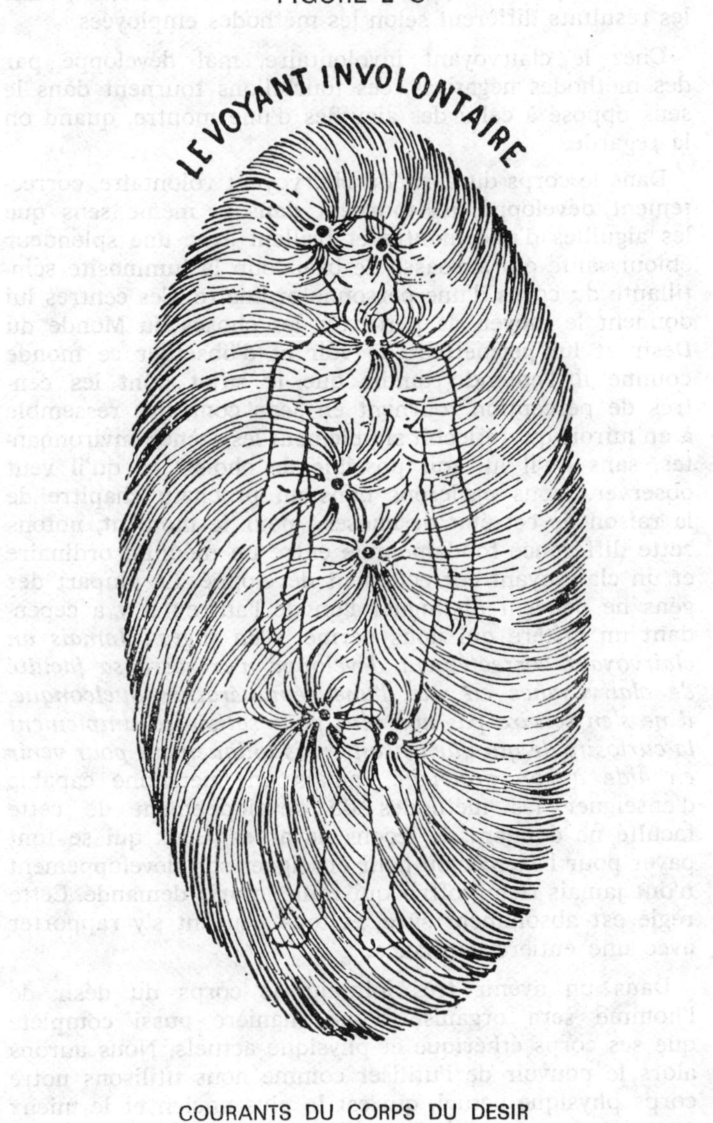
LE VOYANT INVOLONTAIRE

COURANTS DU CORPS DU DESIR

aucune. Toutefois ils peuvent être éveillés chez tous ; mais les résultats diffèrent selon les méthodes employées.

Chez le clairvoyant involontaire, mal développé par des méthodes négatives, ces tourbillons tournent dans le sens opposé à celui des aiguilles d'une montre, quand on la regarde.

Dans le corps du désir du clairvoyant volontaire, correctement développé, ils tournent dans le même sens que les aiguilles d'une montre et brillent avec une splendeur éblouissante qui surpasse de beaucoup la luminosité scintillante du corps d'une personne ordinaire. Ces centres lui donnent le moyen de percevoir les choses du Monde du Désir et lui permettent de voir et d'observer ce monde comme il l'entend ; tandis que le sujet dont les centres de perception tournent en sens contraire ressemble à un miroir qui réfléchit simplement les scènes environnantes, sans qu'il lui soit possible de choisir ce qu'il veut observer. Nous parlerons dans un prochain chapitre de la raison de cet état de choses ; pour le moment, notons cette différence fondamentale entre un médium ordinaire et un clairvoyant correctement développé. La plupart des gens ne peuvent distinguer l'un de l'autre ; il y a cependant un critère qui nous permet d'en juger : *Jamais un clairvoyant correctement développé n'exercera sa faculté de clairvoyance en vue d'une rémunération quelconque, il ne s'en servira pas non plus pour satisfaire simplement la curiosité de qui que ce soit, mais uniquement pour venir en aide à son prochain.* Jamais une personne capable d'enseigner les méthodes de développement de cette faculté ne donnera de leçons payantes. Ceux qui se font payer pour l'exercer ou pour enseigner son développement n'ont jamais rien à offrir qui vaille le prix demandé. Cette règle est absolument sûre, et tous peuvent s'y rapporter avec une entière confiance.

Dans un avenir très lointain, le corps du désir de l'homme sera organisé d'une manière aussi complète que ses corps éthérique et physique actuels. Nous aurons alors le pouvoir de l'utiliser comme nous utilisons notre corps physique actuel, qui est le plus ancien et le mieux organisé de nos véhicules ; le corps du désir est le plus récent des trois.

Ce corps a son siège dans le foie, comme le corps vital a le sien dans la rate.

Les créatures à sang chaud sont les plus avancées sur l'échelle des êtres. Elles éprouvent des sentiments, des passions et des émotions et s'efforcent de satisfaire leurs désirs dans le monde extérieur. Elles ne se contentent pas de végéter, mais elles existent réellement. Chez elles, les courants de leur corps du désir vont du foie vers la périphérie de l'ovoïde en faisceaux recourbés qui jaillissent et retournent à leur point de départ comme l'eau en ébullition s'éloigne de sa source pour y revenir, après avoir achevé son cycle.

Les plantes sont dépourvues de ce principe d'impulsion et d'énergie ; aussi ne peuvent-elles manifester la vie comme le font les organismes plus développés, ni se mouvoir comme eux.

Partout où il y a vitalité et mouvement, mais pas de sang *rouge,* il n'existe pas de véhicule du désir distinct. L'être est simplement dans une période de transition, de la plante à l'animal. Par suite, il est entièrement sous la domination de l'esprit-groupe.

Les animaux qui ont un foie et dont le sang est *froid* et *rouge,* possèdent un corps du désir distinct : l'esprit-groupe en dirige les courants vers *l'intérieur,* parce que chez eux — un poisson ou un reptile par exemple — l'esprit individuel est entièrement en dehors du corps physique.

Quand l'organisme a évolué jusqu'au point où l'esprit distinct peut commencer à pénétrer ses véhicules, celui-ci dirige alors les courants vers *l'extérieur :* ce qui marque le début de la période d'existence caractérisée par les passions et la chaleur du sang.

C'est donc le sang rouge et chaud, circulant dans le foie d'un organisme suffisamment évolué pour être la demeure d'un esprit *intérieur,* dirigeant par son dynamisme les courants de la matière-désir vers l'extérieur, qui permet à l'animal et à l'homme de manifester des désirs et des passions.

L'esprit des animaux n'habite pas encore entièrement ses véhicules ; cela lui est impossible tant que certains points du corps physique et du corps vital ne coïncident pas, comme nous le verrons au chapitre XII. C'est la raison pour laquelle l'animal ne vit pas aussi complètement que l'homme ; il est incapable d'éprouver des désirs et des émotions aussi élevés, parce qu'il n'est pas conscient au même degré que lui. Les mammifères actuels se trouvent à un rang supérieur à celui qu'occupait l'homme pendant la période animale de son évolution, parce qu'ils ont le sang rouge et chaud qui lui manquait alors. Cette différence s'explique par la progression de l'évolution qui a toujours lieu en spirale. C'est pourquoi l'homme est d'un type d'humanité supérieur à celui que furent les Anges à l'époque où ils ont passé par le stade humain.

Les mammifères actuels qui, dans leur stade animal, ont acquis le sang rouge et chaud, sont capables d'éprouver dans une certaine mesure des désirs et des émotions. Plus tard, quand ils auront atteint la Période de Jupiter, ils formeront un type d'humanité meilleur et plus pur que le nôtre. Parmi les membres de notre humanité actuelle, au contraire, il y en aura qui, dans cette période future, seront manifestement mauvais. Ils ne pourront plus alors dissimuler leur véritable nature et leurs passions comme ils le font de nos jours. Par contre, ils n'en éprouveront aucune honte.

Il est curieux de remarquer, à la lumière de cet exposé sur les rapports du foie avec la vie de l'organisme, que dans plusieurs langues européennes (l'anglais, l'allemand et les langues scandinaves), le mot « liver » qui désigne l'organe appelé « foie » pourrait se traduire également par « celui qui vit ».

Nous allons examiner maintenant les rapports des quatre règnes avec le Monde de la Pensée. Les minéraux, les plantes et les animaux n'ont pas de véhicule qui les mette en rapport avec ce monde. Cependant, nous savons qu'il y a des animaux qui pensent : ce sont les animaux domestiques supérieurs ; depuis de nombreuses générations, en vivant tout près de l'homme, ils ont développé une faculté que les autres animaux ne possèdent pas. Cette faculté repose sur un principe analogue à celui d'après lequel un fil électrique parcouru par un courant donne naissance, par induction, à un courant électrique plus faible dans un autre fil placé à proximité. Nous rencontrons un phénomène semblable dans l'ordre moral : un homme d'une haute moralité éveillera une tendance analogue chez un être d'une nature moins noble ; tandis qu'une personne d'une moralité douteuse sera dévoyée si elle est soumise à l'influence de mauvaises gens. Toutes nos actions, toutes nos paroles, tout notre être se reflètent dans les choses qui nous entourent. C'est la raison pour laquelle les animaux domestiques supérieurs pensent. Ils sont les plus développés de leur espèce, presque sur le point d'être individualisés ; les vibrations de la pensée humaine ont « induit » en eux une activité mentale analogue, mais d'un ordre inférieur. A part ces exceptions, le règne animal n'a pas encore acquis la faculté de penser. Les animaux ne sont pas *individualisés.* C'est la principale différence qui sépare l'homme des autres règnes. L'homme est un individu distinct, tandis que les animaux, les plantes et les minéraux sont classés par espèces.

Pourtant, dira-t-on, nous classons bien l'humanité en races, nations et tribus. Nous notons les différences qui séparent le Caucasien du Noir ou de l'Indien, etc. C'est exact. Mais là n'est pas la question. Si nous voulons étudier les caractéristiques du lion, de l'éléphant ou celles d'autres espèces animales, il nous suffit d'observer un échantillon quelconque de cette espèce. Quand nous connaissons les particularités d'un animal, nous connaissons celles de tous les membres de la même espèce, puisqu'ils sont tous semblables. C'est là le point important. Un lion, son père ou son fils se ressemblent. Placés dans les mêmes conditions, ils agiront de la même manière ; ils ont les mêmes préférences, les mêmes aversions ; l'un est pareil à l'autre.

Il en est tout autrement chez l'homme. Si nous voulions étudier les caractéristiques des Noirs, il ne suffirait pas d'examiner un seul individu. Pour bien faire, il serait nécessaire de les observer tous séparément, et même alors, nous n'arriverions à aucune donnée *générale* sur leur race, simplement parce que les particularités d'un seul individu ne s'appliquent pas à la race prise dans son ensemble. Si nous voulons connaître le caractère d'un homme, cela ne nous sert à rien d'étudier la personnalité de son grand-père, de son père ou de son fils. Chacun d'eux possède des particularités propres, qui le distinguent totalement des autres.

D'autre part, pour nous faire une idée exacte de certains minéraux, de certaines plantes ou de certains animaux, il nous suffit d'étudier une seule unité de chaque espèce. Tandis que pour l'homme, nous voyons qu'il y a autant d'espèces que d'individus. Chaque personne est par elle-même une « espèce » ; elle est sa propre loi, tout à fait distincte et à part de tout autre individu ; elle diffère autant de ses frères en humanité qu'une espèce diffère de l'autre dans les règnes inférieurs. Nous pouvons écrire la biographie d'un homme, mais ne pouvons le faire pour un animal. En voici la raison : dans chaque homme, il y a un esprit *intérieur* individuel qui dirige ses pensées et ses actions, tandis qu'il n'y a qu'un « esprit-groupe » *pour tous* les animaux ou les plantes d'une même espèce. Cet esprit travaille *du dehors* sur les plantes et sur les animaux. Le tigre qui erre dans les régions les plus sauvages de la jungle indienne et celui qui est enfermé dans la cage d'une ménagerie sont, tous les deux, l'expression du même esprit-groupe. Ce dernier les influence tous les deux depuis le Monde du Désir où il réside et où la distance est presque insignifiante.

Les esprits-groupes des trois règnes inférieurs demeurent dans les Mondes Hyperphysiques, comme nous le verrons dans un instant lorsque nous étudierons l'état de conscience des règnes divers ; mais pour bien comprendre leur situation respective, il est nécessaire de se rappeler et de saisir clairement ce que nous avons dit au sujet de toutes les formes du monde visible. Elles sont la matérialisation de modèles et d'idées existant dans les mondes supérieurs ; pour mieux nous faire comprendre, nous avons cité les exemples de l'architecte construisant une maison et de l'inventeur concevant une machine. Les Esprits des Mondes Hyperphysiques ont émis hors d'eux-mêmes les corps solides et matériels des règnes divers, tout comme les sécrétions du corps mou de l'escargot se solidifient pour former la coquille dure qu'il porte sur le dos.

Les véhicules qu'on appelle « supérieurs », bien qu'assez ténus, assez subtils pour être invisibles, ne sont à aucun titre *des émanations* du corps physique ; au contraire, les véhicules solides de tous les règnes correspondent pour ainsi dire à la coquille de l'escargot qui est la condensation de ses sécrétions ; l'escargot lui-même pourrait représenter l'esprit, et les sucs de son corps, dans leur processus de solidification, pourraient donner une image de l'intellect, du corps du désir et du corps vital.

L'Esprit a émané ces divers véhicules extraits de lui-même dans le but d'acquérir, grâce à eux, de l'expérience. C'est l'esprit qui fait mouvoir le corps physique à son gré (comme l'escargot le fait de sa coquille) et non le corps qui commande les mouvements de l'esprit. Plus l'esprit est capable d'entrer intimement en rapport avec son véhicule, plus il lui est possible de le diriger et de s'exprimer par son intermédiaire. Nous avons ainsi l'explication des différents états de conscience dans les quatre règnes.

L'étude des tableaux 3 et 4 fera comprendre clairement ce que sont les véhicules de chaque règne, la façon dont ils sont reliés aux différents mondes et l'état de conscience qui en résulte.

Le tableau 3 nous montre que l'Ego distinct s'individualise définitivement dans la Région de la Pensée abstraite et que seul l'homme possède la chaîne complète de véhicules qui le met en rapport avec toutes les subdivisions des trois mondes. Un anneau de la chaîne manque aux animaux : l'intellect ; deux chaînons manquent aux plantes : l'intellect et le corps du désir. Et il manque aux minéraux trois maillons de la chaîne de véhicules nécessaires pour opérer en pleine conscience dans le monde physique, à savoir : l'intellect, le corps du désir et le corps vital.

La raison de l'absence de ces divers véhicules est que le Règne minéral est l'expression de la vague de vie en évolution la plus récente. Celle qui anime le Règne végétal est depuis plus longtemps sur la route du progrès ; celle du Règne animal a encore un passé plus reculé ; tandis que l'Homme, c'est-à-dire la vie qui trouve maintenant son expression dans la forme humaine, a parcouru le plus long chemin et se trouve, pour cette raison, en tête. En temps voulu, les trois vagues de vie qui animent maintenant les trois règnes inférieurs arriveront à la condition humaine, tandis que nous aurons atteint un degré supérieur de développement.

Pour comprendre le degré de conscience qui résulte de la possession des véhicules utilisés par la Vie en évolution dans les quatre règnes, examinons le tableau 4. Il nous apprend que l'homme pensant, l'Ego, est descendu

TABLEAU 3

Montrant *les véhicules de chaque règne* et la manière dont ils sont reliés aux différents mondes

Monde	REGNE			
	Minéral	Végétal	Animal	Humain
Région de la pensée abstraite et Région de la pensée concrète	Esprit - groupe Pas de véhicule	Esprit - groupe Pas de véhicule	Esprit - groupe Pas de véhicule	Ego Intellect
Monde du désir	Pas de véhicule	Pas de véhicule	Corps du désir	Corps du désir
Monde physique : comprend la Région éthérique et la Région chimique	Pas de véhicule Corps physique	Corps vital Corps physique	Corps vital Corps physique	Corps vital Corps physique

dans la Région Chimique du Monde Physique. Là, il a coordonné tous ses véhicules et atteint la conscience à l'état de veille. Il apprend maintenant à gouverner ses corps. Les organes du corps du désir, pas plus que ceux de l'intellect, ne sont encore développés. L'intellect n'est même pas encore un corps, mais simplement un trait d'union, une gaine ou enveloppe qui permet à l'Ego de concentrer ses énergies. C'est le dernier des véhicules qui nous ait été donné. L'esprit, en travaillant, passe graduellement des matières plus subtiles aux plus denses ; ses véhicules ou corps sont également construits de matière subtile d'abord, puis de matières de plus en plus denses. Le corps physique a été construit le premier et a maintenant atteint son quatrième degré de densité ; le corps vital, son troisième, et le corps du désir son deuxième degré de densité ; aussi n'est-il encore qu'à l'état de nuage. Quant à l'enveloppe de l'intellect, elle est plus ténue encore. Comme ces corps n'ont pas développé d'organes, il est évident que, *employés seuls*, ils seraient inutilisables comme véhicules de conscience. L'Ego, toutefois, a pénétré *à l'intérieur* du corps physique, a établi une connexion entre ces corps sans organes et les centres physiques de sensations d'où résulte sa conscience à l'état de veille dans le Monde matériel.

L'étudiant devrait noter tout particulièrement que c'est à cause de leurs relations avec le mécanisme admirablement organisé du corps physique que les véhicules supérieurs ont à présent pour nous quelque valeur. Ainsi, il évitera de tomber dans l'erreur que commettent souvent ceux qui, ayant appris qu'il y a des corps supérieurs, en viennent à mépriser le corps physique ; ils en parlent comme de quelque chose de « bas » et de « vil », lèvent les yeux au ciel en priant qu'il leur soit bientôt donné d'abandonner cette masse d'argile terrestre et de s'envoler dans leurs « véhicules supérieurs ».

Ils ne se rendent pas compte de la différence qu'il y a entre le mot « supérieur » et le mot « parfait ». Le corps matériel est assurément le plus grossier de nos véhicules, en ce sens qu'il est le plus lourd à remuer et qu'il met l'être humain en rapport avec le monde physique, ce qui implique de nombreuses limitations. Ainsi que nous l'avons dit, ce corps a derrière lui une durée énorme d'évolution. Il

TABLEAU 4

Montrant *l'état de conscience* qui appartient à chaque règne

Monde	REGNE				Etat de Conscience
	Minéral	Végétal	Animal	Humain	
Région de la pensée abstraite et Région de la pensée concrète	Esprit-Groupe et Ego	Esprit-Groupe et Ego			Léthargie Sommeil sans rêves.
Monde du désir			Esprit-Groupe et Ego		Conscience de rêve.
Monde physique : comprend la Région éthérique et la Région chimique	Corps physique.	Corps vital Corps physique.	Corps du désir Corps vital Corps physique	Ego Intellect. Corps du désir Corps vital Corps physique.	Conscience à l'état de veille.

en est à la quatrième phase de son développement. Aussi a-t-il atteint un degré merveilleux d'efficacité. Dans l'avenir, il atteindra la perfection. Toutefois, il est, dès à présent, le mieux organisé de tous les véhicules de l'homme. Le corps vital est dans la troisième période de son évolution ; il est moins bien organisé que le corps physique. Le corps du désir et l'intellect ne sont actuellement que de simples nuages non organisés. Chez les individus inférieurs de la race humaine, ces véhicules ne sont même pas des ovoïdes bien définis, et leurs contours sont plus ou moins indécis.

Le corps physique est un instrument d'une construction merveilleuse, digne de l'admiration de tous ceux qui prétendent avoir quelque connaissance de la constitution de l'homme. Examinons le fémur, par exemple. Cet os supporte le poids du corps tout entier. Sa surface est formée d'une mince couche d'os compact ; à l'intérieur, il est renforcé par des traverses formées de matière poreuse si merveilleusement agencées que les ingénieurs les plus habiles dans la construction de ponts ou de grands ouvrages métalliques ne pourraient jamais arriver à établir un pilier d'une solidité aussi grande avec un poids aussi léger. Les os du crâne sont construits d'une manière analogue, offrant toujours le maximum de solidité avec le minimum de poids. Considérez toute la sagesse qui se manifeste dans la construction du cœur et voyez alors si ce mécanisme admirable mérite notre mépris. Le sage est plein de gratitude pour la possession de son corps physique et il en prend le plus grand soin, car il sait que c'est le plus précieux de ses véhicules actuels.

L'esprit de l'animal n'a encore atteint, dans son évolution que le Monde du Désir. Cet esprit n'a pas évolué au point de pouvoir « pénétrer » dans un corps physique. Par suite, les animaux n'ont pas d'esprit individuel intérieur, mais un esprit-groupe qui les dirige *du dehors*. Ils possèdent les trois corps, physique, vital et du désir, mais l'esprit-groupe qui les gouverne se trouve à l'extérieur. Le corps éthérique et le corps du désir des animaux ne coïncident pas encore complètement avec le corps physique, particulièrement en ce qui concerne la partie correspondant à la tête. Par exemple, la tête éthérique d'un cheval s'étend considérablement au-delà de sa tête physique.

S'il arrive — chose exceptionnelle — que la tête éthérique coïncide avec la tête physique, le cheval peut apprendre à lire, à compter et à faire des opérations d'arithmétique élémentaire. C'est aussi à cette particularité que les chevaux, les chiens, les chats et autres animaux domestiques doivent les impressions qu'ils reçoivent du Monde du Désir, bien qu'ils ne se rendent pas toujours compte de la différence entre ce monde et le Monde Physique. Un cheval se cabrera à la vue d'une forme invisible pour son conducteur ; un chat essayera de se frotter contre des jambes invisibles pour nous et qu'il voit cependant sans comprendre que ce ne sont pas des jambes matérielles. Le chien, plus intelligent que le chat et le cheval, se rendra compte qu'il y a quelque chose d'incompréhensible dans l'apparition de son maître défunt dont il ne peut lécher les mains. Il aboiera d'une façon lugubre et ira se cacher dans un coin, la queue entre les jambes. L'exemple suivant permettra de saisir la différence existant entre l'homme dont l'esprit est intérieur, et l'animal qui est dirigé par son esprit-groupe :

Imaginons une chambre divisée en deux par un rideau. Un des côtés représente le Monde du Désir et l'autre le Monde Physique. Supposons qu'il y ait deux hommes dans la pièce, de part et d'autre du rideau. Ils ne peuvent se voir ni se rencontrer. Dix ouvertures sont pratiquées dans le rideau ; l'homme placé dans la division représentant le Monde du Désir peut, à travers ces ouvertures, faire passer ses dix doigts dans la division représentant le Monde matériel. Cet homme donne une excellente image de l'esprit-groupe qui se trouve dans le Monde du Désir. Les doigts représentent les corps des animaux appartenant à une même espèce. Il peut les mouvoir comme il l'entend. Il ne peut cependant pas les utiliser aussi intelligemment, ni aussi librement que l'homme qui marche librement dans la partie physique de ce lieu et peut se servir de son corps dense. Il voit les doigts qui bougent à travers les trous du rideau mais il ignore le rapport qui existe entre eux ; ils lui paraissent distincts les uns des autres et il ne se rend pas compte — n'étant pas prévenu — que ces dix doigts sont ceux des deux mains d'un homme caché derrière le rideau, et dont l'intelligence dirige les mouvements : S'il blesse un des doigts, ce n'est pas le doigt seul qui est meurtri, mais surtout l'homme invisible. Un animal blessé souffre, mais pas au même degré que son esprit-groupe. Le doigt n'a pas de conscience individuelle ; il se meut au gré de l'homme qui le dirige. Les animaux en font de même suivant les impulsions de l'esprit-groupe. Nous parlons d' « instinct animal » ou d' « instinct aveugle », et cependant il n'y a rien d'aveugle dans la manière dont l'esprit-groupe guide ses membres, il n'y a là que SAGESSE. Le clairvoyant expérimenté, quand il est actif dans le Monde du Désir, peut entrer en relation avec ces esprits-groupes et il les trouve beaucoup plus intelligents qu'une grande partie des hommes. Il peut observer la prévoyance merveilleuse dont ils font preuve en dirigeant les animaux qui sont leurs corps physiques.

C'est l'esprit-groupe des oiseaux qui, à l'automne, les rassemble par bandes et les oblige à émigrer vers le Sud, ni trop tôt, ni trop tard, pour échapper aux bises glacées de l'hiver ; c'est lui qui, au printemps, dirige leur retour et règle leur vol à une altitude convenable, différente pour chaque espèce.

L'esprit-groupe du castor lui apprend à construire à l'angle voulu sa digue à travers une rivière avec une précision remarquable. Il sait tenir compte de la rapidité du courant et de toutes les autres circonstances, exactement comme le ferait un ingénieur habile, prouvant ainsi qu'il connaît les moindres détails de son art aussi bien que le technicien le mieux instruit. C'est la sagesse de l'esprit-groupe qui dirige la construction des cellules hexagonales de l'abeille avec une parfaite exactitude géométrique ; c'est elle qui apprend à l'escargot à modeler sa demeure en une spirale si belle et si exacte, et aux mollusques de l'océan à décorer leurs coquilles irisées. Partout, la Sagesse. Sagesse si grande, si sublime, que celui qui l'observe en est rempli de stupéfaction et de vénération !

Le lecteur se demandera alors pourquoi, étant donné que l'esprit-groupe des animaux est si avancé en sagesse et en connaissance, l'homme lui-même, qui a atteint un degré de développement bien supérieur à celui des animaux, ne fait pas preuve de plus d'ingéniosité, pourquoi il est obligé d'étudier l'algèbre et la géométrie pour arriver à construire des barrages et autres ouvrages d'art que l'esprit-groupe de l'animal exécute à la perfection sans avoir rien appris.

Tout cela s'explique par la descente progressive de l'Esprit universel dans une matière toujours plus dense. Dans les mondes supérieurs où ses véhicules sont moins nombreux et faits d'une substance plus subtile, l'Esprit est en relation plus étroite avec la sagesse cosmique qui rayonne à travers ces mondes d'une façon impossible à concevoir dans notre monde physique. Mais au fur et à mesure que l'Esprit descend, la lumière de la sagesse s'obscurcit jusqu'à ce que, dans le plus dense des mondes, elle soit presque complètement absente.

Un exemple fera mieux saisir ce qui précède. La main, l'outil le plus précieux de l'homme, est d'une dextérité telle qu'elle lui permet de répondre à ses moindres désirs. Dans certaines professions, comme celle de caissier de banque, le toucher délicat des doigts devient d'une telle finesse qu'il sait distinguer une pièce de monnaie fausse, ou un billet de banque imité d'un authentique, d'une manière si subtile que la main elle-même semble douée d'intelligence.

C'est peut-être dans l'exécution d'un morceau de musique que la main peut le mieux manifester son habileté. La main du musicien qui possède un doigté merveilleux peut rendre les phrases musicales les plus nuancées, des plus délicates aux plus grandioses. Son toucher caressant éveille dans l'instrument les accents les plus tendres du langage des âmes et les mains font s'exhaler les afflictions, les joies, les espoirs, les craintes et les désirs, et les envolées les plus frémissantes et les plus augustes que l'être humain puisse ressentir. La musique est le langage du Ciel, qui est la véritable demeure de l'Esprit. Ses accents touchent l'étincelle divine, emprisonnée dans la chair, comme un message de son pays natal. La musique parle à tous les hommes, quelles que soient leur race, leur religion ou leur position sociale ; plus l'individu est supérieurement et spirituellement développé, plus le langage de la musique devient clair pour lui, et même le plus endurci des êtres est sensible à son influence.

Imaginons maintenant qu'un musicien virtuose mette des gants souples pour jouer du violon. Nous remarquerons aussitôt que la délicatesse de son toucher est moins subtile ;

l'âme de la musique a disparu. Si, à la première paire, il en ajoute une seconde plus épaisse, l'action de la main est gênée au point de provoquer quelques fausses notes. Met-il finalement, en plus des deux paires de gants qui le gênent déjà, une paire encore plus épaisse, il se trouve temporairement dans l'incapacité de jouer. Celui qui ne l'a pas entendu auparavant et qui ignore que ses mains sont embarrassées, pense tout naturellement que jamais il n'a été capable d'exécuter un morceau.

Il en est de même de l'Esprit : chaque pas, chaque descente dans la matière plus dense est pour lui ce qu'est l'adjonction d'une paire de gants pour le musicien dont nous venons de parler. Chaque degré dans l'involution limite son pouvoir d'expression jusqu'à ce qu'il soit accoutumé à ces restrictions, de même que notre œil doit s'accommoder aux variations d'intensité de la lumière. La pupille se contracte à l'extrême dans la lumière éblouissante du soleil ; si nous entrons alors dans une maison, tout nous semble obscur, mais à mesure que la pupille se dilate de nouveau, nous redevenons capables de voir aussi bien qu'avant, quand nous étions en pleine lumière.

Le but de l'évolution de l'homme ici-bas est de le mettre à même de s'adapter au Monde Physique, où la lumière de la sagesse semble à présent obscurcie. Mais quand, plus tard, il aura « trouvé la lumière », sa sagesse se manifestera dans ses actions et surpassera de beaucoup celle qui est manifestée par l'esprit-groupe de l'animal.

D'autre part, il est essentiel de faire une distinction entre l'esprit-groupe et les esprit vierges de la vague de vie qui trouve maintenant son expression dans le règne animal. Le premier appartient à une évolution différente, et il est le gardien des esprits des animaux.

Le corps physique au moyen duquel nous agissons est composé de nombreuses cellules ; chacune d'elles est douée d'une conscience distincte, quoique d'un ordre très inférieur. Tant qu'elles font partie de notre corps, elles sont soumises à *notre* conscience qui les domine. Un esprit-groupe animal agit dans *un corps spirituel* qui est son véhicule le plus bas. Ce véhicule consiste en un nombre variable d'esprits vierges pénétrés, pendant le temps où ils en font partie, par la conscience de l'esprit-groupe. Celui-ci dirige les corps construits par les esprits vierges dont il a la charge, prend soin de ces derniers et les aide à faire progresser leurs véhicules. A mesure que ses protégés avancent sur le sentier de l'évolution, l'esprit-groupe évolue et subit une série de métamorphoses analogues à celles par lesquelles nous progressons et acquérons de l'expérience en assimilant dans notre corps les cellules de nos aliments ; nous élevons ainsi leur conscience en unissant la leur avec la nôtre pour un certain temps.

Ainsi, tandis qu'il y a dans chaque corps humain un Ego distinct et conscient de lui-même, qui domine les actions de son véhicule particulier, l'esprit de chaque animal n'est pas encore individualisé et conscient de lui-même, mais il fait partie du véhicule d'une entité consciente, l'esprit-groupe, qui appartient à une évolution différente.

Cet esprit-groupe domine les actions des animaux, en harmonie avec les lois cosmiques, jusqu'à ce que les esprits vierges dont il a la charge aient pris conscience d'eux-mêmes et soient individualisés à l'état humain. Alors ils manifesteront peu à peu une volonté personnelle ; ils s'émanciperont de plus en plus de la tutelle de l'esprit-groupe et deviendront responsables de leurs propres actions. Toutefois, l'esprit-groupe continuera de les influencer (bien que d'une manière décroissante) en tant qu'esprit de race, de tribu, de communauté ou de famille, tant que chaque individu ne sera pas capable d'agir en harmonie complète avec les lois cosmiques. Quand ce moment sera venu, l'Ego s'affranchira de la tutelle de l'esprit-groupe, qui entrera alors dans une phase supérieure d'évolution.

Le fait que l'esprit-groupe se trouve dans le Monde du Désir donne à l'animal un état de conscience différent de celui de l'homme qui, lui, à l'état de veille, voit les choses *extérieures* avec des contours bien nets et bien définis. Les animaux domestiques supérieurs, notamment le chien, le cheval, le chat et l'éléphant qui suivent le chemin en spirale de l'évolution, voient les objets qui les entourent à peu près comme nous, mais pas tout à fait aussi nettement peut-être.

Quant aux autres animaux, ils ont une vision intérieure comparable à celle de l'homme quand il rêve.

Lorsqu'ils se trouvent en présence d'un objet, ils perçoivent sur-le-champ *intérieurement* une image à laquelle vient s'ajouter l'impression nette que l'objet leur est, soit favorable, soit hostile. Si le sentiment de crainte l'emporte, il est associé à une suggestion venant de l'esprit-groupe en vue d'éviter le danger imminent. Cet état négatif de conscience facilite la tâche de l'esprit-groupe qui dirige les corps physiques dont il a la garde, au moyen de suggestions, puisque les animaux n'ont pas de volonté individuelle.

L'homme n'est pas aussi facilement gouverné de l'extérieur, avec ou sans son consentement. A mesure que l'évolution progresse et que la volonté de l'homme s'affirme davantage, il s'affranchit des suggestions venant du dehors et devient libre de faire ce qui lui plaît, indépendamment des influences d'autrui. C'est ce qui distingue essentiellement l'homme des autres règnes. Ceux-ci agissent selon la loi et d'après les ordres de l'esprit-groupe (que nous appelons instinct), tandis que l'homme devient de plus en plus son propre maître. Nous ne demandons pas aux minéraux s'ils veulent ou non se cristalliser, ni à la fleur si elle veut fleurir, ni au lion s'il veut cesser de chasser sa proie. Pour les choses les plus insignifiantes comme pour les plus importantes, tous sont sous la domination absolue de l'esprit-groupe ; ils n'ont ni la libre volonté, ni l'initiative que possède à un certain degré tout être humain. Tous les animaux d'une même espèce se ressemblent à peu de chose près, parce qu'ils émanent du même esprit-groupe, tandis que parmi les millions d'êtres humains qui peuplent la Terre, il n'y en a pas deux qui soient exactement semblables, pas même des jumeaux lorsqu'ils sont adolescents, parce que la marque imprimée sur chacun d'eux par l'Ego individuel produit une différence dans leur apparence extérieure aussi bien que dans leur caractère.

Le fait que tous les bœufs se nourrissent d'herbe, que tous les lions se repaissent de chair, tandis que pour l'homme, selon le dicton, « ce qui est nourriture pour l'un est un poison pour un autre », est encore une exemple de l'influence absolue de l'esprit-groupe sur les animaux. L'Ego, au contraire, fait que chaque homme doit recevoir une proportion d'aliments spécialement adaptée à son organisme. Les médecins remarquent avec perplexité la même particularité dans l'effet de leurs remèdes qui agissent d'une manière différente sur les différents malades, tandis que le même produit provoque des résultats identiques chez deux animaux de la même espèce. Il en est ainsi, parce que tous les animaux suivent les commandements de l'esprit-groupe et de la Loi cosmique et qu'ils agissent d'une manière identique quand ils sont soumis aux mêmes conditions. Seul, l'homme est capable d'obéir à ses propres désirs jusqu'à un certain point. Il commet de nombreuses et graves erreurs, au point qu'il semblerait un avantage d'être obligés de marcher dans le droit chemin, mais si tel était le cas, l'homme n'apprendrait jamais à discerner le bien du mal. Il ne peut y parvenir qu'à la condition de pouvoir suivre sa propre ligne de conduite. S'il n'apprenait pas de lui-même et par ses propres expériences à s'écarter de cette « source de douleur » qu'est le mal, s'il était contraint et forcé par des puissances supérieures à agir toujours correctement, sans avoir le choix de faire autrement, il ne serait qu'un automate au lieu d'être un dieu en évolution.

De même que le constructeur s'instruit par ses échecs et corrige ses plans en conséquence, ainsi l'homme s'instruit par ses fautes successives et par la douleur qu'elles lui apportent. C'est ainsi qu'il parvient à une sagesse supérieure à celle de l'animal, parce que consciente. Ce dernier agit sagement parce qu'il est poussé par son esprit-groupe. A l'avenir, les animaux atteindront le stade humain et ils auront le libre arbitre. Ils commettront à leur tour des fautes dont ils tireront les leçons voulues, comme les hommes le font de nos jours.

D'après le tableau 4, nous constatons que l'esprit-groupe du règne végétal a son véhicule le plus bas dans la Région de la Pensée Concrète. Ce véhicule est éloigné de deux degrés du corps physique ; par suite, les plantes ont un état de conscience qui correspond au *sommeil sans rêves.* L'esprit-groupe des minéraux a son corps inférieur dans la Région de la Pensée Abstraite ; il est donc séparé par trois degrés de son véhicule physique ; aussi les minéraux sont-ils dans un état profond d'inconscience analogue à l'état de *léthargie.*

Nous voyons donc que l'homme est un esprit individuel, un Ego distinct de toutes les autres entités, qui pénètre une série de véhicules pour les diriger de *l'intérieur,* tandis que les plantes et les animaux sont guidés de *l'extérieur*, par un esprit-groupe dont la domination s'étend sur un groupe d'animaux ou de plantes du Monde Physique, distincts seulement en apparence.

Les rapports des plantes, des animaux et de l'homme avec les courants vitaux qui circulent dans l'atmosphère de la Terre sont représentés, symboliquement, par la croix. Le règne minéral n'est pas compris dans ce symbole, parce que, comme nous l'avons vu, les minéraux ne possèdent pas de corps éthérique individuel ; c'est pourquoi ils ne peuvent servir de véhicules aux courants qui appartiennent à des mondes supérieurs. Platon, qui était un initié, énonçait souvent des vérités occultes ; il disait : « L'âme du Monde est crucifiée ».

La branche inférieure de la croix représente la plante dont la racine s'enfonce dans le sol minéral chimique. Or, les esprits-groupes des plantes se trouvent au centre de la Terre. Ils demeurent, ne l'oublions pas, dans la Région de la Pensée Concrète qui interpénètre la Terre. De ces entités émanent des courants qui rayonnent dans toutes les directions jusqu'à la périphérie de notre globe qu'ils dépassent en suivant la tige des plantes ou le tronc des arbres.

L'homme est représenté par la branche supérieure ; il est la *plante invertie.* Celle-ci absorbe sa nourriture par la racine ; l'homme prend la sienne par la tête. La plante tourne ses organes de reproduction vers le soleil ; l'homme tourne les siens vers le centre de la Terre. La plante reçoit les courants spirituels de l'esprit-groupe, placé au centre de la Terre ; ces courants la pénètrent par la racine. Plus tard, nous verrons que l'influence spirituelle la plus élevée reçue par l'homme lui vient du Soleil, dont les rayons pénètrent pas la tête. La plante respire le délétère gaz carbonique que l'homme exhale, et elle émet l'oxygène vitalisant qu'il respire.

Les animaux que symbolise le bras horizontal de la croix sont à mi-chemin entre les plantes et l'homme. Leur colonne vertébrale est horizontale ; par elle passent les courants de l'esprit-groupe des animaux, courants qui circulent autour de la Terre.

Il n'y a pas d'animal qui puisse rester constamment dans une position verticale parce que, dans ce cas, les courants de l'esprit-groupe ne pourraient pas le guider et, n'étant pas suffisamment individualisé pour supporter les courants spirituels qui pénètrent la colonne vertébrale verticale de l'être humain, il mourrait. Pour qu'un corps physique puisse servir à l'expression de l'Ego individuel, trois facteurs sont indispensables : 1° la station verticale qui permet la réception des courants que nous venons de mentionner ; 2° un larynx vertical nécessaire à l'émission de la parole (les perroquets, les geais, les sansonnets qui ont un larynx vertical sont des oiseaux auxquels on peut apprendre à parler) ; 3° un sang chaud capable de recevoir les courants solaires. Cette dernière condition est d'une importance capitale et nous reviendrons plus tard sur la question. Pour le moment, nous nous bornons à la nomenclature des éléments nécessaires à l'Ego, en terminant cette étude sur les rapports des quatre règnes entre eux et avec les différents mondes.

CHAPITRE III

L'HOMME ET LE PROCESSUS DE L'ÉVOLUTION

ACTIVITES DE LA VIE ; MEMOIRE ET DEVELOPPEMENT DE L'AME

Jusqu'à présent, notre étude des sept Mondes ou des sept états de la matière nous a montré que chacun d'eux remplit un but déterminé dans l'économie de la nature et que Dieu, le Grand Esprit, *dans* lequel, en vérité, « nous avons la vie, le mouvement et l'être », est le Pouvoir qui pénètre et maintient, avec Sa Vie, tout l'Univers ; mais tandis que cette vie se déverse et demeure en chaque atome des six mondes inférieurs et dans tout ce que ces mondes contiennent, c'est dans le monde le plus élevé, le septième, que SEUL l'unique Dieu Trinitaire EST.

Le plan le plus élevé qu'on rencontre avant ce septième monde, le sixième, est le monde des Esprits Vierges. C'est là que les étincelles de la divine « Flamme » demeurent avant d'entreprendre leur long pèlerinage dans les cinq Mondes plus denses, afin de développer leurs pouvoirs latents en pouvoirs dynamiques. De même que la semence manifeste sa puissance cachée après avoir été enfouie dans la terre, ainsi, dans l'avenir, quand ces esprits vierges seront passés à travers la matière (école de l'expérience), ils deviendront eux-mêmes des « Flammes » divines, capables d'émaner de leur être des univers.

Des cinq Mondes constituant le domaine dans lequel l'homme évolue, les trois inférieurs, ou les plus denses,

TABLEAU 5

LA CONSTITUTION SEPTUPLE DE L'HOMME

	Monde ou Région		*Véhicule correspondant*		
5	Monde de l'Esprit Divin		Esprit Divin	L'Esprit Triple	L'Ego
4	Monde de l'Esprit Vital		Esprit Vital		
3	Monde de la Pensée	Région de la Pensée Abstraite	Esprit Humain		
		Région de la Pensée Concrète	Intellect : (L'Intellect est le miroir à travers lequel l'Esprit triple se reflète dans le corps triple ; le point focal. — Voir tableau 1.)		
2	Monde du Désir		Corps du Désir	Le Corps Triple, réflexion de l'Esprit Triple.	
1	Monde Physique	Région Ethérique	Corps Vital		
		Région Chimique	Corps Physique		

sont la scène de la phase actuelle de son développement. Nous allons maintenant considérer l'être humain dans ses relations avec les cinq Mondes par l'intermédiaire de ses véhicules appropriés, sans oublier que deux de ces Mondes comportent chacun deux grandes régions et que l'homme possède un véhicule pour chacune de ces régions.

A l'état de veille, tous ces véhicules s'interpénètrent, comme le sang, la lymphe et les autres liquides du corps se pénètrent mutuellement. Grâce à ces véhicules, l'Ego est capable d'agir dans le Monde Physique.

En tant qu'Egos, nous agissons directement dans la substance de la Région de la Pensée Abstraite que nous avons spécialisée dans les limites de notre aura individuelle. De là, nous observons au moyen des sens les impressions faites par le monde extérieur sur le corps vital, et aussi les émotions et les sentiments causés dans le corps du désir et reflétés dans l'intellect.

Dans la région de la Pensée Abstraite, nous tirons de ces images mentales des conclusions sur les sujets auxquels elles se rapportent. Ces conclusions sont des idées. Par le pouvoir de la volonté, nous projetons une idée dans l'intellect où elle se concrétise en une forme-pensée qui attire à elle la substance mentale de la Région de la Pensée Concrète.

L'intellect est comme la lentille d'un appareil de projection. Il dirige l'image dans l'une des trois directions suivantes au gré de la volonté du penseur qui anime la forme-pensée.

1. — Cette image peut être projetée contre le corps du désir, dans un effort fait pour éveiller le sentiment qui provoquera une action immédiate.

a) Si la pensée suscite le sentiment d'Intérêt, une des forces jumelles d'Attraction ou de Répulsion sera éveillée. Si la force centripète d'Attraction prédomine, elle se saisit de la pensée, la projette dans le corps du désir, donne à l'image une vie accrue et la revêt de matière-désir. La pensée devient alors capable d'agir sur le cerveau éthérique et de faire passer la force vitale à travers les centres du cerveau et les nerfs correspondants jusqu'aux muscles volontaires qui accomplissent l'action nécessaire. C'est ainsi que la force spirituelle contenue dans la pensée se dépense. Il reste alors comme mémoire, dans l'éther du corps vital, une empreinte de l'acte et du sentiment qui lui a donné naissance.

b) Si la force centrifuge de Répulsion est éveillée par la forme-pensée, il y aura lutte entre la force spirituelle (la volonté de l'homme) qui se trouve dans la forme-pensée, et le corps du désir. C'est le combat entre la conscience et le désir, entre la nature supérieure et la nature inférieure. La force spirituelle, contre toute résistance, cherchera à revêtir la forme-pensée de la matière-désir nécessaire pour actionner le cerveau et les muscles. La force de Répulsion tentera de disperser les matériaux appropriés et de rejeter la pensée. Si l'énergie spirituelle est puissante, elle peut se frayer un chemin jusqu'aux centres du cerveau, maintenir son enveloppe de matière-désir pendant qu'elle commande la force vitale, et forcer ainsi l'homme à agir ; elle laissera alors dans la mémoire une vive impression de lutte et de victoire. Si l'énergie spirituelle est épuisée avant que l'action ne se soit produite, la forme-pensée sera dominée par la force de Répulsion et sera emmagasinée dans la mémoire comme l'est toute forme-pensée qui a dépensé son énergie.

c) Si la forme-pensée est reçue avec le sentiment débilitant de l'Indifférence, il dépend de l'énergie spirituelle qu'elle contient de pousser l'homme à l'action ou de laisser seulement une faible impression sur l'éther-réflecteur du corps vital après que son énergie cinétique aura été épuisée.

2. — Quand les images mentales provenant des impressions extérieures ne nécessitent pas d'action immédiate, ces images peuvent être projetées directement sur l'éther-réflecteur en même temps que les pensées qu'elles font surgir, pour être utilisées ultérieurement. L'esprit qui travaille par l'intermédiaire de l'intellect a directement accès aux réserves de la mémoire consciente et peut, à tout moment, ranimer toute image qui s'y trouve, lui communiquer une nouvelle force spirituelle et la projeter sur le corps du désir pour forcer le corps physique à agir. Chaque fois qu'une image est ainsi traitée, elle gagne en vivacité, en force et en efficacité, et entraîne l'homme à l'action, plus facilement qu'au début, parce qu'elle se

creuse une ornière et produit sur nous, par répétition, le phénomène d' « intensification » ou de « croissance » de la pensée.

3. — Enfin, la forme-pensée peut être projetée vers un autre intellect qu'elle suggestionne ou qu'elle avertit, comme dans le cas de transmission de pensée. Ou encore la forme-pensée peut être dirigée contre le corps du désir d'une autre personne pour la pousser à l'action, comme dans le cas où l'hypnotiseur influence sa victime à distance. La forme-pensée ainsi projetée agit sur sa victime exactement de la même manière que sa propre pensée. Si elle est conforme à ses tendances personnelles, elle agit ainsi qu'il a été dit précédemment au paragraphe 1 (a) ; dans le cas contraire, elle agira conformément à ce qui a été expliqué aux paragraphes 1 (b) ou 1 (c).

Quand le travail assigné à une forme-pensée ainsi projetée est accompli, ou lorsque son énergie a été dépensée en vains efforts pour arriver à son but, elle retourne à son créateur en portant avec elle la marque ineffaçable du voyage. Son succès ou son échec est imprimé sur les atomes négatifs de l'éther-réflecteur du corps vital de son auteur, où elle forme cette partie des archives de la vie et des actions qu'on appelle parfois le subconscient.

Cette empreinte est beaucoup plus importante que la mémoire à laquelle nous avons consciemment accès, et qui est faite de perceptions sensorielles imparfaites et souvent illusoires ; elle constitue la mémoire volontaire ou mental conscient.

La mémoire involontaire, ou subconscient, se forme d'une manière différente, tout à fait indépendante de notre volonté, à l'époque actuelle. L'éther apporte à la pellicule d'un appareil photographique, une impression exacte du paysage qui lui fait face et en saisit les plus petits détails, qu'ils aient été notés ou non par le photographe ; de même, l'éther que contient l'air que nous respirons porte en lui une image fidèle et détaillée de tout ce qui nous environne, non seulement des choses matérielles, mais encore des conditions telles qu'elles existent à chaque instant dans notre aura. Les pensées, les émotions, les sentiments les plus insignifiants sont transmis aux poumons qui les font passer dans le sang. Le sang est un des produits supérieurs du corps vital, puisqu'il porte la nourriture à toutes les parties du corps et qu'il est le véhicule direct de l'Ego. Les images qu'il contient sont imprimées sur les atomes négatifs du corps vital ; elles serviront d'arbitres de la destinée de l'homme, dans l'état qui suit immédiatement la mort.

La mémoire consciente et la mémoire subconsciente se rapportent *entièrement* aux expériences de la vie présente. Elles résultent des impressions faites par les événements sur le corps vital. Ces impressions peuvent être changées ou même effacées comme nous l'expliquons quelques pages plus loin au sujet de la rémission des péchés. Ce changement ou cette suppression dépendent de l'élimination des impressions premières gravées sur le corps vital.

Nous avons, de plus, une mémoire superconsciente. C'est là que sont conservées toutes les facultés et toutes les connaissances acquises dans les vies passées ; facultés et connaissances qui peuvent n'être, toutefois, qu'à l'état latent dans l'incarnation présente. Le tout est gravé d'une manière ineffaçable sur l'esprit vital, et c'est dans le « caractère », ou la « conscience » que s'en fait partiellement et ordinairement la manifestation, en animant nos formes-pensées, quelquefois en nous conseillant, parfois aussi en nous poussant à l'action avec une force irrésistible, contrairement même à notre raison et à nos désirs.

Chez beaucoup de femmes dont le corps vital est positif, et chez des individus supérieurs de l'un ou l'autre sexe dont le corps vital a été sensibilisé par une vie pure et sainte, par la prière et la concentration, il arrive que cette mémoire superconsciente, inhérente à l'esprit vital, ne soit pas, jusqu'à un certain point, obligée de se vêtir de substance intellect et de matière désir pour pousser l'homme à l'action. Cette mémoire n'a pas toujours besoin d'être soumise au raisonnement ou au danger d'être subjuguée par lui. Parfois, grâce à l'intuition — qui est une sorte de connaissance innée — elle s'imprime directement sur l'éther-réflecteur du corps vital. Plus nous apprenons à la reconnaître et à suivre ses directives, mieux elle se fait entendre et comprendre, pour notre plus grand bien.

Le corps du désir et l'intellect, par leur activité pendant les heures de veille, détruisent sans cesse le corps physique. Chaque pensée et chaque mouvement usent les tissus. D'un autre côté, le corps vital s'efforce fidèlement de rétablir l'harmonie et de restaurer ce que les autres véhicules ont détruit. Toutefois, il n'est pas capable de soutenir éternellement les attaques puissantes des impulsions et des pensées. Il perd graduellement du terrain, et un moment vient finalement où il cède. Ses « pointes » se contractent, pour ainsi dire. Le fluide vital cesse de passer en quantité suffisante le long des nerfs ; le corps s'assoupit ; l'Ego, gêné par cet assoupissement, est forcé de se retirer, entraînant avec lui le corps du désir. Ce retrait des véhicules supérieurs laisse le corps physique pénétré par le corps vital, dans l'état d'insensibilité que nous appelons le sommeil.

Cependant, le sommeil n'est en aucune façon, comme on pourrait le supposer, une condition d'inactivité. S'il en était ainsi, le corps ne serait pas, le matin, au moment du réveil, dans une condition différente de celle où il se trouvait en s'endormant la nuit précédente ; sa fatigue serait tout aussi grande. Au contraire, le sommeil est une période d'activité intense dont la valeur augmente en raison de son intensité, car il élimine les toxines dues à la destruction des tissus, destruction consécutive à l'activité physique et mentale de la journée. Les tissus sont régénérés et le rythme du corps est rétabli. Plus ce travail est complet, plus grands sont les bienfaits du sommeil.

Le Monde du Désir est un océan de sagesse et d'harmonie. C'est là que l'Ego emporte l'intellect et le corps du désir quand les véhicules inférieurs ont été abandonnés au sommeil. Le premier soin de l'Ego consiste alors à rétablir le rythme et l'harmonie de l'intellect et du corps du désir. Cela s'accomplit graduellement, à mesure que les vibrations harmonieuses du Monde du Désir pénètrent ces véhicules. Il y a, dans le Monde du Désir, une essence correspondant au fluide vital qui imprègne le corps physique, par l'intermédiaire du corps vital. Les véhicules supérieurs se saturent, pour ainsi dire, de cet élixir de vie. Quand ils sont fortifiés, ils commencent à travailler sur le corps vital, resté avec le corps physique endormi. Le corps vital se met à spécialiser à nouveau l'énergie solaire, à reconstruire le corps physique, utilisant plus particulièrement l'éther chimique dans ce travail de régénération.

TABLEAU 6

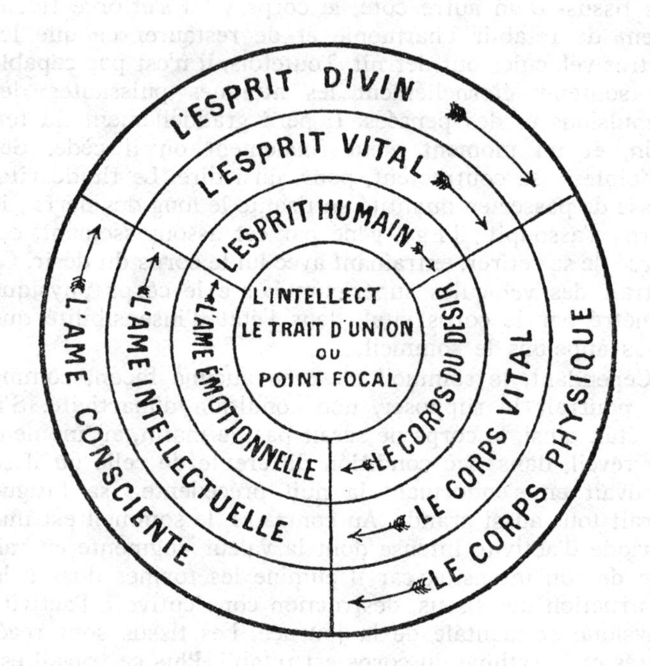

Le tableau 6 montre la constitution décuple de l'Homme

L'Homme est un triple Esprit, possédant un intellect au moyen duquel il gouverne un corps triple. Afin d'acquérir de l'expérience il a émané de lui-même ce corps, qu'il transmue en une âme triple pour s'élever de l'impuissance à la toute-puissance.

L'Esprit Divin	a émané de lui-même	Le Corps Dense	dont il extrait	L'Ame Consciente
L'Esprit Vital		Le Corps Vital		L'Ame Intellectuelle
L'Esprit Humain		Le Corps du Désir		L'Ame Emotionnelle

Le miroir de l'Intellect contribue à augmenter le développement spirituel. Les pensées qu'il transmet à l'Esprit ou qu'il reçoit de Lui, lui donnent un poli parfait, en aiguisant et en intensifiant son foyer de plus en plus vers un point unique, et le rendent parfaitement maniable et soumis à l'Esprit.

C'est cette activité des divers véhicules pendant le sommeil qui sert de base à l'activité du jour suivant. Sans elle, il n'y aurait point de réveil ; l'Ego en effet avait été forcé d'abandonner ses véhicules que leur état de fatigue rendait inutilisables. Si l'action consistant à faire disparaître cette fatigue faisait défaut, le corps resterait endormi, comme cela arrive parfois dans l'état naturel de léthargie. C'est précisément en raison de cette activité qui tend à rétablir l'harmonie que le sommeil est le meilleur médecin et vaut mieux que tous les médicaments pour préserver la santé. Un simple repos ne suffit pas. Seul, le sommeil est efficace. Ce n'est que lorsque les véhicules supérieurs sont dans le monde du désir qu'il y a un arrêt total de destruction et qu'un afflux de force régénératrice se produit. Il est vrai qu'au repos le corps vital n'est pas gêné dans son œuvre réparatrice par la destruction des tissus causée par les mouvements du corps et la tension des muscles ; mais il doit lutter encore contre les pertes d'énergie occasionnées par la pensée et il ne reçoit pas, comme pendant le sommeil, cette force régénératrice *extérieure,* venue du corps du désir.

Il arrive toutefois que, dans certains cas, le corps du désir ne se retire pas complètement, en sorte qu'une partie reste en liaison avec le corps vital, véhicule de perception sensorielle et de mémoire. Il en résulte que le travail de régénération ne s'accomplit qu'imparfaitement et que les scènes et les actions du monde du désir parviennent jusqu'à la conscience physique sous forme de rêves. Bien entendu, la plupart des rêves sont confus, car notre perception se trouve désaxée par la liaison défectueuse des véhicules entre eux. La mémoire elle-même devient confuse. Le sommeil accompagné de rêves est agité et on se sent fatigué au réveil.

Pendant la vie, l'esprit triple, l'Ego, travaille *dans* et *sur* le véhicule triple, auquel le relie le chaînon de l'intellect. Le résultat de ce travail amène la formation de l'âme triple, qui est le produit spiritualisé des véhicules.

De même qu'une nourriture appropriée nourrit matériellement le corps, ainsi l'activité de l'esprit dans le corps physique, qui se traduit *par une manière d'agir correcte,* produit le développement de l'Ame Consciente. De même que l'énergie solaire passe dans le corps vital et le nourrit, pour qu'il puisse agir sur le corps physique, ainsi la *mémoire* des actions accomplies par le corps physique — les désirs, les sentiments et les émotions du corps du désir, les pensées et les idées de l'intellect — causent la croissance de l'Ame Intellectuelle. De la même manière, les *désirs* et les *émotions* les *plus élevées* du corps du désir servent à former l'Ame Emotionnelle.

Cette âme triple, à son tour, exalte la conscience de l'esprit triple.

L'Ame Emotionnelle, quintessence du corps du désir, ajoute à l'efficacité de l'Esprit Humain, double spirituel du corps du désir.

L'Ame Intellectuelle ajoute au pouvoir de l'Esprit Vital, parce qu'elle est extraite du corps vital, double matériel de l'Esprit Vital.

L'Ame Consciente augmente la conscience de l'Esprit Divin, parce qu'elle est l'essence du corps physique, qui est le reflet de l'Esprit Divin.

MORT ET PURGATOIRE

Ainsi, l'homme édifie et sème jusqu'à l'heure de la mort. Alors le temps des semailles et la période de développement et de maturité sont passés. Le jour de la récolte est arrivé quand passe le spectre décharné de la Mort avec sa faux et son sablier. Ce symbole est particulièrement juste. Le squelette représente la partie du corps relativement durable. La faux rappelle que la partie permanente, sur le point d'être moissonnée par l'esprit, est la récolte de la vie qui se termine. Le sablier, dans la main de la Mort, indique que l'heure ne sonne pas avant que la destinée n'ait été complètement accomplie selon des lois invariables. Quand l'heure vient, la séparation des véhicules a lieu. Il n'est pas nécessaire que l'homme conserve son corps physique, puisque sa vie dans le Monde Physique est terminée. Le corps vital, qui, ainsi que nous l'avons dit, appartient au Monde Physique, se retire du corps physique par la tête et le laisse inanimé.

On peut observer les véhicules supérieurs, le corps vital, le corps du désir et l'intellect qui sortent du corps physique dans un mouvement en spirale, emportant avec eux *l'âme* d'un atome physique ; non l'atome lui-même,

FIGURE 3 A

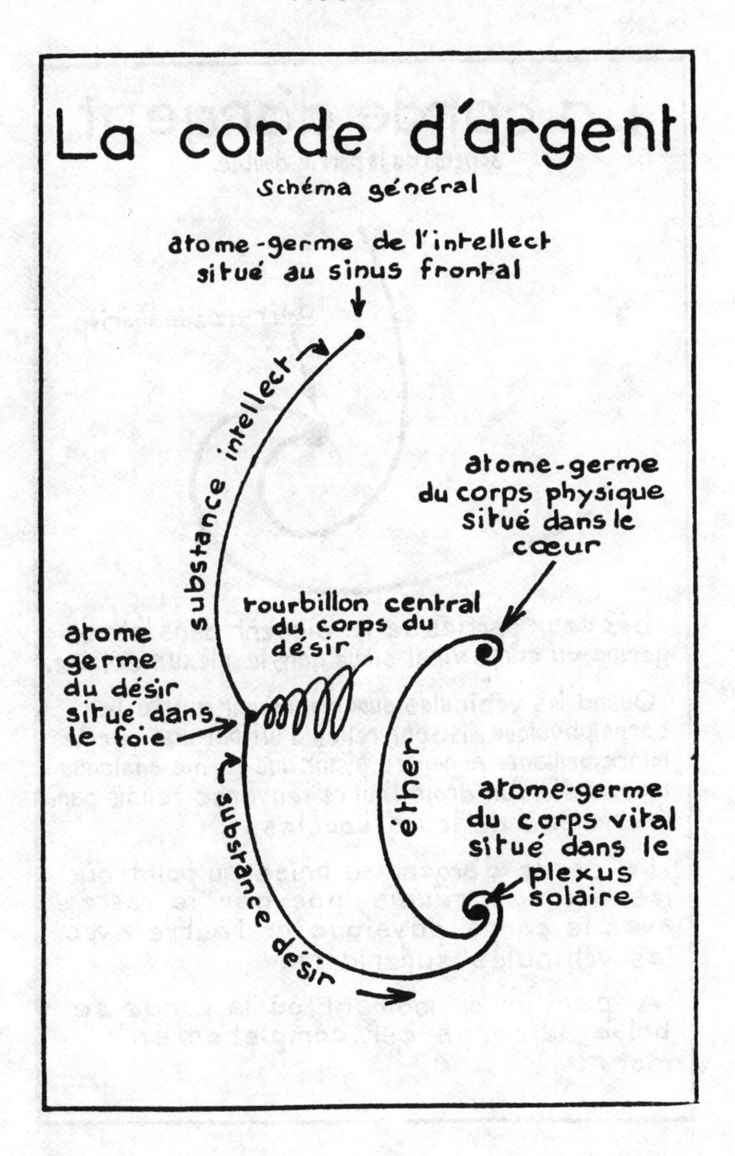
La corde d'argent
Schéma général
atome-germe de l'intellect
situé au sinus frontal
substance intellect
atome-germe
du corps physique
situé dans le
cœur
tourbillon central
du corps du
désir
atome
germe
du désir
situé dans
le foie
éther
atome-germe
du corps vital
situé dans le
plexus
solaire
substance désir

FIGURE 3 B

La corde d'argent

schéma de la partie double

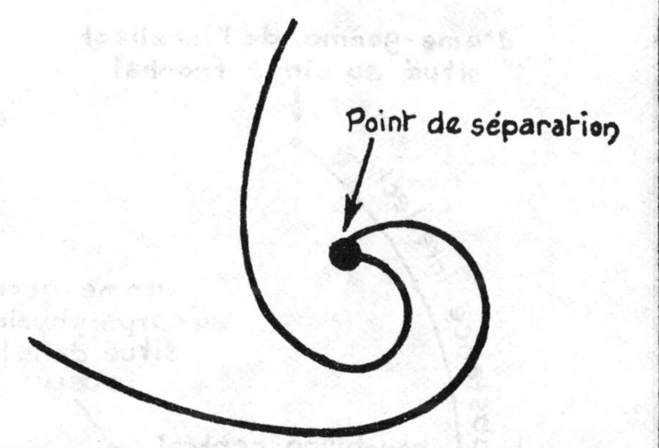

Les deux parties se rejoignent dans l'atome-germe du corps vital situé dans le plexus solaire.

Quand les véhicules supérieurs ont quitté le corps physique, ils sont reliés à lui par une corde mince, brillante argentée, ayant une forme analogue à deux six, l'un droit l'autre renversé, réunis par l'extrémité de leurs boucles.

La corde d'argent se brise au point où les six sont réunis ; une partie reste avec le corps physique et l'autre avec les véhicules supérieurs.

A partir du moment où la corde se brise le corps est complètement mort.

mais *l'énergie* dont il était le champ d'action. Les résultats des expériences éprouvées dans le corps physique pendant la vie qui vient de finir ont été gravés sur cet atome spécial. Alors que les autres atomes du corps physique ont été périodiquement renouvelés, ce seul atome est resté stable, et cela de vie en vie, car il a fait partie de tous les corps physiques que l'Ego a habités et dont il s'est servi. Extrait du corps physique à l'instant de la mort, il entrera de nouveau en activité au moment où l'Ego se réincarnera pour une nouvelle naissance et il servira de noyau au nouveau corps que l'Ego utilisera. C'est pour cette raison qu'il a reçu le nom d' « atome-germe ». Pendant la vie terrestre, il est situé dans le ventricule gauche du cœur, près de la pointe. Au moment de la mort, il remonte jusqu'au cerveau par le nerf pneumogastrique. Il abandonne le corps physique en même temps que les véhicules supérieurs, en passant par les sutures des pariétaux et de l'occipital.

Quand les véhicules supérieurs ont quitté le corps physique, ils lui sont encore reliés par une corde mince, brillante, argentée, ayant une forme analogue à deux six, l'un droit et l'autre renversé, réunis par l'extrémité de leurs boucles (1).

Une des extrémités est attachée au cœur par l'atome-germe, et c'est la rupture de l'atome-germe qui cause l'arrêt du cœur. La corde elle-même n'est pas brisée tant que le panorama de la vie, contenu dans le corps vital, n'a pas été passé en revue.

On devrait prendre soin de ne pas incinérer le corps ou de ne pas l'embaumer dans les trois jours qui suivent la mort, car tant que le corps vital se trouve avec les véhicules supérieurs et que ceux-ci sont encore reliés au corps physique par la corde d'argent, toute dissection ou toute autre atteinte faite au corps physique sera dans une certaine mesure ressentie par le défunt.

La crémation devrait être particulièrement évitée pendant les trois premiers jours après la mort, parce qu'elle tend à causer la désintégration du corps vital, qui doit être conservé intact jusqu'à ce que le panorama de la vie passée ait été gravé sur le corps du désir.

La corde d'argent se brise au point où les six sont

(1) Voir tableaux ci-contre et aussi note de la page 16.

réunis ; une partie reste avec le corps physique et l'autre avec les véhicules supérieurs. A partir du moment où la corde se brise, le corps est complètement mort.

Au début de l'année 1906, le Dr Mac Dougall fit une série d'expériences à l'Hôpital Général de l'Etat de Massachusetts pour déterminer autant que possible si quelque chose d'ordinairement invisible abandonnait le corps au moment de la mort. Pour cela, il construisit des balances capables d'enregistrer une différence de poids très minime.

Le mourant et son lit furent placés sur une des plates-formes d'une balance, équilibrée par des poids placés sur la plate-forme opposée. Dans chaque cas, il observa qu'au moment précis où le mourant poussait le dernier soupir, la plate-forme qui contenait les poids, s'abaissait avec une soudaineté frappante, soulevant le lit et le corps, et montrant par cela même que quelque chose d'invisible, mais non impondérable, avait quitté le corps. Tous les journaux du pays s'empressèrent d'annoncer en gros caractères que le Dr Mac Dougall avait « pesé l'âme ».

Les occultistes accueillent toujours avec joie les découvertes de la science moderne, puisqu'elles corroborent invariablement ce que la science occulte enseigne depuis longtemps. Les expériences du Dr Mac Dougall ont prouvé d'une manière concluante que quelque chose d'invisible pour la vue ordinaire quitte le corps au moment de la mort, comme les clairvoyants expérimentés l'avaient vu et comme on l'avait affirmé dans des conférences et dans les ouvrages de science occulte bien des années avant la découverte du Dr Mac Dougall.

Toutefois, cet invisible « quelque chose » n'est pas l'âme. Les journalistes avaient conclu trop rapidement que les savants avaient « pesé l'âme ». L'âme appartient aux mondes supérieurs et ne sera jamais pesée sur des balances matérielles, enregistreraient-elles des variations d'un dix-millième de milligramme.

Ce que les hommes de science avaient pesé était le corps vital, formé de quatre éthers qui appartiennent au Monde Physique.

Comme nous l'avons vu, une certaine partie de ces éthers sont « superposés » à l'éther qui enveloppe les particules du corps humain. Il s'y trouve confiné pendant la vie physique, augmentant légèrement le poids du corps physique des plantes, des animaux et de l'homme. Au moment de la mort, ces éthers s'échappent, de là la diminution de poids constatée par le Dr Mac Dougall, quand les personnes sur lesquelles il fit ses expériences rendirent le dernier soupir.

Il pesa également des animaux dans les mêmes conditions. Il ne put en aucun cas constater de diminution de poids, bien qu'un des animaux fût un chien saint-Bernard de forte taille. On en tira la conclusion que les animaux n'ont point d'âme. Cependant, un peu plus tard, le Professeur La V. Twining, chef de la Section des Sciences à l'Ecole Polytechnique de Los Angeles, Californie, fit des expériences sur des souris et de jeunes chats qu'il enferma dans des flacons de verre hermétiquement scellés, placés sur les balances les plus sensibles qu'il put trouver. Il enferma le tout dans une cage de verre parfaitement sèche. Il remarqua qu'à l'instant de la mort, tous les animaux examinés perdaient du poids. Une souris de bonne taille qui pesait 128 gr. 86 perdit soudain 3 milligrammes 1/10e au moment de sa mort.

Un jeune chat qui servit dans une autre expérience perdit en mourant 100 milligrammes. A l'instant même où il exhala le dernier soupir, il perdit soudain 60 milligrammes de plus. Après cela, son poids diminua lentement, ce qui était dû à l'évaporation.

Ainsi, ce que la science occulte enseigne concernant le corps vital que possèdent les animaux a été corroboré par des expériences faites au moyen de balances suffisamment sensibles. Le cas où une balance peu sensible n'a pas accusé de diminution de poids du saint-Bernard prouve simplement que le corps vital des animaux est proportionnellement plus léger que celui de l'homme.

L'instant où la « corde d'argent » se brise et où l'homme est délivré de son corps physique est de la plus grande importance pour l'Ego. On ne saurait trop insister auprès des parents ou des amis d'un mourant pour leur faire comprendre que c'est un véritable crime envers l'âme qui s'éloigne que d'exprimer sa douleur par des lamentations bruyantes car, à ce moment précis, et pendant les trois jours qui suivent, cette âme est occupée par un sujet d'une importance suprême. En effet, la vie écoulée n'a de valeur que si l'âme peut apporter à cet égard une extrême attention. Nous donnerons de plus amples éclaircissements sur ce point quand nous décrirons la vie de l'homme dans le monde du Désir.

C'est aussi commettre un crime envers les mourants que de leur administrer des stimulants qui ont pour effet de forcer leurs véhicules supérieurs à revenir brutalement dans leur corps physique, auquel ils causent ainsi un choc pénible. Ce n'est pas une torture que de se libérer de son corps physique, mais *c'en est une* que d'y être ramené de force pour endurer de nouvelles souffrances. Certaines personnes passées dans l'au-delà ont fait savoir qu'on les avait empêché de mourir pendant des heures et qu'elles auraient voulu que leurs parents veuillent bien cesser leurs efforts bien intentionnés mais néfastes, pour les laisser mourir en paix.

Quand l'homme est libéré du corps physique qui était la plus lourde entrave à son pouvoir spirituel (comme l'étaient les mitaines épaisses aux mains du musicien d'un de nos précédents exemples), il recouvre dans une certaine mesure ce pouvoir spirituel et peut alors lire les images enregistrées au pôle négatif de l'éther-réflecteur de son corps vital, siège de la mémoire subconsciente.

L'ensemble de sa vie passe devant lui comme un panorama, mais les événements se présentent en *ordre inverse.* Les incidents des journées ayant immédiatement précédé la mort viennent en premier lieu, et ainsi de suite en remontant le cours des années ; âge mûr, adolescence, enfance. Tout est rappelé à la mémoire.

L'homme contemple en simple spectateur le panorama de sa vie passée. Il voit des images à mesure qu'elles se présentent, et celles-ci s'impriment sur ses véhicules supérieurs. Il n'éprouve, à ce moment, aucun sentiment à leur égard. Cette expérience lui est réservée quand il pénétrera dans le monde du désir, monde des sentiments et des émotions. Tout d'abord, il se trouve seulement dans la région éthérique du monde physique.

Ce panorama dure de quelques heures à plusieurs jours, selon le nombre d'heures pendant lequel l'homme serait susceptible de se maintenir éveillé, si cela était nécessaire. Pour certaines personnes, ce temps n'excède pas douze heures ; mais tant que l'homme peut rester éveillé, le panorama se déroule.

Cette phase de l'après-vie est analogue à celle par laquelle passe un homme qui se noie ou qui tombe d'une certaine hauteur. Dans ce cas, le corps vital abandonne aussi le corps physique et l'homme voit passer sa vie comme dans un éclair, parce qu'il perd conscience immédiatement. Bien entendu, la « corde d'argent » n'est pas brisée, autrement il ne pourrait pas être rappelé à la vie.

Quand le corps vital a atteint sa limite d'endurance, il s'affaisse, comme nous l'avons décrit en étudiant le phénomène du sommeil. Pendant la vie physique, alors que l'Ego gouverne ses véhicules, cet affaissement marque la fin des heures de veille ; après la mort, l'affaissement du corps vital marque la fin du panorama et force l'homme à se retirer dans le Monde du Désir. La corde d'argent se rompt au point où les six sont réunis (voir tableau p. 106) et une séparation semblable à celle du sommeil s'établit, mais avec cette différence importante que, alors que le corps vital retourne au corps physique, il ne le pénètre plus maintenant, mais demeure simplement au-dessus de lui. Il flotte au-dessus du tombeau et se désintègre en même temps que le corps physique. Aussi un cimetière est-il, pour un clairvoyant, un spectacle repoussant. Si tout le monde pouvait voir ce spectacle, la façon actuelle si insalubre de disposer des morts serait rapidement abandonnée pour celle plus rationnelle de la crémation, qui ramène les éléments à leur état primordial et supprime le processus choquant d'une lente décomposition.

En ce qui concerne l'abandon du corps vital, le processus est le même que pour le corps physique. Les forces vitales d'un atome sont conservées pour servir de noyau au corps vital d'une nouvelle incarnation. Ainsi, lors de son entrée dans le Monde du Désir, l'homme possède les atomes-germes du corps physique et du corps vital, en plus du corps du désir et de l'intellect.

Si le mourant pouvait laisser tous ses désirs derrière lui, le corps du désir se séparerait de lui très rapidement et le laisserait libre de pénétrer dans le monde céleste ; mais tel n'est pas généralement le cas. La plupart des hommes, et plus particulièrement ceux qui meurent à la fleur de l'âge, conservent beaucoup d'attaches et d'intérêts dans la vie terrestre. Leurs désirs n'ont pas changé, malgré la perte de leur corps physique. A vrai dire, ils s'augmentent même souvent d'un désir intense de retour à la vie physique. Par ce désir, ils restent liés au Monde du Désir d'une manière très fâcheuse, quoique, malheureusement, ils ne s'en rendent pas compte. Par contre, les personnes âgées, celles qui ont été affaiblies par une longue maladie et qui sont fatiguées de la vie, passent très rapidement dans les mondes célestes.

Songez à la facilité avec laquelle le noyau se sépare d'un fruit mûr sans qu'une parcelle de la pulpe y reste attachée, tandis que dans le fruit encore vert, le noyau reste fortement attaché à la pulpe. Aussi est-il particulièrement pénible de mourir pour ceux qui sont séparés de leur corps par un accident, alors qu'ils sont en pleine possession de leur santé et de leur force physique, que leurs activités physiques sont nombreuses et variées, et qu'ils sont retenus par les liens du mariage, de la famille, des parents, des amis, par leurs affaires et leurs plaisirs.

Le suicidé qui cherche à s'évader de la vie, pour s'apercevoir trop tard, hélas ! qu'il reste aussi conscient que jamais, est dans une condition pitoyable. Il est capable d'observer ceux qu'il a peut-être déshonorés par son acte et, pire que cela, il éprouve une sensation indescriptible de « vide intérieur ». La partie de l'aura ovoïde où se trouvait auparavant le corps physique est maintenant vide et, quoique le corps du désir ait pris la forme du corps physique abandonné, il donne la sensation d'une coque vide, parce que l'archétype, créateur du corps dans la Région de la Pensée Concrète, persiste comme un moule creux, pour ainsi dire, aussi longtemps que le corps physique aurait dû vivre. Quand une personne meurt de mort naturelle, même dans la fleur de l'âge, l'activité de l'archétype cesse, et le corps du désir s'ajuste de façon à occuper tout l'ensemble de la forme ; mais dans le cas du suicidé, cette affreuse sensation de « vide » persiste jusqu'au moment où, les événements ayant suivi leur cours naturel, la mort aurait eu lieu.

Tant que l'homme nourrit des désirs relatifs à la vie terrestre, il est condamné à rester dans son corps du désir et, comme le progrès de l'individu exige qu'il passe dans les régions supérieures, l'existence du Monde du Désir doit nécessairement devenir « purgatorielle » c'est-à-dire le purifier des désirs qui l'enchaînent. Quelques exemples typiques feront mieux comprendre comment ce but est atteint.

L'avare qui chérissait son or pendant sa vie terrestre l'aime tout autant après sa mort ; toutefois il ne peut en acquérir davantage, parce qu'il n'a plus de corps physique pour le saisir et, pire que cela, il ne peut pas même garder celui qu'il a thésaurisé pendant sa vie. Il ira peut-être s'asseoir devant son coffre-fort pour couver de l'œil son or bien-aimé et ses valeurs ; mais les héritiers paraissent avec une ironie mordante à l'adresse du vieux « grippe-sou » (qu'ils ne voient pas, mais qui les voit et les entend) ; ils ouvrent son coffre. Lui, se jette sur son or pour le protéger, mais ses héritiers passent à travers lui, ne se doutant même pas qu'il soit là et ne s'en souciant nullement, et ils commencent à dépenser son trésor, tandis qu'il en ressent une rage impuissante.

Il souffrira cruellement, et ses souffrances seront d'autant plus terribles qu'elles seront entièrement mentales, car le corps dense amortit jusqu'à la souffrance dans une certaine mesure. Dans le monde du Désir, cependant, ces souffrances se manifestent dans toute leur intensité, et l'homme souffre jusqu'à ce qu'il ait appris que l'or peut être une malédiction. Ainsi il arrive graduellement à se contenter de son sort. Finalement, il est délivré de son corps du désir et prêt à passer au-delà.

Prenons encore le cas de l'ivrogne. Après sa mort, il aime tout autant qu'auparavant les boissons alcoolisées. Or, ce n'est pas le corps physique qui avait la passion de la boisson : cette boisson le rendait malade et c'est en vain qu'il protestait de diverses manières. C'est le corps du Désir de l'ivrogne qui réclamait de l'alcool et qui forçait le corps physique à l'absorber, pour pouvoir éprouver la sensation de plaisir produite par une plus grande intensité de vibrations. Ce désir persiste après la destruction du corps physique. Mais par delà la mort, l'ivrogne n'a dans son corps du Désir, ni bouche pour boire, ni estomac pour contenir le liquide désiré. Sans doute, il lui est loisible d'entrer dans des bars et de mêler son corps du Désir à celui des consommateurs pour éprouver, par induction, une partie des vibrations qu'ils ressentent ; mais elles sont trop faibles pour lui donner une satisfaction suffisante. Il peut pénétrer, et parfois il pénètre à l'intérieur d'un fût de whisky, mais cela aussi est inutile, car il ne trouve pas là les vapeurs produites dans les organes digestifs d'un buveur invétéré. L'alcool n'a pas d'effet sur lui, et il se trouve dans la condition d'un homme placé dans une barque, au milieu de l'Océan. « Partout, partout de l'eau, mais pas une goutte à boire » ; aussi souffre-t-il terriblement. Cependant, avec le temps, il apprend qu'il est bien inutile de désirer boire puisqu'il lui est devenu impossible de satisfaire son désir. Il en est dans le monde du Désir comme dans la vie : les désirs meurent quand ils ne sont jamais satisfaits. Quand le besoin d'alcool ne se fait plus sentir chez l'ivrogne contraint de s'en abstenir, son vice est vaincu. Il a compris, provisoirement tout au moins, la leçon. Il a fini son purgatoire.

Ainsi, ce n'est pas une Divinité vengeresse qui nous condamne au Purgatoire ou à l'Enfer, mais bien nos mauvaises habitudes et nos mauvaises actions personnelles. La durée et l'intensité des souffrances causées par l'extirpation de nos vices sera proportionnelle à l'intensité de nos désirs. Dans les cas mentionnés ci-dessus, l'ivrogne n'aurait pas souffert de perdre toutes ses possessions matérielles. Ce n'est pas à elles qu'il était attaché. L'avare, pour sa part, n'aurait éprouvé aucune douleur d'être privé de boissons alcoolisées. On peut dire avec certitude qu'il lui eût été indifférent de ne pas avoir une goutte d'eau-de-vie. Mais il aimait son or comme l'ivrogne aimait sa boisson et une loi inéluctable a donné à chacun d'eux ce qui était nécessaire pour le purifier de ses vils désirs et de ses habitudes perverses.

C'est cette loi que symbolise la faux de la Mort, loi qui veut que « ce qu'un homme sème, il le moissonnera » (Galates 6 : 7) C'est la *Loi de cause à effet* qui régit toute chose dans les trois Mondes et dans tous les domaines de la nature : physique, moral et mental. Partout elle opère inexorablement, elle ajuste toutes choses et rétablit l'équilibre partout où une action, même la plus insignifiante, a amené une perturbation, ce que fait nécessairement toute action. Le résultat peut se manifester immédiatement ou peut être différé pendant des années ou des vies entières, mais quelque jour, quelque part, une rétribution juste et égale sera exigée. L'étudiant devrait noter particulièrement que cette loi agit d'une façon tout à fait impersonnelle. Il n'y a dans l'univers ni récompenses ni punitions. Tout résulte d'une loi immuable. Nous éluciderons plus complètement dans le prochain chapitre le mode d'action de cette loi que nous trouverons associée avec une autre grande Loi du Cosmos qui gouverne aussi l'évolution de l'homme. La loi que nous considérons maintenant est la Loi de cause à effet ou de Causalité.

Dans le Monde du Désir, elle opère en purifiant l'homme de ses plus vils désirs, en corrigeant des faiblesses et des vices qui retardent son évolution, lui infligeant dans ce but la souffrance la mieux adaptée au résultat à obtenir. S'il a fait souffrir d'autres hommes ou s'il les a traités d'une manière injuste, il devra subir des souffrances identiques à celles qu'il a infligées aux autres.

Notons cependant que si une personne adonnée à certains vices ou ayant mal agi envers son prochain, se repent, finit par surmonter ses mauvais penchants et s'efforce de réparer le mal qu'elle déplore sincèrement d'avoir fait, elle se trouve purifiée, transformée par une contrition et des actes qui ont démontré sa sincérité. Elle n'aura plus à purger ces fautes particulières après sa mort. Sa leçon aura été apprise pendant cette incarnation présente.

Dans le Monde du Désir, la vie est vécue à peu près trois fois plus rapidement que dans le Monde Physique. Un homme qui a vécu cinquante ans dans le Monde Physique, repasserait de nouveau les événements de la même vie dans le Monde du Désir, en seize années environ. Cela n'est, bien entendu, qu'une moyenne générale. Pour certains, le séjour dans le Monde du Désir est beaucoup plus long que leur vie terrestre. Ceux qui n'ont jamais entretenu ou éprouvé de désirs bas, ils passent beaucoup plus rapidement à travers le monde du désir ; toutefois l'estimation donnée plus haut est à peu près correcte pour l'homme ordinaire de notre époque.

On se rappellera qu'au moment de la mort, l'homme voit sa vie repasser devant lui en une série d'images ; mais que, à ce moment, elles n'éveillent chez lui aucun sentiment.

Pendant son séjour dans le Monde du Désir, le même panorama se déroule à rebours, comme précédemment.

Mais au lieu d'être insensible, il éprouve au contraire tous les sentiments qu'il lui est possible d'éprouver à mesure que les scènes passent devant lui. Il revit chaque incident de sa vie. Quand il en arrive à une scène où il a blessé quelqu'un en actes ou en paroles, il ressent la même douleur qu'avait ressentie la personne blessée. Il endure tous les chagrins, toutes les souffrances et toutes les meurtrissures de ses victimes. Il comprend, il ressent vivement jusqu'à quel point fut douloureux le coup qu'il a porté, quel retentissement a pu avoir sa méchanceté ou sa lâcheté. La souffrance qu'il endure alors est d'autant plus aiguë qu'il n'a plus de corps physique pour atténuer sa douleur et lui faire écran. C'est peut-être à cause de cela que la vie au Purgatoire est trois fois plus rapide que ne le fut la vie terrestre afin que la souffrance qu'il y faut subir, perde en durée ce qu'elle gagne en intensité. Les balances de la nature sont merveilleusement justes et sensibles.

Une autre chose qui caractérise cette phase de l'existence après la mort est intimement liée au fait que dans le Monde du Désir la distance est presque complètement supprimée. Quand un homme meurt, il a aussitôt l'impression que son corps s'étend dans des proportions considérables. Cette sensation n'est pas due au fait que le corps éthérique augmente réellement de volume mais il se trouve que les centres de perception reçoivent à la fois, de diverses sources plus ou moins éloignées, des impressions multiples qui lui paraissent toutes proches. Il en est de même du corps du désir. L'homme a l'impression d'être en présence de toutes les personnes avec lesquelles il a eu des rapports qui exigent une réparation. S'il a mal agi envers un habitant d'Europe ou d'Amérique ou d'ailleurs, il lui semblera qu'une partie de son corps se trouve dans chacun de ces lieux. Cela lui procure l'étrange sensation d'être coupé en morceaux.

L'étudiant comprendra désormais quelle importance peut avoir, durant son passage au Purgatoire, la révision correcte du panorama de sa vie passée et combien il est nécessaire que la contemplation et la méditation devant ce panorama puissent susciter des sentiments bien définis. Si cette révision a été de longue durée et si le défunt a été laissé à lui-même pendant les trois jours qui suivent sa mort, la plénitude, la profondeur et la netteté des traits gravés sur le corps du Désir rendront la vie dans le monde du Désir plus réelle et plus consciente. La purification obtenue sera plus complète que si, en raison de la détresse causée par les éclats bruyants du chagrin des parents à son lit de mort et pendant la période de trois jours mentionnée précédemment, l'homme n'enregistrait qu'une impression vague de sa vie passée. L'esprit qui possède, dans son corps du désir, un cliché clair et net se rendra compte des erreurs de sa vie passée d'une manière beaucoup plus précise que si les images avaient été rendues confuses, son attention ayant été détournée par les souffrances et la douleur des siens. Les sentiments suscités par les scènes qui causent ses souffrances en Purgatoire seront beaucoup plus nets, s'ils proviennent d'une impression panoramique bien définie, que si cette rétrospection avait dû être écourtée.

L'intensité, la précision de ces sentiments sont d'une valeur inestimable pour la vie future. Ils gravent sur l'atome-germe du corps du désir leur impression ineffaçable. *Les expériences seront oubliées dans les vies suivantes, mais le Sentiment restera.* Quand l'occasion s'offrira dans les vies futures de répéter une erreur, ce sentiment nous parlera d'une manière claire et décisive. C'est la « voix de la conscience » qui nous avertit, sans que nous sachions pourquoi ; mais plus les panoramas des vies passées ont été clairs et bien définis, plus nombreuses, plus fortes et plus fréquentes seront les suggestions de cette voix. Ainsi, nous voyons combien il est important, après la mort, de laisser dans un état de calme absolu l'esprit qui s'éloigne. En agissant ainsi, nous l'aidons à retirer le plus grand bienfait possible de la vie qui vient de finir et à éviter la répétition des mêmes erreurs dans ses vies futures, tandis que nos lamentations égoïstes et bruyantes peuvent le priver d'une grande partie de la valeur de la vie qui vient de se terminer.

Le but du Purgatoire est d'extirper les habitudes pernicieuses, en rendant leur satisfaction impossible. L'individu souffre exactement dans la mesure où il a fait souffrir les autres par sa déloyauté, sa cruauté, son intolérance ou tout autre vice. En raison de ses souffrances, il apprend à agir dans l'avenir avec bonté, honnêteté et indulgence envers autrui. L'homme apprend ainsi à pratiquer la vertu et à bien agir. Quand il naît à nouveau, il est affranchi d'habitudes perverses ; en tout cas, chaque mauvaise action qu'il commet est laissée à son libre arbitre. La tendance à renouveler les mauvaises actions du passé persiste, car nous devons apprendre à bien agir consciemment et de notre plein gré. A l'occasion, ces tendances nous tentent et nous permettent ainsi de choisir la compassion et la vertu, au lieu du vice et de la cruauté. Mais pour nous indiquer la manière de bien agir et pour nous aider à résister aux pièges et aux ruses de la tentation, nous possédons le sentiment qui résulte de l'élimination des mauvaises habitudes et de l'expiation des mauvaises actions des vies passées. Si nous obéissons à ce sentiment et si nous nous abstenons de la mauvaise action en question, nous cesserons d'être tentés. Nous nous serons débarrassés à tout jamais de la tentation. Si nous lui cédons, nous éprouverons une souffrance plus intense qu'auparavant, jusqu'à ce que, finalement, nous ayons appris à vivre suivant la Règle d'Or, car « la voie du transgresseur est rude » (Proverbes 13 : 15). Mais, même alors, nous n'avons pas atteint le but final. Faire du bien aux autres parce que nous désirons que les autres nous fassent du bien, est agir d'une manière essentiellement égoïste. Avec le temps, nous devons apprendre à faire le bien, quelle que soit la façon d'agir des autres à notre égard. Le Christ l'a dit: « Nous devons aimer même nos ennemis. »

C'est un avantage incontestable que de connaître le processus et l'objet de cette purification, parce que nous sommes alors en mesure de faire par anticipation notre purgatoire ici-bas et de réaliser ainsi des progrès beaucoup plus rapides qu'il ne serait possible autrement. Nous indiquons dans la dernière partie de cet ouvrage un exercice qui a pour objet cette purification et qui, en même temps, aide au développement de la vue spirituelle. Il consiste à passer en revue les événements de la journée après nous être retirés le soir dans notre chambre. Nous examinons chaque incident en ordre inverse, notant tout spécialement son aspect moral et considérant si nous avons bien ou mal agi dans chaque cas particulier en ce qui concerne nos actes, notre attitude mentale et nos habitudes. En nous jugeant ainsi jour après jour, en tâchant de corriger nos erreurs et nos mauvaises actions, nous diminuerons sérieusement, ou nous pourrons peut-être même éliminer, la nécessité d'un séjour en Purgatoire. Nous serons alors capables de passer dans le Premier Ciel aussitôt après la mort. Si, de cette manière, nous surmontons consciemment nos faiblesses, nous faisons des progrès très sensibles sur le chemin de l'évolution. Même s'il ne nous est pas possible de réparer les torts dont nous sommes responsables, le fait de nous juger et de nous condamner nous-mêmes nous procure un avantage considérable, car il marque une aspiration vers le bien qui, dans l'avenir, portera ses fruits sous forme de bonnes actions que nous accomplirons délibérément.

En révisant ainsi les événements de la journée et en nous blâmant pour nos erreurs, nous ne devrions pas oublier d'approuver d'une manière impersonnelle le bien que nous avons pu faire et de nous décider à faire mieux encore. Nous exaltons ainsi en nous le sentiment du bien en l'approuvant, en même temps que nous renonçons au mal en le condamnant.

Nous repentir et nous réformer nous aidera aussi beaucoup à diminuer le séjour en Purgatoire, car la nature ne gaspille jamais ses efforts en opérations inutiles. Quand nous reconnaissons la perversité de certains actes ou de certaines habitudes de notre vie passée, et que nous nous décidons à en éliminer les mauvaises habitudes et à redresser les erreurs commises, nous effaçons de notre mémoire subconsciente leur image qui ne sera plus là pour nous juger après la mort. Même s'il ne nous est pas possible de réparer le mal commis, la sincérité de notre repentir suffira. La nature ne cherche pas à se venger. Notre victime pourra être indemnisée d'une autre manière.

L'homme qui se juge ainsi et qui élimine ses vices en réformant son caractère, accomplit un grand progrès, réservé d'ordinaire à des vies futures.

Cet exercice est très sérieusement recommandé ; c'est peut-être l'enseignement le plus important du présent ouvrage.

REGION LIMITROPHE

Le Purgatoire comprend les trois Régions inférieures du Monde du Désir. Le Premier Ciel se trouve dans les trois Régions supérieures. La Région centrale est une sorte de région limitrophe : ni ciel, ni enfer. Dans cette Région, nous trouvons des gens honnêtes et intègres, qui n'ont fait de tort à personne, mais qui, complètement accaparés par les affaires, ne se sont jamais préoccupés de la vie supérieure. Le Monde du Désir est pour eux un état d'une monotonie indescriptible. Il n'y a pas « d'affaires » dans ce monde-là. Pour un homme d'affaires de cette sorte, il n'y a rien non plus qui puisse les remplacer. Il mène une existence très pénible jusqu'à ce qu'il ait appris à penser à des choses plus élevées que factures et grand livre. Les hommes qui, pensant aux problèmes de l'existence, ont conclu que « la mort termine tout », ceux qui ont nié l'existence de ce qui n'appartient pas au monde matériel des sens, tous sont ainsi plongés dans cette terrible monotonie. Ils s'attendaient à l'anéantissement de leur conscience ; au lieu de cela, ils s'aperçoivent que leur faculté de percevoir les êtres et les choses qui les entourent a augmenté. Ils avaient été tellement accoutumés à nier ces choses avec véhémence qu'ils s'imaginaient souvent que le Monde du Désir était une hallucination, et on peut les entendre fréquemment s'écrier dans le plus profond désespoir : « Quand donc cela finira-t-il ? »

Ces personnes sont vraiment dans une situation lamentable. Elles ne peuvent généralement pas recevoir d'assistance et elles souffrent beaucoup plus longtemps que les autres. De plus, c'est à peine si elles séjournent dans le Monde Céleste où l'on enseigne à construire les corps qui serviront dans l'avenir ; aussi, toutes leurs pensées cristallisantes sont-elles accumulées dans le corps qu'elles se construisent pour une vie future qui, de cette manière, reproduit cette tendance à la cristallisation que nous pouvons noter dans les cas de tuberculose. Parfois, les souffrances qu'entraîne la possession de corps aussi maladifs tourneront vers Dieu les pensées des entités qui les animent ; leur évolution pourra alors suivre son cours. C'est dans la mentalité matérialiste qu'existe le plus grand danger de perdre contact avec l'esprit. C'est pourquoi les

Frères Aînés se sont très sérieusement préoccupés pendant le siècle passé du sort du Monde Occidental. Sans leur activité bienfaisante et spéciale en sa faveur, nous aurions eu à subir un cataclysme social auprès duquel la Révolution Française n'aurait été qu'un jeu d'enfant. Le clairvoyant correctement développé peut voir que l'humanité a échappé de bien près à des désastres tels, que des continents entiers auraient disparu dans l'Océan. Le lecteur trouvera un exposé plus développé et plus complet de la relation qu'il y a entre le matérialisme et les éruptions volcaniques au chapitre XVIII, dans lequel la liste des éruptions du Vésuve paraît corroborer l'affirmation d'une telle relation, à moins qu'elle ne soit attribuée à la « coïncidence » comme le font d'habitude les sceptiques lorsqu'ils sont mis en face de faits et de chiffres qu'ils ne peuvent expliquer.

LE PREMIER CIEL

Quand le séjour au Purgatoire est terminé, l'esprit purifié passe au Premier Ciel, situé dans les trois Régions supérieures du Monde du Désir. Là, le résultat de ses souffrances est incorporé à l'atome-germe du corps du désir et lui communique la qualité de droiture qui agit, dans l'avenir, en poussant l'individu au bien et en le détournant du mal. Le panorama de la vie écoulée se déroule de nouveau à rebours, mais cette fois-ci, ce sont les bonnes actions qui forment la base de nos sentiments. Quand nous contemplons des scènes pendant lesquelles nous avons aidé autrui, nous avons de nouveau conscience de toute la joie que nous avions alors éprouvée et, de plus, nous sentons toute la reconnaissance que nous a vouée celui qui a reçu notre aide. Quand nous contemplons des scènes dans lesquelles nous avons été aidés par les autres, nous éprouvons à nouveau toute la reconnaissance que nous avions alors pour notre bienfaiteur. Ainsi, nous voyons combien il est important de bien apprécier les faveurs dont nous sommes l'objet, car le sentiment de reconnaissance aide au développement de l'âme. Notre bonheur dans le Ciel dépend de la joie que nous avons donnée aux autres et de l'appréciation que nous avons montrée pour ce que les autres ont fait pour nous.

Nous ne devrions jamais oublier que le pouvoir de donner n'est pas le privilège du riche. Donner de l'argent sans discernement peut être un mal. Il est bien de donner de l'argent pour une cause que nous jugeons recommandable, mais « servir » est mille fois préférable. Ainsi que le dit Whitman :

« Voyez ! je ne donne pas de sermons ou de petites aumônes ; quand je donne, je me donne moi-même. »

Un regard bienveillant, l'expression de notre confiance, une aide sympathique et affectueuse sont des dons à la portée de tous. Nous devrions surtout nous efforcer d'aider les pauvres à s'aider eux-mêmes, au point de vue physique, pécuniaire, moral ou mental et à ne pas les amener à dépendre de nous ou des autres.

L'éthique du don de soi-même, avec, comme leçon spirituelle, l'effet qu'il a sur celui qui donne, est admirablement décrit dans « La Vision de Sir Launfal » du poète Lowell. Le jeune et ambitieux chevalier Sir Launfal, revêtu d'une armure étincelante et monté sur un magnifique palefroi, quitte son château pour se mettre à la recherche du Saint-Graal. Sur son bouclier luit la croix, symbole de la bonté et de la tendresse de Notre-Seigneur ; mais le cœur du chevalier est rempli d'orgueil et de mépris hautain pour les pauvres et les besogneux. Il rencontre un lépreux qui lui demande l'aumône ; dans un geste dédaigneux, il lui jette une pièce de monnaie, comme on jetterait un os à un chien affamé, mais :

The leper raised not the gold from the dust, (1)
« Better to me the poor man's crust,
Better the blessing of the poor,
Though I turn empty from his door.
That is no true alms which the hand can hold ;
He gives only the worthless gold
Who gives from a sense of duty ;
But he who gives from a slender mite,

(1) Le lépreux ne ramassa pas l'or tombé dans la poussière,
« Mieux vaut pour moi la croûte du pauvre,
Mieux vaut pour moi sa bénédiction,
Même si je quitte sa porte les mains vides.
L'aumône que la main peut tenir n'est pas la véritable aumône ;
Celui qui donne par sentiment du devoir,
Ne donne qu'un métal sans valeur.
Mais celui qui partage son maigre avoir

And gives to that which is out of sight —
That thread of all-sustaining Beauty
Which runs through all and doth all unite, —
The hand cannot clasp the whole of his alms,
The heart outstretches its eager palms,
For a god goes with it and makes it store
To the soul that was starving in darkness before. »

A son retour, Sir Launfal trouve quelqu'un d'autre en possession de son château ; on le chasse de l'entrée.

An old bent man, worn out and frail (1),
He came back from seeking the Holy Grail ;
Little he recked of his earldom's loss,
No more on his surcoat was blazoned the cross,
But deep in his heart the sign he wore,
The badge of the suffering and the poor.

De nouveau, il rencontre le lépreux qui renouvelle sa demande d'aumône. Cette fois, la réponse est différente.

And Sir Launfal said : « I behold in thee (2)
An image of Him Who died on the tree ;
Thou also hast had thy crown of thorns,
Thou also hast had the world's buffets and scorns,
And to thy life were not denied
The wounds in the hands and feet and side ;
Mild Mary's Son, acknowledge me ;
Behold, through him I give to Thee ! »

Avec ce qui est invisible et que relie ce
Lien de beauté spirituelle qui soutient,
Pénètre et unit tout, —
La main ne peut étreindre son don entier ;
Le cœur se tend, avide, pour la recevoir
Car un dieu accompagne cette aumône et la rend abondante
Pour l'âme qui, auparavant, mourait de faim dans l'ombre ».

(1) Vieux, courbé, épuisé et fragile
Il revient de sa quête du Saint-Graal ;
Il s'inquiète peu de la perte de son comté,
Sur son manteau la croix n'est plus blasonnée,
Mais au fond de son cœur il porte la marque,
L'insigne des souffrants et des miséreux.

(2) Et Sir Launfal dit : « Je contemple sur toi
L'image de Celui qui mourut sur la croix ;
Tu as eu, toi aussi, ta couronne d'épines,
Toi aussi, tu as essuyé les coups et les mépris du monde.
Et dans ta vie n'ont pas été épargnées
Les blessures aux mains, aux pieds et au flanc ;
Doux fils de Marie, reconnais-moi ;
Vois, à travers lui c'est à Toi que je donne ! ».

Un regard dans les yeux du lépreux ramène le souvenir et la reconnaissance, et

> The heart within him was ashes and dust ; (1)
> He parted in twain his single crust,
> He broke the ice on the steamlet's brink,
> And gave the leper to eat and drink.

Une transformation s'accomplit :

> The leper no longer crouched by his side, (2)
> But stood before him glorified,
> ....
> And the Voice that was softer than silence said,
> « Lo, it is I, be not afraid !
> In many lands, without avail,
> Thou hast spent thy life for the Holy Grail ;
> Behold, it is here ! This cup which thou
> Did'st fill at the streamlet for me but now ;
> This crust is my body broken for thee,
> This water the blood I shed on the tree ;
> The Holy Supper is kept, indeed,
> In what so we share with another's need ;
> Not what we give, but what we share —
> For the gift without the giver is bare ;
> Who gives himself with his alms feeds three —
> Himself, his hungering neighbor, and me ».

---

(1) Son cœur dans sa poitrine était cendre et poussière ;
Il partagea en deux son unique croûte,
Il brisa la glace au bord du ruisseau,
Et donna au lépreux à manger et à boire.

(2) Le Lépreux n'était plus accroupi à son côté,
Mais se tenait devant lui, glorifié,
....
Et la Voix plus douce que le silence dit :
« Vois, c'est Moi, ne sois point effrayé !
Dans bien des pays sans succès
Tu as passé ta vie à chercher le Saint-Graal,
Vois, il est ici ! Cette coupe que tu viens
De remplir pour moi au ruisseau.
Cette croûte est mon corps brisé pour toi,
Cette eau le sang que je versai sur la croix ;
La Sainte Cène est célébrée vraiment
Dans tout ce que nous partageons pour les besoins d'un autre ;
Ce n'est pas ce que nous donnons qui importe, mais ce que nous [partageons,
Car le don, sans celui qui donne, est stérile.
Celui qui se donne avec son aumône nourrit trois personnes :
Lui-même, son prochain affamé et moi-même ».

Le Premier Ciel est un séjour de félicité sans aucune trace d'amertume. L'esprit y est soustrait à l'influence des conditions matérielles terrestres et il assimile tout le bien contenu dans la vie passée, qu'il vit à nouveau. Là, toutes les aspirations élevées que l'homme nourrissait sont réalisées dans une large mesure. C'est un lieu de repos, et plus la vie a été pénible, plus l'homme jouira de ce repos. La maladie, le chagrin et la douleur y sont inconnus. C'est le « Summerland » (pays de l'éternel été, du bonheur) des Spirites. Les pensées des Chrétiens fervents y ont édifié la Nouvelle Jérusalem. De belles maisons, des fleurs, etc., sont le partage de ceux qui les ont désirées ; ils les construisent eux-mêmes par la pensée avec la substance-désir ; néanmoins, ces choses sont pour eux aussi réelles et tangibles que le sont pour nous nos maisons matérielles. Chacun obtient là les satisfactions qui lui ont manqué pendant la vie terrestre.

Une catégorie d'entités mène au Premier Ciel, une existence particulièrement belle : ce sont les enfants. Si nous pouvions les voir, nous cesserions de nous lamenter à leur sujet. Quand un enfant meurt avant la naissance de son corps du désir (qui a lieu vers la quatorzième année), il ne dépasse pas le Premier Ciel, parce qu'il n'est pas plus responsable de ses actions, qu'il n'est coupable avant sa naissance de la douleur qu'il cause à sa mère, en s'agitant dans son sein. Aussi l'enfant ne séjourne-t-il pas en Purgatoire. Ce qui n'est pas vivifié ne peut mourir ; par suite, le corps du désir de l'enfant, de même que son intellect, persiste jusqu'à la prochaine naissance. C'est pour cette raison que de tels enfants se rappellent quelquefois leur incarnation précédente ; nous en citerons plus loin un exemple.

Pour ces enfants, le Premier Ciel est une région d'attente où ils séjournent pour une durée de un à vingt ans, jusqu'à ce qu'une occasion s'offre à eux de se réincarner. Cependant, c'est plus encore qu'une simple période d'attente, parce que beaucoup de progrès sont accomplis pendant ce séjour au Premier Ciel.

Quand un enfant meurt, il y a toujours quelque membre de sa famille qui l'attend, ou, à défaut, des personnes qui aimaient à se montrer maternelles envers les enfants pendant leur vie terrestre et qui se font un plaisir de prendre soin d'un petit abandonné. L'extrême plasticité de la matière-désir facilite la construction de jouets *vivants* et des plus charmants pour les petits, et leur vie est une suite de belles récréations ; néanmoins, leur éducation n'est pas négligée. Ils sont divisés en classes, selon leur tempérament, et non selon leur âge. Il est facile, dans le Monde du Désir, de donner des leçons de choses sur l'influence des passions bonnes ou mauvaises, la conduite dans la vie et le bonheur. Ces leçons sont imprimées d'une manière indélébile sur le corps du désir sensitif et émotif de l'enfant et elles demeurent avec lui pendant sa nouvelle incarnation, de sorte que plus d'une personne qui mène maintenant une vie noble le doit en grande partie au fait qu'elle a reçu ces leçons spéciales. Souvent, quand un esprit manquant de ressort naît, les Etres Miséricordieux (Chefs invisibles qui guident notre évolution), le font mourir de bonne heure pendant la vie terrestre, afin qu'il puisse recevoir cette éducation particulière qui le préparera à affronter ce qui sera peut-être une vie pénible. Cela paraît être spécialement le cas quand l'impression faite sur le corps du désir a été peu profonde, parce que le mourant a été troublé par les lamentations de ses parents, ou bien dans les cas de mort par accident ou sur le champ de bataille. Dans ces circonstances, le sentiment éprouvé n'a pas l'intensité voulue après la mort ; c'est pourquoi, dans son incarnation suivante, l'homme meurt pendant l'enfance et la perte est réparée, comme nous l'avons expliqué plus haut. Souvent, le devoir de prendre soin d'un tel enfant pendant la vie céleste incombe à ceux qui ont été la cause de l'anomalie. Ils peuvent ainsi réparer la faute commise et apprendre à mieux faire. Il se peut également qu'ils deviennent les parents de celui auquel ils ont nui et qu'ils aient à prendre soin de lui pendant les quelques années que dure son existence. Il importe peu alors qu'ils se lamentent au moment de sa mort, car il n'y a pas d'images importantes gravées sur le corps vital d'un enfant.

Le Premier Ciel est aussi un lieu de perfectionnement pour tous ceux qui ont été laborieux, qui ont eu l'amour des arts et qui ont pratiqué l'altruisme. L'étudiant et le philosophe ont alors accès à toutes les bibliothèques du monde. Le peintre éprouve une joie toujours nouvelle aux combinaisons sans cesse changeantes des couleurs. Il ne tarde pas à apprendre que sa pensée mélange et dispose ces couleurs à son gré. Ses créations brillent et scintillent d'une vie impossible à atteindre par celui qui ne peut se servir que d'inertes couleurs physiques. Il peint, pour ainsi dire, avec une matière vivante, rutilante, et il peut mettre ses idées à exécution avec une facilité qui remplit son âme de joie. Le musicien n'a pas encore atteint le lieu où son art trouvera son expression la plus complète. Le Monde Physique est le Monde de la *Forme*. Le Monde du Désir, où se trouvent le Purgatoire et le Premier Ciel, est particulièrement le Monde de la *Couleur ;* mais le Monde de la Pensée où sont situés le deuxième et le troisième Ciel est la sphère du *Son*. La musique céleste est un fait et non pas seulement une fleur de rhétorique. Pythagore n'inventait rien quand il parlait de la musique des sphères, car chaque sphère céleste émet un son défini, et leur ensemble forme la symphonie céleste. Gœthe en parle dans le prologue de *Faust* dont l'action se passe dans le ciel, et où l'Archange Raphaël prononce ces paroles :

> « Le Soleil résonne sur le mode antique
> Dans le chœur harmonieux des sphères.
> Sa course ordonnée s'accomplit
> D'année en année, rapide comme l'éclair ».

Des échos de cette musique céleste nous parviennent même ici-bas dans le Monde Physique. Ils sont notre plus précieux trésor, bien qu'ils nous échappent, tels des feux-follets, et qu'ils ne puissent être créés d'une manière permanente, comme peuvent l'être d'autres œuvres d'art : statues, tableaux ou livres. Dans le Monde Physique, le son s'évanouit et meurt aussitôt qu'il est né. Dans le Premier Ciel, ces sons sont naturellement beaucoup plus beaux et plus durables ; aussi le musicien y entend-il des accents plus doux qu'il n'en a jamais entendus pendant sa vie terrestre.

Les expériences du poète sont analogues à celles du musicien ; car la poésie est l'expression des sentiments les plus profonds de l'âme, au moyen de mots ordonnés selon les mêmes lois d'harmonie et de rythme qui gouvernent les effusions de l'esprit par l'intermédiaire de la musique. De plus, le poète trouve une source merveilleuse d'inspiration dans les images et les couleurs qui sont la principale caractéristique du Monde du Désir. C'est de là qu'il tirera les matériaux qui lui serviront pour son œuvre dans sa prochaine incarnation. L'écrivain accumule de la même façon ses sujets et développe ses facultés. Le philanthrope élabore ses plans altruistes pour l'élévation de l'homme. S'il a échoué auparavant, il verra dans le Premier Ciel quelle en est la raison, et il apprendra à surmonter les obstacles et à éviter les erreurs qui rendaient son premier plan inapplicable.

Le moment arrive où les résultats de la douleur et des souffrances endurées quand nous purgeons nos fautes, ainsi que la joie causée par les bonnes actions de la vie passée, sont gravés sur l'atome-germe du corps du désir. Ils constituent ce que nous appelons la conscience qui nous met en garde contre le mal, source de douleur, et nous fait pencher vers le bien, source de bonheur et de joie. Alors l'homme laisse désintégrer son corps du désir, comme il avait abandonné son corps physique et son corps vital. Il n'emporte avec lui que les forces de l'atome-germe qui formeront le noyau du corps du désir futur de même qu'elles étaient le principe durable de ses anciens véhicules de sentiment.

Comme nous le disions plus haut, les forces de l'atome-germe sont extraites. Pour le matérialiste, la force et la matière sont inséparables. L'occultiste sait qu'il en est autrement. Pour lui, elles ne sont pas deux abstractions entièrement distinctes et séparées, mais les deux pôles d'un même esprit.

La *Matière* est l'esprit concrétisé.

La *Force* est le même esprit, non encore cristallisé.

Nous l'avons déjà dit, mais on ne saurait trop se pénétrer de cette idée. A ce sujet, l'exemple de l'escargot nous vient en aide. La matière, qui est l'esprit concrétisé, correspond à la coquille de l'escargot, qui est l'escargot cristallisé. La force chimique active dans la matière qu'elle rend utilisable pour la construction des formes, et l'escargot actif dans sa coquille, fournissent aussi une bonne comparaison. Ce qui est maintenant l'escargot deviendra, avec le temps, la coquille, et ce qui est maintenant l'énergie deviendra plus tard la matière, quand elle se sera cristallisée davantage. Le processus inverse, qui consiste à désintégrer la matière en esprit, s'accomplit de même constamment. Nous voyons la phase la plus grossière de cette opération dans la désintégration qui a lieu quand un homme abandonne ses véhicules ; à ce moment, l'esprit d'un atome est facilement détachable de l'esprit moins subtil qui s'est manifesté sous forme de matière.

LE DEUXIEME CIEL

Finalement, l'homme, l'Ego, le Triple Esprit, entre dans le Deuxième Ciel. Il est revêtu de la gaine de l'intellect qui contient aussi les trois atomes-germes, quintessence des trois véhicules abandonnés.

Quand l'homme meurt et perd son corps physique et son corps vital, il passe par des états comparables à ceux du sommeil. Le corps du désir, ainsi que nous l'avons expliqué, n'a pas d'organes immédiatement utilisables. D'un ovoïde, il se transforme en une forme qui ressemble au corps physique abandonné. Il est facile de comprendre qu'il doit y avoir un intervalle d'inconscience analogue au sommeil, après lequel l'homme s'éveille dans le Monde du Désir. Cependant, il arrive souvent que les « morts » ne savent pas ce qui leur est arrivé. Ils ne comprennent pas qu'ils sont morts. Ils savent qu'ils peuvent se mouvoir et penser. Aussi, est-il parfois très difficile de leur faire admettre qu'ils sont réellement « morts ». Ils se rendent compte qu'il y a une différence, mais ils ne peuvent comprendre en quoi elle consiste.

Toutefois, il n'en est pas de même quand ils passent du Premier Ciel, situé dans le Monde du Désir, au Deuxième Ciel, qui se trouve dans la Région de la Pensée Concrète. L'homme abandonne alors son corps du Désir. Il est parfaitement conscient. Il entre dans un grand calme. Pour le moment, tout semble s'effacer. Il ne peut penser. Toutes ses facultés sont inactives ; cependant, il sait qu'il *est*. Il a le sentiment de se tenir dans « l'Eternel », d'être seul, mais sans frayeur ; son âme est remplie d'une paix merveilleuse « qui surpasse toute intelligence » (Philippiens 4 : 7).

Dans la science occulte, on appelle cette condition « *le Grand Silence* ».

Puis vient le réveil. L'esprit est maintenant dans son pays natal, le Ciel. Là, les premières sensations du réveil apportent à l'esprit la « musique des sphères ». Pendant notre vie terrestre, nous sommes tellement immergés dans les bruits et les sons insignifiants de notre entourage restreint, que nous sommes incapables d'entendre la musique des sphères dans leur course, mais l'occultiste, lui, l'entend. Il sait que les douze signes du Zodiaque et les sept planètes forment la table d'harmonie et les cordes de la « lyre à sept cordes d'Apollon ». Il sait que si une seule discordance venait à troubler l'harmonie céleste de ce sublime Instrument, « la destruction de la matière et la débâcle des mondes » s'ensuivraient.

Le pouvoir des vibrations rythmiques est bien connu de tous ceux qui ont prêté la moindre attention à ce sujet. Par exemple, les soldats qui passent sur un pont reçoivent l'ordre de rompre le pas, car autrement leur cadence rythmée briserait la construction la plus solide. L'histoire biblique de l'écroulement des murs de Jéricho est loin d'être absurde, aux yeux de l'occultiste. Des phénomènes analogues se sont produits dans certains cas sans que le monde incrédule ait souri d'un air supérieur. Il y a quelques années, un orchestre jouait près du mur très solide encore d'un vieux château ; à un certain passage du morceau se trouvait un accord prolongé et perçant. Au moment où cet accord retentit, la muraille du château s'écroula soudain. Sa vibration tonique avait été atteinte et soutenue assez longtemps pour provoquer sa destruction.

Quand nous disons que le Deuxième Ciel est le monde du son, il ne faudrait pourtant pas croire que les couleurs en soient absentes. Bien des gens savent qu'il y a un rapport intime entre les couleurs et les sons, que lorsqu'une certaine note résonne, une certaine couleur paraît en même temps. Il en est ainsi dans le Monde Céleste où le son et la couleur sont présents ; mais c'est le son qui produit la couleur. C'est pourquoi nous disons que ce monde est plus spécialement le monde du son, du son qui construit toutes les formes du monde physique. Certains bruits s'entendent dans diverses parties de la nature :

celui du vent dans les arbres et sur la mer, le bruit de la houle et de la tempête, et la voix si variée des cascades et des ruisseaux. Tous ces accords mêlés forment la note dominante de la Terre, la tonique de notre globe. De même qu'on peut créer des formes géométriques en glissant un archet contre un plateau de verre contenant du sable, ainsi les vibrations sonores des forces actives dans les vivants archétypes du monde céleste ont créé et créent sans cesse les formes qui nous entourent.

Le travail accompli par l'homme dans le Monde Céleste est très varié. Son existence n'a absolument rien de l'inaction, de la rêverie ou de l'illusion. C'est au contraire une période de la plus grande activité, très importante pour la préparation de sa prochaine vie, comme le sommeil est une période d'activité et de préparation pour le travail du lendemain.

C'est alors que la quintessence des trois corps est assimilée par l'esprit triple. Tout ce qui, dans le corps du désir, avait été l'objet du travail de l'homme pendant sa vie par la purification de ses désirs et de ses émotions, se fond dans l'esprit humain et fournit, dans l'avenir, un meilleur intellect.

Tout ce qui, dans le corps vital avait été travaillé, transformé et spiritualisé par l'esprit vital, et ainsi sauvé de la désintégration à laquelle le reste du corps vital est soumis, est amalgamé à l'esprit vital et assurera dans les vies futures un meilleur corps vital et un meilleur tempérament.

Tout ce que l'esprit divin a sauvé du corps physique par les bonnes actions sera assimilé à cet aspect de l'esprit et produira un meilleur entourage et de nouvelles occasions à saisir.

Cette spiritualisation des véhicules s'accomplit en cultivant les facultés d'observation, de discernement et de mémoire, en se dévouant à un idéal élevé, en s'exerçant avec persévérance à prier, à se concentrer et à méditer, et aussi par l'usage correct des forces vitales.

Le Deuxième Ciel est la véritable patrie de l'Ego, de l'homme pensant. Il y demeure pendant des siècles ; il assimile les fruits de sa dernière vie terrestre et prépare les conditions physiques les plus favorables pour la prochaine étape de son développement. Le son qui remplit cette région et qui se manifeste partout comme couleur est en quelque sorte son instrument, et ce sont ces vibrations infiniment harmonieuses qui, telles un élixir de vie, incorporent à l'esprit triple la quintessence du corps triple dont il dépend pour son développement.

La vie dans le Deuxième Ciel est extrêmement active et variée. L'Ego assimile les fruits de sa dernière existence terrestre et prépare le milieu de sa prochaine existence physique. Il ne suffit pas de dire que les nouvelles conditions seront déterminées par la conduite et les actions de la vie passée. Il est de toute nécessité que les fruits de cette vie soient incorporés au Monde qui sera le futur théâtre de l'activité de l'Ego, où il amassera de nouvelles expériences et récoltera de nouveaux fruits. C'est pourquoi tous les habitants du Monde Céleste travaillent aux modèles de la Terre, qui se trouvent tous dans la Région de la Pensée Concrète. Ils modifient les traits physiques de la Terre et provoquent les changements graduels qui la font varier d'aspect, de telle sorte qu'à chaque retour à la vie physique, un milieu différent a été préparé, dans lequel ils peuvent s'enrichir de nouvelles expériences. L'homme modifie le climat, *la flore* et *la faune,* sous la direction d'Etres supérieurs que nous décrirons plus tard. Ainsi le monde est exactement ce que nous l'avons fait individuellement et collectivement, et il sera ce que nous le ferons. L'occultiste voit une cause spirituelle se manifester dans tous les phénomènes physiques, y compris la série de secousses sismiques de plus en plus nombreuses et alarmantes dont il peut faire remonter la cause à la tendance matérialiste de la science moderne.

Il est certain que des causes purement physiques peuvent amener de telles perturbations ; mais cela résout-il entièrement la question ? Pouvons-nous toujours obtenir une explication complète en observant seulement ce qui se passe à la surface ? Assurément non ! Nous voyons, par exemple, deux hommes en conversation dans la rue ; soudain l'un d'eux frappe l'autre. Un observateur pourra dire que l'homme renversé l'a été par une pensée de colère. Un autre se moquera peut-être de cette affirmation et déclarera qu'il a vu le bras se lever, les muscles se contracter, le bras se détendre et venir frapper la victime. Cette affirmation est également vraie, mais on peut dire avec raison que s'il n'y avait eu *d'abord* une pensée de colère, le coup n'aurait jamais été porté. Et c'est de la même manière que l'occultiste voit dans le matérialisme la cause des secousses sismiques.

Le travail de l'homme dans le Monde Céleste ne se limite pas seulement aux modifications de la surface de la Terre qui sera la scène de ses futurs efforts dans la conquête du Monde Physique. Il apprend également à construire un corps qui lui offrira plus tard un meilleur moyen d'expression. C'est la destinée de l'homme de devenir une Intelligence Créatrice et il est continuellement en apprentissage. Pendant la vie céleste, il apprend à construire toutes sortes de corps, y compris le corps humain.

Nous avons parlé des forces qui sont actives aux pôles positifs et négatifs des différents éthers. *L'homme lui-même est une de ces forces.* Ceux que nous appelons les morts sont ceux qui nous aident à vivre. Ils sont aidés à leur tour par les « esprits de la nature », comme on les appelle, qui sont sous leurs ordres. L'homme est guidé dans ce travail par des Instructeurs appartenant aux Hiérarchies Créatrices supérieures qui l'ont aidé à construire ses véhicules avant qu'il n'atteigne la conscience de soi, de la même manière qu'il reconstruit actuellement ses corps pendant son sommeil. Pendant la vie céleste, il reçoit consciemment les leçons des Instructeurs, notamment des Archanges.

Le peintre apprend à construire un œil qui voit correctement, qui est capable de saisir parfaitement une perspective et de distinguer les couleurs et les nuances d'une manière inconcevable pour ceux que n'intéressent pas les couleurs et les effets de lumière.

Le mathématicien étudie l'espace ; or la faculté de percevoir l'espace dépend de l'ajustement délicat des trois canaux semi-circulaires qui sont situés à l'intérieur de l'oreille et dont chacun est dirigé vers une des trois directions de l'espace. La logique de la pensée et l'aptitude aux sciences mathématiques sont proportionnelles à l'exactitude de cet ajustement des canaux semi-circulaires. Le talent musical dépend aussi du même facteur. En outre, le musicien doit posséder des « fibres de Corti » extrêmement délicates. L'oreille humaine en contient de six à dix mille, et chacune d'elles est capable d'interpréter environ vingt-cinq variations de ton. Trois à dix seulement de ces gradations sont susceptibles d'être éveillées chez la plupart des hommes. Chez les gens d'une habileté musicale ordinaire, chaque fibre enregistre au maximum quinze sons ; mais le maître capable d'interpréter et de rendre la musique du Monde Céleste a besoin d'une plus grande variété pour pouvoir distinguer les différents sons et percevoir la moindre discordance dans les accords les plus compliqués. Ceux qui ont besoin d'organes d'une aussi grande délicatesse pour l'expression de leurs facultés sont l'objet de soins spéciaux, comme le mérite et l'exige leur condition supérieure de développement. Le musicien vient au premier rang, ce qui est compréhensible, car tandis que le peintre tire principalement son inspiration du Monde de la Couleur, le Monde du Désir le plus proche du nôtre, le musicien, lui, essaie de nous révéler l'atmosphère de notre patrie céleste (en tant qu'esprits) et de l'exprimer par les sons de ce monde terrestre. C'est à lui qu'échoit la mission la plus haute, parce que la musique est le mode suprême d'expression de la vie de l'âme. Elle diffère de tous les autres arts et leur est supérieure, car une statue ou un tableau, une fois créés, sont permanents. Ils sont tirés du Monde du Désir et sont, par suite, plus facilement cristallisés, tandis que la musique, qui émane du Monde Céleste, est moins tangible et plus fugace ; elle doit être créée à nouveau, chaque fois que nous voulons l'entendre. On peut la fixer, mais la musique ainsi reproduite perd beaucoup de la douceur émouvante qu'elle possède lorsqu'elle nous vient directement de son propre monde, apportant à l'âme le souvenir de sa patrie et lui parlant avec une éloquence que les plus beaux marbres et les plus belles toiles ne sauraient égaler.

L'instrument par l'intermédiaire duquel l'homme perçoit la musique est le plus parfait organe sensoriel du corps humain. L'œil est loin d'être parfait, mais l'oreille est juste, en ce sens qu'elle entend tous les sons sans déformation, alors que l'œil déforme souvent ce qu'il voit.

Si le musicien doit avoir une oreille musicale, il doit, de plus, apprendre à construire une main longue et fine, aux doigts effilés, et aussi des nerfs très sensibles, car autrement il ne serait pas capable de reproduire les mélodies qu'il entend.

Une loi de la nature veut que l'homme ne puisse habiter un corps plus parfait que celui qu'il est capable de construire. Il apprend d'abord à construire un corps d'une certaine classe, puis il apprend à l'habiter. De cette manière, il découvre ses erreurs et on lui montre comment il peut les corriger.

Tous les hommes travaillent inconsciemment à la construction de leur corps pendant la vie prénatale jusqu'à ce qu'ils en arrivent au point où la quintessence extraite des anciens véhicules va y être incorporée. Ils travaillent dès lors consciemment. On verra ainsi que plus un homme fait de progrès et travaille sur ses véhicules, les rendant ainsi immortels, plus il augmente son pouvoir de construction pour une nouvelle vie. L'élève avancé d'une école d'occultisme commence parfois ce travail de construction pour son propre compte, à la fin des trois premières semaines qui appartiennent exclusivement à la mère. Quand la période de construction inconsciente est passée, l'homme a l'occasion d'exercer son pouvoir créateur naissant, et c'est alors le commencement de la véritable création originale : l' « Epigénèse ».

Ainsi, nous voyons que l'homme apprend à *construire* ses véhicules dans le Monde Céleste et à *s'en servir* dans le Monde Physique. La nature fournit toutes les phases nécessaires d'expérience, d'une manière si merveilleuse et avec une sagesse si consommée que, à mesure que nous apprenons à sonder plus profondément ses secrets, nous comprenons de mieux en mieux le peu que nous sommes et nous éprouvons un sentiment toujours grandissant de vénération envers Dieu dont la Nature est le symbole visible. Plus nous apprenons à connaître ses merveilles, mieux nous comprenons que notre système cosmique n'est pas l'immense mécanisme à mouvement perpétuel qu'on voudrait nous faire admettre.

Il serait tout aussi logique de supposer que si nous jetions en l'air une boîte de caractères d'imprimerie, ces caractères formeraient les mots d'un magnifique poème quand ils reviendraient sur le sol. Plus grande est la complexité du plan, plus grand est le poids de l'argument en faveur de la théorie d'un Auteur Divin intelligent.

LE TROISIEME CIEL

Après avoir assimilé tous les fruits de sa vie passée et modifié l'aspect de la Terre de manière à préparer le milieu nécessaire pour son prochain pas vers la perfection, après avoir appris, en collaborant à l'étude du perfectionnement du corps humain, à construire un corps approprié qui lui permette de s'exprimer dans le Monde Physique, après avoir finalement extrait de l'intellect l'essence qui nourrit le triple esprit, l'Ego, débarrassé de toute enveloppe, passe dans la Région supérieure du Monde de la Pensée ; le Troisième Ciel. Là, il est fortifié par l'harmonie ineffable de ce monde supérieur, en vue de sa prochaine descente dans la matière.

Après un certain temps vient le désir de nouvelles expériences, et l'idée d'une nouvelle naissance se fait jour. Ce désir évoque devant l'esprit la vision d'une série d'images, d'un panorama de la nouvelle vie qui lui est réservée. Mais, notons-le bien, ce panorama ne contient que les événements principaux. L'esprit conserve une entière liberté en ce qui concerne les détails. C'est exactement le cas d'un homme qui voudrait se rendre dans un lieu éloigné avec un billet, valable seulement pour un temps limité, mais qui lui laisserait la liberté de choisir son itinéraire. Une fois qu'il a fait son choix et qu'il s'est mis en route, il n'est pas sûr de pouvoir changer de direction pendant le trajet. Il lui sera loisible de s'arrêter autant de fois qu'il lui plaira, aussi longtemps que durera la validité du billet, mais il ne pourra pas revenir en arrière. Ainsi, à mesure qu'il avance dans son voyage, le choix préalable qu'il a fait lui impose des limites plus rigoureuses. Selon les moyens de transport qu'il a choisis, il peut s'attendre à divers inconvénients : manque de confort, affluence de passagers, voisins bruyants, roulis, etc., ou au contraire à un voyage plus agréable. Il en est de même en ce qui concerne la vie nouvelle que l'Ego a choisie. Il devra peut-être connaître des jours pénibles et il est libre de vivre purement ou de se vautrer dans la fange. D'autres conditions sont également sous sa dépendance, dans les limites de ses anciens choix et de ses actions passées.

Les images du panorama de la vie prochaine, dont nous venons de parler, commencent au berceau et finissent à la tombe, à l'inverse du panorama qui suit la mort et dont il a déjà été question. La raison de cette différence radicale entre ces deux panoramas est que le but recherché par l'exposé de la vie qui s'offre avant la naissance est de montrer à l'Ego sur le point de se réincarner comment certaines *causes* ou certaines actions produisent invariablement les mêmes *effets*.

Dans le cas du panorama qui suit la mort, le but est au contraire, de montrer comment chaque *événement* de la vie passée était l'effet d'une certaine *cause* produite antérieurement dans cette même vie. La Nature (ou Dieu) ne fait rien sans une raison logique et, plus nous avançons dans nos recherches, plus il devient manifeste que la Nature est une mère pleine de sagesse qui se sert toujours des meilleurs moyens pour arriver à ses fins.

On se demandera peut-être : « Pourquoi naître à nouveau ? Pourquoi devons-nous retourner à cette existence terrestre, pénible et limitée ? Pourquoi ne pouvons-nous pas acquérir de l'expérience sur ces plans supérieurs sans reparaître sur la Terre ? Nous sommes las de cette vie si triste et si fatigante ! »

De telles questions ont pour causes des malentendus divers. Tout d'abord, nous devrions comprendre et graver dans notre mémoire que *le but de la vie n'est pas le bonheur, mais l'expérience.* Le chagrin et la douleur sont nos meilleurs instructeurs, alors que les joies terrestres sont fugitives.

Cette doctrine paraît sévère, et le cœur se révolte rien qu'à la pensée qu'elle puisse être vraie. Néanmoins elle l'est. On trouvera après réflexion qu'en définitive ce n'est pas une doctrine tellement sévère.

La douleur est notre bienfaitrice. Si nous pouvions placer notre main sur un poêle brûlant sans ressentir de douleur, la main, peut-être même le bras, pourraient, faute de changer de place, être entièrement carbonisés. Nous ne nous en rendrions compte que lorsqu'il serait trop tard pour les sauver. C'est la douleur résultant du contact avec le poêle chaud qui nous fait retirer vivement notre main avant qu'elle ne soit sérieusement brûlée et nous en sommes quittes pour une simple ampoule qui guérit rapidement. Voilà un exemple emprunté au Monde Physique. Le même principe s'applique aux mondes supérieurs. Si nous contrevenons aux lois de la morale, les remords de conscience dont nous souffrons nous empêcheront de répéter l'acte répréhensible ; et, si nous ne prenons pas garde à la première leçon, la nature nous obligera à des expériences de plus en plus pénibles, jusqu'à ce que, finalement, s'imprime de force dans notre conscience l'idée que « la voie du transgresseur est rude ». Ces expériences se renouvelleront jusqu'à ce que nous soyons enfin forcés de changer de direction et que nous fassions un premier pas vers une réforme.

L'expérience consiste en « la connaissance des effets qui suivent les actes ». Elle est l'objet de la vie, ainsi que le développement de la « Volonté », qui est la Force au moyen de laquelle nous mettons en œuvre les résultats de l'expérience. Nous devons acquérir de l'expérience, mais nous avons le choix entre la voie pénible de l'expérience personnelle, ou bien l'observation des actions d'autrui, sur laquelle nous pouvons réfléchir et méditer à la lumière des expériences précédemment acquises.

C'est par cette dernière méthode que l'étudiant en occultisme devrait s'instruire, au lieu d'attirer sur lui le fouet de l'adversité et de la douleur. Plus nous sommes disposés à apprendre de cette manière, moins nous sentirons les souffrances du « sentier de la douleur », et plus rapidement nous atteindrons « le sentier de la paix ».

Le choix nous appartient, mais tant que nous n'avons pas appris tout ce que nous devons apprendre en ce monde, il nous faut y revenir. Nous ne pouvons rester dans les mondes supérieurs et y acquérir des connaissances avant d'avoir complètement terminé les leçons de la vie terrestre. Ce serait aussi peu raisonnable que d'envoyer un enfant à l'école maternelle un jour, et à l'université le lendemain. L'enfant doit retourner à l'école enfantine, jour après jour, et passer des années dans les classes primaires et secondaires avant que ses études aient suffisamment développé ses facultés pour lui permettre de comprendre ce qu'on enseigne dans les universités.

L'homme, lui aussi, est à l'école, celle de l'expérience. Il doit y revenir bien des fois avant de pouvoir assimiler toutes les connaissances du monde des sens. Quelque riche qu'elle soit en expériences, il n'y a pas de vie terrestre qui, à elle seule, puisse fournir ces connaissances.

C'est pourquoi la nature décrète qu'il doit retourner sur la terre, après des intervalles de repos, pour reprendre sa tâche là où il l'avait laissée, comme un enfant reprend chaque jour son travail à l'école, après le sommeil réparateur de la nuit. Objecter que l'homme ne se rappelle pas ses vies passées n'est pas un argument valable contre cette théorie. Nous ne pouvons nous rappeler tous les événements de notre vie actuelle. Nous ne nous rappelons pas combien il nous était pénible d'apprendre à écrire. Toutes les facultés que nous possédons ont dû être acquises à un moment donné, dans certaines circonstances. Quelques-uns d'entre nous se souviennent de leur passé. Ce fait sera démontré par un exemple remarquable que nous citons à la fin du chapitre suivant — et qui est loin d'être unique.

D'ailleurs, si nous n'étions pas destinés à revenir sur la Terre, à quoi servirait-il de vivre une si courte vie ? S'efforcer d'atteindre un but quelconque ? Pourquoi un séjour éternel dans le Ciel devrait-il être la récompense d'une vie vertueuse passée sur la Terre ? Quel bienfait peut-on retirer d'une vie de félicité dans un ciel rempli de bienheureux ? Dans un lieu où tout le monde est heureux et satisfait, il n'est nul besoin de sympathie, de sacrifice de soi-même ou de sages conseils. On n'en aurait que faire, mais sur terre, nombreux sont ceux qui en ont besoin. Les qualités altruistes, les vertus humanitaires ont un grand prix au milieu de ceux qui luttent contre les souffrances et se débattent dans les difficultés. Aussi la Grande Loi qui a le perfectionnement pour objet veut que l'homme revienne sans cesse sur la Terre afin d'y travailler à son propre développement et à celui de ses semblables, avec les trésors qu'il a amassés, fruits de ses expériences, plutôt que de les laisser se perdre dans un Ciel où nul n'en a cure.

PREPARATIFS EN VUE DE LA REINCARNATION

Etudions maintenant le processus de la réincarnation, après en avoir compris la nécessité. Avant de descendre dans la matière, l'esprit triple ne possède pas de véhicules, mais seulement les forces des quatre atomes-germes (qui forment le noyau du triple corps et de la gaine de l'intellect). Sa descente dans la matière ressemble à la mise de plusieurs paires de gants de plus en plus épais, comme dans l'exemple donné précédemment. Les forces latentes de l'intellect de la dernière incarnation sont éveillées dans l'atome-germe. Elles commencent à attirer les matériaux de la subdivision la plus élevée de la Région de la Pensée Concrète, comme un aimant attire la limaille de fer.

Si nous tenons un aimant au-dessus d'un mélange de limaille de cuivre, d'argent, d'or, de fer, de plomb et d'autres métaux, nous remarquerons qu'il choisit seulement la limaille de fer et qu'il ne prendra pas plus de cette limaille que sa force ne lui permet d'en soulever. Son pouvoir d'attraction s'étend uniquement sur une sorte particulière de métal et, de plus, son intensité est limitée. Il en est de même de l'atome-germe. Il ne peut prendre, dans chaque Région, qu'une certaine quantité de la substance pour laquelle il a de l'affinité. C'est ainsi que le véhicule construit autour de cet atome-germe devient une reproduction exacte du véhicule correspondant de la dernière incarnation, moins le mal qui en a été éliminé, et plus la quintessence du bien qui y a été incorporée.

Le matériel rassemblé par l'esprit triple prend la forme d'une cloche ouverte à la base, avec l'atome-germe au sommet. Si nous nous formons une image de ce concept spirituel, nous pouvons nous représenter une cloche à plongeur qui descend dans une mer formée de liquides d'une densité toujours croissante. Ces densités correspondent aux différentes subdivisions de chaque monde. La matière accumulée dans ce corps en forme de cloche le rend plus lourd, de telle sorte qu'il s'enfonce dans la subdivision inférieure la plus rapprochée et prenne la quantité nécessaire de matière. Il s'alourdit ainsi de plus en plus et continue à s'enfoncer jusqu'à ce qu'il ait passé à travers les quatre subdivisions de la Région de la Pensée Concrète, et que la gaine du nouvel intellect de l'homme soit complète. Cela fait, les forces de l'atome-germe du corps du désir sont éveillées. Cet atome-germe se place au sommet et *à l'intérieur* de la cloche et les matériaux de la septième Région du Monde du Désir se disposent autour de cet atome jusqu'à ce qu'il plonge dans la sixième Région où il réunit de nouveaux matériaux, et ceci continue jusqu'à ce que la première Région du Monde du Désir soit atteinte. La cloche a maintenant deux couches : au dehors, la gaine de l'intellect et, à l'intérieur, le nouveau corps du désir.

Ensuite, l'activité de l'atome-germe du corps vital est éveillée ; mais le procédé de formation du corps vital n'est pas aussi simple que celui de l'intellect et du corps du désir, car il faut se rappeler que ces derniers véhicules sont comparativement peu organisés, tandis que le corps vital et le corps physique ont une organisation très complexe. Une certaine quantité de matière de qualité définie est attirée d'après la même loi que pour les corps supérieurs, mais la construction du nouveau corps et son placement dans le milieu convenable sont confiés aux soins de quatre Grands Etres d'une sagesse incommensurable qui sont les Anges de Justice, les « Seigneurs de la Destinée ». L'éther-réflecteur du corps vital est impressionné par eux de telle façon que les images de la vie à venir s'y reflètent. Le corps vital est construit par les habitants du Monde Céleste et les esprits élémentaux de façon à former un type particulier de cerveau. Mais *l'Ego qui se réincarne y incorpore lui-même la quintessence de ses anciens corps vitaux et, de plus, il accomplit un certain travail personnel,* à seule fin de pouvoir s'exprimer dans la vie qui va commencer, d'une façon quelque peu originale et individuelle, qui ne soit pas uniquement déterminée par les actions passées.

Il est très important de se rappeler ce fait. Nous avons trop tendance à penser que tout ce qui existe aujourd'hui est le produit de quelque chose qui existait auparavant ; mais, si tel était le cas, nous n'aurions aucune latitude pour des efforts personnels et originaux et pour engendrer de nouvelles causes. La chaîne des causes et des effets n'est pas une répétition monotone. Il y a *sans cesse un afflux de causes nouvelles et originales.* C'est là le véritable fondement de l'évolution, ce qui lui donne une signification et ne la réduit pas simplement au développement de pouvoirs latents. C'est là l' « Epigénèse », la libre volonté que possède l'Ego, non pas seulement dans le choix entre deux manières d'agir, mais dans la liberté d'entreprendre quelque chose d'entièrement nouveau.

L'Epigénèse est le facteur important qui, seul, permet d'expliquer d'une manière satisfaisante le système auquel nous appartenons. Il vient s'ajouter à l'Involution et à l'Evolution qui ne suffiraient pas par elles-même à tout expliquer.

La destinée d'un individu est soumise à la loi de cause à effet. Elle est d'une grande complexité et entraîne des relations constantes avec les Egos en incarnation et hors d'incarnation. Même ceux qui sont incarnés à un même moment peuvent ne pas vivre dans la même localité, de sorte qu'il est impossible que la destinée d'un individu s'accomplisse entièrement dans l'espace d'une vie ou dans un seul endroit. C'est pourquoi l'Ego est amené dans une certaine famille et dans un milieu déterminé auxquels il est relié d'une façon particulière.

Le choix du milieu est parfois indifférent pour l'accomplissement de la destinée ; dans ce cas l'Ego, dans la mesure du possible, est laissé libre de choisir. Mais une fois le milieu déterminé, les agents des Seigneurs de la Destinée veillent, invisibles, à ce qu'aucun acte délibéré ne permette d'esquiver l'accomplissement de la partie du destin qui a été choisie. Si nous faisons quoi que ce soit pour y échapper, ils prendront d'autres mesures pour assurer l'accomplissement de la destinée. Toutefois, on ne saurait trop répéter que cette manière d'agir ne rend pas l'homme impuissant. C'est simplement la même loi qui agit après que nous ayons tiré un coup de pistolet. Nous sommes incapables alors d'arrêter la balle ou même de la faire dévier de son chemin, si peu que ce soit. Sa trajectoire était déterminée par la position du pistolet, au moment du tir. Cette position aurait pu être changée à n'importe quel moment avant de faire jouer la détente, puisque jusqu'à ce moment-là elle était entièrement soumise à notre volonté. Il en est de même des nouvelles actions qui sont la cause de la destinée future. Nous pouvons jusqu'à un certain point modifier ou même neutraliser complètement certaines causes déjà actives, mais une fois qu'elles ont été mises en marche et que rien n'a été fait pour les neutraliser, le moment viendra où elles échapperont à notre volonté. C'est ce qu'on appelle la « destinée mûre ». C'est de cette sorte de destin qu'il s'agit quand nous disons que les Seigneurs de la Destinée font échec à tous les efforts que nous pouvons tenter pour l'éviter. Pour ce qui est de notre passé, nous sommes dans une large mesure impuissants ; mais en ce qui concerne nos actions futures, nous pouvons les diriger dans la mesure où elles ne sont pas déterminées par nos actes passés. Peu à peu, cependant, lorsque nous apprenons que nous sommes la cause de nos peines ou de nos joies, nous comprenons combien il est nécessaire de mettre notre vie en harmonie avec les lois de Dieu et nous élever ainsi au-dessus des lois du Monde Physique. Telle est pour nous la clef de l'émancipation, ainsi que l'a dit Gœthe :

De chaque pouvoir qui enchaîne le monde entier
L'homme se délivre, quand il arrive à se maîtriser.

Le corps vital, qui a été modelé par les Seigneurs de la Destinée, donnera sa forme au corps physique, organe pour organe. Ce moule est alors placé dans l'utérus de la future mère. L'atome-germe du corps physique se trouve dans la tête triangulaire de l'un des spermatozoïdes de la semence du père. Cela seul rend la fécondation possible et c'est ce qui explique pourquoi tant d'unions demeurent stériles. Les constituants chimiques du liquide séminal et des ovules sont toujours les mêmes. Or, s'ils étaient les seuls matériaux nécessaires, on ne pourrait trouver l'explication du phénomène de la stérilité, si on la cherchait seulement dans le monde matériel et visible. Nous avons vu que les molécules d'eau ne se congèlent que le long des lignes de force qui préexistent dans l'eau et se manifestent sous la forme de cristaux de glace, au lieu de se prendre en une masse homogène, comme ce serait le cas s'il n'y avait pas de lignes de force avant la congélation. Il est clair que le corps physique ne peut être construit s'il n'y a pas de corps vital pour servir de moule à la matière physique. Il doit y avoir un atome-germe du corps physique pour régler la qualité et la quantité de matière qui doit entrer dans la composition de ce corps, bien que, dans notre phase actuelle de développement, il n'y ait jamais harmonie complète dans les matériaux du corps, car autrement le corps obtenu serait parfait. Toutefois, les discordances ne doivent pas être telles qu'elles deviennent une cause de rupture dans l'organisme.

Ainsi, tandis que l'hérédité n'opère tout d'abord que sur

les matériaux du corps physique, et non sur les qualités de l'âme, qui sont tout à fait individuelles, l'Ego qui s'incarne accomplit aussi une certaine somme de travail sur son corps physique, en lui incorporant la quintessence des qualités physiques de ses incarnations précédentes. Il n'existe pas de corps qui soit un mélange exact des qualités de ses parents, quoique l'Ego soit limité à l'usage des matériaux empruntés aux corps du père et à celui de la mère. C'est pourquoi un musicien s'incarne seulement là où il pourra trouver les éléments nécessaires pour se construire une main fine et une oreille délicate, avec des fibres de Corti très sensibles et l'ajustement exact des trois canaux semi-circulaires. La disposition de ces matériaux est, dans la mesure que nous avons définie, du ressort de l'Ego. C'est comme si un charpentier recevait un certain nombre de planches pour construire sa propre maison, tout en restant libre de choisir le type de maison qui lui convient.

Sauf dans le cas d'un être ayant un développement très supérieur, ce travail de l'Ego est presque négligeable dans l'état actuel de l'évolution humaine. L'homme a la plus grande latitude dans la construction de son corps du désir, très peu dans celle de son corps vital, et pour ainsi dire aucune dans celle de son corps physique ; cependant, ce peu de marge suffit à faire de chaque individu l'expression de son propre Ego et à le rendre différent de ses parents.

Quand la fécondation de l'ovule a eu lieu, le corps du désir de la mère travaille à son développement pendant une période de dix-huit à vingt et un jours ; l'Ego est alors en dehors de la mère dans son corps du désir et dans la gaine de l'intellect, mais il reste cependant très rapproché d'elle. Au bout de ce laps de temps, il pénètre à l'intérieur du corps maternel. Les véhicules en forme de cloche descendent sur le corps vital en le coiffant par la tête et la cloche se ferme à la partie inférieure. A partir de ce moment, l'Ego couve en quelque sorte son futur véhicule jusqu'à l'époque de la naissance de l'enfant, où commence la nouvelle vie terrestre de l'Ego réincarné.

NAISSANCE DU CORPS PHYSIQUE

Les véhicules du nouveau-né ne deviennent pas immédiatement actifs. Le corps physique reste impuissant longtemps après la naissance. En raisonnant par analogie, nous pouvons facilement nous rendre compte qu'il doit en être de même des véhicules supérieurs. L'occultiste peut vérifier ce fait, mais, même sans la faculté de clairvoyance, la raison nous montre qu'il doit en être ainsi. De même que le corps physique dans la gaine protectrice de la matrice se prépare lentement pour une vie séparée individuelle, ainsi les autres corps naissent et sont graduellement mis en activité. Les périodes données dans la description qui suit ne sont qu'approximatives, mais cependant suffisamment exactes. Elles indiquent les rapports qui existent entre le microcosme et le macrocosme, entre l'individu et le monde.

Dans la période qui suit immédiatement la naissance, les divers véhicules s'interpénètrent comme, dans notre exemple précédent, le sable a pénétré l'éponge, et l'eau s'est infiltrée à la fois dans le sable et l'éponge. Mais bien qu'ils existent tous comme pendant la vie adulte, *ils ne sont que présents.* Aucune de leurs facultés positives n'est active. Le corps vital ne peut faire usage des forces qui opèrent au pôle positif des différents éthers. La fonction d'assimilation, assurée par le pôle positif de l'éther chimique, est sélective à l'excès pendant la petite enfance, et le peu qu'on en observe est dû à l'activité du corps vital du Macrocosme ; les éthers qui servent de gaine au corps vital de l'enfant jusqu'à sa septième année l'amènent graduellement à maturité pendant cette période. La faculté de reproduction qui opère au pôle positif de l'éther vital est également à l'état latent. La chaleur du corps, qui résulte de l'activité des forces au pôle positif de l'éther-lumière, et la circulation du sang, sont dues à l'activité du corps vital macrocosmique, dont les éthers agissent sur l'enfant et le développent lentement, jusqu'à ce qu'il soit arrivé au point où il peut prendre la relève. Les forces qui opèrent au pôle négatif des éthers n'en sont que plus actives. L'élimination des solides qui s'accomplit au pôle négatif de l'éther chimique (correspondant à la subdivision des solides de la Région Chimique) est très abondante, de même que l'élimination des liquides qui s'accomplit au pôle négatif de l'éther vital (lequel correspond à la deuxième subdivision — liquide — de la région chimique). La passivité des perceptions sensorielles, due aux forces négatives de l'éther lumière, est très remarquable chez l'enfant, qui est très impressionnable : il est « tout yeux et tout oreilles ».

Pendant les premières années, les forces qui opèrent par le pôle négatif de l'éther-réflecteur sont aussi très actives : les enfants peuvent en effet « voir » les Mondes supérieurs. Ils racontent souvent leurs visions, mais les moqueries de leurs aînés ou la perspective d'une punition les empêchent bien souvent de persévérer dans ce que les parents considèrent comme des histoires de leur invention.

Il est déplorable que les petits soient obligés de mentir, ou tout au moins de taire la vérité à cause de l'incrédulité de leurs « raisonnables » aînés. Les investigations de la Société de Recherches Psychiques ont prouvé que les jeunes enfants ont souvent des camarades de jeu invisibles. Cette clairvoyance des enfants a le même caractère négatif que celle des médiums.

Il en est de même des forces qui sont actives dans le corps du désir. Le sentiment passif de douleur physique est présent, alors que le sentiment d'émotion est presque complètement absent. L'enfant manifeste, bien entendu, de l'émotion pour la moindre des choses, mais cette émotion est de courte durée : elle est toute de surface.

L'enfant possède aussi un intellect, mais il est presque incapable d'activité intellectuelle personnelle. Etant surtout soumis aux forces agissant par le pôle négatif. il est facile à éduquer grâce à sa faculté d'imitation.

Ainsi, nous constatons que toutes les qualités passives existent chez le nouveau-né, mais avant de pouvoir faire usage de ses divers véhicules, il faut qu'il développe ses qualités positives.

Chacun de ses véhicules se construit grâce à l'activité du véhicule macrocosmique correspondant, qui lui sert de matrice jusqu'à sa maturité. De la première à la septième année, le corps vital mûrit lentement dans la matrice du corps vital du Macrocosme et, grâce à l'extrême sagesse de ce véhicule macrocosmique, le corps de l'enfant est plus harmonieux et mieux construit que celui de l'adulte.

NAISSANCE DU CORPS VITAL

Tant que le corps vital du Macrocosme guide la croissance de son corps, l'enfant est à l'abri des dangers qui plus tard le menacent quand son corps vital individuel est laissé à lui-même. Ce changement a lieu pendant la septième année. C'est alors que commence la période de croissance excessive et dangereuse, qui occupe les sept années suivantes. Pendant ce temps, le corps du désir macrocosmique remplit la fonction de matrice pour le corps du désir individuel de l'enfant.

Si le corps vital était libre de croître d'une manière continue et sans restriction dans le règne humain, comme il le fait chez les plantes, l'homme atteindrait d'énormes proportions. Il fut un temps très reculé où l'homme était constitué comme une plante et où il ne possédait que le corps physique et le corps vital. Les traditions mythologiques et populaires de tous les pays relatives aux géants des anciens temps sont absolument vraies, parce que l'homme croissait alors comme les arbres.

NAISSANCE DU CORPS DU DESIR

Le corps vital de la plante construit ses feuilles les unes après les autres et porte la tige de plus en plus haut. Sans l'activité du corps du désir du Macrocosme, le corps vital poursuivrait indéfiniment son œuvre de construction. Mais le corps du désir macrocosmique intervient en temps voulu et s'oppose à un excès de croissance. La force que la plante ne dépense plus est alors disponible pour un autre objet et sert à la construction de la fleur et de la semence. De même, après la septième année, lorsque le corps physique passe sous la domination du corps vital, ce dernier cause sa croissance rapide ; mais vers la quatorzième année, le corps du désir individuel naît de la matrice du corps du désir macrocosmique et commence à travailler sur le corps physique. L'excès de croissance est alors arrêté et la force employée jusqu'ici pour le développement du corps physique devient disponible pour la reproduction, afin que la plante humaine puisse fleurir et porter des fruits. Aussi, la naissance du corps du désir individuel marque-t-elle le début de la période de puberté. A partir de ce moment, l'individu éprouve de l'attraction pour le sexe opposé, et cette attraction est spécialement active et sans restriction pendant la troisième période septennale de la vie, de la quatorzième à la vingt et unième année, parce que l'intellect qui doit servir de frein n'est pas encore né.

NAISSANCE DE L'INTELLECT

Après la quatorzième année, l'intellect humain est à son tour mûri et nourri par l'intellect macrocosmique qui développe ses qualités latentes et le rend capable de penser d'un manière personnelle. Les forces des divers véhicules de l'individu ont été maintenant amenées à un degré de maturité qui lui permet de les utiliser toutes pour son évolution ; aussi, à la vingt et unième année, l'Ego entre en possession de tous ses véhicules. Il le fait par l'intermédiaire de la chaleur du sang et en développant le sang individuel lorsque l'éther-lumière atteint son développement total.

LE SANG, VEHICULE DE L'EGO

Pendant l'enfance et jusqu'à la quatorzième année, la moelle rouge des os ne produit pas tous les globules du sang. Ils sont formés pour la plupart par le thymus qui atteint son plus grand développement dans le fœtus et qui diminue graduellement de volume à mesure que la faculté individuelle de produire du sang se développe chez l'enfant. Le thymus contient pour ainsi dire une réserve de globules rouges, fournie par les parents et, par conséquent, tant que l'enfant tire son sang de cette source, il ne peut avoir le sentiment de son individualité. Tant qu'il ne produit pas son propre sang lui-même, l'enfant ne peut se rendre compte qu'il est un « moi » indépendant. Quand le thymus disparaît, à l'âge de quatorze ans, le sentiment du « moi » atteint son expression complète, car alors le sang est produit par l'Ego qui le domine entièrement. Voici pourquoi :

Nous savons que l'assimilation et la croissance dépendent des forces qui agissent par le pôle positif de l'éther chimique du corps vital. Cet éther est libéré à la septième année avec le reste du corps vital. Seul à ce moment-là, l'éther chimique est arrivé à complète maturité ; les autres éthers ne sont pas encore complètement développés. A la quatorzième année, l'éther vital du corps vital lié à la faculté de reproduction est complètement mûr. De 7 à 14 ans, l'excès d'assimilation a emmagasiné une certaine quantité de force qui se dirige vers les organes sexuels et qui est disponible au moment de la naissance du corps du désir.

Cette énergie sexuelle est emmagasinée dans le sang pendant la troisième période septennale de la vie humaine. Pendant ce temps, l'éther-lumière qui produit la chaleur du sang et gouverne le cœur tend à établir un équilibre de la température du corps. Pendant la première enfance, la température du sang s'élève de façon anormale. Durant la période d'excès de croissance, c'est le contraire qui aurait tendance à se produire. Mais plus tard, chez le jeune homme « à tête chaude » qui se maîtrise difficilement, la passion et la violence du caractère rejettent souvent l'Ego hors du corps en échauffant le sang d'une manière excessive, ce qu'on exprime communément en disant de la personne qu'elle « perd la tête », c'est-à-dire qu'elle devient incapable de penser. C'est précisément ce qui se passe quand la passion ou la colère surchauffent le sang et chassent ainsi l'Ego hors de ses corps. C'est ce que nous exprimons avec juste raison en disant que la personne est « hors d'elle » ; l'Ego est en effet en dehors de ses véhicules qui se trouvent alors dans un état de furie momentanée, privés de l'influence directrice de la pensée, dont l'objet est en partie de servir de frein à nos impulsions. Le terrible danger de tels éclats est que, avant que l'Ego ne rentre dans ses corps, une entité désincarnée n'en prenne possession et l'empêche de les réoccuper. Ce cas est connu sous le nom d' « obsession ». Seul, l'homme qui conserve son calme peut penser avec rectitude. L'Ego ne peut agir sur le corps quand le sang est trop chaud ou trop froid. Ainsi, une chaleur excessive nous porte au sommeil et, si elle dépasse une certaine limite, elle chasse l'Ego au dehors et laisse le corps évanoui, c'est-à-dire inconscient. Un froid excessif tend également à assoupir le corps et à le rendre inconscient. C'est seulement lorsque le sang est à sa température normale, ou à peu près, que l'Ego peut en faire usage comme véhicule de conscience.

Pour mieux montrer la connexion qui existe entre l'Ego et le sang, mentionnons la rougeur brûlante de la honte qui met en évidence la manière dont le sang chassé vers la tête surchauffe le cerveau et paralyse la pensée. Quand le sentiment de crainte prédomine, c'est que l'Ego désire se barricader contre quelque danger extérieur. Il force le sang vers le centre du corps, ce qui produit la pâleur du visage, le sang ayant quitté la périphérie du corps, lequel perd sa chaleur, ce qui paralyse la pensée. Le sang de l'homme « se glace ». Il grelotte. Ses dents claquent comme lorsque la température s'abaisse dans certaines conditions atmosphériques. En cas de fièvre, au contraire, l'excès de chaleur cause le délire.

Les personnes de tempérament sanguin, dont le sang n'est pas trop chaud, sont physiquement et intellectuellement actives, tandis que les anémiques ont tendance à somnoler. Chez les unes, l'Ego dirige bien ses véhicules ; chez les autres, cette direction est moins efficace. Quand l'Ego veut penser, il envoie le sang au cerveau, à la température voulue. Lorsqu'un repas plantureux concentre son activité sur le système digestif, l'homme ne peut pas penser ; il est somnolent.

Les anciens Normands et les Ecossais reconnaissaient ce fait que l'Ego agit dans le sang : aucun étranger ne pouvait entrer dans une de leurs familles avant d'avoir « mélangé son sang au leur », devenant par là-même un membre de la famille. Gœthe, qui était un Initié, mentionne dans son *Faust* l'importance du sang. Faust est sur le point de signer un pacte avec Méphistophélès, lorsqu'il demande : « Pourquoi ne signerais-je pas avec de l'encre ordinaire ? A quoi bon se servir de sang ? » Méphistophélès lui répond : « Le sang est une essence tout à fait particulière ». Il sait que celui qui possède le sang possède l'homme ; que, à défaut de sang chaud, aucun Ego ne peut arriver à s'exprimer.

La chaleur convenable pour que l'Ego puisse réellement fonctionner n'est pas atteinte avant que l'intellect individuel ne soit né de l'Intellect Concret du Macrocosme. C'est lorsque l'individu atteint l'âge d'environ 21 ans que naît cet intellect individuel. C'est aussi l'âge minimum pour l'exercice du droit de vote (1) à partir duquel, dans la plupart des pays, on avait le droit de vote.

Dans l'état actuel de développement de l'homme, ce dernier passe par ces étapes successives dans chaque cycle de vie, d'une naissance à l'autre.

(1) Jusqu'à l'entrée en vigueur de lois fixant cet âge à 18 ans

TABLEAU 7

Le cycle d'une existence			
L'essence des bonnes pensées élaborée par l'intellect et l'essence des bons sentiments élaborée par l'âme sont incorporées dans l'Esprit comme base pour les bonnes actions de l'avenir	EGO Troisieme ciel	Le désir de nouvelles experiences et de croissance de l'âme attire l'ego vers la réincarnation	Monde de la pensée abstraite
Le bien de la vie passée est incorporé à l'intellect en tant que bonnes pensées de plus il travaille pour constituer un nouveau milieu	Deuxième ciel	L'ego réunit les matériaux pour un nouvel intellect	Monde de la pensée concrète
L'essence de la douleur est incorporée à l'âme en tant que bons sentiments. La souffrance purifie l'âme	Premier ciel Purgatoire	pour un nouveau corps du désir	Monde du désir
L'âme passe en revue le panorama de la vie passée Mort	L'éther	Pour un nouveau corps vital Naissance du corps physique	Monde Physique
Epanouissement de la mentalité	Vie sur la terre 49 7	Naissance du corps vital Croissance	
Changement de vie		Naissance du corps du désir Puberté	
Fleur de l'âge 2° Croissance	42 14 35 21 28	Naissance de l'intellect Majorité	
Commencement de la vie sérieuse			

CHAPITRE IV

LA RÉINCARNATION ET LA LOI DE CAUSE A EFFET

Pour résoudre l'énigme de la Vie et de la Mort, nous ne trouvons que trois théories qui vaillent qu'on s'y arrête.

Dans le chapitre précédent, nous avons exposé, dans une certaine mesure, l'une de ces théories — celle de la Réincarnation, avec son corollaire la loi de cause à effet. Il n'est pas inutile de comparer la théorie de la Réincarnation avec les deux autres théories proposées, à seule fin de nous assurer de leur fondement relatif dans la nature. Pour l'occultiste, il ne peut y avoir de doute. Il n'a pas besoin de dire qu'il « croit » à cette théorie, pas plus que nous n'avons besoin de dire que nous « croyons» à l'épanouissement de la rose, à l'écoulement du fleuve ou à n'importe quel phénomène du monde matériel. Nous ne disons pas de ces choses que nous y « croyons », nous disons que nous les « connaissons », parce que nous les voyons. De même, l'occultiste, en ce qui concerne la loi de la Réincarnation et celle de cause à effet, peut dire qu'il « sait ». Il voit l'Ego et peut observer son activité à partir de l'instant où il a quitté le corps physique, au moment de la mort, jusqu'à ce qu'il reparaisse sur terre, au moment d'une nouvelle naissance : il n'est donc pas nécessaire pour lui de « croire ». Pour la satisfaction des autres, il peut cependant être bon d'examiner ces trois théories sur la vie et sur la mort.

Chaque grande loi de la nature doit être nécessairement en harmonie avec toutes les autres lois ; il semble donc utile, pour les intéressés, d'examiner ces théories dans leur relation avec ce qui passe généralement pour être

« les lois connues de la nature », telles qu'on les observe dans la partie de l'univers qui nous est familière.

Les trois théories en présence sont les suivantes :

1° La théorie matérialiste soutient que la vie est un voyage du berceau à la tombe ; que les facultés mentales sont le résultat de certaines dispositions de la matière ; que l'homme est la plus haute intelligence de l'Univers et que cette intelligence disparaît quand le corps se désintègre après la mort.

2° La théorie théologique affirme que, pour chaque être humain, une âme nouvellement créée entre dans la vie, fraîchement sortie de la main de Dieu, et qu'à la naissance, elle passe d'un état invisible à une existence visible ; qu'à la fin d'une courte période de vie dans le monde matériel, elle passe, à la mort, dans l'au-delà invisible d'où elle ne revient plus ; que son bonheur ou sa souffrance dans l'au-delà sont déterminés pour toute l'éternité par ses actions accomplies durant l'infinitésimale période de temps qui s'écoule entre la naissance et la mort.

3° Selon la théorie de la Réincarnation, tout esprit est une partie intégrante de Dieu ; il contient en germe tous les pouvoirs divins, comme la semence contient en germe la plante ; au moyen de nombreuses existences dans un corps physique de qualité graduellement croissante, ses pouvoirs latents sont lentement développés en pouvoirs dynamiques ; aucun esprit n'est perdu dans cette évolution et l'humanité atteindra finalement son but : la perfection et la réunion avec Dieu.

La première de ces théories est une théorie moniste. Elle cherche à démontrer que tous les phénomènes de l'existence sont fonction du monde matériel. Les deux autres théories sont dualistes, c'est-à-dire qu'elles attribuent certains faits et certaines phases de l'existence à un état invisible, hyperphysique, mais elles diffèrent sur beaucoup d'autres points.

Si nous étudions la relation entre la théorie matérialiste et les lois connues de l'univers, nous trouvons que la doctrine de la conservation de l'énergie est aussi bien établie que celle de la conservation de la matière et qu'elles n'ont pas besoin d'être démontrées. Nous savons aussi que l'énergie et la matière sont inséparables dans le monde physique. Or, cela est en contradiction avec la théorie matérialiste qui soutient que le mental disparaît au moment de la mort. Si rien ne peut être détruit, le mental ne doit pas faire exception. En outre, nous savons que le mental est supérieur à la matière, car il modèle les traits du visage de telle sorte que celui-ci devient le miroir du mental. Nous avons découvert que les molécules de notre corps sont sans cesse renouvelées, de telle sorte qu'au moins une fois tous les 7 ans, tous les atomes de la matière qui le composent soient changés. Si la théorie matérialiste était correcte, la conscience devrait de même subir un changement complet ; la mémoire du passé s'effacerait complètement, de sorte que l'homme ne pourrait se rappeler un événement datant de plus de 7 ans. Nous savons que tel n'est pas le cas. Nous nous rappelons les événements de notre enfance. Bon nombre d'incidents, parmi les plus insignifiants et les plus oubliés, sont revenus, dans une vision rapide de leur vie tout entière, à la mémoire de noyés qui ont conté leurs impressions après avoir été rappelés à la vie. On observe couramment des faits analogues au sortir de certains états léthargiques. La théorie matérialiste est incapable d'expliquer ces phénomènes de subconscience et de super-conscience. Elle les passe sous silence. Dans l'état actuel des recherches scientifiques, alors que les savants les plus distingués ont établi d'une manière irréfutable l'existence de ces phénomènes, prendre le parti de n'en pas tenir compte est un défaut sérieux pour une théorie qui prétend résoudre le plus grand problème de l'existence : celui de la Vie elle-même. Nous pouvons, par conséquent, la rejeter.

Une des plus sérieuses objections qu'on puisse faire à la doctrine théologique traditionnelle, telle qu'elle est exposée, est son insuffisance manifeste. Parmi les myriades d'âmes qui ont été créées et qui ont habité ce globe, depuis le commencement du monde, même si ce commencement ne remonte pas à plus de six mille ans. 144 000 âmes seulement d'après cette doctrine seraient sauvées (Apocalypse 7 : 4) et les autres vouées à une torture éternelle, pour le plus grand bénéfice du Diable. On ne peut s'empêcher de dire, avec Bouddha : « Si Dieu permet une telle calamité, Il ne peut être bon, et s'Il ne peut l'empêcher, Il ne saurait être Dieu ».

On ne trouve rien dans la nature où l'on puisse déceler une semblable méthode de création, organisée en vue d'une destruction ultérieure. Nous constatons au contraire que Dieu désire que TOUS soient sauvés et qu'IL est opposé à toute destruction, car pour nous sauver, « Il a donné son Fils unique ». Et il faudrait que ce glorieux plan de salut échouât ?

Si un navire portant à bord deux mille personnes envoyait un S.O.S. annonçant qu'il est en train de couler à quelques kilomètres du port, serait-ce « un glorieux plan de salut » que d'envoyer un simple canot à moteur, capable de porter seulement deux ou trois personnes ? Evidemment non ! Ce serait plutôt un plan de destruction si les moyens suffisants n'étaient pas fournis pour le salut de la majorité des personnes en danger.

Or, le plan de salut des théologiens est bien inférieur encore à celui-là, parce que la proportion de deux ou trois âmes sur deux mille est beaucoup plus grande que ne le comporte le plan théologique qui, sur les myriades d'âmes créées, n'en sauve que 144 000. Nous pouvons donc rejeter sans crainte cette théorie comme étant fausse, parce que déraisonnable. Si Dieu est la sagesse même, Il a trouvé un plan plus efficace. C'est ce qu'Il a fait, ainsi que le prouvent les enseignements de la Bible, comme nous le verrons plus loin.

Considérons maintenant la théorie de la Réincarnation. Elle nous révèle un long processus de développement qui se poursuit sans répit à travers des réincarnations nombreuses dans des formes de plus en plus perfectionnées. Dans un très lointain avenir, ce processus amènera tous les êtres à une élévation spirituelle impossible à concevoir. Il n'y a rien de déraisonnable, rien de difficile à l'acceptation d'une semblable théorie. Quand nous jetons les yeux autour de nous, partout, dans la nature, nous découvrons cet effort lent et continu vers le progrès. Nous n'y trouvons nulle part de processus soudain de création ou de destruction tel que le professent les théologiens, mais celui d'évolution.

L'évolution est « l'histoire des progrès de l'Esprit dans le temps ». Quand nous cherchons à observer les phénomènes variés de l'univers, nous constatons que le chemin de l'évolution affecte la forme d'une spirale où chaque spire est un cycle. Chaque spire amorce celui qui suit. Chaque cycle est la floraison de ceux qui l'ont précédé et prépare les conditions plus perfectionnées de celui qui suit.

Une ligne droite n'est autre chose que l'extension d'un point. Elle n'occupe qu'une dimension de l'espace. La théorie du matérialiste et celle du théologien seraient analogues à cette ligne. Le matérialiste fait commencer la ligne de la vie à la naissance et, pour être logique, l'heure de la mort doit la terminer. Le théologien fait commencer sa ligne avec la création de l'âme, juste avant la naissance. Après la mort physique, l'âme continue à vivre et son destin est irrévocablement déterminé par les actions accomplies pendant un petit nombre d'années. Elle ne peut revenir pour corriger ses erreurs. La ligne continue toute droite ; elle comporte une petite somme d'expériences, mais pas de progrès pour l'âme après la mort.

Le progrès naturel ne suit pas une ligne droite comme l'impliquent ces deux théories ; il ne suit même pas un chemin circulaire, car cela équivaudrait à un éternel recommencement des mêmes expériences n'utilisant que deux dimensions de l'espace. Toutes choses se meuvent en cycles progressifs et, pour profiter complètement des possibilités de développement offertes par notre univers à trois dimensions, il est nécessaire que la vie en évolution suive le sentier à trois dimensions — la spirale — qui toujours s'avance et s'élève.

Soit que nous considérions les modestes plantes de notre jardin ou les sequoias géants de Californie, dont le tronc mesure une dizaine de mètres de diamètre, le procédé est toujours le même ; nous trouverons que chaque branche, chaque rameau ou chaque feuille croît en une simple ou double spirale, ou bien en paires opposées, chacune contrebalançant l'autre, de même que se font équilibre le flux et le reflux, le jour et la nuit, la vie et la mort et d'autres phénomènes *alternés* de la nature.

Examinez la voûte du ciel et observez les nébuleuses de feu ou la course des systèmes solaires — partout la spirale s'offre à nos yeux. Au printemps, la terre sort de son sommeil hivernal. Toutes les activités s'efforcent d'engendrer partout une nouvelle vie. Le temps passe. Le blé et le raisin mûrissent et sont récoltés. De nouveau, l'activité estivale décroît et aboutit au silence et au repos de l'hiver. A nouveau, un manteau neigeux enveloppe la terre. Mais son sommeil n'est pas éternel ; elle se réveillera encore au chant du printemps prochain qui marquera pour elle un léger progrès de plus sur la route du temps.

Il en est de même pour le Soleil. Il se lève au matin de chaque jour, mais, chaque matin, il est plus avancé dans sa course annuelle.

C'est partout la spirale : *en avant, plus haut, pour toujours !*

Est-il possible qu'une loi d'une application aussi universelle dans tous les autres domaines de la nature soit sans effet sur la vie de l'homme ? La terre s'éveillera-t-elle chaque année de son sommeil hivernal, l'arbre et la fleur vivront-ils à nouveau, tandis que l'homme mourra ? Cela ne peut être ! La même loi qui éveille la vie dans la plante pour une croissance nouvelle éveillera l'homme pour de nouvelles expériences, pour un progrès ultérieur vers la perfection. C'est pourquoi la théorie de la Réincarnation, celle des naissances successives dans les corps de plus en plus parfaits, est en plein accord avec l'évolution et les phénomènes de la nature, ce qui n'est pas le cas pour les deux autres théories.

Considérant la vie au point de vue éthique, nous trouvons que la loi de la Réincarnation et la loi de cause à effet, qui en est inséparable, forment la seule théorie qui satisfasse notre sens de justice, en accord avec les faits de l'existence tels que nous les observons autour de nous.

Il est malaisé pour un esprit logique de comprendre comment un Dieu « juste et bon » peut exiger les mêmes vertus des milliards d'êtres qu'il « Lui a plu de placer dans des circonstances différentes », sans aucune règle ni aucun système apparents, mais bon gré mal gré, suivant son propre caprice. Un homme passe ses jours dans l'abondance ; l'autre vit dans la misère. L'un jouit de tous les avantages d'une bonne éducation et d'une ambiance raffinée ; l'autre, placé dans un milieu abject : on lui apprend à mentir et à voler et on le persuade que plus il ment et plus il vole, plus grand est son mérite. Est-il juste d'avoir les mêmes exigences pour ces deux genres d'individus ? de récompenser celui qui a été honnête, alors qu'il a été placé dans un milieu qui rendait sa chute extrêmement difficile, et de punir l'autre qui a été mis dans une position si désavantageuse qu'il n'a jamais eu la moindre idée de ce qui constitue la vraie morale ? Assurément non ! N'est-il pas plus logique de penser que nous avons mal interprété la Bible en imputant à Dieu un plan aussi monstrueux ?

Il ne sert à rien de dire que nous ne devons pas chercher à sonder les mystères de la Divinité, qu'ils sont incompréhensibles. Les inégalités de la vie peuvent être expliquées, d'une manière satisfaisante, par les lois jumelles de la Réincarnation et de cause à effet et s'accorder avec la conception d'un Dieu juste et aimant, comme l'a enseigné le Christ lui-même.

En outre, ces deux lois nous offrent le moyen de nous émanciper, de nous dégager de notre milieu peu désirable et aussi celui d'atteindre n'importe quel degré de développement, en dépit de nos imperfections présentes.

Ce que nous sommes, ce que nous possédons, toutes nos qualités sont le résultat de nos propres actions passées. Ce qui nous manque en qualités physiques, morales ou mentales, nous serons un jour en mesure de l'acquérir.

De même que nous ne pouvons éviter de reprendre notre vie chaque matin, là où nous l'avons laissée le jour précédent, ainsi par notre travail, pendant nos vies passées, nous avons établi les conditions dans lesquelles nous vivons et travaillons maintenant, et nous sommes en train de créer les conditions de nos vies futures. Au lieu de nous plaindre de l'absence de telle ou telle faculté que nous convoitons, mettons-nous au travail pour l'acquérir !

Si un enfant joue merveilleusement d'un instrument de musique, sans avoir fait aucun effort notable pour apprendre, alors qu'un autre, en dépit d'efforts persistants est comparativement un piètre exécutant, cela prouve simplement que dans une vie précédente l'un d'eux a déjà fait l'effort voulu, tandis que l'autre n'a commencé à s'exercer que dans la vie présente. Le premier rentre tout naturellement en possession du talent qu'il a déjà cultivé, mais le second peut fort bien rattraper le retard qu'il a sur lui, s'il travaille avec une ardeur soutenue et que son concurrent relâche son effort.

Le fait que nous ne nous rappelions pas l'effort que

nous avons fait pour acquérir une certaine faculté par un travail laborieux ne tire pas à conséquence ; il n'en est pas moins vrai que la faculté nous reste.

Le génie est la marque distinctive d'une âme supérieure qui, par un travail laborieux dans un grand nombre de vies passées, s'est développée dans une certaine direction dépassant le niveau normal de l'humanité. Il révèle en partie le degré de développement qui sera l'apanage de la Race future. L'hérédité, qui n'affecte que partiellement le corps physique et en aucune façon les qualités de l'âme, ne saurait l'expliquer. Si le génie pouvait être expliqué par l'hérédité, comment se fait-il que nous ne trouvions pas une longue lignée d'ingénieurs antérieurs à Thomas Edison, chacun d'eux plus habile que son prédécesseur ? Pourquoi le génie ne se transmet-il pas ? Pourquoi Siegfried Wagner, le fils, n'est-il pas plus grand que Richard Wagner, le père ?

Dans certains cas, où un homme de génie a besoin, pour s'exprimer, de posséder des organes particulièrement perfectionnés, qu'il a fallu des siècles pour développer, l'Ego se réincarne dans une famille dont les membres ont, depuis des générations, travaillé à construire ces mêmes organes. C'est pourquoi vingt-neuf musiciens plus ou moins géniaux sont nés dans la famille Bach durant une période de deux-cent-cinquante ans. Nous avons la preuve que le génie est bien une expression de l'âme et non du corps quand nous constatons que le génie musical de cette famille n'a pas suivi une courbe ascendante vers la perfection pour s'épanouir en la personne de Jean-Sébastien Bach. Car la valeur exceptionnelle qui le place au premier rang de cette famille l'emporte de beaucoup à la fois sur le mérite de ses ancêtres et sur celui de ses descendants.

Le corps n'est qu'un instrument dont le travail dépend de l'Ego qui le guide, de même que la qualité de la mélodie dépend de l'habileté du musicien, secondée par le timbre de l'instrument. Un bon musicien ne peut donner la mesure de sa personnalité au moyen d'un médiocre instrument et, même sur un instrument donné, tous les musiciens ne jouent pas et ne peuvent pas jouer de la même manière. Qu'un Ego s'incarne dans le fils d'un grand musicien, il ne s'ensuit pas nécessairement qu'il doive être un génie encore plus grand que son père, comme ce serait le cas si l'hérédité physique était un fait et si le génie n'était pas une qualité de l'âme.

La « Loi d'Attraction » explique d'une manière tout à fait satisfaisante des faits que nous attribuons à l'hérédité. Si nous savons qu'un de nos amis se trouve dans une certaine ville, et si nous ignorons son adresse, nous serons naturellement guidés par la loi d'association dans nos efforts pour le trouver. Si c'est un musicien, il est probable qu'on le rencontrera là où des musiciens ont coutume de se rassembler ; si c'est un étudiant, on le recherchera dans les bibliothèques, les salles de lecture, les librairies ; et si c'est un joueur, sur les champs de courses, dans les salles de jeu ou les bars. Il n'est pas probable que le musicien ou l'étudiant fréquentent ces endroits-là, et on peut dire avec assurance que notre recherche du joueur ne serait pas couronnée de succès si nous le cherchions dans une bibliothèque ou bien à un concert classique.

Ordinairement, l'Ego est attiré vers les milieux pour lesquels il a le plus d'affinité. La Force d'Attraction — une des forces jumelles du monde du Désir, l'y oblige.

On pourra objecter à cela qu'il y a parfois dans la même famille des gens dont les goûts sont totalement opposés ou qui paraissent être d'irréconciliables ennemis. Si la loi d'association était opérante, dira-t-on, comment se fait-il que ces Egos hostiles soient attirés vers le même milieu ?

Pour expliquer des cas de ce genre, il faut se rappeler que, pendant les vies terrestres, l'Ego a établi des relations avec diverses personnes. Ces relations, agréables ou non, ont entraîné des obligations qui n'ont peut-être pas été liquidées sur-le-champ, ou des peines (morales ou physiques) accompagnées d'un sentiment très vif de haine entre la victime et son ennemi. La Loi de cause à effet exige un paiement exact de ce compte. La mort ne liquide pas toutes les dettes, pas plus qu'un changement de résidence ne liquide une dette d'argent. Le moment viendra où les deux ennemis se rencontreront à nouveau. L'ancienne haine les a réunis dans une même famille, parce que l'intention de Dieu est que nous nous aimions les uns les autres ; par conséquent, la haine doit être transformée en amour et, bien que les deux ennemis puissent être obligés de passer de nombreuses vies à établir entre eux l'harmonie, le moment viendra où ils auront appris la leçon et où d'ennemis, ils deviendront amis et échangeront des services réciproques. Dans des cas de ce genre, l'intérêt que ces personnes se portaient mutuellement a mis en action la force d'Attraction et cette force les a réunies. Eussent-elles simplement été indifférentes l'une à l'autre, elles n'auraient pas été ainsi réunies.

Les lois jumelles de Réincarnation et de cause à effet résolvent donc d'une manière rationnelle tous les problèmes relatifs à la vie humaine, à mesure que l'homme progresse vers la nouvelle phase de son évolution — celle de Surhomme. D'après cette théorie, la marche du progrès de l'humanité l'entraîne toujours plus loin, toujours plus haut, contrairement d'ailleurs à ce que pensent ceux qui ont confondu la doctrine de Réincarnation avec les enseignements de quelques tribus hindoues qui veulent que l'homme se réincarne dans des animaux ou des plantes. Ce serait là un retour en arrière. On ne peut rien trouver, dans la nature ou dans les livres sacrés des diverses religions, qui vienne à l'appui de cette doctrine de rétrogradation. Parmi les écrits religieux de l'Inde, un seul fait allusion à cette doctrine.

Dans le *Kathopanishad* (chap. V, verset 9), on lit : « Quelques hommes, en raison de leurs actions, retournent dans la matrice et les autres dans le « sthanu ». « Sthanu » est un mot sanscrit qui signifie « sans mouvement », mais qui a aussi le sens de «pilier», ce qu'on a interprété en disant que quelques hommes, en raison de leurs péchés, retournent au règne végétal immobile.

Les esprits s'incarnent pour acquérir de l'expérience, pour conquérir le monde, dompter le moi inférieur et arriver à la maîtrise de soi. Quand nous comprenons cela, nous en déduisons qu'il vient un moment où il n'est plus nécessaire de s'incarner, parce que toutes les leçons ont été apprises. La doctrine du *Kathopanishad* soutient que, au lieu de rester attaché à la roue de la naissance et de la mort, l'homme atteindra, à un certain moment l'immobilité du « Nirvana ».

Dans l'Apocalypse, nous lisons ces mots : « Celui qui vaincra, je ferai de lui un *pilier* dans le temple de mon Dieu, et *il n'en sortira plus* » ; allusion à une entière libération de l'existence concrète. Nulle autorité ne soutient la doctrine de la transmigration des âmes. Un homme qui a évolué au point de posséder une âme individuelle distincte ne peut faire volte-face et pénétrer dans le véhicule d'un animal ou d'une plante, tous deux guidés par un esprit-groupe. L'esprit individuel est supérieur à l'esprit-groupe, et le plus petit ne peut contenir le plus grand.

Oliver Wendell Holmes, dans son beau poème : *Le nautile emprisonné,* a exprimé cette idée de progrès constant, dans des véhicules de plus en plus développés, suivi de libération finale.

Le nautile construit la spirale de sa coquille en sections distinctes, abandonnant sans cesse les plus petites, pour habiter la dernière construite.

....

Les années, les unes après les autres, ont marqué le
Qui étendit son enroulement lustré ; [labeur silencieux
La nouvelle spire développée,
Il quitta la demeure de l'année écoulée pour la nouvelle,
Passa sans bruit à travers son arche brillante,
Construisit sa fausse porte,
S'étira dans sa demeure nouvelle, délaissant l'ancienne.

Grâces te soient rendues pour le message céleste que tu
Enfant de la mer aventureuse, [nous apportes,
Jeté hors de son sein, abandonné !
De tes lèvres mortes jaillit une note plus claire
Que celle que Triton tira jamais de sa conque enroulée !
Pendant qu'elle résonne à mon oreille,
Dans les profondeurs de ma pensée, j'entends une voix
[qui chante :

Construis-toi des demeures plus vastes, ô mon âme !
A mesure que passent les saisons rapides !
Abandonne la voûte basse de ton passé !
Que chaque nouveau temple, plus noble que le dernier
T'abrite du ciel sous un dôme plus altier,
Jusqu'à ce qu'enfin tu sois libre,
Laissant ta coquille, devenue inutile, au bord de la mer
[agitée de la vie !

La nécessité à laquelle nous sommes astreints d'obtenir un organisme d'une nature particulière, rappelle à l'esprit une phase intéressante des deux lois de la Réincarnation et de cause à effet. Leur action est liée au mouvement des Corps Célestes, du Soleil, des Planètes et des signes du

Zodiaque. Ils se meuvent tous en accord avec ces lois, guidés dans leurs orbites par les Intelligences Spirituelles qui les habitent : les Esprits Planétaires.

En raison de la précession des équinoxes, le Soleil paraît se mouvoir à reculons à travers les douze signes du Zodiaque à la vitesse d'environ un degré en 72 ans et à travers chaque signe (de 30 degrés) en 2 100 ans à peu près, soit, autour du cercle entier, en 26 000 ans environ.

Cela est dû au fait que l'axe de rotation de la Terre n'est pas fixe, mais possède un mouvement lent de balancement (analogue à celui d'une toupie qui aurait perdu son élan), de telle sorte que ce mouvement décrivant à travers l'espace un cône circulaire, le nord n'est pas indiqué par une étoile fixe, mais par plusieurs étoiles « polaires » successives. A cause de ce mouvement, le soleil ne traverse pas l'équateur à la même place chaque année, mais plus en arrière, d'où le nom de « précession des équinoxes » donné à ce phénomène, parce que les équinoxes se produisent chaque année un peu plus tôt.

Tous les phénomènes terrestres, dépendant des autres corps cosmiques et de leurs habitants, sont liés à la précession des équinoxes et à d'autres mouvements cosmiques. Il en est de même pour les lois de la réincarnation et de cause à effet.

A mesure que le Soleil, au cours d'une année, traverse les douze signes, des changements climatériques ou autres affectent l'homme de diverses manières. Le passage du Soleil, par précession des équinoxes, à travers le même signe du Zodiaque au cours de l'année équinoxiale, engendre sur la Terre une diversité de conditions encore beaucoup plus grande. Il est nécessaire au développement de l'âme qu'elle soit soumise à toutes ces conditions, conditions que nous préparons d'ailleurs pendant notre séjour dans le monde céleste. C'est pourquoi chaque Ego naît deux fois pendant le temps que le Soleil met à traverser un signe du Zodiaque ; et, comme l'âme doit être bissexuelle pour obtenir toute la variété d'expériences nécessaires, elle s'incarne alternativement dans un corps masculin et dans un corps féminin, parce que les expériences d'un sexe diffèrent considérablement de celles de l'autre. De plus, les conditions extérieures ne sont pas très sensiblement modifiées en mille ans et, par suite, elles permettent à l'entité d'acquérir de l'expérience, dans le même milieu, tour à tour en qualité d'homme et de femme.

Telles sont les conditions générales dans lesquelles opère la loi de la Réincarnation, mais comme ce n'est pas une loi aveugle, elle est sujette à de fréquentes modifications qui sont déterminées par les Seigneurs de la Destinée, les Anges de Justice.

Le cas peut se présenter, par exemple, d'un Ego qui, ayant besoin d'organes spéciaux, n'a pas terminé son séjour dans le monde céleste au moment où une occasion se présente à lui de se réincarner dans une famille susceptible de lui fournir les organes voulus, famille à laquelle il était rattaché par des relations antérieures. Si les Seigneurs de la Destinée voient qu'une semblable occasion ne se présentera pas de longtemps, ce qui prolongerait peut-être de quatre ou cinq siècles le séjour céleste de l'Ego, ils le feront naître, en quelque sorte, en avance sur son époque, et l'insuffisance de son repos céleste sera compensée ultérieurement. Ainsi, nous pouvons voir que non seulement les morts agissent sur nous, du Monde Céleste, mais que nous agissons aussi sur eux, en les attirant à nous ou en les repoussant. Une occasion favorable pour se procurer un instrument convenable peut amener un Ego à s'incarner. Si l'instrument n'avait pas été disponible, l'Ego aurait été retenu plus longtemps au ciel et la période supplémentaire aurait été déduite de ses vies célestes suivantes.

La loi de cause à effet travaille aussi en harmonie avec les astres, de telle sorte qu'*un homme naît au moment où la position des planètes du système solaire offre les conditions nécessaires pour l'expérience qu'il doit acquérir et pour les progrès qu'il doit accomplir à l'école de la vie.* C'est pourquoi l'Astrologie est une science absolument vraie, bien qu'elle puisse être mal interprétée, car de même que tout être humain, l'astrologue n'est pas infaillible. Les astres montrent correctement dans la vie d'un homme quel moment les Seigneurs de la Destinée ont choisi pour la liquidation d'une dette à laquelle l'homme ne peut se soustraire. Oui, elles indiquent le jour exact, bien que nous ne soyons pas toujours capables de lire correctement leur message.

Un des faits les plus frappants connus de l'auteur,

qui montre à quel point nous sommes parfois incapables d'échapper au destin que marquent les astres, bien que le connaissant à l'avance, s'est passé à Los Angeles (Californie), en l'année 1906. M. L..., conférencier bien connu, avait quelques notions d'astrologie. Son propre horoscope avait été pris comme exemple, parce qu'un étudiant s'intéresse davantage à sa propre nativité. Il est, de plus, capable de vérifier l'exactitude de l'interprétation des signes qui lui est donnée. L'horoscope révéla une prédisposition aux accidents et on montra à M. L... comment les accidents et d'autres événements du passé figuraient dans l'horoscope jusqu'à l'époque de l'événement en question. De plus, on l'avertit qu'il lui arriverait un autre accident le 21 juillet suivant, ou sept jours après, c'est-à-dire le 28, ce jour-là étant considéré comme le plus dangereux. Il fut mis en garde contre les moyens de transport de toute sorte, les blessures possibles devant se produire à la poitrine, aux épaules, aux bras et à la partie inférieure de la tête. Il était tout à fait convaincu du danger et promit de rester chez lui ce jour-là.

L'auteur partit pour Seattle. Quelques jours avant la date critique, il écrivit à M. L... pour lui donner un nouvel avertissement. M. L... répondit qu'il se rappelait le conseil et qu'il agirait en conséquence.

Quelque temps après, un ami commun nous écrivit que, le 28 juillet, s'étant rendu à Sierra Madre par un tramway électrique entré en collision avec un train, M. L... avait été blessé aux points du corps qu'on lui avait indiqués et que, de plus, le tendon de la jambe gauche avait été coupé.

Pourquoi M. L..., qui avait entièrement foi dans la prédiction, avait-il dédaigné l'avis donné ? L'explication vint trois mois plus tard, alors qu'il était suffisamment rétabli pour écrire. Il disait dans sa lettre : « J'avais pris le 28 juillet pour le 29 ».

L'auteur ne doute pas qu'il s'agissait là d'un cas de destinée « mûre », impossible à éviter, que les astres avaient prédit correctement.

Aussi peut-on dire des astres qu'ils sont « l'Horloge de la destinée ». Les douze signes du Zodiaque forment le cadran ; le Soleil et les Planètes, l'aiguille des heures qui indique l'année, et la Lune, l'aiguille des minutes qui indique dans quel mois de l'année les diverses rubriques du compte de la destinée mûre, assignée à chaque vie, doivent être payées.

On ne saurait trop répéter cependant que, bien qu'il y ait des événements auxquels il ne peut se soustraire, l'homme dispose d'une certaine liberté pour modifier des causes qui sont déjà en action. Voici comment Ella Wheeler Wilcox exprime cette idée :

> Un navire fait voile à l'ouest, l'autre au levant ;
> Ce sont les mêmes vents qui soufflent pour les deux,
> Mais c'est bien la voilure et ce n'est pas le vent
> Qui fixe le chemin qu'ils suivent devant eux.
>
> Pareils aux vents des mers, les arrêts du destin
> Nous poussent à travers notre vie inquiète ;
> Mais ce qui cependant fixe le but lointain
> C'est notre âme, et non point le calme ou la tempête.

Le point à retenir est que nos actions présentes déterminent les conditions de notre future existence.

Les Chrétiens traditionalistes, et même les personnes qui ne professent aucune religion, objectent souvent que la loi de la Réincarnation est enseignée dans l'Inde « aux païens ignorants » qui ont foi en elle. Cependant, si c'est une loi naturelle, nulle objection ne sera assez forte pour la rendre inefficace. Avant de parler de « païens ignorants » ou de leur envoyer des missionnaires, il ne serait pas inutile d'examiner un peu où nous en sommes. Les éducateurs se plaignent partout de la superficialité de leurs élèves. Le Professeur Wilbur L. Cross, de l'Université de Yale, mentionne, entre autres cas surprenants d'ignorance, que dans une classe de quarante élèves *aucun n'a pu dire qui était Judas Iscariote !*

Il semble que les missionnaires pourraient être détournés à notre profit des contrées « païennes » et des taudis sordides pour apporter leurs lumières aux étudiants de notre pays en appliquant le principe que « charité bien ordonnée commence par soi-même » et que « Dieu ne laissera pas périr les païens *ignorants* ». Il vaudrait mieux les laisser dans leur ignorance, alors qu'ils sont sûrs d'aller au ciel, que de les éclairer et d'augmenter ainsi leurs chances d'aller en enfer. Vraiment, c'est le cas de dire : « Là où l'ignorance fait le bonheur, il est fou d'être sage. » Nous rendrons un signalé service aux païens et à nous-mêmes en les laissant tranquilles et en nous occupant des Chrétiens ignorants qui sont plus près de nous.

En outre, accuser cette doctrine de paganisme ne la disqualifie pas. L'antériorité supposée de son enseignement dans l'Est ne milite pas plus contre sa validité que l'exactitude de la solution d'un problème de mathématiques n'est mise en défaut, parce qu'il se trouve que nous n'aimons pas la personne qui l'a résolu. La seule question qu'il faille se poser est : « la solution est-elle correcte ? » Si elle l'est, son origine n'a absolument aucune importance.

Toutes les autres religions n'ont été qu'un acheminement vers la religion chrétienne. Elles étaient des religions de race et ne contiennent qu'une partie de ce que le Christianisme possède dans une bien plus ample mesure. Le véritable christianisme ésotérique n'a pas encore été enseigné publiquement, et il ne pourra pas l'être tant que l'humanité ne sera pas sortie de la période de matérialisme qu'elle traverse et tant qu'elle ne se sera pas montrée digne de le recevoir. Les lois de réincarnation et de cause à effet ont été, de tous temps, enseignées secrètement. Mais *sur l'ordre direct du Christ Lui-même,* ces deux lois, — nous allons le voir — n'ont pas été enseignées *publiquement* dans le monde occidental depuis deux mille ans.

LE VIN, FACTEUR D'EVOLUTION

Pour bien comprendre le motif de cette omission et les moyens employés pour voiler ces enseignements, nous devons remonter au commencement de l'histoire de l'homme et voir comment, pour son propre bien, il a été guidé par le Grand Instructeur de l'humanité.

Dans les enseignements de la science occulte, les phases de développement de l'humanité sur la Terre sont divisées en périodes nommées « Epoques ». Il y a eu quatre de ces Epoques, qui sont respectivement désignées comme suit : l'Epoque Polaire, l'Epoque Hyperboréenne, l'Epoque Lémurienne et l'Epoque Atlantéenne. L'époque présente est appelée l'Epoque Aryenne.

Dans la première Epoque ou Epoque Polaire, les entités

qui composent aujourd'hui l'humanité n'avaient qu'un corps physique, comme c'est le cas maintenant pour les minéraux: aussi l'homme était-il quasiment minéral.

Dans la deuxième Epoque ou Epoque Hyperboréenne, un corps vital fut ajouté, et l'homme en évolution possédait alors un corps constitué comme ceux des plantes. Il n'était pas une plante, mais il était dans une condition analogue à celle des plantes.

Dans la troisième Epoque, ou Epoque Lémurienne, il a reçu son corps du désir et sa constitution était analogue à celle de l'animal actuel.

Dans la quatrième Epoque ou Epoque Atlantéenne, l'intellect fut développé, et alors l'être humain est apparu avec ses véhicules sur la scène de la vie physique, en tant qu'HOMME.

A présent, dans la cinquième Epoque ou Epoque Aryenne, l'homme développe jusqu'à un certain degré le troisième aspect, ou l'aspect inférieur de son esprit triple, l'Ego.

Nous prions l'étudiant de bien se pénétrer de cette vérité sur laquelle nous ne saurions trop insister que, dans le processus de l'évolution, jusqu'au moment où l'homme arrive à la conscience de soi, *absolument rien n'a été laissé au hasard.*

Depuis qu'il a acquis la conscience de soi, l'homme jouit d'une certaine liberté dans l'exercice de sa volonté personnelle, afin qu'il puisse développer ses divines capacités spirituelles.

Les grands Instructeurs de l'humanité prennent toutes choses en considération, même la nourriture de l'homme. Elle tient une place importante dans son développement : « Dis-moi quelle est ta nourriture et je te dirai qui tu es », n'est pas une simple maxime, mais une grande vérité de la nature.

L'homme de la première Epoque était éthéré. Ceci ne contredit pas l'affirmation qu'il était quasiment minéral, car tous les gaz sont de la matière. La Terre, ne s'étant pas encore solidifiée, se trouvait dans un état visqueux. Dans la Bible, l'homme est appelé Adam et il y est dit qu'il était composé de terre.

Caïn est décrit comme étant agriculteur. Il symbolise

l'homme de la Deuxième Epoque. Il avait un corps vital, comme les plantes dont il se nourrissait.

Pendant la Troisième Epoque, l'homme tirait sa nourriture des animaux *vivants*, comme supplément à la nourriture végétale de l'époque précédente. Le lait a servi à faire évoluer le corps du désir qui a fait de l'humanité de ce temps une humanité animale. C'est ce que la Bible entend quand elle dit qu' « Abel était berger ». Il n'est dit nulle part qu'il tuait des animaux.

Durant la Quatrième Epoque, l'homme sortit de la condition animale ; il avait un intellect. La pensée détruit les cellules nerveuses ; elle tue, détruit et dissout : c'est pourquoi les Atlantéens se nourrissaient de la chair d'animaux morts. L'homme tuait pour manger, ce que la Bible exprime en disant que « Nemrod était un grand chasseur ». Nemrod représente l'homme de la Quatrième Epoque.

L'homme était descendu de plus en plus profondément dans la matière. Son ancien corps éthéré avait formé le squelette intérieur et s'était solidifié. Il avait perdu graduellement la perception spirituelle qu'il possédait dans les Epoques plus reculées. Il devait en être ainsi. L'homme est destiné à recouvrer cette faculté, à un degré plus élevé avec, en plus, la conscience de soi qu'il ne possédait pas alors. Il avait toutefois, pendant les quatre premières Epoques, une plus grande connaissance du monde spirituel. Il savait qu'il ne mourrait pas et que, lorsqu'un corps se désintégrait, c'était comme le dessèchement d'une feuille d'arbre à l'automne — un autre corps croîtrait à sa place. Aussi, n'appréciait-il pas à leur juste valeur les occasions et les avantages de cette vie terrestre concrète.

Mais il était nécessaire qu'il prenne tout à fait conscience de la grande importance de cette existence concrète, de telle sorte qu'il lui fût possible d'apprendre d'elle toutes les leçons qu'elle comportait. Tant qu'il est demeuré en contact avec les mondes hyperphysiques, il conservait la certitude que la vie physique n'est qu'une faible partie de l'existence réelle ; aussi ne la prenait-il pas assez au sérieux. Il ne s'appliquait pas à cultiver les occasions de développement qui ne se trouvent que dans cette phase de l'existence. Il perdait son temps, sans développer les ressources du monde, comme le font aujourd'hui, pour la même raison, les peuples de l'Inde.

Le seul moyen d'éveiller chez l'homme une juste appréciation de l'existence physique était de le priver du souvenir de son existence supérieure spirituelle, pendant quelques incarnations. C'est ainsi que, pendant cette vie terrestre, l'homme ne connaît positivement que sa vie physique actuelle, et il est ainsi porté à la vivre sérieusement.

Avant la religion Chrétienne, d'autres religions enseignaient la doctrine de la Réincarnation et la loi de cause à effet; mais cet enseignement étant venu à entraver les progrès de l'homme, l'ignorance de ces lois en est venue à être considérée comme un signe de progrès. Cette vie terrestre devait prendre la première place. C'est pourquoi la Religion Chrétienne n'enseigne pas publiquement les Lois de la Réincarnation et de cause à effet. Cependant, comme le Christianisme est la religion des Races les plus avancées, elle doit être aussi la religion la plus avancée ; et, parce que cette doctrine est éliminée des enseignements *publics*, les races Anglo-Saxonnes et Teutoniques chez lesquelles cette phase a été poussée le plus loin, sont en train de conquérir le monde de la matière.

Comme à chaque Epoque une addition est faite ou un changement est apporté à la nourriture de l'homme, afin de l'harmoniser avec les conditions existantes et obtenir le résultat voulu, nous constatons qu'un nouvel élément s'ajoute à la nourriture des Epoques précédentes : le VIN, devenu nécessaire en raison de son effet engourdissant sur le principe spirituel de l'homme, parce qu'aucune religion n'aurait pu lui faire oublier sa nature spirituelle, et lui faire croire qu'il n'est qu'un « ver de terre » et que « la même force lui sert pour marcher et pour penser » ; à vrai dire, il n'avait jamais été prévu qu'il aille aussi loin.

Jusqu'à cette époque, l'eau seule avait servi de boisson et avait été employée pour les cérémonies du Temple, mais après l'engloutissement de l'Atlantide — continent qui s'étendait jadis entre l'Europe et l'Amérique, où se trouve maintenant l'Océan Atlantique — ceux qui ont échappé à la destruction se sont mis à cultiver la vigne et à faire du vin, comme le raconte l'histoire biblique de

Noé. Noé symbolise les survivants de l'Epoque Atlantéenne qui ont formé le noyau de la Cinquième Race : celle de nos ancêtres.

Le principe actif de l'alcool est un « esprit » qui, dans la Cinquième Epoque, a été ajouté à la nourriture employée précédemment par l'humanité en évolution. Il agit sur l'esprit de l'homme de cette Epoque en le paralysant temporairement, afin qu'il puisse connaître, estimer et conquérir le monde physique et l'apprécier à sa juste valeur. Ainsi, l'homme oublie pour le moment sa patrie spirituelle en s'attachant à la forme matérielle de son existence, avec la ténacité née de la conviction qu'il n'y a pas d'autre monde que celui-ci. Il en préfère tout au moins la certitude à la possibilité d'un Ciel que, dans son état actuel de confusion, il ne peut comprendre.

L'eau seule avait été en usage dans les Temples, mais maintenant « Bacchus », dieu du vin, paraît et, sous son empire, les nations les plus avancées oublient la vie supérieure. Quiconque s'adonne à l'esprit trompeur du vin ou de toute autre boisson alcoolique (produit de la fermentation et de la désintégration) ne peut jamais connaître quoi que ce soit du « Moi Supérieur » — du *véritable* Esprit qui est la source même de la vie.

Tous ces préparatifs ont été fait en vue de l'avènement du Christ et c'est un fait extrêmement caractéristique que *Son premier acte* ait été de changer l'eau en vin (Jean 2 : 2).

Il a enseigné secrètement la doctrine de la Réincarnation à ses disciples. Il ne les a pas seulement instruits par la parole, mais il les a emmenés « sur la montagne », expression mystique qui peut dire « lieu d'Initiation ». Au cours de l'Initiation, les disciples se rendent compte par eux-mêmes que la Réincarnation est un fait ; car devant eux parut Elie qui, leur dit-on, est aussi Jean-Baptiste. Le Christ, en termes non équivoques, leur avait dit précédemment en parlant de Jean-Baptiste : « Cet homme est Elie qui devait venir ». Il renouvelle cette affirmation au moment de la Transfiguration, en disant : « Elie est déjà venu et ils ne l'ont pas écouté, mais ils ont agi envers lui comme il leur a plu », et il est écrit plus loin « qu'ils comprirent qu'il parlait de Jean-Baptiste ». (Matthieu, 17 : 12-13). A cette occasion, et aussi au moment où la doctrine de la Réincarnation fut discutée entre Lui et ses disciples, ils lui dirent que certains croyaient qu'il était Elie et d'autres l'un des prophètes réincarné. Il leur recommanda « de ne le dire à personne ». (Matthieu, 17 : 9 ; Luc, 9 : 21). Cette doctrine devait être, pendant 2 000 ans, une doctrine secrète, connue seulement de quelques initiés qui s'étaient rendus dignes de recevoir cet enseignement en s'élevant jusqu'au degré de développement auquel ces vérités seront de nouveau connues de l'homme.

Le Christ enseigna encore la doctrine de la Réincarnation lorsque ses disciples, au sujet de l'aveugle de naissance, lui demandèrent : « Qui a péché, cet homme ou bien ses parents, pour qu'il soit né aveugle ? » (Jean, 9 : 2).

Si le Christ n'avait pas enseigné la loi de la Réincarnation et celle de cause à effet, Il aurait naturellement répondu « Quelle absurdité ! Comment cet homme aurait-il pu pécher *avant d'être né ?* » Mais le Christ ne répond pas ainsi. La question ne le surprend pas ; Il ne la trouve pas étrange le moins du monde ; elle était donc tout à fait en concordance avec ses enseignements. Il répond : « Ni cet homme, ni ses parents n'ont péché, mais il est aveugle pour que les œuvres de (du) Dieu soient manifestées en lui ».

L'interprétation traditionnelle de ce passage est que l'homme était né aveugle pour permettre au Christ d'accomplir un miracle, afin qu'Il puisse montrer Son pouvoir. Quelle manière étrange de se glorifier, pour un Dieu, que de condamner capricieusement un homme à rester aveugle et malheureux pendant de nombreuses années, afin de pouvoir ensuite « faire étalage de sa puissance ». Nous considérerions un homme qui agirait ainsi comme un monstre de cruauté.

Il est beaucoup plus logique de penser qu'il peut y avoir une autre explication. Il est assurément déraisonnable d'imputer à Dieu une conduite que nous condamnerions dans les termes les plus vigoureux chez un homme.

Le Christ établit une différence entre le corps physiquement aveugle de l'homme et le Dieu qui l'habite : c'est-à-dire le Moi Supérieur, l'Ego.

Le corps physique n'a pas commis de péchés. Le Dieu intérieur a commis quelque action qui se manifeste par l'affliction particulière dont il souffre. Ce n'est pas forcer le sens d'un mot que d'appeler un homme un Dieu. Saint

Paul a dit : « Ne savez-vous pas que vous êtes des Dieux ? » et il parle du corps humain comme du « temple de Dieu ».

Bien qu'en règle générale nous ne nous rappelions pas nos vies passées, certains se les rappellent, et ceux qui consentent à mener le genre de vie indispensable pour obtenir ce résultat pourront y parvenir. Cela exige une grande force de caractère, car le souvenir de nos vies passées entraîne avec lui la connaissance de nos dettes à payer dans l'avenir, destin menaçant peut-être, présage d'un affreux désastre. La nature nous a caché le passé et l'avenir, afin que nous ne soyons pas privés de notre paix intérieure en souffrant, par anticipation, des maux qui nous sont réservés. A mesure que nous acquérons un plus grand développement, nous apprenons à accepter tous les événements avec égalité d'âme. Nous voyons dans toute adversité le résultat de mauvaises actions commises dans le passé. Le paiement des dettes que nous avons contractées diminue ainsi nos obligations et nous rapproche du jour où nous serons libérés de la roue des renaissances.

Quand une personne meurt dans l'enfance, elle se rappelle parfois cette vie dans son incarnation suivante, parce que les enfants de moins de 14 ans ne font pas le tour complet du cycle de la vie qui rend nécessaire la construction d'une série complète de nouveaux véhicules. Ils passent seulement dans les Régions supérieures du Monde du Désir, et là ils attendent une nouvelle incarnation qui a lieu habituellement d'un à vingt ans après la mort. Quand ils se réincarnent, ils apportent avec eux leur ancien intellect et leur ancien corps du désir et si nous notions ce que racontent les enfants, nous pourrions souvent découvrir des histoires telles que la suivante.

UNE HISTOIRE REMARQUABLE

A Santa Barbara (Californie), un certain M. Roberts alla un jour trouver un clairvoyant qui faisait des conférences théosophiques, pour lui demander conseil au sujet d'un cas étrange : la veille du jour dont nous parlons, M. Roberts passait dans la rue quand une fillette de trois ans accourut vers lui en l'appelant papa. Il fut tout d'abord interloqué, car il se dit que quelqu'un voulait le faire passer pour le père de l'enfant. Mais la mère s'avança vers lui, toute déconcertée, et chercha à emmener la fillette qui s'attachait au monsieur qu'elle continuait d'appeler papa. En raison de certaines circonstances, dont nous parlerons dans un instant, Monsieur Roberts ne pouvait s'ôter de l'esprit cette histoire. C'est pourquoi il était allé consulter ce clairvoyant qui consentit à l'accompagner chez les parents de la fillette. Dès qu'elle le vit, elle accourut à sa rencontre en l'appelant de nouveau papa. Le clairvoyant, que nous appellerons M. X..., amena la fillette auprès d'une fenêtre pour voir si l'iris de l'œil se dilatait et se contractait, quand il la tournait vers la lumière, ou vers l'ombre, afin de se rendre compte s'il n'avait pas affaire à un cas d'obsession, car l'œil est le miroir de l'âme et il n'y a pas d'entité « obsédante » qui puisse agir sur cette partie du corps.

M. X... trouva que l'enfant était normale ; il se mit à la questionner avec douceur et une grande patience, à diverses reprises, pour ne pas la fatiguer, et voici ce qu'elle raconta :

Elle avait vécu avec son papa, M. Roberts, et une autre maman dans une petite maison tout à fait isolée. On ne voyait pas d'autres maisons autour de celle-là. Près de la maison coulait un ruisseau au bord duquel il y avait des petits arbres avec des drôles de fleurs. (A cet instant de son récit, la fillette s'élança au dehors et revint peu après en apportant quelques chatons de saule) — et il y avait, ajouta-t-elle, une planche en travers du ruisseau. On lui avait dit de ne pas passer dessus, car elle pouvait tomber.

Un jour, son papa les avait quittées, sa mère et elle, et n'était plus revenu. Quand leurs provisions furent épuisées, sa maman s'était couchée sur le lit et ne bougea plus. Puis la petite ajouta gentiment : « Alors, moi aussi je suis morte, mais pas vraiment : je suis venue ici ».

A son tour, M. Roberts raconta son histoire. Dix-huit ans auparavant, il habitait Londres, où son père était brasseur. Il tomba amoureux d'une servante. Son père s'opposant au mariage, il s'enfuit avec elle en Australie, après l'avoir épousée. Une fois là, il se rendit dans la jungle et défricha un coin de terrain pour y établir une petite ferme, près d'un ruisseau, ainsi que la petite fille l'avait décrit. Une fille était née. Elle avait environ deux ans lorsqu'un matin il sortit de chez lui et se rendit dans une clairière voisine où un homme, fusil en main, l'arrêta au nom de la loi, pour un vol commis dans une banque précisément pendant la nuit où il avait quitté l'Angleterre. La police s'était mise sur ses traces, croyant qu'il était le criminel. Monsieur R. eut beau implorer qu'on le laissât aller voir sa femme et son enfant. Craignant que ces supplications ne cachent quelque subterfuge qui permette au coupable de le faire tomber aux mains de complices, le policier refusa et l'emmena jusqu'à la côte où il fut embarqué pour l'Angleterre. Là il fut jugé et reconnu innocent.

C'est alors seulement que les autorités prirent en considération ce que le pauvre homme avait dit concernant sa femme et sa fille qui, selon lui, devaient être mortes de faim dans la partie sauvage et désolée du pays qu'elles habitaient.

On envoya donc une expédition dans la ferme où l'on ne trouva plus que les squelettes de la mère et de l'enfant. Sur ces entrefaites, le père de M. R. était mort. Il avait déshérité son fils. Toutefois, les frères de M. R. partagèrent l'héritage avec lui, et il partit en Amérique, le cœur brisé. C'est ainsi que finit son histoire.

Il montra alors les photos de sa femme et de lui-même à ses interlocuteurs qui lui proposèrent de les mêler à d'autres et de les faire voir à la petite fille. Sans hésiter, l'enfant désigna celles des deux personnes qu'elle affirmait être son papa et sa maman.

DEUXIÈME PARTIE

Cosmogénèse et Anthropogénèse

CHAPITRE V

RELATION DE L'HOMME A DIEU

Dans les chapitres précédents, nous avons considéré l'homme en relation avec trois des cinq Mondes qui forment le champ de son évolution. Nous avons partiellement décrit ces Mondes et nous avons noté par quels véhicules de conscience il leur est relié. Nous avons étudié ses relations avec les trois autres Règnes : minéral, végétal et animal, et pris note des différences entre leurs véhicules, leurs états de conscience et ceux de l'homme que nous avons suivis pendant un cycle de vie à travers les trois Mondes. Nous avons étudié les deux lois de cause à effet et de Réincarnation dans leur effet sur l'évolution humaine.

Afin de mieux saisir de nouveaux détails sur le développement de l'homme, il est maintenant nécessaire d'étudier sa relation avec le Grand Architecte de l'Univers : avec Dieu et avec les Hiérarchies d'Etres Célestes qui se tiennent aux divers échelons de l'échelle de Jacob, montée de son évolution qui va de l'homme à Dieu et au-delà.

C'est là une tâche d'une extrême difficulté, rendue plus ardue encore par le fait que la plupart de ceux qui s'intéressent à ce sujet n'ont sur Dieu que des notions assez peu définies. Il est vrai qu'un mot, en lui-même et par lui-même, n'a que peu d'importance, mais il importe beaucoup que nous sachions quelle signification y est attachée ; autrement, il y aurait des méprises, et si les auteurs et les instructeurs ne s'accordent pas sur une nomenclature commune, la confusion actuelle se perpétuera et s'accroîtra. Quand le mot « Dieu » est employé, on ne sait jamais s'il désigne l'Absolu, l'Existence Unique, l'Etre Suprême

TABLEAU 8

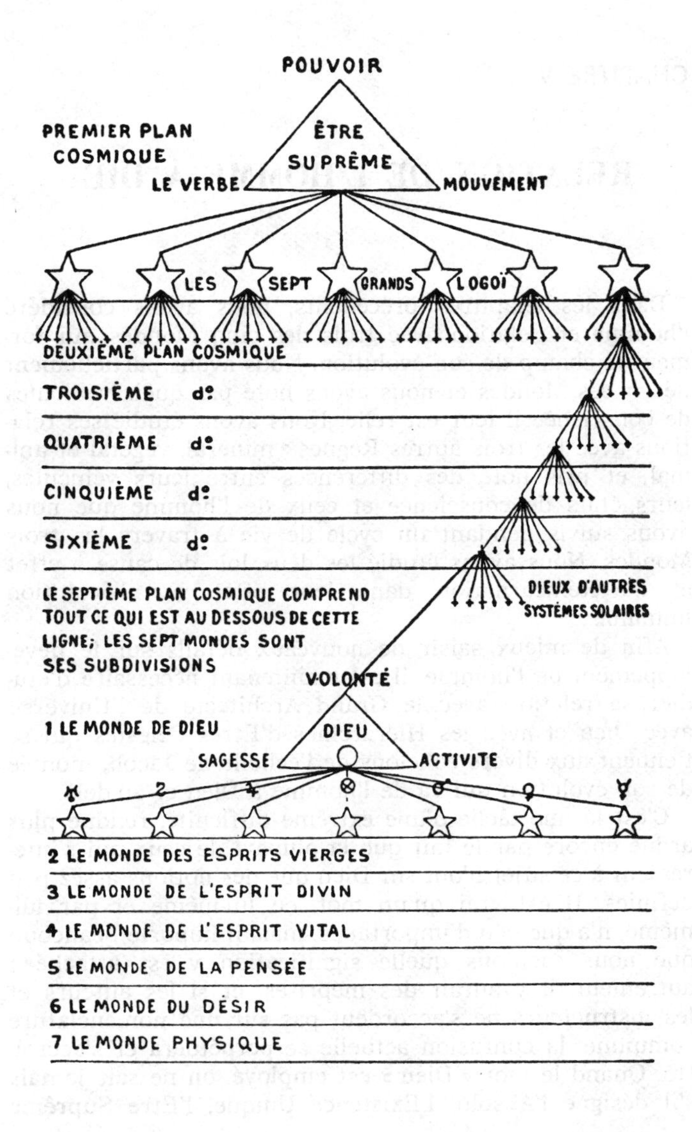
POUVOIR
PREMIER PLAN COSMIQUE
ÊTRE SUPRÊME
LE VERBE
MOUVEMENT
LES SEPT GRANDS LOGOÏ
DEUXIÈME PLAN COSMIQUE
TROISIÈME d°
QUATRIÈME d°
CINQUIÈME d°
SIXIÈME d°
LE SEPTIÈME PLAN COSMIQUE COMPREND TOUT CE QUI EST AU DESSOUS DE CETTE LIGNE; LES SEPT MONDES SONT SES SUBDIVISIONS
DIEUX D'AUTRES SYSTÈMES SOLAIRES
VOLONTÉ
1 LE MONDE DE DIEU
DIEU
SAGESSE
ACTIVITE
2 LE MONDE DES ESPRITS VIERGES
3 LE MONDE DE L'ESPRIT DIVIN
4 LE MONDE DE L'ESPRIT VITAL
5 LE MONDE DE LA PENSÉE
6 LE MONDE DU DÉSIR
7 LE MONDE PHYSIQUE

qui est le Grand Architecte de l'Univers, ou bien Dieu, l'Architecte de notre Système Solaire.

La division de la Divinité en « Père », « Fils » et « Saint-Esprit » est également une cause de confusion. Bien que les Etres désignés par ces noms, soient infiniment supérieurs à l'homme et dignes de toute la vénération et de toute l'adoration dont il est capable vis-à-vis de ce qu'il peut concevoir de plus élevé dans le domaine spirituel, ces grands Etres sont à vrai dire différents les uns des autres.

Le tableau 8 et le hors texte p. 253 feront peut-être mieux saisir le sujet. Il ne faut pas oublier que les Mondes et les Plans Cosmiques ne se trouvent pas les uns au-dessus des autres dans l'espace, mais que les sept Plans Cosmiques s'interpénètrent et pénètrent aussi les sept Mondes. Ce sont des états de l'esprit-matière confondus les uns dans les autres, en sorte que Dieu et les autres Grands Etres dont on fait mention ne se trouvent pas loin de nous dans l'espace. Ils demeurent dans toutes les parties de leurs propres Mondes et de ceux qui ont une densité plus grande que les leurs. Ils sont tous présents dans notre monde, et ils sont réellement « plus proches de nous que nos mains et nos pieds ». Nous énonçons une vérité absolue en disant de Dieu « qu'en Lui nous avons la vie, le mouvement et l'être » car pas un de nous ne pourrait vivre en dehors de ces Grandes Intelligences qui pénètrent notre monde et le soutiennent de leur vie.

Nous avons montré que la Région Ethérique s'étend au-delà de l'atmosphère de notre Globe physique, que le Monde du Désir s'étend dans l'espace au-delà de la Région Ethérique, et que le Monde de la Pensée s'étend encore plus loin que les deux autres dans l'Espace interplanétaire. Naturellement, les Mondes de substance plus raréfiée occupent plus d'espace que le Monde plus dense qui s'est cristallisé, condensé, et qui a ainsi limité son étendue.

Le même principe s'applique aux Plans Cosmiques. Le plus dense est le septième (en comptant à partir du plus élevé). Nous l'avons représenté sur le tableau comme s'il était plus vaste que n'importe lequel des autres plans, pour la raison que c'est le plan cosmique qui nous intéresse plus particulièrement et que nous désirons indiquer ses principales subdivisions. Cependant, le fait est qu'il occupe moins d'espace que n'importe lequel des autres

Plans Cosmiques, bien qu'il convienne de se rappeler que, même en tenant compte de la réserve faite au sujet de son étendue, il n'en est pas moins immensément vaste, bien au-delà du pouvoir de conception de l'esprit humain le plus puissant, car il englobe des millions de systèmes solaires analogues au nôtre, qui sont le champ d'évolution de nombreuses légions d'êtres d'un rang à peu près égal au nôtre.

Nous ne savons rien des six Plans Cosmiques supérieurs au nôtre, si ce n'est qu'ils sont le champ d'activité de grandes Hiérarchies d'Etres d'une splendeur indescriptible.

Partant de notre Monde Physique et passant par les Mondes plus subtils de notre Plan Cosmique, nous voyons que Dieu, l'Architecte de notre Système Solaire, Source et But de notre existence, est situé dans la plus haute division du septième Plan Cosmique. C'est là Son propre Monde.

Ce Monde comprend les plans d'évolution des planètes de notre Système : Uranus, Saturne, Jupiter, Mars, la Terre, Vénus, Mercure et leurs satellites.

Les grandes Intelligences spirituelles qu'on nomme les Esprits Planétaires dirigent ces évolutions et sont appelées « les sept Esprits devant le Trône ». Ils sont les Ministres de Dieu et chacun d'eux gouverne une certaine province de Son Royaume qui est notre Système Solaire. Le Soleil est aussi le champ d'évolution des Etres les plus exaltés de notre Cosmos. Eux seuls peuvent supporter les vibrations solaires d'une puissance formidable, grâce auxquelles ils progressent. Le Soleil est la meilleure approximation que nous ayons d'un symbole visible de Dieu ; cependant, il n'est qu'un voile devant Ce qu'il cache. Ce que Cela est ne saurait être révélé publiquement.

Quand nous essayons de découvrir l'origine de l'Architecte de notre Système Solaire, nous sommes obligés de nous élever jusqu'au plus haut des sept Plans Cosmiques. Nous nous trouvons alors dans le Royaume de l'Etre Suprême, émané de l'Absolu.

L'Absolu est au-delà de toute compréhension. Il n'y a pas une seule expression ou une seule comparaison qui puisse en donner une idée. Toute manifestation implique une limitation. Par conséquent, le mieux que nous puissions faire est de caractériser l'Absolu en parlant de Lui comme de l'Etre sans limites, de la Source de l'Existence.

De cette Source de l'Absolu procède l'Etre Suprême, à l'aube de la Manifestation. Il est l'ETRE UNIQUE.

Dans le premier chapitre de l'Evangile selon saint Jean, ce Grand Etre est appelé Dieu. De cet Etre Suprême émane le Verbe, le *Fiat* Créateur, « sans lequel rien n'a été créé ». Ce Verbe est le Fils unique, né de son Père (l'Etre Suprême) avant tous les Mondes ; mais il *n'est pas* le Christ. Quelque grand et glorieux que soit le Christ, dominant de toute son élévation la nature humaine ordinaire, Il n'est pas cet Etre Exalté qu'est le Verbe. En vérité, « le Verbe fut fait chair », non pas dans le sens limité de la chair d'un corps, mais de la chair de tout ce qui est dans notre Système et dans des millions d'autres.

Le Premier Aspect de l'Etre Suprême peut être caractérisé par le mot POUVOIR. De ce premier Aspect, procède le Deuxième, le VERBE ; et de ces deux Aspects procède le Troisième, le MOUVEMENT.

De cet Etre Suprême triple procèdent les sept Grands Logoï. Ils contiennent en Eux toutes les grandes Hiérarchies qui se différencient de plus en plus à mesure qu'Elles occupent les divers Plans Cosmiques. (Voir tableau 8). Il y a 49 Hiérarchies sur le second Plan Cosmique ; 343 Hiérarchies sur le troisième. Chaque plan comporte des divisions et des subdivisions septénaires, en sorte que sur le Plan Cosmique le moins élevé dans lequel se manifestent les Systèmes Solaires, le nombre des divisions et des subdivisions est presque infini.

Dans le Monde le plus élevé du septième Plan Cosmique, se trouvent le Dieu de notre Système Solaire et les Dieux de tous les autres Systèmes Solaires de l'Univers. Ces Grands Etres sont également triples dans leur manifestation, comme l'Etre Suprême. Leurs trois aspects sont : la Volonté, la Sagesse et l'Activité.

Les sept Esprits planétaires qui procèdent de Dieu et qui sont chargés chacun de l'évolution de la Vie sur une des sept planètes sont également trinitaires et différencient en eux-mêmes des Hiérarchies Créatrices qui passent par une évolution septénaire. L'évolution dirigée par un de ces Esprits Planétaires diffère de la méthode de développement de chacun des autres Esprits.

On peut ajouter que, au moins en ce qui concerne le système planétaire auquel nous appartenons, les entités supérieures des premiers âges, qui avaient atteint un degré élevé de perfection dans des évolutions précédentes, remplissent les fonctions de l'Esprit Planétaire originel et se chargent de l'évolution, tandis que l'Esprit Planétaire originel, cessant d'y prendre une part active, guide encore Ses Régents.

Tels sont les enseignements relatifs à tous les Systèmes Solaires ; nous limitant à notre propre système, les enseignements qui suivent sont ceux qu'un clairvoyant suffisamment exercé peut obtenir lui-même en faisant personnellement des recherches dans la Mémoire de la nature.

CHAPITRE VI

LE PLAN DE L'ÉVOLUTION

LE COMMENCEMENT

Suivant l'axiome d'Hermès : « Ce qui est en bas est comme ce qui est en haut » et réciproquement, les Systèmes solaires naissent, meurent et naissent à nouveau, en passant, comme l'homme, par des cycles d'activité et de repos.

Il y a dans chaque domaine de la nature un constant embrasement et une constante extinction d'activité, qui correspondent aux alternatives du flux et du reflux, du jour et de la nuit, de l'été et de l'hiver, de la vie et de la mort.

Au commencement d'un Jour de Manifestation, un certain Grand Etre (désigné dans le Monde Occidental sous le nom de Dieu, mais sous d'autres noms dans d'autres parties du Globe) se limite à une certaine portion de l'espace dans laquelle il choisit de créer un Système Solaire pour l'évolution et l'expansion de Sa propre conscience. (Voir tableau 8).

Il renferme dans son Etre des légions de Hiérarchies glorieuses qui sont pour nous d'un pouvoir spirituel et d'une splendeur incommensurables. Elles sont le fruit des Manifestations précédentes de ce même Etre qui comprend aussi d'autres intelligences d'un niveau de développement graduellement décroissant, jusqu'à celles qui n'ont pas atteint un degré de conscience égal à celui de notre humanité et qui, par conséquent, n'arriveront pas à parfaire leur évolution dans notre Système. En Dieu — ce grand

Etre collectif — sont contenus des Etres moins avancés, de tous les degrés d'intelligence et de conscience, de l'omniscience à un degré de conscience inférieur à celle de la léthargie la plus profonde.

Pendant la période de manifestation qui nous concerne, ces diverses hiérarchies d'êtres travaillent pour acquérir plus d'expérience qu'elles n'en possédaient au début de cette période. Celles qui, dans les manifestations précédentes, avaient atteint le plus haut degré de développement, travaillent sur celles qui n'ont encore développé aucun degré de conscience. Elles éveillent en ces dernières un état de conscience de soi qui leur permet de se mettre au travail pour leur propre compte. Celles qui avaient commencé leur évolution dans un Jour de Manifestation antérieur, mais qui n'avaient pas accompli de grands progrès à la fin de ce Jour, reprennent à nouveau leur tâche, comme nous reprenons notre travail quotidien là où nous l'avions laissé le jour précédent.

Toutefois, les Etres ne reprennent pas tous leur évolution dès le début d'une nouvelle Manifestation. Certains d'entre eux doivent attendre jusqu'à ce que ceux qui les précèdent aient préparé les conditions nécessaires à leur développement ultérieur. Il n'y a pas de processus instantané dans la nature. Tout doit progresser avec lenteur. Malgré cette lenteur, ce progrès aboutira infailliblement à l'ultime perfection. De même qu'il y a, dans la vie humaine, des phases progressives de développement ; l'enfance, la jeunesse, l'adolescence, l'âge mûr, la vieillesse, ainsi le macrocosme est soumis à des phases successives correspondant à celles de la vie du microcosme.

Un enfant ne peut pas assumer les devoirs de la paternité ou de la maternité : le manque de développement de son corps et de son intellect ne le lui permet pas. Il en est de même des êtres les moins avancés au commencement d'une période de Manifestation. Il leur faut attendre que des êtres plus développés aient préparé pour eux les conditions voulues. Plus le niveau de l'intelligence de l'être en évolution est inférieur, plus il est sous la dépendance d'une aide extérieure.

Donc, au Commencement, les Etres les plus élevés — ceux qui ont le plus évolué — exercent une action sur ceux dont l'état de conscience est le moins développé.

Plus tard, ils les passent à quelques-unes des entités moins avancées qu'eux, qui sont alors capables de poursuivre le travail un peu plus avant. Finalement, la conscience est éveillée ; la vie en évolution est devenue Homme.

A partir du moment où naît la conscience individuelle du moi, l'être doit continuer à accroître sa conscience, sans aide extérieure. L'expérience et la pensée doivent alors prendre la place des instructeurs. La gloire, le pouvoir et la splendeur auxquels l'homme peut alors atteindre sont sans limites.

La période de temps consacrée à l'éveil de la conscience et à la construction des véhicules pour la manifestation de l'esprit dans l'homme, s'appelle « Involution ».

La période suivante d'existence, pendant laquelle l'être humain individuel développe sa conscience en omniscience divine, s'appelle « Evolution ».

Dans l'être qui progresse, la force intérieure qui fait de l'évolution ce qu'elle est et non un simple développement de facultés latentes, qui fait que l'évolution de chaque individu diffère de celle de tous les autres, qui fournit l'élément d'originalité et donne son essor à la faculté créatrice que l'être en évolution doit cultiver pour devenir un Dieu, cette Force s'appelle « le Génie ». Comme nous l'avons dit auparavant, sa manifestation est « l'Epigénèse ».

Un grand nombre de philosophies avancées des temps modernes reconnaissent la réalité de l'involution et de l'évolution. La Science ne reconnaît que l'évolution, parce qu'elle n'étudie que la Forme. L'Involution se rapporte à la Vie ; mais les hommes de science les plus avancés considèrent l'Epigénèse comme un fait susceptible d'être démontré. La Cosmogonie des Rose-Croix associe les trois théories, comme étant nécessaires à la compréhension complète du développement passé, présent et futur du système auquel nous appartenons.

LES MONDES

Pour illustrer la construction d'un Cosmos, nous allons nous servir d'un exemple familier. Supposez qu'un homme veuille se construire une maison. Il choisit d'abord un site convenable, puis commence à bâtir la maison qu'il divise en différentes pièces, pour servir à divers usages. Il aura une cuisine, une salle à manger, des chambres, une salle de bains et il les meublera d'une manière appropriée à l'usage spécial auquel il les destine.

Quand Dieu désire créer, Il choisit dans l'espace un endroit convenable qu'Il remplit de Son aura ; Il pénètre de sa Vie chaque atome de la Substance Cosmique Primordiale dépendant de cette portion spéciale de l'espace, éveillant ainsi l'activité latente à l'intérieur de chaque atome *non différencié.*

La Substance Cosmique Primordiale est l'expression du pôle négatif de l'Esprit Universel, tandis que le Grand Etre Créateur que nous appelons Dieu (et dont nous faisons partie en tant qu'esprits) est l'expression de l'énergie positive de ce même Esprit Universel. De l'action de l'un sur l'autre a résulté tout ce que nous voyons autour de nous dans le Monde Physique. Les Océans, la Terre, tout ce qui se manifeste dans les formes minérales, végétales, animales et humaines, tout est de l'*espace cristallisé,* émané de cette Substance-Esprit négative qui, seule, existait à l'aube de l'existence. De même que la demeure dure et pierreuse de l'escargot est faite de sucs solidifiés de son corps mou, de même, toutes les *formes* sont des cristallisations autour du pôle négatif de l'esprit.

Dieu fait usage de la Substance Cosmique Primordiale qui se trouve immédiatement à proximité de sa sphère ; de cette façon, la matière contenue dans les limites du Cosmos naissant devient plus dense que dans l'Espace Universel entre les Systèmes Solaires.

Après en avoir préparé les matériaux, Dieu organise ensuite Sa demeure. Toutes les parties du système sont pénétrées par Sa conscience, avec, cependant, des différenciations entre les diverses parties. La Substance Cosmique Primordiale est activée selon divers taux de vibration et elle est, par suite, constituée d'une manière différente dans ses diverses divisions ou régions.

C'est de cette manière que les Mondes sont créés et qu'ils sont préparés aux divers buts qui leur sont assignés dans le plan de l'évolution, comme les diverses pièces d'une maison sont disposées en vue des différents usages que nécessite la vie quotidienne dans le Monde Physique.

Nous avons déjà vu qu'il y a sept Mondes. Ces Mondes

ont chacun une différente « mesure» et un différent taux de vibration. Dans le Monde le plus dense (le Monde Physique), la mesure de vibration, bien qu'atteignant dans le cas de la lumière un taux de centaines de millions par seconde, n'en est pas moins infinitésimale quand on la compare à la rapidité de vibration du Monde du Désir qui est le plus proche du Monde Physique. Pour se faire une idée assez juste de cette rapidité de vibration, il suffit de penser aux vibrations de chaleur s'échappant d'un poêle très chaud.

Il ne faut surtout pas oublier que ces Mondes ne sont pas séparés par l'espace ou par la distance, comme la Terre est séparée des autres planètes. Ce sont des états de la matière, de densité et de vibrations différentes, comme le sont les solides, les liquides et les gaz de notre Monde Physique. Ces Mondes ne sont pas créés instantanément au début d'un Jour de Manifestation et ils ne durent pas jusqu'à sa fin ; mais, de même que l'araignée tisse sa toile fil à fil, ainsi Dieu différencie en Lui-même les mondes les uns après les autres, à mesure que la nécessité se fait sentir de conditions nouvelles sur le plan d'évolution auquel Il travaille. C'est ainsi que les sept mondes ont été petit à petit différenciés jusqu'à ce qu'ils présentent leur aspect actuel.

Les Mondes les plus élevés sont créés les premiers. Comme l'involution consiste à faire passer lentement la vie dans une matière de plus en plus dense pour la construction des formes, les Mondes subtils se condensent peu à peu et de nouveaux Mondes sont différenciés en Dieu, pour fournir la liaison nécessaire entre Lui et les Mondes qui se sont solidifiés. A un moment donné, le point de la plus grande densité, le nadir de la matérialité, est atteint. A partir de ce point, la Vie commence à s'élever vers des Mondes supérieurs à mesure que l'évolution progresse. Cela cause la dépopulation progressive des Mondes les plus denses. Quand le but pour lequel un certain Monde avait été créé a été atteint, Dieu termine l'existence de ce Monde, devenu superflu, en cessant en Lui-même l'activité particulière qui l'avait créé et maintenu.

Les Mondes les plus élevés (les plus subtils, les plus raréfiés, les plus éthérés) sont créés en premier et supprimés en dernier, alors que les trois Mondes les plus denses, qui sont le théâtre de la phase actuelle de notre évolution, sont des phénomènes relativement éphémères, dus à la descente de l'esprit dans la matière.

LES SEPT PERIODES

Le plan de l'évolution s'accomplit dans les cinq Mondes dont la substance entre dans la composition de nos véhicules. Cette évolution s'effectue au cours de sept grandes Périodes de Manifestation pendant lesquelles l'esprit vierge, ou la vie en évolution, devient d'abord un homme, puis, plus tard, un Dieu.

A l'aurore de la Manifestation, Dieu différencie *en* Lui-même (non *hors de* Lui-même) ces esprits vierges, comme les étincelles d'une Flamme, de la même nature qu'Elle, et capables de devenir elles-mêmes des Flammes. L'évolution est le procédé par lequel ces étincelles sont attisées en vue d'atteindre ce but. Dans les esprits vierges sont renfermées toutes les possibilités de leur Divin Père, y compris le germe de la Volonté indépendante qui les rend capables de s'engager dans de nouvelles phases de développement, non latentes en elles. Les *possibilités* latentes sont transformées en pouvoirs dynamiques et en facultés utilisables au cours de l'évolution, tandis que la Volonté indépendante peut s'exprimer dans des voies nouvelles et originales (Epigénèse).

Avant le commencement de son pèlerinage dans la matière, l'esprit vierge se trouve dans le Monde des Esprits Vierges, qui vient immédiatement après le Monde de Dieu. Il possède la Conscience Divine, *mais non pas la Conscience de soi.* Cette Conscience de soi, le Pouvoir de l'Ame et l'Intellect Créateur, sont des facultés ou des pouvoirs acquis au cours de l'évolution.

Quand l'esprit vierge est immergé dans le Monde de l'Esprit Divin, il est aveuglé et rendu tout à fait inconscient par les vibrations de ce Monde. Il est aussi indifférent aux conditions extérieures que l'est un homme dans une profonde léthargie. Cet état d'inconscience persiste pendant la Première Période.

Pendant la Deuxième Période, il passe à un état de

sommeil sans rêves ; dans la Troisième, il a atteint l'état de rêve et, vers le milieu de la Quatrième Période, à laquelle nous sommes maintenant arrivés, l'homme devient complètement conscient à l'état de veille. Cette conscience appartient seulement au plus bas des sept Mondes. Pendant la seconde moitié de cette Période et la série des trois autres Périodes, l'homme doit élargir sa conscience jusqu'à ce qu'elle embrasse l'ensemble des six Mondes supérieurs au Monde Physique.

Quand l'homme est passé à travers ces Mondes pendant son involution, son énergie était guidée par des Etres Supérieurs qui l'ont aidé à diriger *intérieurement* ses forces inconscientes, afin de les faire servir à la construction des véhicules appropriés. Finalement, quand il fut suffisamment avancé et muni du triple corps, comme instrument nécessaire, ces Etres Supérieurs lui « ouvrirent les yeux » et tournèrent ses regards vers *l'extérieur*, vers la Région Chimique du Monde Physique, afin que ses forces lui permettent de s'en rendre maître.

Quand son travail dans la Région Chimique l'en aura rendu capable, le pas suivant qu'il devra faire le conduira vers une expansion de sa conscience qui embrassera la Région Ethérique ; plus tard, le Monde du Désir, etc.

Dans la nomenclature des Rose-Croix, les noms des sept Périodes sont :

1. La Période de Saturne.	Ces périodes sont des réincarnations successives de notre Terre.
2. — du Soleil.	
3. — de la Lune.	
4. — de la Terre.	
5. — de Jupiter.	
6. — de Vénus.	
7. — de Vulcain.	

Il ne faudrait pas croire que les Périodes mentionnées ci-dessus aient un rapport quelconque avec les planètes qui, en compagnie de la Terre, gravitent autour du Soleil. A vrai dire, nous ne saurions trop répéter qu'il n'y a absolument aucune relation entre ces planètes et les Périodes. Ces dernières ne sont que des réincarnations passées, présentes et futures de la Terre ; elles représentent les « conditions » par lesquelles notre globe est passé, par lesquelles il passe maintenant et par lesquelles il passera dans l'avenir.

Nous sommes déjà passés par les trois premières Périodes (Période de Saturne, Période du Soleil et Période de la Lune). Nous sommes maintenant dans la quatrième Période ou Période de la Terre. Quand elle prendra fin, notre Globe passera avec nous par les conditions des Périodes de Jupiter, de Vénus et de Vulcain, avant la fin du grand Jour septénaire de Manifestation. Alors, tout ce qui est, sera résorbé dans l'Absolu pour un temps de repos et d'assimilation des fruits de l'évolution, après lequel toutes choses émaneront à nouveau, en vue d'un développement ultérieur plus élevé, à l'aube d'un autre Grand Jour de Manifestation.

Les trois Périodes et demie par lesquelles nous sommes déjà passés ont été employées à préparer nos véhicules actuels et notre conscience. Les trois Périodes et demie qui restent à parcourir seront consacrées au perfectionnement de ces divers véhicules et à l'expansion de notre conscience, jusqu'à ce qu'elle atteigne un degré voisin de l'omniscience.

Le cheminement de l'esprit vierge de l'inconscience à l'omniscience dans le développement de ses capacités latentes en énergie cinétique est un procédé d'une merveilleuse complexité, et nous n'en donnerons tout d'abord que les traits les plus saillants. Cependant, à mesure que nous avancerons dans notre étude, nous ajouterons plus de détails, jusqu'à ce que le tableau soit aussi complet qu'il nous est possible de le présenter. Nous attirons l'attention du lecteur sur la définition des termes donnés, à mesure que nous exposons de nouvelles idées. Nous lui demandons avec insistance de se familiariser avec eux, car notre intention est d'être aussi clair que possible, en n'employant que le même terme d'un bout à l'autre de l'ouvrage pour exprimer la même idée. Ce terme sera, autant que possible, descriptif de cette idée, ceci dans l'espoir d'éviter les confusions que l'emploi d'un vocabulaire plus complexe risquerait d'amener. Si le lecteur veut bien prêter une scrupuleuse attention à la définition des termes employés, il ne lui sera pas trop difficile d'arriver à comprendre au moins les grandes lignes de ce plan grandiose d'évolution.

Nous pensons que tout être intelligent admettra qu'une telle connaissance est d'une importance capitale. Nous vivons dans un monde gouverné par les Lois de la Nature. Sous ces lois, il nous faut vivre et travailler, incapables que nous sommes des les changer. Si nous les connaissons et si nous coopérons intelligemment avec elles, ces forces naturelles deviennent nos meilleurs serviteurs, comme par exemple, l'électricité et la force explosive de certains gaz. Par contre, si nous ne comprenons pas ces lois et si, dans notre ignorance, nous travaillons contre elles, elles deviennent nos plus dangereux ennemis, à cause de leur pouvoir terrible de destruction.

Aussi, mieux nous connaîtrons la manière dont travaille la Nature, symbole visible du Dieu invisible, plus nous serons capables de profiter des occasions qu'elle nous offre de nous développer et d'acquérir de nouveaux pouvoirs afin de nous soustraire à la servitude et de nous élever jusqu'à la perfection.

TABLEAU 9

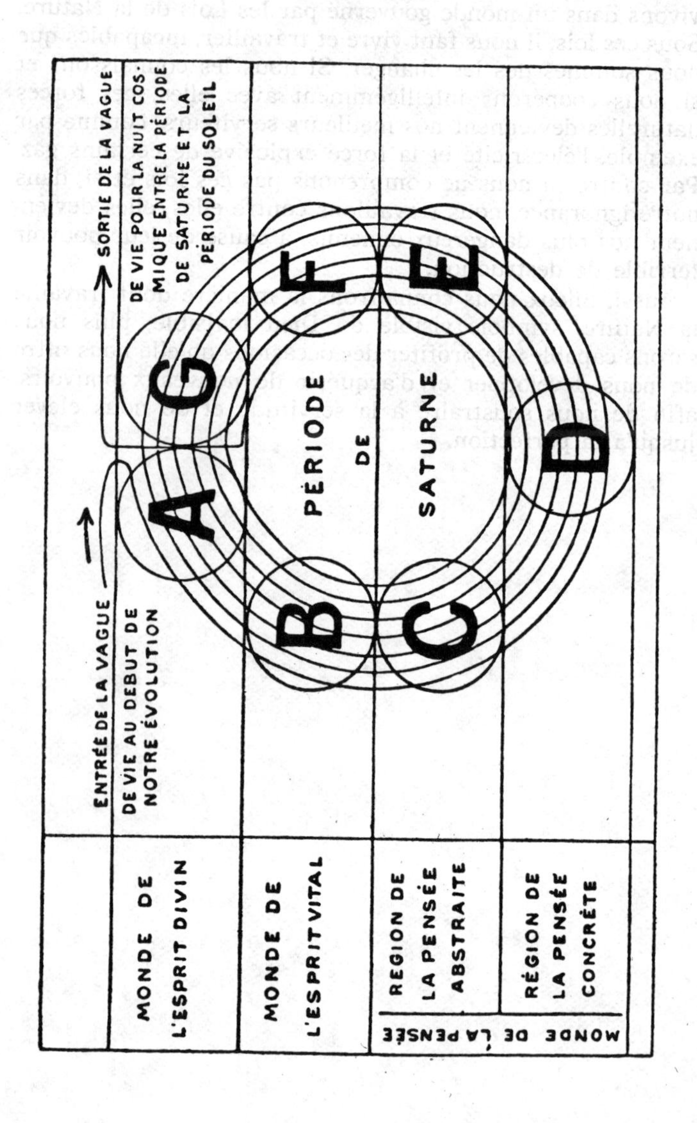
ENTRÉE DE LA VAGUE DE VIE AU DEBUT DE NOTRE ÉVOLUTION
SORTIE DE LA VAGUE DE VIE POUR LA NUIT COSMIQUE ENTRE LA PÉRIODE DE SATURNE ET LA PÉRIODE DU SOLEIL
A
B
C
D
E
F
G
PÉRIODE DE SATURNE
MONDE DE L'ESPRIT DIVIN
MONDE DE L'ESPRIT VITAL
REGION DE LA PENSÉE ABSTRAITE
RÉGION DE LA PENSÉE CONCRÈTE
MONDE DE LA PENSÉE

CHAPITRE VII

LE SENTIER DE L'ÉVOLUTION

Il n'est pas superflu de donner un mot d'avertissement au sujet des tableaux qui illustrent le texte de cet ouvrage. L'étudiant devra se rappeler que toute reproduction d'un objet réduit à deux dimensions ne peut jamais être exacte. Le dessin d'une maison n'aurait que peu ou pas de signification pour nous si nous n'avions jamais vu de maison. Dans ce cas, nous ne verrions dans le dessin que des lignes et des taches ; il ne nous suggérerait aucune idée. Les tableaux qui ont pour but d'illustrer un sujet hyperphysique offrent une image encore plus éloignée de la réalité ; car, dans le cas du dessin, la maison à trois dimensions n'est réduite qu'à deux dimensions ; dans celui des tableaux des Périodes, des Mondes et des Globes, les objets réels possèdent de quatre à sept dimensions. La représentation que nous avons essayé d'en donner dans des tableaux à deux dimensions est encore plus éloignée de la réalité. Nous devons toujours nous rappeler que ces Mondes s'interpénètrent, de même que les Globes ; et la manière dont ils sont présentés dans le tableau revient, en somme, à essayer de représenter le fonctionnement d'une montre en alignant les différents rouages sur un même plan. Pour qu'ils lui soient de quelque utilité, l'étudiant devra concevoir ces schémas sur un plan spirituel. Autrement, loin de l'éclairer, ils seraient pour lui une cause de confusion.

REVOLUTIONS ET NUITS COSMIQUES

La Période de Saturne est la première des sept Périodes et, à cette époque primitive, les esprits vierges font leur premier pas vers l'évolution de la Conscience et de la Forme. En se rapportant au tableau 9, on verra que la course de l'évolution fait sept fois le tour des sept globes A, B, C, D, E, F et G, dans le sens des flèches.

Premièrement, une partie de l'évolution s'accomplit sur le Globe A, situé dans le Monde de l'Esprit Divin, le plus subtil des cinq Mondes qui forment le champ de notre évolution. Puis, graduellement, la vie qui se développe est transférée au Globe B, situé dans le Monde un peu plus dense de l'Esprit Vital. Là, s'accomplit une autre phase de l'évolution. En temps voulu, la vie qui évolue est prête à entrer en action sur le Globe C, situé dans la Région de la Pensée Abstraite et dont la substance est encore plus dense. Après avoir appris les leçons réservées à cette phase d'existence, la vague de vie passe sur le Globe D, situé dans la Région de la Pensée Concrète et qui est formé de sa substance. C'est le plus grand degré de densité matérielle qui soit atteint par la vague de vie pendant la Période de Saturne.

A partir de ce point, la vague de vie s'élève de nouveau jusqu'au Globe E, situé dans la région de la Pensée Abstraite, de même que le Globe C ; mais là, les conditions ne sont pas les mêmes que sur ce Globe C. C'est la période d'Involution et la substance des Mondes ne cesse de devenir de plus en plus dense. A mesure que les âges s'écoulent, la tendance générale est vers la densité, la solidité ; de plus, comme le sentier de l'évolution est une spirale, il est évident que, quoique nous passions de nouveau par les mêmes points, les conditions ne sont jamais les mêmes : elles sont sur un plan plus élevé, plus avancé.

Quand le travail sur le Globe E a été accompli, la prochaine avance a lieu sur le Globe F, situé dans le Monde de l'Esprit Vital, ainsi que le Globe B ; du Globe F, l'évolution passe au Globe G. Quand l'évolution a été complétée sur ce Globe, la vague de vie a fait une fois le tour des sept Globes ; elle est descendue et elle s'est élevée une fois à travers chacun des quatre Mondes respectifs. Ce voyage de la vague de vie s'appelle une Révolution, et une Période

TABLEAU 10

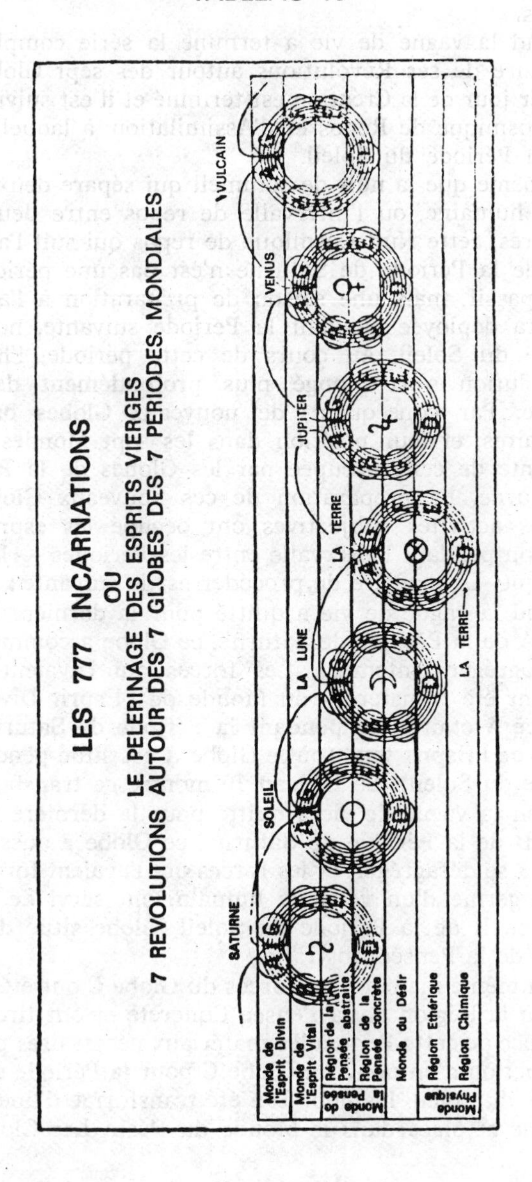
LES 777 INCARNATIONS
OU
LE PELERINAGE DES ESPRITS VIERGES
7 REVOLUTIONS AUTOUR DES 7 GLOBES DES 7 PERIODES MONDIALES
SATURNE
SOLEIL
LA LUNE
LA TERRE
LA TERRE
JUPITER
VENUS
VULCAIN
Monde de l'Esprit Divin
Monde de l'Esprit Vital
Monde de la Pensée
Région de la Pensée abstraite
Région de la Pensée concrète
Monde du Désir
Monde Physique
Région Ethérique
Région Chimique

comprend sept Révolutions. Pendant une Période, la vague de vie descend et remonte sept fois à travers les quatre Mondes.

Quand la vague de vie a terminé la série complète et septénaire de ses Révolutions autour des sept Globes, le premier jour de la Création est terminé et il est suivi d'une Nuit Cosmique de Repos et d'Assimilation, à laquelle succède la Période du Soleil.

De même que la nuit de sommeil qui sépare deux jours de vie humaine, ou l'intervalle de repos entre deux vies terrestres, cette Nuit Cosmique de repos qui suit l'achèvement de la Période de Saturne n'est pas une période de repos passif, mais une saison de préparation à l'activité qui sera déployée pendant la Période suivante, nommée Période du Soleil. Au cours de cette période, l'homme en évolution s'est plongé plus profondément dans la matière. Par conséquent, de nouveaux Globes ont été nécessaires, et leur position dans les sept Mondes a été différente de celle occupée par les Globes de la Période de Saturne. La préparation de ces nouveaux Globes et d'autres activités subjectives ont occupé les esprits en évolution pendant l'intervalle entre les Périodes — la Nuit Cosmique. La manière de procéder est la suivante :

Quand la vague de vie a quitté pour la dernière fois le Globe A de la Période de Saturne, ce Globe a commencé à se désagréger lentement. Les forces qui l'avaient construit ont été transférées du Monde de l'Esprit Divin (où le Globe A était situé pendant la Période de Saturne) au Monde de l'Esprit vital (où le Globe A est situé pendant la Période du Soleil). Le tableau 10 montre ce transfert.

Quand la vague de vie a quitté pour la dernière fois le Globe B de la Période de Saturne, ce Globe a aussi commencé à se désagréger, et les forces qui l'avaient formé, tel l'atome-germe d'un véhicule humain, ont servi de noyau au Globe B de la Période du Soleil, Globe situé dans la Région de la Pensée Abstraite.

De la même manière, les forces du Globe C ont été transférées à la Région de la Pensée Concrète et ont tiré de la substance de cette Région les matériaux nécessaires pour la construction d'un nouveau Globe C pour la Période suivante, celle du Soleil. Le globe D a été transformé d'une façon analogue et placé dans le Monde du Désir. Les Globes E,

F et G ont été transférés d'une manière semblable dans l'ordre donné. Il en résulte (comme on le verra en se rapportant au tableau 10) que, dans la Période du Soleil, tous les Globes sont situés un degré plus bas, dans une matière plus dense qu'ils ne l'étaient pendant la Période de Saturne. Donc, lorsque la vague de vie est sortie de la Nuit Cosmique de Repos, qui a pris place entre la fin de l'activité sur le Globe G de la Période de Saturne et son renouvellement sur le Globe A de la Période du Soleil, elle a trouvé un nouveau milieu, avec les occasions qu'il offrait pour de nouvelles expériences.

La vague de vie a donc circulé sept fois autour des sept Globes pendant la Période du Soleil, descendant et remontant sept fois à travers les quatre mondes ou Régions dans lesquelles ces Globes sont situés. Elle a accompli sept Révolutions dans la Période du Soleil, comme pendant la Période de Saturne.

Quand la vague de vie a quitté pour la dernière fois le Globe A de la Période du Soleil, ce Globe a commencé à se désagréger. Ses forces ont été transférées à la Région plus dense de la Pensée Abstraite, où elles ont formé une planète qui a servi pendant la Période de la Lune. De la même manière, les forces des autres globes ont été transférées et ont servi de noyaux aux Globes de la Période de la Lune, comme l'indique le tableau 10, le procédé étant exactement le même que lorsque les Globes ont été déplacés pendant la Période de Saturne et placés dans la position qu'ils occupaient pendant la Période du Soleil. Ainsi, les Globes de la Période de la Lune ont été placés un degré plus bas dans la matière qu'ils ne l'avaient été pendant la Période du Soleil ; le Globe inférieur (le Globe D) se trouvant alors situé dans la région Ethérique du Monde Physique.

Après l'intervalle de la Nuit Cosmique, entre la Période du Soleil et la Période de la Lune, la vague de vie a commencé son activité sur le Globe A de cette dernière Période et a complété en temps voulu ses sept Révolutions, comme auparavant. Ensuite est venue une autre Nuit Cosmique pendant laquelle les Globes ont de nouveau été transférés un degré plus bas dans la matière, et cette fois le Globe le plus dense s'est trouvé situé dans la Région Chimique du Monde Physique, comme on le voit en se reportant au tableau 10.

Cette période est celle de la Terre, et le Globe le plus bas et le plus dense (le Globe D) est notre Terre.

Ici, comme d'habitude, la vague de vie est entrée en activité sur le Globe A, après la Nuit Cosmique qui a suivi la Période de la Lune. Pendant cette Période de la Terre, la nôtre, elle est passée trois fois sur les sept Globes et se trouve maintenant sur le Globe D, dans sa quatrième Révolution.

C'est sur la Terre et pendant la quatrième Révolution actuelle que la plus grande densité de la matière, le nadir de la matérialité, a été atteint, il y a de cela quelques millions d'années. A partir de ce moment, la tendance générale est l'acheminement vers une substance plus subtile. Pendant les trois Révolutions et demie qui restent à parcourir pour compléter cette Période, la Terre deviendra de plus en plus éthérée.

Dans la prochaine Période — celle de Jupiter — le Globe D sera de nouveau situé dans la Région Ethérique, comme il l'était dans la Période de la Lune, et les autres Globes seront également élevés d'un degré.

Pendant la Période de Vénus, ils seront situés dans les mêmes Mondes que les Globes de la Période du Soleil. Les Globes de la Période de Vulcain auront la même densité et seront situés dans les mêmes Mondes que les Globes de la Période de Saturne. (Voir tableau 10).

Quand la vague de vie aura complété son travail dans la Période de la Terre et quand la Nuit Cosmique qui devra lui succéder sera terminée, elle accomplira ses sept Révolutions sur les Globes de la Période de Jupiter. Puis viendra la Nuit Cosmique avec ses activités subjectives ; ensuite, les sept Révolutions de la Période de Vénus, suivies d'un autre repos. Enfin, ce sera la dernière des Périodes du plan actuel de l'évolution — la Période de Vulcain. Là, la vague de vie accomplira aussi ses sept Révolutions.

A la fin de la dernière Révolution, tous les Globes seront désagrégés et la vague de vie sera résorbée en Dieu pour une période égale en durée à celle des sept Périodes d'activité. Puis, Dieu Lui-même se fondra dans l'Absolu, pendant la Nuit Universelle d'assimilation et de préparation pour un autre Grand Jour.

D'autres évolutions plus sublimes commenceront alors, mais nous ne pouvons nous occuper que des sept Périodes décrites.

CHAPITRE VIII

LE TRAVAIL DE L'ÉVOLUTION

LE FIL D'ARIANE

Maintenant que nous avons fait connaissance avec les Mondes, les Globes et les Révolutions qui constituent la voie de l'évolution pendant les sept Périodes, nous sommes en mesure d'étudier les méthodes employées et le travail accompli dans chaque Période.

Nous découvrirons le « Fil d'Ariane » qui doit nous guider à travers le labyrinthe des Globes, des Mondes, des Révolutions et des Périodes, si nous gardons constamment présent à l'esprit le fait que les esprits vierges, qui constituent la vague de vie en évalution, soient devenus complètement *inconscients* quand ils ont commencé leur pèlerinage à travers les cinq Mondes de substance plus dense que le Monde des Esprits Vierges. Or, l'évolution a pour objet de les rendre tout à fait conscients et capables de dompter la matière de tous les Mondes ; c'est pourquoi les conditions spéciales des Globes, des Mondes, des Révolutions et des Périodes sont combinées pour arriver à cette fin.

Pendant les Périodes de Saturne, du Soleil, de la Lune et la première moitié de celle de la Terre, les esprit vierges ont construit inconsciemment leurs divers véhicules sous la direction d'Etres Supérieurs qui guidaient leur progrès ; de plus, ils se sont graduellement éveillés jusqu'au moment où ils ont atteint l'état présent de conscience à l'état de veille. C'est ce développement qu'on appelle l'involution.

A partir de l'époque actuelle et jusqu'à la fin de la Période de Vulcain, les esprits vierges, qui constituent maintenant notre humanité, perfectionneront leurs véhicules et développeront leur conscience dans les cinq Mondes par leurs propres efforts et par leur génie. C'est ce que l'on appelle : Evolution.

Les explications qui précèdent sont la clé qui permettra de saisir le sens des paragraphes suivants. Une compréhension approfondie du plan de l'Evolution planétaire esquissé ci-dessus est extrêmement précieuse pour l'étudiant. Bien que certaines personnes croyant à la réincarnation et à la loi de cause à effet semblent penser que la connaissance du plan divin n'est ni essentielle ni utile elle est cependant très importante pour celui qui étudie sérieusement ces deux lois. Elle accoutume le mental aux abstractions...

Toutefois, l'étude de ce plan d'évolution accoutume l'intellect aux abstractions et l'élève au-dessus des petitesses de l'existence concrète ; elle aide l'imagination à prendre son essor, loin des tâches quotidiennes auxquelles nous asservit notre intérêt. Comme il est noté dans notre étude du Monde du Désir, l'Intérêt est le ressort principal de l'action. Cependant, à notre degré actuel de développement, le sentiment d'intérêt est généralement éveillé par l'égoïsme. Ce dernier est parfois d'une nature très subtile, mais il nous pousse à l'action de diverses manières. Toute action inspirée par l'Intérêt engendre certains effets qui réagissent sur nous. En conséquence, nous sommes attachés aux actions relatives aux Mondes concrets.

Mais si notre intellect est occupé par des sujets tels que les mathématiques ou l'étude des phases planétaires de l'évolution, nous sommes alors dans la Région de la Pensée purement Abstraite, soustraits à l'influence des sentiments, et notre esprit est tendu vers les mondes spirituels et vers la libération. Lorsque nous extrayons la racine cubique d'un nombre, que nous multiplions des nombres ou que nous pensons aux Périodes, aux Révolutions, etc., nous n'éprouvons pas de sentiment à leur égard. Nous ne nous querellons pas au sujet du produit de deux fois deux. Si nos sentiments étaient en jeu, nous essayerions peut-être de faire que ce produit soit cinq, et nous nous querellerions avec celui qui, pour des raisons personnelles, dirait que le produit est trois ; mais, en mathématiques, la Vérité est très facilement vérifiable et les Sentiments sont éliminés. C'est pour cela que, pour l'homme ordinaire qui veut vivre de sentiments, les mathématiques sont arides et sans intérêt. Pythagore apprenait à ses élèves à vivre dans le Monde de l'Esprit Eternel et il exigeait de ceux qui voulaient recevoir ses enseignements l'étude préliminaire des mathématiques. L'intellect qui peut comprendre les mathématiques est au-dessus de l'ordinaire et peut s'élever jusqu'au Monde de l'Esprit, parce qu'il n'est pas enchaîné au monde des Sentiments et du Désir. Plus nous nous habituons à penser en termes appartenant aux Mondes Spirituels, plus nous devenons capables de nous élever au-dessus des illusions qui nous entourent dans cette existence concrète, où les sentiments jumeaux d'Intérêt et d'Indifférence obscurcissent la Vérité et nous rendent partiaux, de même que la réfraction des rayons lumineux à travers l'atmosphère de la Terre nous donne une idée incorrecte de la position de l'astre qui les émet.

Par conséquent, à l'étudiant qui veut connaître la Vérité, qui désire entrer dans les Mondes de l'Esprit et les explorer, se libérer des entraves de la chair aussi rapidement que sa sécurité et que son développement le permettent, nous recommandons sérieusement d'étudier les pages qui suivent, d'une manière aussi complète que possible, de les assimiler et de tirer des conceptions mentales de ces Mondes, Globes et Périodes. S'il désire faire des progrès dans cette direction, l'étude des mathématiques et le livre de Hinton : *La Quatrième Dimension* [1], seront aussi pour lui d'excellents exercices de pensée abstraite. Cet ouvrage de Hinton (bien que fondamentalement incorrect, parce que le Monde du Désir à quatre dimensions ne peut être effectivement démontré par des procédés à trois dimensions) a ouvert les yeux de certaines personnes qui l'ont étudié et les a rendues clairvoyantes.

De plus, nous souvenant que la logique est le meilleur guide dans tous les mondes, il est certain que celui qui réussit à pénétrer dans les mondes hyperphysiques au moyen de semblables études abstraites saura éviter la confusion et se conduire raisonnablement en toutes circonstances.

Nous exposons ici un plan prodigieux dont la complexité devient presque inconcevable à mesure que nous ajoutons

(1) Ce livre n'a pas été publié en français.

de nouveaux détails. Toute personne capable de le comprendre sera pleinement récompensée si elle applique tous ses efforts à cette étude. Aussi, l'étudiant devrait-il lire lentement, répéter souvent, réfléchir beaucoup et profondément.

Ce livre — et plus particulièrement ce chapitre — ne devrait pas être lu d'une manière superficielle. Chaque phrase a sa valeur propre et prépare la phrase qui suit, à laquelle elle est intimement liée, tout en supposant la connaissance de ce qui précède. Si le livre n'est pas étudié à fond et avec méthode, il deviendra de plus en plus incompréhensible et déconcertant. Au contraire, si l'élève l'étudie et le médite à mesure qu'il avancera, il trouvera que chaque page est rendue plus claire par les connaissances tirées de l'étude des pages précédentes.

Un ouvrage de cette sorte, qui traite des phases les plus profondes du plus Grand Mystère du Monde que l'intellect humain, dans son état actuel de développement, soit capable de saisir, ne peut être écrit de telle sorte qu'il soit d'une lecture facile. Cependant, les phases les plus profondes de l'évolution qu'il nous est maintenant donné de comprendre ne sont que l'A B C du plan tel qu'il nous sera révélé, quand notre intellect sera devenu capable d'embrasser un plus grand nombre de connaissances, dans des stades ultérieurs de développement, quand nous serons devenus des Surhommes.

LA PERIODE DE SATURNE

Les Globes de la Période de Saturne étaient formés de substance beaucoup plus raréfiée et plus subtile que ne l'est notre Terre, comme on peut s'en rendre compte par l'étude des tableaux 9 et 10 que l'étudiant devrait avoir à portée de la main pour s'y reporter souvent pendant l'étude de ce sujet.

Le Globe le plus dense de cette Période était situé dans la même partie du Monde de la Pensée que celle qui est occupée par les Globes les plus raréfiés de la Période présente, dans la Région de la Pensée Concrète. Ces Globes n'avaient pas une consistance telle qu'ils soient tangibles pour nous. Le mot « chaleur » est le seul qui puisse donner une idée approximative de l'ancienne Période de Saturne. Ces Globes étaient obscurs, et si quelqu'un avait pu pénétrer dans l'espace qu'ils occupaient, il n'aurait rien pu voir. Tout aurait été obscur autour de lui, mais il aurait reçu une impression de chaleur.

Il va sans dire que le matérialiste trouvera absurde de donner le nom de « Globe » à une telle condition et d'affirmer qu'il était le champ d'évolution des Formes et de la Vie. Cependant, quand nous considérons la Théorie Nébulaire, nous pouvons admettre que la nébuleuse doit avoir été obscure avant de devenir éclatante de lumière et qu'elle a dû être chaude avant de devenir brûlante. Cette chaleur a dû être produite par le mouvement, et le mouvement, c'est la vie.

Nous pouvons dire que les esprits vierges qui devaient développer la conscience et la forme étaient enrobés dans ce Globe ou, mieux encore, que tout le Globe était composé des esprits vierges, de même qu'une framboise est faite d'un grand nombre de petits fruits agglomérés. Ils étaient incorporés au Globe, comme la vie qui réside dans les minéraux est incorporée à notre Terre. C'est pourquoi les occultistes disent que, pendant la Période de Saturne, l'homme est passé par l'état minéral.

En dehors de ce « Globe de chaleur » — dans son atmosphère, pourrait-on dire — se trouvaient les grandes Hiérarchies Créatrices qui devaient aider les esprits vierges en évolution à développer forme et conscience. Il y avait un grand nombre de Hiérarchies, mais, pour le moment, nous nous occuperons seulement des principales — de celles qui ont accompli le travail le plus important pendant la Période de Saturne.

Dans la nomenclature des Rose-Croix, on les appelle « les Seigneurs de la Flamme », à cause de la luminosité brillante de leur corps et de l'étendue de leurs pouvoirs spirituels. On les appelle « Trônes » dans la Bible, et ils ont travaillé de leur plein gré à l'évolution de l'homme. Ils étaient si avancés dans leur développement que cette manifestation évolutionnaire ne pouvait pas leur procurer de nouvelles expériences et, par suite, plus de sagesse ; on peut en dire autant des deux Hiérarchies encore plus élevées que nous mentionnerons plus tard. Les autres Hiérarchies Créatrices, pour compléter leur propre évolution, étaient obligées de travailler au développement de l'homme, sur lui, en lui et avec lui.

Ces Seigneurs de la Flamme se trouvaient en dehors du Globe sombre de Saturne, et leurs corps émettaient une vive lumière. Ils projetaient pour ainsi dire leur image sur la surface de ce Globe, qui était si peu impressionnable qu'il réfléchissait ces images en les multipliant et renvoyait comme un écho tout ce qui venait en contact avec lui. (Telle est la signification du mythe grec de Saturne détruisant ses enfants).

Cependant, grâce à leurs efforts répétés, les Seigneurs de la Flamme ont réussi, pendant la première Révolution, à implanter dans la vie en évolution le germe qui, en se développant, a produit notre corps physique actuel. Ce germe a été quelque peu développé dans la suite des six premières Révolutions et a reçu le pouvoir de former les organes des sens, et particulièrement l'oreille. Aussi l'oreille est-elle l'organe le plus développé que nous possédions. C'est l'instrument qui transmet à la conscience avec la plus grande fidélité les impressions qui nous viennent de l'extérieur. Il est moins soumis aux illusions du Monde Physique que les autres organes des sens.

Pendant cette Période, la conscience de la vie en évolution était semblable à celle des minéraux actuels — c'était un état d'inconscience semblable à celui du médium lorsqu'il se trouve dans la léthargie la plus profonde. Toutefois, pendant les six premières Révolutions, la vie en évolution travaillait au germe du corps physique, sous la direction et avec l'aide des diverses Hiérarchies Créatrices. Au milieu de la septième Révolution, les Seigneurs de la Flamme, qui avaient été inactifs depuis qu'ils avaient donné le germe du corps physique, pendant la première Révolution, sont de nouveau entrés en action mais, cette fois, pour éveiller l'activité initiale de l'esprit divin, le plus haut principe spirituel de l'homme.

Ainsi, l'homme doit son véhicule le plus élevé et son véhicule le plus bas — l'esprit divin et le corps physique — à l'évolution de la Période de Saturne. Les Seigneurs de la Flamme l'ont aidé, de leur propre gré, à développer ces véhicules, sans y être aucunement obligés.

Le travail des différentes Hiérarchies Créatrices ne commence pas sur le Globe A, au début d'une période ou d'une

Révolution. Il commence au milieu d'une Révolution, croît en importance et atteint sa plus grande efficacité au milieu de la Nuit Cosmique qui a lieu entre les Révolutions et aussi entre les Périodes. Ensuite, cette activité décroît graduellement, en même temps que la vague de vie poursuit son cours jusqu'au milieu de la prochaine Révolution.

Ainsi, le travail des Seigneurs de la Flamme, en éveillant le germe de la conscience, fut spécialement actif et efficace pendant la Période de repos entre la Période de Saturne et la Période du Soleil.

Nous répétons qu'une Nuit Cosmique ne doit pas être considérée comme étant une période d'inactivité ; ce n'est pas une condition d'existence inerte. Elle est comparable, comme activité, à la vie céleste de l'homme entre deux incarnations successives. Il en est de même de la grande mort de tous les Globes d'une Période. Elle marque la fin de la manifestation objective, fin qui permet le déploiement d'autant plus grand d'une activité subjective.

Pour se faire une idée de la nature de cette activité subjective, il suffit d'observer ce qui se passe lorsqu'un fruit mûr est enfoui dans le sol. Il commence à fermenter et à se désagréger ; mais, de ce chaos sort une nouvelle plante qui projette sa pousse vers l'air et la lumière. De même, à la fin d'une Période, tout se dissout en un chaos informe qu'il semble impossible de remettre en ordre. Cependant, au moment voulu, les Globes d'une nouvelle Période sont formés et préparés pour servir de « Mondes-porteurs-d'hommes ». Sur ces Mondes, la vie en évolution est transférée des cinq Globes obscurs sur lesquels elle passe pendant la Nuit Cosmique, pour commencer les activités d'un nouveau jour créateur, dans un milieu différent, préparé et extériorisé pendant les activités de la Nuit Cosmique. De même que les forces de la fermentation, actives dans le fruit, stimulent la graine et fertilisent le sol dans lequel elle croît, ainsi les Seigneurs de la Flamme ont stimulé le germe de l'esprit divin, spécialement pendant la Nuit Cosmique, entre la Période de Saturne et la Période du Soleil, et ont poursuivi leur activité jusqu'au milieu de la première Révolution de la Période du Soleil.

RECAPITULATION

Avant que l'activité d'une Période quelconque puisse commencer, il y a une récapitulation de tout ce qui l'a précédée. En raison du chemin en spirale de l'évolution, cette récapitulation est chaque fois d'un rang supérieur au degré de développement dont elle est la répétition ; nous en verrons la nécessité quand nous décrirons le travail effectif de récapitulation.

La première Révolution de toute Période est une récapitulation du travail accompli sur le corps physique pendant la Période de Saturne et elle est appelée par les Rose-Croix la « Révolution de Saturne ».

La seconde Période est la Période du Soleil et, par conséquent, la deuxième Révolution de toute Période qui suit la Période du Soleil sera la « Révolution du Soleil ».

La troisième Période est la Période de la Lune ; par suite, la troisième Révolution de toute Période ultérieure sera la récapitulation du travail accompli pendant la Période de la Lune, et elle est appelée la « Révolution de la Lune ».

Le travail propre à une Période ne commence pas avant que les Révolutions récapitulatives n'aient eu lieu. Par exemple, dans la Période de la Terre actuelle, nous sommes passés par trois Révolutions et demie. Cela veut dire que, dans la première Révolution ou Révolution de Saturne de la Période de la Terre, le travail de la Période de Saturne a été récapitulé, mais sur un degré plus élevé. Pendant la deuxième Révolution ou Révolution du Soleil, le travail de la Période du Soleil a été récapitulé. Dans la troisième Révolution ou Révolution de la Lune, le travail de la Période de la Lune a été répété, et c'est seulement dans la quatrième Révolution — la Révolution actuelle — qu'a commencé le véritable travail de la Période de la Terre.

Dans la dernière des sept Périodes — la Période de Vulcain — ce ne sera que dans la dernière Révolution que le travail véritablement assigné à cette Période sera effectué. Durant les six Révolutions précédentes, le travail des six Périodes antérieures sera récapitulé.

De plus (et ceci aidera particulièrement la mémoire de l'étudiant), la Révolution de Saturne de chaque Période est toujours affectée au développement de quelque nouvelle caractéristique du corps physique, parce que la construction de ce corps a commencé dans une première Révolution ; et *toute* septième Révolution ou Révolution de Vulcain a pour travail particulier quelque activité touchant l'esprit divin, parce que son évolution a commencé dans une septième Révolution. De même nous verrons qu'il y a une relation entre les différentes Révolutions et tous les véhicules de l'homme.

PERIODE DU SOLEIL

Les conditions de la Période du Soleil différaient radicalement de celles de la Période de Saturne. Au lieu des « Globes de chaleur » de cette dernière période, les Globes de la Période du Soleil étaient des Globes de lumière ayant la consistance des gaz. Ces grands Globes gazeux contenaient tous les fruits de l'évolution de la Période de Saturne et, comme auparavant, les Hiérarchies Créatrices se trouvaient dans leur atmosphère.

Ces Globes, au lieu d'avoir, comme pendant la Période de Saturne, une propriété de réverbération, de réflexion, avaient celle d'absorber et d'utiliser toutes les images et tous les sons projetés contre leur surface. Ils étaient, pour ainsi dire, « doués de perception ». La Terre ne paraît pas avoir cette faculté, et un matérialiste se moquerait d'une telle idée ; cependant, l'occultiste sait que la Terre est consciente de tout ce qui se passe à sa surface et dans ses entrailles. Le Globe plus léger de la Période du Soleil était beaucoup plus sensitif que la Terre, parce qu'il n'était pas limité par des conditions aussi rigoureuses de matérialité que notre Globe actuel.

Il va sans dire que la vie était différente, parce que les formes que nous connaissons n'auraient pu exister à sa surface. Mais la vie peut aussi bien, et même mieux, trouver son expression dans des formes composées de gaz lumineux que dans des formes composées de matière chimique dense, telles que les formes actuelles des minéraux, des plantes, des animaux et de l'homme.

Quand la vie en évolution est apparue sur le Globe A de la première Révolution ou Révolution de Saturne de la Période du Soleil, elle était encore guidée par les Seigneurs de la Flamme qui, au milieu de la dernière Révolution de la Période de Saturne, avaient éveillé en l'homme le germe de l'esprit divin.

Ils avaient donné, auparavant, le germe du corps physique et, dans la première moitié de la Révolution de Saturne de la Période du Soleil, ils y ont apporté quelques améliorations.

Pendant la Période du Soleil, la formation du corps vital devait commencer, avec toutes les capacités d'assimilation, de croissance, de reproduction, de construction des glandes, etc., que cette formation implique.

Les Seigneurs de la Flamme n'avaient incorporé dans le germe du corps physique que la capacité de développer des organes de sensation. A l'époque que nous considérons maintenant, il était devenu nécessaire de changer le germe, de manière à ce qu'il puisse être pénétré par un corps vital et pour qu'il devienne également capable de développer des glandes et un tube digestif. Ce travail a été accompli en collaboration, par les Seigneurs de la Flamme, qui avaient donné le germe primitif, et les Seigneurs de la Sagesse, chargés de l'évolution matérielle pendant la Période Solaire.

Les Seigneurs de la Sagesse, qui n'avaient pas évolué jusqu'au même point que les Seigneurs de la Flamme, travaillaient pour compléter leur propre évolution ; c'est pourquoi ils ont reçu l'assistance d'Etres supérieurs qui, de même que les Seigneurs de la Flamme, ont agi de leur propre gré. En langage ésotérique, on appelle ces Etres les « Chérubins ». Toutefois, ces Etres sublimes n'ont commencé à prendre part à ce travail que lorsqu'il a été nécessaire d'éveiller le germe du deuxième principe spirituel de l'homme en devenir, car si les Seigneurs de la Sagesse étaient tout à fait capables d'accomplir le travail nécessaire pour le corps vital qui devait être ajouté à la constitution de l'homme pendant la Période du Soleil, ils ne pouvaient éveiller le second principe spirituel.

Après que les Seigneurs de la Flamme et les Seigneurs de la Sagesse eurent travaillé ensemble pendant la Révolution de Saturne de la Période du Soleil à la reconstruction du corps physique en germe, les Seigneurs de la Sagesse ont commencé, pendant la deuxième Révolution, le travail propre de la Période du Soleil. Ils ont émané de leur propre corps le germe du corps vital, le rendant capable de pénétrer le corps physique et lui donnant le pouvoir d'en provoquer la croissance et la reproduction, d'exciter les centres de perception et de se mouvoir. En un mot, ils ont donné au corps vital le germe de toutes les facultés qu'il est en train de développer pour devenir un instrument souple et parfait au service de l'esprit. Ce travail s'est poursuivi pendant les deuxième, troisième, quatrième et cinquième Révolutions de la Période du Soleil. Dans la sixième Révolution, les Chérubins sont entrés en scène et ont éveillé le germe du deuxième aspect du triple esprit de l'homme : l'esprit vital. Pendant la septième et dernière Révolution, le germe nouvellement éveillé de l'esprit vital a été relié au germe de l'esprit divin, sur lequel un certain travail a également été fait.

Nous avons noté que, dans la Période de Saturne, notre état de Conscience était semblable à la léthargie. Le travail de la Période du Soleil a modifié cette condition et notre conscience est devenue semblable à celle d'un sommeil sans rêves.

Pendant la Période du Soleil, le véhicule immédiatement supérieur et le véhicule immédiatement inférieur à ceux que l'homme possédait déjà, ont été ajoutés à sa constitution. A la fin de la Période de Saturne, il possédait le germe du corps physique et le germe de l'esprit divin. A la fin de la Période du Soleil, il possédait le germe du corps physique et celui du corps vital, le germe de l'esprit divin et celui de l'esprit vital, c'est-à-dire un esprit double et un corps double.

Notons que, alors que la première Révolution, ou Révolution de Saturne, se rapporte au développement du corps physique (parce que ce corps avait commencé son évolution dans une première Révolution), de même la deuxième Révolution, ou Révolution Solaire de chaque Période, se rapporte au développement du corps vital, parce que l'évolution de ce corps avait commencé pendant une deuxième Révolution. De la même manière, la sixième Révolution de toute période est consacrée au développement de l'esprit vital et toutes les septièmes Révolutions sont particulièrement consacrées au développement de l'esprit divin.

Pendant la Période de Saturne, l'homme en germe était passé par une période d'existence quasi minérale. C'est-à-dire que, comme les minéraux, il ne possédait qu'un corps physique. Son état de conscience était également semblable à celui des minéraux actuels.

Pour des raisons analogues, on peut dire que, pendant la Période du Soleil, l'homme est passé par une phase d'existence végétale. Il avait un corps physique et un corps vital comme les plantes, et sa conscience, comme la leur, était celle d'un sommeil sans rêves. L'étudiant saisira complètement cette analogie en se reportant au tableau 4 du chapitre sur les Quatre Règnes, où les véhicules de conscience des minéraux, des plantes, des animaux et de l'homme sont désignés schématiquement avec les états de conscience particuliers qui en résultent.

Quand la Période du Soleil a pris fin, elle a été suivie d'une autre Nuit Cosmique d'assimilation, comportant l'activité subjective qui était nécessaire avant le début de la Période de la Lune. Cette Nuit Cosmique a été de la même durée que la précédente Période de manifestation objective.

LA PERIODE DE LA LUNE

Alors que la principale caractéristique des Globes obscurs de la Période de Saturne a été décrite par le terme « chaleur » et celle des Globes de la Période du Soleil par celui de « lumière » ou de chaleur rougeoyante, la principale caractéristique des Globes de la Période de la Lune ne peut être mieux décrite que par le mot « humidité ». Il n'y avait pas alors d'air tel que nous le connaissons aujourd'hui. Au centre, se trouvait le noyau brûlant. Autour de ce noyau, et résultant du contact avec le froid de l'espace extérieur, il y avait une humidité dense. Au contact du noyau central brûlant, l'humidité dense était transformée en vapeur chaude qui se précipitait vers l'extérieur où elle se refroidissait et retournait à nouveau vers le centre. C'est pourquoi l'occultiste appelle « Globes d'eau » les Globes de la Période de la Lune et décrit l'atmosphère de cette époque comme étant un « brouillard de feu ». Telles ont été les conditions de la phase suivante de la vie en évolution.

Le travail de la Période de la Lune a eu pour objet l'acquisition du germe du corps du désir et le début de l'activité germinale du troisième aspect du triple esprit de l'homme — l'esprit humain, l'Ego.

Au milieu de la septième Révolution de la Période du Soleil, les Seigneurs de la Sagesse ont pris en charge le germe de l'esprit vital donné par les Chérubins pendant la sixième Révolution de la Période du Soleil. Ils l'ont fait à seule fin de relier ce germe à l'esprit divin. Leur plus grande activité dans ce travail a été atteinte pendant la Nuit Cosmique qui a eu lieu entre la Période du Soleil et la Période de la Lune. A l'aube même de la Période de la Lune, alors que la vague de vie commençait son nouveau pèlerinage, les Seigneurs de la Sagesse ont reparu, apportant les germes des véhicules de l'homme en évolution. Pendant la première Révolution, ou Révolution de Saturne, de la Période de la Lune, ils ont coopéré avec les « Seigneurs de l'Individualité », spécialement chargés de l'évolution matérielle de cette Période. Ils ont reconstruit ensemble le germe du corps physique qui avait été acquis durant la Période du Soleil. Ce germe avait développé des organes sensoriels embryonnaires, des organes de digestion, des glandes, etc., et il était pénétré par un corps vital en développement qui communiquait un certain degré de vie au corps physique embryonnaire. Il va de soi que celui-ci n'était pas dense et visible comme il l'est maintenant ; cependant, en un certain sens, on peut dire qu'il possédait un organisme rudimentaire, et le clairvoyant qui recherche dans la mémoire de la nature les scènes de ce passé lointain peut parfaitement le distinguer.

Pendant la Période de la Lune, il est devenu nécessaire de reconstruire le corps physique pour qu'il devienne capable d'être pénétré par le corps du désir, et de développer aussi un système nerveux, des muscles, des cartilages et un squelette rudimentaire. Cette reconstruction a été l'œuvre de la Révolution de Saturne de la Période de la Lune.

Durant la deuxième Révolution, ou Révolution du Soleil, le corps vital a également été modifié, afin de pouvoir être pénétré par le corps du désir, et aussi de s'adapter au système nerveux, aux muscles et au squelette, etc. Les Seigneurs de la Sagesse, qui avaient été les créateurs du corps vital, ont aussi aidé les Seigneurs de l'Individualité dans ce travail.

La troisième Révolution marque le commencement du travail propre à la Période de la Lune. Les Seigneurs de l'Individualité ont émané d'eux-mêmes la substance que l'homme en cours de développement, et encore inconscient, s'est approprié grâce à leur aide pour la construction du germe du corps du désir. Ils l'ont aussi aidé à incorporer ce germe du corps du désir au corps vital et au corps physique combinés, qu'il possédait déjà. Ce travail s'est poursuivi pendant la troisième et la quatrième Révolution de la Période de la Lune.

Comme les Seigneurs de la Sagesse, les Seigneurs de l'Individualité, bien qu'extrêmement supérieurs à l'homme, ont travaillé sur lui et en lui pour parfaire leur propre évolution. Alors qu'ils étaient capables de s'occuper du véhicule inférieur, ils ne pouvaient rien pour le véhicule supérieur. Ils ne pouvaient pas donner l'impulsion spirituelle nécessaire pour éveiller le troisième aspect du triple esprit de l'homme. Aussi, une autre classe d'Etres qui n'avaient pas besoin de passer par une évolution telle que celle par laquelle nous passons maintenant et qui ont aussi travaillé de leur propre gré comme l'ont fait les Seigneurs de la Flamme et les Chérubins — sont venus aider l'homme pendant la cinquième Révolution de la Période de la Lune. On les appelle les « Séraphins ». Ils ont éveillé le germe du troisième aspect de l'Ego, l'esprit humain.

Dans la sixième Révolution de la Période de la Lune, les Chérubins ont reparu et ont coopéré avec les Seigneurs de l'Individualité pour relier le germe nouvellement acquis de l'esprit humain à l'esprit vital.

Dans la septième Révolution de la Période de la Lune, les Seigneurs de la Flamme sont de nouveau venus à l'aide de l'homme, en prêtant assistance aux Seigneurs de l'Individualité pour relier l'esprit humain à l'esprit divin. C'est ainsi qu'est né l'Ego distinct — l'esprit triple.

Avant le début de la Période de Saturne, les esprits vierges qui sont l'humanité d'aujourd'hui, se trouvaient dans le Monde des Esprits Vierges et partageaient la « Pleine Conscience » de Dieu dans lequel (pas en dehors duquel) ils étaient différenciés. Cependant, ils n'avaient pas la « conscience *de soi* ». Obtenir cette faculté est en partie l'objet de l'involution qui plonge les esprits vierges dans un océan de matière d'une densité toujours plus grande, ce qui finit par les isoler de la Pleine Conscience divine.

Ainsi, pendant la Période de Saturne, les esprits étaient immergés dans le Monde de l'Esprit Divin et revêtus d'un voile extrêmement ténu de substance de ce monde, substance qu'ils sont arrivés à pénétrer partiellement avec l'aide des Seigneurs de la Flamme.

Dans la Période du Soleil, les esprits vierges ont été plongés dans le monde plus dense de l'Esprit Vital et séparés encore plus effectivement de la Pleine Conscience par un second voile formé de la substance du Monde de l'Esprit Vital. Cependant, avec l'aide des Chérubins, les esprits vierges pénétraient aussi partiellement ce deuxième voile. Le sentiment de l'Unité de toutes Choses n'était pas perdu non plus, car le Monde de l'Esprit Vital est un Monde Universel commun à toutes les planètes d'un système solaire et qui, en fait, les interpénètre.

Toutefois, pendant la Période de la Lune, les esprits vierges se sont enfoncés toujours plus profondément dans la matière plus dense encore de la Région de la Pensée Abstraite, et là, ils ont revêtu le plus opaque de leurs voiles, l'esprit humain. A partir de cette phase, l'esprit vierge a perdu sa Pleine Conscience. Il ne peut plus pénétrer ses voiles, regarder *au dehors* et percevoir les *autres* ; aussi est-il obligé de tourner sa conscience *vers l'intérieur* et là il se trouve *lui-même,* en tant qu'Ego, séparé et distinct de tous les autres.

L'esprit vierge est donc vêtu d'un triple voile et, comme le plus extérieur de ces voiles, l'esprit humain, l'empêche effectivement de voir l'unité de la Vie, il devient l'Ego, en entretenant l'illusion de séparation contractée pendant l'involution. L'évolution dissipera graduellement cette illusion et fera retrouver la Pleine Conscience, à laquelle sera venue s'ajouter la conscience de soi.

Ainsi, nous voyons qu'à la fin de la Période de la Lune, l'homme possédait un corps triple, à des degrés divers de développement, et qu'il avait le germe de l'esprit triple. Il avait un corps physique, un corps vital et un corps du désir ; l'esprit divin, l'esprit vital et l'esprit humain. Il ne lui manquait plus que le chaînon qui devait les relier.

Nous avons vu que l'homme était passé par une phase minérale dans la Période de Saturne et par une phase végétale pendant la Période du Soleil. Son pèlerinage durant la Période de la Lune correspondait à la phase d'existence animale, par analogie avec les deux premiers cas. Comme nos animaux actuels, il possédait un corps physique, un corps vital et un corps du désir, et sa conscience était une conscience de vision intérieure telle qu'est, de nos jours, celle des animaux inférieurs. Elle est analogue à l'état de rêve de l'homme actuel ; seulement, elle est tout à fait rationnelle, car elle se trouve sous la direction de l'esprit-groupe des animaux. Nous renvoyons de nouveau l'étudiant au tableau 4 du chapitre sur les quatre règnes, qui indique cette disposition.

Ces Etres de la Période de la Lune n'étaient pas aussi embryonnaires que pendant les Périodes précédentes. Pour le clairvoyant exercé, ils paraissent suspendus dans l'atmosphère de « brouillard de feu » par des cordelettes, à la manière de l'embryon relié au placenta par le cordon ombilical. Des courants, communs à tous ces êtres et leur apportant une sorte de nourriture, passaient en eux le long de ces cordes, venant de l'atmosphère et y retournant. Ces courants avaient ainsi, jusqu'à un certain point, une fonction analogue à celle de notre sang actuel. Toutefois, nous nous servons du mot « sang », en parlant de ces courants, simplement pour suggérer une analogie, car les Etres de la Période de la Lune ne possédaient rien qui ait ressemblé à notre sang rouge, lequel est une des acquisitions les plus récentes de l'homme.

Vers la fin de la Période de la Lune, il s'est produit une division du Globe qui est le champ de notre évolution (et d'autres évolutions que, pour plus de simplicité, nous n'avons pas mentionnées jusqu'ici, mais avec lesquelles nous allons faire connaissance tout à l'heure). Une partie de ce grand Globe a été cristallisée par l'homme, en raison de son impuissance à maintenir, dans la partie qu'il habitait, le degré élevé de vibration des autres Etres. Comme cette partie devenait plus inerte, la force centrifuge du Globe en mouvement l'a projetée, tournant sur elle-même, dans l'espace où elle a commencé à décrire un cercle autour de la brillante et ardente portion centrale.

La raison spirituelle qui provoque l'élimination de cristallisations semblables est que, sur un tel Globe, les Etres les plus développés ont besoin pour leur évolution des vibrations extrêmement rapides du feu. Ils sont gênés par la condensation, bien que celle-ci soit nécessaire à l'évolution d'autres Etres moins avancés, laquelle exige des vibrations moins rapides. Aussi, lorsqu'une partie d'un Globe s'est cristallisée au détriment d'autres êtres par un groupe en évolution, cette partie est projetée dans l'espace exactement à la distance voulue de la masse centrale, de sorte qu'elle tourne comme un satellite autour de la planète principale. Les vibrations de chaleur qui frappent ce satellite ont la rapidité et la force convenant aux besoins particuliers des Etres qui évoluent sur lui. Naturellement, la loi de gravitation explique ce phénomène d'une manière tout à fait satisfaisante au point de vue *physique*. Mais, il y a toujours une cause plus profonde qui fournit une explication plus complète et que nous découvrirons si nous considérons le côté spirituel des choses. De même qu'une action physique n'est que la manifestation visible de la pensée invisible qui doit la précéder, ainsi le lancement d'une planète hors d'un Soleil central est simplement l'effet visible et inévitable de conditions spirituelles invisibles.

La planète plus petite qui a été projetée dans l'espace pendant la Période de la Lune s'est condensée d'une manière relativement rapide et a été le champ de notre évolution jusqu'à la fin de cette Période. Elle tenait lieu de lune pour la planète qui l'avait produite et tournait autour de celle-ci comme la Lune tourne autour de la Terre, mais elle n'avait pas de phases comme c'est le cas de notre satellite. Son mode de révolution était tel qu'un hémisphère était toujours éclairé et l'autre dans la nuit, comme c'est le cas pour Vénus, un de ses pôles étant exactement dirigé vers le grand Globe central.

Sur ce satellite de la Période de la Lune existaient des courants qui l'entouraient, comme circulent autour de la Terre les courants des esprits-groupes. Les Etres qui l'habitaient suivaient instinctivement ces courants du côté lumineux au côté obscur de cet ancien Globe. A certaines époques de l'année, quand ils se trouvaient sur le côté lumineux, une sorte d'acte de reproduction avait lieu. Nous retrouvons le souvenir atavique de ces voyages lunaires en vue de la reproduction de l'espèce, dans les migrations des oiseaux de passage qui, même aujourd'hui, suivent, certaines saisons de l'année et pour le même objet, les courants des esprits-groupes qui circulent autour de la Terre. Même nos voyages de « lune de miel » montrent que l'homme lui-même ne s'est pas encore débarrassé de l'impulsion migratoire qui accompagne l'acte du mariage.

Dans cette dernière phase, ces Etres étaient également capables de proférer des sons ou des cris. C'étaient des sons cosmiques — non pas des expressions personnelles de joie ou de douleur, car il n'y avait pas encore d'individus. Le développement de l'individu est venu plus tard, pendant la Période de la Terre.

La fin de la Période de la Lune a de nouveau été suivie d'un intervalle de repos, la Nuit Cosmique. Les parties divisées (globe et satellite) ont été désagrégées et réabsorbées dans le Chaos qui a précédé la réorganisation du Globe pour la Période de la Terre.

Les Seigneurs de la Sagesse avaient alors suffisamment évolué pour prendre la tête des Hiérarchies chargées de l'évolution. L'esprit divin dans l'homme, pendant la Période de la Terre, leur a été spécialement confié.

Les Seigneurs de l'Individualité étaient aussi suffisamment avancés pour aider à l'évolution de l'esprit dans l'homme, et c'est la raison pour laquelle ils ont été chargés de l'esprit vital.

Une autre Hiérarchie Créatrice a pris spécialement soin de l'évolution des trois germes du corps physique, du corps vital et du corps du désir ; c'est elle qui, sous la direction des Ordres hiérarchiques supérieurs, a réellement accompli le travail principal sur ces corps, en se servant de la vie en évolution comme d'une sorte d'instrument. Ce sont les « Seigneurs de la Forme ». Ils avaient alors suffisamment évolué pour qu'on puisse leur confier le troisième aspect de l'esprit dans l'homme — l'esprit humain — au cours de la Période de la Terre qui allait commencer.

Douze grandes Hiérarchies Créatrices ont été actives dans la tâche de l'évolution, au début de la Période de Saturne. Deux de ces Hiérarchies ont accompli quelque travail pour aider les autres, tout à fait au début. Nous n'avons reçu aucune information sur leur activité, ni aucun autre renseignement à leur sujet, en dehors du fait

TABLEAU 11

LES DOUZE GRANDES HIERARCHIES CREATRICES

Signes du Zodiaque	Nom	Conditions
1. Bélier	Sans nom	Ces deux Hiérarchies sont maintenant hors de la portée de qui que ce soit sur Terre. L'on sait qu'elles ont donné, dans une certaine mesure, leur aide au début de notre évolution.
2. Taureau	Sans nom	
		Les trois Hiérarchies suivantes ont travaillé de leur propre gré pour aider l'homme pendant les trois Périodes qui ont précédé celle de la Terre. Elles ont aussi atteint leur libération.
3. Gémeaux	Séraphins	Dans la Période de la Lune, ils ont éveillé chez l'homme en formation le germe de l'Esprit Humain : l'Ego.
4. Cancer	Chérubins	Pendant la Période du Soleil, ils ont éveillé le germe de l'Esprit Vital.
5. Lion	Seigneurs de la Flamme	Durant la Période de Saturne, ils ont éveillé le germe de l'Esprit Divin et donné le germe du Corps physique.
		Les sept Hiérarchies suivantes sont actives pendant la Période de la Terre.
6. Vierge	Seigneurs de la Sagesse	Dans la Période du Soleil, ils ont commencé la construction du Corps Vital.
7. Balance	Seigneurs de l'Individualité	Dans la Période de la Lune, ils ont commencé la construction du Corps du désir.
8. Scorpion	Seigneurs de la Forme	Ils sont spécialement chargés de notre évolution pendant la Période de la Terre.
9. Sagittaire	Seigneurs du Mental	L'Humanité de la Période de Saturne.
10. Capricorne	Archanges	L'Humanité de la Période du Soleil.
11. Verseau	Anges	L'Humanité de la Période de la Lune.
12. Poissons	Les Esprits Vierges	Notre humanité de la présente Période de la Terre.

qu'elles ont prêté leur aide de leur propre gré et sont ensuite passées de l'existence limitée à la libération. Trois autres Hiérarchies Créatrices les ont suivies au commencement de la Période de la Terre — les Seigneurs de la Flamme, les Chérubins et les Séraphins — laissant sept Hiérarchies en service actif, au commencement de la Période de la Terre. Le tableau 11 donnera une idée claire des douze Hiérarchies Créatrices et de leur condition.

Les Seigneurs du Mental sont devenus experts dans la construction de corps faits de « substance mentale », de même que nous devenons experts dans la construction des corps faits de matière chimique, car la Région de la Pensée concrète était la condition la plus dense de matière qui ait été atteinte pendant la Période de Saturne, tandis qu'ils étaient humains, et alors que la Région Chimique est l'état le plus dense de matière avec lequel notre humanité sera venue en contact.

Pendant la Période de la Terre, les Seigneurs du Mental ont atteint le rang de créateurs ; ils ont émané d'eux-mêmes et projeté dans notre être le noyau des matériaux avec lesquels nous essayons maintenant de construire et d'organiser un intellect. Saint Paul les appelle les « Pouvoirs des Ténèbres » parce qu'ils sont venus de l'obscure Période de Saturne, et on les considère comme étant nuisibles à cause de la tendance séparatrice qui caractérise le plan de la Raison, par contraste avec les forces d'unification du Monde de l'Esprit Vital, domaine de l'Amour. Les Seigneurs du Mental travaillent avec l'humanité, mais pas avec les trois Règnes inférieurs.

Les Archanges sont devenus experts dans la construction des corps avec la matière-désir, la plus dense de la Période du Soleil. Aussi sont-ils capables de servir d'instructeurs et de guides à des êtres moins développés qu'eux, tels que l'homme et les animaux, pour leur apprendre à modeler et à utiliser un corps du désir.

Les Anges sont passés maîtres dans la construction d'un corps vital car, dans la Période de la Lune, alors qu'ils étaient humains, l'éther était la condition la plus dense de la matière. C'est pourquoi ils sont qualifiés pour être les instructeurs de l'homme, des animaux et des plantes, en ce qui concerne les fonctions vitales : reproduction, nutrition, etc.

CHAPITRE IX

RETARDATAIRES ET NOUVEAUX VENUS

En suivant, au cours du chapitre précédent, l'évolution de la vie, de la conscience et de la forme, phase triple de la manifestation de l'esprit vierge, c'est-à-dire de *la vie* dans l'acte de se revêtir de la *forme* et d'acquérir ainsi la *conscience,* nous avons parlé comme si tous les esprits vierges ne formaient qu'un seul groupe, tous sans exception ayant progressé d'une manière constante et uniforme.

Nous l'avons fait en vue de simplifier le sujet car, à vrai dire, il y a eu des retardataires, comme il s'en trouve dans toutes les classes d'êtres, de quelque ordre qu'ils soient.

On trouve chaque année dans les écoles des élèves qui ne réussissent pas à passer dans une classe supérieure. De même, dans chaque Période de l'Evolution, il y a des êtres qui n'ont pas atteint le degré de développement nécessaire pour passer dans la classe suivante.

Même dès la Période de Saturne, il y en avait qui n'ont pas réussi à progresser suffisamment. A cette époque, les Etres Supérieurs travaillaient avec la vie qui était elle-même inconsciente, mais cela n'a pas empêché un certain nombre d'esprits vierges, qui n'avaient pas autant de souplesse et dont la faculté d'adaptation était moindre, de prendre du retard.

Dans ce seul mot d' « Adaptation », se trouve le grand secret du progrès ou du retard. Tout progrès dépend de la flexibilité, du degré d'adaptation et de souplesse d'un être en évolution qui lui permet de se faire à de nouvelles conditions; son retard vient de ce qu'il se cristallise, reste immobile et est incapable de changer.

La faculté d'adaptation aide au progrès d'une entité, à quelque degré d'élévation qu'elle se trouve dans l'évolution. Sans cette faculté, le développement de l'esprit est retardé et la Forme rétrograde. Cette règle s'applique au passé, au présent et à l'avenir, et la division qui sépare ceux qui sont qualifiés pour passer au degré supérieur et ceux qui ne le sont pas, est faite avec la justice exacte et impersonnelle de la loi de cause à effet. Il n'y a jamais eu et il n'y aura jamais de distinction arbitraire entre les « brebis » et les « boucs » (Matthieu 25 : 32).

L'état de cristallisation de certains êtres de la Période de Saturne a empêché chez eux l'éveil de l'esprit divin. N'ayant pu acquérir autre chose que le germe du corps physique, ils sont simplement restés dans une condition minérale.

Ainsi, pendant la Période du Soleil, il y a eu deux classes (ou règnes) à savoir : les retardataires de la Période de Saturne qui en étaient encore à l'état minéral, et les pionniers de la même Période, capables de recevoir le germe du corps vital et de devenir analogues aux plantes.

En plus de ces deux règnes, il y en a aussi eu un troisième qui a seulement commencé son activité pendant la Période du Soleil. C'est la vague de vie qui anime actuellement nos animaux.

La matière dans laquelle ont pénétré à la fois la nouvelle vague de vie et les retardataires de la Période de Saturne a formé le règne minéral de la Période du Soleil. Cependant, il y avait une grande différence entre ces deux classes ou subdivisions du deuxième règne. Les retardataires pouvaient faire un effort rapide et rejoindre les pionniers qui sont maintenant notre humanité, ce qui était impossible pour la nouvelle vague de vie de la Période du Soleil. Elle atteindra un état analogue à celui de l'humanité, mais dans des conditions très différentes.

La division entre les retardataires et les pionniers s'est faite dans la septième Révolution de la Période de Saturne, alors que l'esprit divin était éveillé par les Seigneurs de la Flamme. Il se trouva que certaines entités en développement étaient si cristallisées, si difficilement impressionnables, qu'il était impossible de les stimuler. Elles sont restées, par conséquent, privées de l'étincelle de l'esprit de laquelle dépendait leur progrès ultérieur et, n'étant pas capables de suivre les entités dont l'étincelle spirituelle avait été éveillée, elles ont été obligées de rester stationnaires.

En vérité, tout ce que nous sommes est le résultat de nos propres efforts et, ce que nous ne sommes pas, celui de notre inaction.

Ces retardataires et la nouvelle vague de vie ont formé des taches sombres sur la sphère de gaz lumineux qui était le Globe le plus dense de la Période du Soleil. Les taches de notre soleil actuel sont un reste atavique de cette condition.

Dans la sixième Révolution de la Période Solaire, les Chérubins ont éveillé l'esprit vital. Il se trouva alors que, de nouveau, un certain nombre des entités qui avaient passé avec succès le point critique dans la Période de Saturne, mais qui s'étaient attardées pendant la Période du Soleil, n'étaient pas prêtes pour la vivification du second aspect de l'esprit. Une autre classe de retardataires s'est donc formée à l'arrière de la vague de l'évolution.

Lors de la septième Révolution de la Période du Soleil, les Seigneurs de la Flamme ont réapparu pour éveiller l'esprit divin chez ceux qui, retardataires de la Période de Saturne, étaient arrivés au point où ils pouvaient recevoir cette impulsion spirituelle dans la Période Solaire. Les Seigneurs de la Flamme ont aussi éveillé le germe de l'esprit divin chez toutes les entités de la nouvelle vague de vie prêtes à recevoir cette impulsion, mais il y avait aussi des retardataires, de sorte qu'au début de la Période de la Lune, on trouve les classes suivantes :

1. — Les pionniers qui étaient passés avec succès par la période de Saturne et par la période du Soleil. Ils possédaient le germe du corps physique et du corps vital, de l'esprit divin et de l'esprit vital, tous ces germes étant actifs.

2. — Les retardataires de la période du Soleil qui avaient reçu le germe du corps physique et du corps vital, et aussi celui de l'esprit divin.

3. — Les retardataires de la période de Saturne qui avaient été promus pendant la septième révolution de la période du Soleil. Ils avaient le germe du corps physique et de l'esprit divin.

4. — Les pionniers de la nouvelle vague de vie qui avaient les mêmes véhicules que la classe 3, mais qui appartenaient à un plan d'évolution différent du nôtre.
5. — Les retardataires de la nouvelle vague de vie qui avaient seulement le germe du corps physique.
6. — Une nouvelle vague de vie qui avait commencé son évolution au début de la période de la Lune et qui anime aujourd'hui nos plantes.

Il ne faut pas oublier que la nature se hâte lentement. Elle ne fait pas de changements soudains dans les formes. Pour elle, le temps n'est rien : atteindre la perfection est tout. Un minéral ne devient pas une plante d'un instant à l'autre, mais graduellement et par degrés presque imperceptibles. Une plante ne devient pas animal en une nuit. Il faut des millions d'années pour accomplir ce changement. Ainsi, à tout instant, on peut noter toutes les phases et toutes les gradations dans la nature. L'Echelle des Etres s'étend sans interruption du protoplasme à Dieu.

C'est pourquoi nous ne considérons pas six règnes différents, correspondant aux six classes mentionnées qui ont commencé ou repris leur évolution au début de la Période de la Lune, mais trois règnes seulement — les règnes minéral, végétal et animal.

La classe la plus basse de la Période de la Lune était formée du nouveau courant de vie qui avait commencé son évolution dans cette période. Elle formait la partie minérale la plus dure ; néanmoins, il faut se rappeler qu'elle n'était nullement aussi dure que les minéraux de notre époque. Sa dureté correspondait à peu près à celle du bois actuel.

Cette assertion ne contredit pas celles faites au sujet du Globe lunaire aqueux dont nous avons parlé, et elle ne contredit pas non plus le tableau 10 qui indique que le Globe le plus dense de la Période de la Lune se situe dans la Région Ethérique et que, par conséquent, il est éthérique lui-même. Comme nous l'avons dit auparavant, le fait que le chemin de l'évolution soit en spirale empêche que les mêmes conditions ne se renouvellent jamais. Il y a des ressemblances, mais jamais de reproduction identique des mêmes conditions. Il n'est pas toujours possible de décrire en termes exacts les conditions observées. Nous nous servons du meilleur terme à notre disposition pour donner une idée approximative des conditions existantes pendant l'Epoque considérée.

La classe 5 de notre liste était presque entièrement minérale et, cependant, étant passée par l'état minéral et en étant sortie pendant la Période du Soleil, elle avait quelques-unes des caractéristiques des plantes.

La classe 4 était presque végétale ; elle a atteint la condition de plante avant la fin de la Période de la Lune. Elle était cependant plus proche du règne minéral que les deux classes suivantes qui constituaient le règne supérieur. Nous pouvons donc grouper ensemble les classes 4 et 5, car elles formaient une sorte de degré intermédiaire, un règne « minéral-végétal » qui constituait la surface de l'ancienne planète de la Période de la Lune. Cette matière était quelque chose comme notre tourbe, matière entre le minéral et le végétal, spongieuse et humide, ce qui s'accorde avec la description donnée de l'état aqueux de la Période de la Lune.

Les classes 4, 5 et 6 comprenaient donc les divers degrés du règne minéral dans la Période de la Lune, la classe supérieure étant presque végétale et la classe inférieure formant la substance minérale la plus dure de cette époque.

Les classes 2 et 3 ont constitué le règne végétal, bien qu'étant toutes deux, en réalité, plus que des plantes, et cependant, pas encore tout à fait des animaux. Elles croissaient dans le sol minéral-végétal et étaient stationnaires comme nos plantes ; mais elles n'auraient pu, comme nos plantes actuelles, croître dans un sol purement minéral. Nos plantes parasites, qui ne peuvent croître dans un sol purement minéral et qui recherchent une nourriture déjà spécialisée par une véritable plante ou par un arbre, offrent un bon exemple de ce qu'était la condition de ces deux classes.

La classe 1 était formée par les pionniers de la vague de vie des esprits vierges. Pendant la Période de la Lune, ils sont passés par une sorte d'existence quasi animale. Ils n'étaient pas comparables aux animaux de notre époque, si ce n'est qu'ils possédaient les mêmes véhicules et qu'ils étaient gouvernés par un esprit-groupe englobant toute la famille humaine. Leur forme différait beaucoup de celle de nos animaux, ainsi que nous l'avons vu d'après la description partielle donnée dans le chapitre précédent. Ils ne venaient pas en contact avec la surface de la planète, mais flottaient suspendus par des cordons analogues au cordon ombilical. Au lieu de poumons, ils avaient des sortes de branchies au moyen desquelles ils respiraient la vapeur brûlante du « brouillard de feu ». Ces caractéristiques de l'existence Lunaire sont répétées par l'embryon humain pendant la période de gestation ; à un certain degré de son développement, l'embryon possède en effet des branchies. Les Etres de la Période de la Lune avaient aussi la colonne vertébrale horizontale des animaux.

Pendant la Période de la Lune, des divisions de classes plus nombreuses que dans les Périodes précédentes se sont formées, parce qu'il y avait évidemment de nouveaux retardataires qui n'avaient pas réussi à se maintenir au niveau de la vague d'évolution. C'est pourquoi, au début de la Période de la Terre, on note cinq classes, dont certaines comprennent plusieurs divisions ainsi que l'indique le tableau 13. Ces divisions se sont produites aux époques et pour les raisons suivantes :

TABLEAU 12

Montrant les différentes classes des diverses vagues de vie qui évoluent dans les quatre règnes de la Terre ; leur condition *au commencement de la période de la Terre* et les véhicules qu'elles possédaient *alors ;* ensuite leur condition actuelle.

CLASSE	VEHICULES		Condition actuelle
1. Pionniers des Périodes de Saturne, du Soleil et de la Lune	ESPRIT Divin Vital Humain	CORPS Physique Vital du Désir	Les Races Aryennes.
2. Les Retardataires de la Période de la Lune	ESPRIT Divin Vital	CORPS Physique Vital du Désir	Les Mongols, les Africains et toutes les races antérieures
3. (a) Les Retardataires de la Période de Saturne (b) Les Retardataires de la Période du Soleil	ESPRIT Divin Vital	CORPS Physique Vital	Anthropoïdes.
Toutes les classes ci-dessus appartiennent à notre vague de vie.			
(c) Pionniers de la nouvelle vague de vie (Période du Soleil)	mêmes véhicules que 3 (a) et 3 (b)		Animaux.
4. (a) Retardataires de la nouvelle vague de vie (Période du Soleil)	Esprit Divin. Corps physique.		Règne végétal Arbres et plantes vivaces.
(b) Pionniers de la nouvelle vague de vie (Période de la Lune)	mêmes véhicules que 4 (a).		Fleurs et herbes.
5. (a) Retardataires de la nouvelle vague de vie (Période de la Lune)	Corps physique seulement.		Règne minéral. Sables, terres meubles, etc...
(b) La nouvelle vague de vie de la Période de la Terre	Corps physique seulement ; de même que 5 (a).		Montagnes, roches, etc...

Au milieu de la cinquième Révolution de la Période de la Lune, quand les Séraphins ont donné le germe de l'esprit humain aux pionniers qui s'étaient rendus capables de passer au degré supérieur, quelques êtres n'ont pas paru suffisamment avancés et ont été reconnus impropres à recevoir l'impulsion spirituelle qui éveillait l'esprit triple.

Au cours de la sixième Révolution de la Période de la Lune, les Chérubins sont revenus pour vivifier l'Esprit Vital chez les Etres laissés en arrière pendant la Période du Soleil, lesquels avaient fini par atteindre le degré nécessaire (classe 2 de la liste précédente), de même que chez les retardataires de la Période du Soleil qui avaient maintenant développé un corps vital pendant leur existence végétale de la Période de la Lune (classe 3 de la liste précédente).

La classe 4 de cette liste était passée par une phase inférieure d'existence végétale ; cependant, la plupart des êtres de cette classe avaient suffisamment développé le corps vital pour permettre l'éveil de l'esprit vital.

Les trois dernières classes mentionnées possédaient donc les mêmes véhicules au début de la Période de la Terre. Seules les deux premières (3 a et 3 b du tableau 13) appartiennent à notre vague de vie et auront même le privilège de nous rejoindre si elles peuvent passer le point critique de la prochaine Révolution de la Période de la Terre. Les Etres qui ne pourront pas franchir ce point seront mis à part jusqu'à ce qu'une évolution future quelconque arrive à un point qui leur permette de s'y joindre et de continuer leur développement dans une nouvelle période humaine. Ils ne pourront évoluer avec notre humanité, parce que celle-ci aura progressé un point tellement supérieur à leur propre état, que ce serait pour elle une sérieuse entrave dans son progrès que de les traîner à sa suite. Ils ne seront pas détruits, mais simplement tenus en attente pour une autre période d'évolution.

Progresser avec notre vague actuelle d'évolution est l'équivalent du terme « Salut », employé dans la Religion Chrétienne, et c'est une chose à laquelle nous devons sérieusement aspirer, car bien que la damnation « éternelle » de ceux qui ne sont pas sauvés ne soit, en réalité, ni une destruction totale, ni une torture sans fin, ce n'en est pas moins une très grave affaire que d'être maintenu dans une condition d'inertie pendant une période inconcevable comptant des milliards d'années, jusqu'à ce qu'une nouvelle évolution soit arrivée au point où ceux qui n'ont pas réussi sur cette terre puissent trouver des conditions leur permettant de poursuivre leur développement. L'esprit n'est pas conscient de la fuite du temps, mais un tel retard n'en est pas moins une perte sérieuse ; de plus, les esprits vierges ainsi retardés doivent souffrir d'un manque d'harmonie avec leur nouveau milieu quand ils se trouvent enfin dans une nouvelle évolution.

En ce qui concerne l'humanité actuelle, cette possibilité est si infime qu'elle est presque entièrement négligeable. On nous apprend cependant que, sur le nombre total d'esprits vierges qui ont commencé leur évolution dans la période de Saturne, les trois cinquièmes seulement passeront le point critique de la prochaine Révolution et compléteront jusqu'au bout leur évolution.

Le matérialisme cause plus d'inquiétude aux occultistes que toute autre chose, car, s'il est poussé trop loin, il empêche non seulement le progrès de l'esprit vierge, mais il détruit aussi chacun de ses sept véhicules, le laissant privé de ses corps. Dans ce cas, l'esprit vierge doit recommencer son développement tout à fait au début de la nouvelle évolution. Tout le travail qu'il aura accompli depuis l'aube de la Période de Saturne aura été complètement perdu. C'est pour cette raison que la période actuelle est la plus critique de toutes pour notre humanité. Aussi, les occultistes parlent-ils des seize Races (dont l'une est formée par le groupe Germano-Anglo-Saxon) comme des « seize chemins de perdition ». Puisse le lecteur les passer toutes en complète sécurité, car leur étreinte est pire qu'un retard dans la prochaine Révolution.

D'une manière générale, les membres de la classe 5 de la liste précédente ont reçu le germe de l'esprit divin dans la septième Révolution, lors du retour des Seigneurs de la Flamme. Par conséquent, ils ont été les pionniers de la dernière vague de vie qui a commencé son évolution au début de la Période de la Lune. Ils ont passé là leur existence minérale. Les retardataires de cette vague de vie n'ont ainsi reçu que le germe d'un corps physique.

En outre, il y avait, en plus de cette classe, une nouvelle vague de vie (notre règne minéral actuel) qui a commence son évolution au début de la Période de la Terre.

A la fin de la Période de la Lune, ces classes possédaient des véhicules tels qu'ils sont indiqués au tableau 13 et ont commencé avec eux leur évolution au début de la Période de la Terre. Pendant le temps qui s'est écoulé depuis cette époque, le règne humain a développé le trait d'union de l'intellect et il a acquis par ce moyen la conscience à l'état de veille. Les animaux ont obtenu un corps du désir ; les plantes, un corps vital. Les retardataires de la vague de vie qui est entrée en évolution dans la Période de la Lune ont échappé à la dure et immobile condition des couches rocheuses, et aujourd'hui leurs corps physiques forment nos terres meubles, tandis que la vague de vie, entrée en évolution dans la période de la Terre forme les roches et les pierres les plus dures.

C'est ainsi que les diverses classes ont obtenu les véhicules indiqués au tableau 3, auquel nous prions le lecteur de bien vouloir se reporter.

CHAPITRE X

LA PÉRIODE DE LA TERRE

Les Globes de la Période de la Terre sont situés dans les quatre régions les plus denses de la matière : la Région de la Pensée concrète, le Monde du Désir et les Régions Ethérique et Chimique. (Voir tableau 10). Le Globe le plus dense (le Globe D) est notre Terre actuelle.

Quand nous parlons des « Mondes *les plus denses* » ou des « états *les plus denses* de la matière », nous employons cette expression dans un sens relatif, car autrement elle impliquerait une limitation de l'Absolu, ce qui est absurde. Les mots « dense » et « subtil », « en haut » et « en bas », « Est » et « Ouest » ne s'appliquent que relativement à notre propre état ou à notre position. De même qu'il y a des Mondes supérieurs plus subtils que ceux avec lesquels notre vague de vie vient en contact, il y a aussi des états plus denses de la matière qui servent de champ d'évolution à d'autres classes d'Etres. Il ne faudrait pas croire non plus que ces mondes plus denses sont à une certaine distance dans l'espace ; ils pénètrent nos mondes d'une manière semblable à celle dont les Mondes supérieurs pénètrent notre Terre. La densité supposée de la Terre et des formes que nous y voyons ne s'oppose pas au passage d'un corps plus dense qu'elles, pas plus que nos murs physiques ne s'opposent au passage d'un homme dans son corps du désir. Solidité n'est pas non plus synonyme de densité, comme c'est le cas pour l'aluminium, solide moins dense que le mercure liquide ; il n'en est pas moins vrai que, en dépit de sa densité, le mercure s'évapore ou filtre à travers certains solides.

Puisque nous sommes dans la quatrième Période, nous avons maintenant à considérer quatre éléments. Dans la

Période de Saturne, il n'y avait qu'un seul élément : le Feu, c'est-à-dire qu'il y avait la chaleur qui marque la naissance du feu. Dans la deuxième Période ou Période du Soleil, il y avait deux éléments, le Feu et l'Air. Dans la troisième Période, ou Période de la Lune, l'élément Eau a été ajouté aux autres, et, dans la quatrième Période ou Période de la Terre, le quatrième élément est apparu : la Terre. On peut ainsi constater qu'un nouvel élément a été ajouté à chaque Période.

Dans la Période de Jupiter, un élément de nature éthérique sera ajouté pour s'unir à la parole, de telle sorte que les mots transmettront invariablement le sens voulu, au lieu d'être cause d'équivoques, comme c'est souvent le cas pour nous de nos jours. Par exemple, quand une personne prononce le mot « maison », cela peut vouloir dire une chaumière, alors que celle qui l'entend peut avoir l'idée d'un immeuble divisé en appartements.

Comme nous l'avons spécifié plus haut, les Hiérarchies ont placé, dans ce milieu des quatre éléments, les différentes classes mentionnées au tableau 13, dont elles avaient la charge.

Nous nous rappelons que, dans la période de la Lune, les classes formaient les trois règnes : animal, animal-végétal et végétal-minéral. Mais sur notre Terre, les conditions sont telles qu'il ne peut y avoir de grandes classes intermédiaires. Il doit y avoir quatre règnes tout à fait distincts. Dans cette phase cristallisée d'existence, les divisions entre les classes doivent être plus clairement marquées que dans les Périodes précédentes, où chaque règne se confondait graduellement avec le règne le plus proche. Par conséquent, quelques-unes des classes mentionnées au tableau 13 ont avancé d'un demi degré, tandis que d'autres rétrogradaient d'autant.

Certains minéraux-végétaux ont passé complètement dans le règne végétal et sont devenus la verdure des champs. D'autres ont rétrogradé et sont devenus le sol purement minéral dans lequel poussaient les plantes. Parmi les végétaux-animaux, quelques-uns sont passés en avance sur leur temps dans le règne animal, et ces espèces possèdent encore le sang incolore des plantes ; quelques-unes d'entre elles, comme les étoiles de mer, ont même les cinq pointes des pétales des fleurs.

Tous les membres de la classe 2 dont le corps du désir pouvait être divisé en deux parties (comme c'était le cas pour ceux qui appartiennent à la classe 1), ont été préparés à devenir des véhicules humains et ont passé, par conséquent, dans le groupe humain.

Nous devons bien nous rappeler que, dans les paragraphes qui précèdent, nous traitons de la Forme et non pas de la Vie qui habite la Forme. La qualité de l'instrument est du même ordre que celle de la vie qui doit l'habiter. Les êtres de la classe 2, dans les véhicules desquels la division du corps du désir pouvait se faire, ont été élevés au règne humain, mais ils ont reçu l'esprit intérieur plus tard que les êtres de la classe 1. Aussi ne sont-ils pas aussi développés que cette classe. Ils constituent, par conséquent, les races inférieures de l'humanité.

Ceux dont le corps du désir ne pouvait être divisé ont été placés dans les mêmes catégories que les classes 3 a et 3 b. Ce sont nos anthropoïdes actuels. Ils peuvent encore rejoindre notre évolution s'ils atteignent un degré de développement suffisant avant le point critique déjà mentionné, vers le milieu de la cinquième Révolution de la Période de la Terre. S'ils ne nous rejoignent pas à cette époque, ils auront perdu contact avec *notre* évolution.

Nous avons dit que l'homme avait construit son triple corps avec l'aide d'êtres qui lui étaient supérieurs, mais dans la Période précédente, il n'y avait pas de pouvoir de coordination ; l'esprit triple, l'Ego, était séparé et distinct de ses véhicules. Le moment était maintenant venu d'unir l'esprit au corps.

Chez ceux dont le corps du désir pouvait être divisé, la partie supérieure a commencé à dominer quelque peu la partie inférieure, ainsi que le corps physique et le corps vital. Elle formait une sorte d'âme animale, à laquelle l'esprit pouvait s'unir au moyen du trait d'union de l'intellect. Là où cette division du corps du désir ne pouvait être faite, ce véhicule, abandonné sans aucun frein aux désirs et aux passions, ne pouvait servir de demeure *dans* laquelle l'esprit pouvait résider. Aussi l'a-t-on placé sous la tutelle d'un esprit-groupe qui le dirigeait *de l'extérieur*. Il est devenu un corps animal ; ce genre de corps a maintenant dégénéré, et il est utilisé par les anthropoïdes.

Là où la division du corps du désir s'est produite, le corps physique a graduellement pris une position verticale, soustrayant ainsi la colonne vertébrale à l'influence des courants horizontaux du Monde du Désir au moyen desquels l'esprit-groupe agit sur l'animal le long de la colonne vertébrale horizontale. L'Ego put alors pénétrer son corps, se mettre au travail et s'exprimer par l'intermédiaire de l'épine dorsale verticale, construire le larynx vertical et le cerveau pour s'exprimer dans le corps physique. Un larynx horizontal est aussi sous la domination de l'esprit-groupe. Il est vrai que certains animaux, tels que le perroquet, peuvent *prononcer* des mots, grâce à leur larynx vertical, mais ils ne peuvent s'en servir d'une manière intelligente. *L'usage de mots pour exprimer la pensée est le plus grand privilège de l'homme,* et il ne peut être exercé que par une entité semblable à lui, capable de raisonner et de penser.

Si l'étudiant garde bien cette particularité présente à l'esprit, il lui sera plus facile de suivre les divers degrés qui ont conduit à ce résultat.

REVOLUTION DE SATURNE DE LA PERIODE DE LA TERRE

C'est pendant la Révolution de Saturne de chaque Période que se reconstruit le corps physique. Cette fois-ci, il a reçu le pouvoir de former un cerveau et de devenir un véhicule pour le germe de l'intellect qu'il devait recevoir plus tard. Cette addition a parachevé la reconstruction finale du corps dense, le rendant capable d'atteindre au plus haut degré possible d'efficacité.

Une Sagesse Ineffable a présidé à cette construction. Ce véhicule est une merveille. On n'insistera jamais trop auprès de l'étudiant sur les facilités infinies offertes par cet instrument pour acquérir des connaissances, sur les privilèges qu'il confère à l'homme, sur le prix qu'il devrait y attacher et sur la reconnaissance qu'il devrait avoir de le posséder.

Nous avons donné, précédemment, quelques exemples de la perfection de la construction et de l'intelligente faculté d'adaptation de ce véhicule. Afin de faire mieux pénétrer cette importante vérité dans l'esprit de l'étudiant, il n'est peut-être pas inutile de donner de nouveaux exemples de cette Sagesse et de parler aussi du travail de l'Ego dans le sang.

On sait, généralement d'une façon plutôt vague, que le suc gastrique agit sur les aliments de manière à en faciliter l'assimilation ; mais, en dehors de la profession médicale, peu de personnes savent qu'il y a plusieurs qualités de sucs gastriques, dont chacun est approprié au traitement d'une certaine sorte d'aliment. Les recherches de Pavlov ont cependant établi de façon certaine le fait qu'il y a une sorte de suc gastrique pour digérer la viande, une autre pour le lait, une autre pour les fruits acides. Nous pouvons dire en passant que c'est pour cette raison que les aliments ne forment pas toujours de bons mélanges. Le lait, par exemple, demande un suc gastrique très différent des autres, excepté de celui qui sert à la digestion des aliments amylacés et c'est pourquoi il n'est pas facile à digérer quand il est ingéré avec tout autre aliment que les céréales. Le seul fait que l'Ego, dans son travail subsconscient, soit en mesure de produire les divers sucs appropriés aux différentes espèces d'aliments qui passent dans l'estomac, d'en régler le débit et la force, est l'indice d'une merveilleuse sagesse. Cependant, plus étonnant encore est le fait que le suc gastrique soit versé dans l'estomac *avant* que les aliments n'y soient arrivés.

Nous ne dirigeons pas consciemment l'opération grâce à laquelle le mélange de ces liquides s'accomplit. La grande majorité des gens ne connaissent rien de ce qui concerne le métabolisme ou toute autre action chimique de notre organisme. Aussi ne suffit-il pas de dire que, au moment où nous goûtons les aliments, nous dirigeons l'opération au moyen de signaux transmis par notre système nerveux.

Quand le fait du choix des sucs gastriques a été démontré pour la première fois, les hommes de science ont été extrêmement embarrassés. Ils ont cherché à comprendre comment le suc approprié était sélectionné et ce qui causait son écoulement dans l'estomac *avant* l'entrée des aliments. Ils pensaient que le signal était transmis par le système nerveux. Mais il a été démontré, sans aucun doute possible, que le suc approprié se déversait dans l'estomac, alors même que le système nerveux était bloqué.

Finalement, Starling et Bayliss, par une série d'expériences d'une extrême ingéniosité, ont prouvé qu'une quantité infinitésimale de nourriture est absorbée par le sang dès qu'elle pénètre dans la bouche, qu'elle va à l'avance vers les glandes digestives et cause un écoulement du suc gastrique approprié.

Mais cela n'est que le côté physique de ce merveilleux phénomène. Pour le saisir dans son ensemble, nous devons faire appel à la science occulte. Elle seule explique pourquoi c'est le sang qui transmet le signal.

Le sang est, en effet, un des produits les plus incomparables du corps vital. C'est grâce à lui que l'Ego guide et commande son corps dense et c'est pourquoi il est l'intermédiaire employé pour agir sur le système nerveux. Pendant une partie du temps que dure la digestion, il agit partiellement par l'intermédiaire du système nerveux ; mais spécialement au début de la digestion, il agit directement sur l'estomac. Quand, au cours de diverses expériences scientifiques, on bloque les nerfs, le sang assure encore une transmission directe et c'est grâce à lui que l'Ego est averti.

Nous voyons également que le sang afflue là où l'Ego déploie sa plus grande activité à un moment donné. Si une situation exige réflexion et action soudaines, le sang est rapidement chassé vers la tête. Faut-il digérer un repas copieux, la plus grande partie du sang abandonne la tête et se concentre autour des organes de la digestion. L'Ego fait tous ses efforts pour débarrasser le corps des aliments superflus. C'est pourquoi on ne peut pas penser avec clarté après un repas copieux. On reste assoupi parce que le sang a abandonné le cerveau et ce qui y reste ne suffit pas à tenir la conscience complètement en éveil. Bien plus, presque tout le fluide vital ou énergie solaire spécialisée par la rate est absorbé par le sang qui passe à travers cet organe en plus grande quantité après un repas. Il en résulte que, durant tout le temps que se fait la digestion, les autres parties du corps sont privées de fluide vital dans une notable proportion. C'est l'Ego qui pousse le sang vers le cerveau. Toutes les fois que le corps est livré au sommeil, le sang abandonne le cerveau, comme on peut le prouver en plaçant un homme sur une table oscillante. Quand il s'endort, la table penche invariablement du côté des pieds, élevant la tête. Pendant la copulation, le sang se concentre dans les organes sexuels, etc. Tous ces exemples tendent à prouver que, pendant les heures de veille, l'Ego travaille dans le corps physique qu'il commande au moyen du sang. La plus grande partie de la somme totale du sang va vers la partie du corps dans laquelle, à un moment donné, l'Ego déploie une activité spéciale.

La reconstruction du corps physique dans la Révolution de Saturne de la Période de la Terre a eu pour objet de le rendre capable d'être pénétré par l'intellect. Cette reconstruction a donné la première impulsion au développement de la partie frontale du cerveau ; elle a aussi marqué le début de la division du système nerveux qui, depuis, est devenue apparente dans ses subdivisions : système nerveux volontaire et système sympathique. Ce dernier était le seul qui s'était développé pendant la Période de la Lune. Le système nerveux volontaire (qui, d'un simple automate agissant sous la pression d'impulsions venues de l'extérieur, a transformé le corps physique en un instrument doué d'une faculté extraordinaire d'adaptation et capable d'être guidé et commandé de l'intérieur, par l'Ego), n'a pas été ajouté au corps physique avant la présente Période de la Terre.

La partie principale de ce travail de reconstruction a été accomplie par les Seigneurs de la Forme. Ils sont la Hiérarchie Créatrice la plus active pendant la Période de la Terre, comme l'étaient les Seigneurs de la Flamme dans la Période de Saturne, les Seigneurs de la Sagesse dans la Période du Soleil et les Seigneurs de l'Individualité dans la Période de la Lune.

La Période de la Terre est, avant tout, la Période de la Forme, car c'est ici que le côté forme ou matière a atteint son développement le plus grand et le plus prononcé. Là, l'esprit est moins puissant et plus entravé qu'auparavant, et la Forme est le facteur dominant, ce qui explique la prééminence des Seigneurs de la Forme.

REVOLUTION DU SOLEIL DE LA PERIODE DE LA TERRE

Pendant cette Révolution, le corps vital a été reconstruit en vue de recevoir le germe de l'intellect. Le corps vital a été modelé davantage à l'image du corps physique, pour le rendre capable d'être utilisé comme le véhicule le plus dense pendant la Période de Jupiter, quand le corps physique aura été spiritualisé.

Les Anges, qui étaient l'humanité de la Période de la Lune, ont été aidés dans cette reconstruction par les Seigneurs de la Forme. L'organisation du corps vital ne le cède maintenant en efficacité qu'à celle du corps physique. Quelques auteurs traitant de ce sujet appellent le corps vital un chaînon et soutiennent qu'il n'est que le moule du corps physique et non un véhicule distinct.

Nous ne désirons pas critiquer cette opinion et nous admettons qu'elle paraît justifiée par le fait que l'homme, dans l'état actuel de son évolution, ne peut *ordinairement* se servir du corps vital comme d'un véhicule distinct. Il demeure toujours avec le corps physique et, s'il en était *totalement* séparé, la mort de ce dernier véhicule en résulterait. Pourtant, à une certaine époque, il n'était pas aussi étroitement relié au corps physique, comme nous allons le voir.

Pendant les époques qui ont marqué l'histoire de notre Terre, époques déjà mentionnées sous le nom d'Epoque Lémurienne et Epoque Atlantéenne, l'homme était involontairement clairvoyant, et c'est précisément le relâchement des liens qui unissent le corps physique au corps vital qui était la cause de cette clairvoyance involontaire. Les Initiateurs de cette époque aidaient le candidat à relâcher ces liens davantage encore, comme chez le clairvoyant volontaire.

Depuis lors, le corps vital est devenu beaucoup plus étroitement relié au corps physique chez la majorité des gens, mais, chez tous les sensitifs, cette connexion est relâchée. C'est cette particularité qui constitue la différence entre le «psychique» et une personne ordinaire qui n'est consciente que des vibrations perçues par l'intermédiaire des cinq sens. L'humanité entière doit passer par cette période de liaison étroite des véhicules et éprouver la limitation de conscience qu'elle entraîne. Il y a donc deux classes de « psychiques » : d'une part ceux qui ne sont pas encore fermement incorporés dans la matière, tels que la plupart

* d'Amérique

des Hindous, des Indiens, etc. qui possèdent un certain degré inférieur de clairvoyance ou qui sont sensibles aux sons de la nature et, d'autre part, ceux qui sont à l'avant-garde de l'évolution. Ces derniers émergent du nadir de la matérialité et peuvent être eux-mêmes divisés en deux groupes. Le premier comprend ceux qui se développent d'une manière passive, sans grande force de volonté. Avec l'aide d'autres Etres, ils réveillent l'activité du plexus solaire et d'autres organes reliés au système nerveux involontaire. Ce sont, par conséquent, des clairvoyants involontaires, des médiums qui ne sont pas maîtres de leur faculté. Ceux-là ont rétrogradé. L'autre groupe comprend ceux qui, par la force de leur propre volonté, développent le pouvoir vibratoire d'organes maintenant en relation avec le système nerveux volontaire et qui deviennent ainsi des occultistes correctement développés, maîtres de leur propre corps et capables d'exercer leur faculté de clairvoyance au gré de leur volonté. On les appelle des clairvoyants volontaires.

Dans la Période de Jupiter, l'homme fonctionnera dans son corps vital comme il le fait actuellement dans son corps physique ; et comme il n'y a pas dans la nature de développement soudain, le processus de séparation des deux corps a déjà commencé. Le corps vital atteindra alors un degré d'efficacité beaucoup plus grand que celui atteint de nos jours par le corps physique. Il sera beaucoup plus docile que ce dernier et l'esprit pourra utiliser ce véhicule d'une manière impossible à réaliser avec notre véhicule dense actuel.

REVOLUTION DE LA LUNE DE LA PERIODE DE LA TERRE

Durant cette révolution, la Période de la Lune a été récapitulée dans des conditions à peu près analogues — mais sur une échelle plus élevée — à celles qui prévalaient sur le globe D de cette Période. On y retrouve la même atmosphère de brouillard de feu, le même noyau brûlant, la même division du globe en deux parties, ce qui avait permis aux êtres les plus développés de progresser à un taux et avec une rapidité que les entités qui composent notre humanité ne sauraient égaler.

Pendant cette Révolution, les Archanges (humanité de la Période du Soleil) et les Seigneurs de la Forme se sont chargés de la reconstruction du corps du désir, mais ils n'étaient pas seuls à effectuer ce travail. Quand la division du Globe en deux parties a eu lieu, il s'est produit une séparation analogue dans le corps du désir de quelques-uns des Etres en évolution. Nous avons déjà noté que, là où cette division s'accomplit, la forme est prête à devenir le véhicule d'un esprit intérieur. Pour faciliter ce résultat, les Seigneurs du Mental (humanité de la Période de Saturne) ont pris possession de la partie supérieure du corps du désir et y ont implanté le principe de la personnalité distincte sans laquelle l'homme actuel, avec toutes ses splendides capacités latentes, n'aurait jamais pu exister.

Ainsi, dans la dernière partie de la Révolution de la Lune, le premier germe de la personnalité distincte fut implanté dans la partie supérieure du corps du désir par les Seigneurs du Mental.

Les Archanges, agissant sur la partie inférieure du corps du Désir, lui ont donné des désirs qui sont purement animaux. Ils ont aussi travaillé sur des corps dont la division n'avait pas eu lieu. Quelques-uns de ces corps devaient devenir les véhicules des esprits-groupes des animaux sur lesquels ils travaillent de l'extérieur, sans pénétrer entièrement dans les formes animales comme c'est le cas de l'esprit individuel qui pénètre le corps humain.

Le corps du désir a été reconstruit pour le rendre capable d'être pénétré par le germe de l'intellect qui devait être implanté pendant la Période de la Terre dans tous les corps du désir dans lesquels la division pouvait se produire.

Ainsi que nous l'avons déjà expliqué, le corps du désir est un ovoïde non organisé dont le centre contient le corps physique, comme une tache plus sombre, tel le jaune de l'œuf entouré du blanc. Il y a dans cet ovoïde un certain nombre de centres de perception qui sont apparus depuis le début de la Période de la Terre. Chez la majorité des gens, ces centres présentent l'aspect de vagues remous et ne sont pas encore éveillés. Aussi leur corps du Désir est-il pour eux sans utilité en tant que véhicule *distinct* de conscience, mais quand ces centres de perception sont éveillés, ils ressemblent à des tourbillons rapides.

PERIODES DE REPOS ENTRE LES REVOLUTIONS

Jusqu'à présent, nous n'avons parlé que des Nuits Cosmiques qui séparent les Périodes. Nous avons vu qu'il y avait un intervalle de repos et d'assimilation entre la Période de Saturne et la Période du Soleil ; une autre Nuit Cosmique entre la Période du Soleil et la Période de la Lune, etc. Mais il y a, en outre, des intervalles de repos entre les Révolutions.

Nous pouvons comparer les Périodes aux diverses incarnations d'un homme ; les Nuits Cosmiques entre ces Périodes, aux intervalles entre les morts et les nouvelles naissances ; le repos entre les Révolutions serait alors analogue à la période de sommeil entre deux jours.

Quand une Nuit Cosmique commence, toutes les Choses manifestées sont de nouveau résorbées en une masse homogène ; le Cosmos retourne au Chaos.

C'est ce retour périodique de la matière à l'état de substance primordiale qui rend possible l'évolution de l'esprit. Si la cristallisation qui se produit pendant la manifestation active devait continuer indéfiniment, elle opposerait un obstacle insurmontable au progrès de l'Esprit. Chaque fois que la matière s'est cristallisée au point que l'esprit n'en puisse plus faire usage, celui-ci se retire pour recouvrer son énergie épuisée, en vertu du même principe qui fait qu'une perceuse électrique qui s'arrête en s'enfonçant dans un métal dur en est retirée pour regagner son élan. Elle est alors capable de creuser son chemin plus profondément dans le métal.

Débarrassées de l'énergie cristallisante des esprits en évolution, les forces chimiques ramènent le Cosmos au Chaos en rétablissant la matière dans son état primordial, afin que les esprits vierges régénérés puissent prendre un nouveau départ à l'aube d'un nouveau Jour de Manifestation. L'expérience acquise dans les Périodes et les Révolutions précédentes permet à l'Esprit de reconstruire ses véhicules jusqu'au point atteint dans le passé avec une rapidité relativement grande, et elle facilite aussi les progrès ultérieurs en procédant aux changements que la somme totale de ses expériences recommande.

Ainsi, à la fin de la Révolution de la Lune de la Période de la Terre, tous les Globes et toute la Vie sont retournés au Chaos, d'où ils ont ensuite émergé au commencement de la quatrième Révolution.

QUATRIEME REVOLUTION DE LA PERIODE DE LA TERRE

Dans la complexité extrême du plan de l'évolution, il y a toujours des spirales inscrites dans des spirales à l'infini. Aussi, nous ne serons pas surpris d'apprendre que, dans chaque Révolution, les Globes divers passent par un travail de récapitulation et par une période de repos. Quand, au cours de la quatrième révolution de la Période de la Terre, la vague de vie a reparu sur le Globe A, elle est passée par le développement de la Période de Saturne. Après un repos qui n'a pas entraîné la destruction complète du Globe, mais seulement sa transformation, elle est apparue sur le Globe B, sur lequel a été récapitulée l'œuvre de la Période du Soleil. Après une nouvelle Période de Repos, la vague de vie est passée sur le Globe C, où le travail de la Période de la Lune a été répété. Finalement, elle est arrivée sur le Globe D, qui est notre Terre, et c'est seulement alors que le travail propre à la Période de la Terre a commencé.

Même alors, la spirale inscrite dans la spirale de l'évolution a fait que cette Période n'a pas commencé dès l'arrivée de la vague de vie venant du Globe C, car le germe de l'intellect n'a pas été implanté avant la quatrième Epoque, les trois premières Epoques étant de nouvelles récapitulations de la Période de Saturne et des Périodes du Soleil et de la Lune, mais toujours sur un échelon plus élevé.

CHAPITRE XI

GENÈSE ET ÉVOLUTION DE NOTRE SYSTÈME SOLAIRE

LE CHAOS

Dans les pages précédentes, nous n'avons pas parlé de notre Système Solaire et des différentes planètes qui le composent, car ce n'est qu'à partir de la Période de la Terre que la présente différenciation s'est accomplie. La Période de la Terre marque le point culminant de cette diversification et, quoique nous n'ayons parlé que d'une seule classe d'esprits vierges, de ceux qui, dans le sens le plus strict et le plus limité, sont reliés à l'évolution terrestre, il y a, en réalité, sept « Rayons » ou courants de vie ; chacun d'eux poursuit une évolution différente, mais tous appartiennent à la classe originale d'esprits vierges dont notre humanité fait partie.

Dans les Périodes précédentes, ces différentes subdivisions ou divers Rayons ont trouvé un milieu approprié pour leur évolution sur la même planète. Mais, dans la Période de la Terre, les conditions sont devenues telles que, afin de procurer à chaque classe le degré de chaleur et de vibrations nécessaires pour sa phase particulière d'évolution, les esprit vierges ont été répartis sur diverses planètes, situées à des distances variables du Soleil, source centrale de la Vie. C'est là la raison d'être de notre système et de tous les autres Systèmes Solaires de l'Univers.

Avant de continuer la description de l'évolution de notre humanité sur la Terre, après sa séparation du Soleil central, il est nécessaire, en observant un ordre chronologique, d'expliquer la différenciation qui a dispersé dans l'espace les planètes de notre système.

La manifestation active, particulièrement dans le Monde Physique, dépend de l'état de séparation, de la limitation de la vie par la forme. Mais, pendant les intervalles entre les Périodes et les Révolutions, la distinction bien marquée entre la forme et la vie cesse d'exister. Cela s'applique non seulement à l'homme et aux règnes inférieurs, mais encore aux Mondes et aux Globes qui servent de base aux formes de la vie en évolution. Seuls, les atomes-germes et les noyaux ou centres des Globes-Mondes demeurent ; tout le reste forme une substance homogène. Il n'y a qu'un seul Esprit répandu dans tout l'espace. La Vie et la Forme, ses pôles positif et négatif, sont UN.

Cet état de choses est ce que la Mythologie grecque décrivait sous le nom de « Chaos ». Les anciens Normands et la Mythologie Teutonique l'appellent « Ginnungagap », limité au nord par le brumeux et froid « Niflheim », pays des nuées et des brouillards, et au sud par le brûlant « Muspelheim ». Quand la chaleur et le froid ont pénétré dans l'espace occupé par le Chaos ou Ginnungagap, ils ont causé la concrétisation de l'univers visible.

La Bible nous donne aussi l'idée de l'espace infini précédant la manifestation de l'Esprit.

A notre époque matérialiste actuelle, nous avons malheureusement perdu l'idée de tout ce qui se trouve compris dans le mot Espace. Nous nous sommes si bien habitués à parler de l'espace « vide » ou du « grand vide de l'espace », que nous avons complètement perdu la signification sublime et sacrée du mot et que nous sommes, par suite, incapables de ressentir pour cette idée d'Espace et de Chaos, toute la vénération qu'elle devrait nous inspirer.

Pour les Rose-Croix, comme pour toute autre Ecole d'occultisme, le *vide de l'espace* n'existe pas. Pour eux, *l'Espace est l'Esprit* dans sa forme atténuée ; tandis que *la matière est la cristallisation de l'Espace ou de l'Esprit.* L'Esprit en manifestation a deux aspects ; ce que nous percevons en tant que Forme est la manifestation négative de l'Esprit — manifestation cristallisée et inerte.

Le pôle positif de l'Esprit se manifeste par la vie qui incite la Forme négative à l'action, mais tous deux procèdent de l'Esprit, de l'Espace, du Chaos !

Pour emprunter à la vie quotidienne une idée qui servira d'exemple, nous allons considérer l'éclosion d'un œuf. L'œuf est rempli d'un liquide visqueux. Ce liquide, ou humidité, est soumis à l'action de la chaleur, et, de la substance molle et liquide, sort un poussin vivant dont les os et la chair sont relativement fermes et qui est couvert d'un duvet dont le tuyau central est assez dur.

Alors qu'un poussin vivant peut sortir du liquide inerte d'un œuf sans l'addition d'aucune substance durcissante, n'est-il pas possible de soutenir que l'Univers est la cristallisation de l'Espace ou de l'Esprit ? Cette assertion peut paraître absurde à bien des lecteurs, mais ce livre n'est pas écrit dans le but de convaincre la majorité des gens que les choses *sont* vraiment ainsi. Il a pour objet d'éclairer ceux qui ont l'intuition que ces choses doivent être ainsi, et de leur donner quelque lumière sur le Grand Mystère du Monde qu'il a été permis à l'auteur de contempler. Le but spécial que nous nous proposons actuellement est de montrer que l'esprit est sans cesse actif, d'une certaine manière pendant la Période de manifestation, et d'une autre pendant le Chaos.

La Science contemporaine se rirait de l'idée que la vie peut exister sur un Globe en cours de formation. Cela vient de ce que la Science ne peut dissocier la Vie de la Forme et qu'elle ne peut concevoir la Forme que comme solide et tangible, discernable par un de nos cinq sens physiques.

L'occultiste, d'accord en cela avec les définitions précédentes de la Vie et de la Forme, affirme que la Vie peut exister indépendamment de la Forme Concrète ; qu'elle peut revêtir des Formes que nous ne pouvons percevoir avec nos sens limités et qui ne sont pas soumises aux lois régissant l'état actuel de la matière concrète.

Il est vrai que la théorie nébulaire maintient que toute existence (c'est-à-dire toute Forme, les Mondes dans l'Espace et toutes les formes qui peuvent les habiter) a eu son origine dans la nébuleuse ardente, mais ce qu'elle n'admet pas, c'est un fait sur lequel les occultistes insistent, à savoir que cette nébuleuse ardente est Esprit. Cette théorie rejette aussi l'idée que l'atmosphère qui nous entoure, l'espace interstellaire, est Esprit et qu'un échange continuel a lieu, la forme se dissolvant en Espace et l'Espace se cristallisant en Forme.

Le Chaos n'est pas une condition qui, ayant existé dans le passé, aurait depuis lors, complètement disparu. Il nous entoure encore en ce moment même. Les anciennes formes, ayant perdu leur utilité, se dissolvent, les unes après les autres, dans le Chaos qui donne naissance constamment, en retour, à des formes nouvelles. Sans ce double processus, il ne pourrait y avoir de progrès ; le travail de l'évolution cesserait et la stagnation qui s'ensuivrait empêcherait toute possibilité d'avancement.

C'est une vérité indubitable que « plus souvent nous mourons, mieux nous vivons ». Gœthe, poète initié, a écrit : « Celui qui ne peut constamment mourir et renaître à la vie sera toujours un triste hôte sur cette terre désolée ».

Et saint Paul a dit : « Je meurs chaque jour ».

Aussi est-il nécessaire, en tant qu'étudiants de la science occulte, que nous comprenions que, même pendant la Période de manifestation active, *c'est le Chaos qui est la base de tout progrès.* Notre vie pendant le Chaos est basée sur notre vie pendant sa manifestation active et, vice versa, ce que nous sommes capables d'accomplir pendant cette manifestation active et notre capacité d'avancement sont le résultat de notre existence dans le Chaos. Les intervalles entre les Périodes et les Révolutions sont, en réalité, beaucoup plus importants pour la croissance de l'âme que l'existence concrète, quoique celle-ci soit la base de l'autre existence et que, par conséquent, on ne puisse s'en dispenser. L'importance de cet intervalle de retour au Chaos vient du fait que, pendant cette période, toutes les classes d'entités en évolution sont si étroitement reliées qu'elles n'en font en réalité qu'une ; par conséquent, celles qui, pendant la manifestation, sont d'un développement inférieur, se trouvent être étroitement en contact avec les entités plus complètement développées et ont ainsi l'usage et l'avantage de vibrations bien supérieures à celles qui leur sont propres. Cela leur permet de vivre à nouveau leurs expériences passées et de les assimiler d'une manière que rendent impossible les entraves de la Forme.

Nous avons vu quel avantage résulte pour l'esprit de l'homme de pouvoir assimiler les expériences d'une incarnation pendant l'intervalle qui existe entre la mort et une nouvelle naissance. Là, la forme existe encore, quoique beaucoup plus atténuée que celle du corps physique ; mais, pendant la Nuit Cosmique et les intervalles de repos entre les Périodes et les Révolutions, alors que la vie est complètement libérée de la forme, les résultats bienfaisants des expériences passées peuvent être assimilés d'une manière beaucoup plus effective.

Nous avons un mot qui, à l'origine, avait été créé pour exprimer l'idée de l'état des choses entre les manifestations. Ce mot a toutefois été si souvent employé dans un sens matériel qu'il a perdu son sens primitif. C'est le mot Gaz.

On pourrait croire que c'est un très vieux mot qui a presque toujours existé pour désigner un état de la matière plus léger que les liquides ; mais tel n'est pas le cas. Ce mot a été employé pour la première fois dans *Physica,* un ouvrage publié en 1633 et dont l'auteur était Van Helmont *, un Rose-Croix.

Van Helmont ne se donnait pas le nom de Rose-Croix ; un véritable Frère de l'Ordre ne se reconnaît jamais publiquement comme tel. Seul un Rose-Croix connaît un frère Rose-Croix. Même ses amis les plus intimes ou ses parents les plus proches n'ont pas connaissance de sa relation avec l'Ordre. Seuls, ceux qui sont eux-mêmes Initiés savent quels écrivains du passé étaient des Rose-Croix, parce que, dans leurs œuvres, brillent à tout jamais les mots, les phrases et les signes toujours reconnaissables qui donnent la clef du sens profond du texte, sens caché pour le lecteur non Initié. L'Association Rosicrucienne est composée de ceux qui étudient les enseignements de l'Ordre, désormais offerts au public parce que l'intelligence de l'humanité a atteint un degré suffisant de compréhension. Cet ouvrage est un des premiers et un des rares fragments des enseignements des Rose-Croix qui soient livrés au public. Tout ce qui, antérieurement aux quelques années qui précèdent, a été imprimé et présenté comme tel était l'ouvrage de charlatans ou de traîtres.

---

* Selon la dernière édition du texte anglais.

Les Rose-Croix, tels que Paracelse, Comenius, Bacon, Van Helmont et autres, ont fait des allusions indirectes dans leurs écrits et ont influencé d'autres personnes. La fameuse controverse au sujet de l'identité de l'auteur des œuvres attribuées à Shakespeare, qui a tant fait couler d'encre, ne se serait jamais élevée si on avait su que la similitude notée entre Shakespeare et Bacon est due au fait que tous deux ont été influencés par le même Initié, qui a également influencé Jacob Bœhme et un pasteur d'Ingolstadt, Jacobus Baldus. Ce dernier a vécu peu de temps après la mort du barde d'Avon et il a écrit des vers lyriques en latin. Si on lit le premier poème de Jacobus Baldus au moyen d'une certaine clef, on découvre, en lisant verticalement les lignes, la phrase suivante : « Jusqu'ici, j'ai parlé par delà les mers au moyen du drame ; je vais maintenant m'exprimer en vers lyriques ».

Dans son ouvrage intitulé *Physica,* le Rose-Croix Van Helmont écrit : « *Adhuc spiritum incognitum Gas voco* », c'est-à-dire : « J'appelle Gaz cet esprit jusqu'ici inconnu. » Plus loin, dans le même livre, il écrit : « Cette vapeur que j'ai appelé Gaz n'est pas très éloignée, dans sa nature, du Chaos dont parlaient les anciens. »

Nous devons nous pénétrer de l'idée que le Chaos n'est pas autre chose que l'Esprit de Dieu répandu dans l'infini. C'est sa véritable nature. Ainsi que l'énonce la maxime occulte : « Le Chaos est le sol nourricier du Cosmos. » Aussi, nous ne nous étonnerons plus que « quelque chose puisse sortir de rien », parce que le mot « Espace » n'est pas synonyme de « rien ». En lui, sont contenus les germes de tout ce qui existe pendant une manifestation physique ; pas absolument tout, cependant, car l'union du Chaos et du Cosmos produit chaque fois quelque chose de nouveau qui n'était ni préfiguré, ni à l'état latent. Ce quelque chose s'appelle le Génie, cause de l'Epigenèse.

Il se montre dans tous les règnes. Il est l'expression de l'esprit progressif chez l'homme, l'animal et la plante. Chaos est donc un mot sacré, un mot qui désigne la cause de tout ce que nous voyons dans la Nature et qui inspire un sentiment de dévotion chez tout occultiste expérimenté et loyal. Il considère le Monde visible des sens comme une révélation des potentialités latentes du Chaos.

NAISSANCE DES PLANETES

Pour s'exprimer dans le Monde Physique, il était nécessaire que l'homme développe un corps physique approprié. Dans un Monde comme le nôtre, il lui faut un corps avec des membres, des organes et une musculature au moyen de laquelle il puisse se mouvoir ; de plus, il a besoin d'un cerveau pour diriger et coordonner ses mouvements. Si les conditions avaient été différentes, le corps aurait été modifié en conséquence.

Quel que soit le degré où ils se trouvent sur l'échelle de l'existence, il est nécessaire que tous les êtres possèdent des véhicules qui leur permettent de s'exprimer dans tous les mondes où ils peuvent souhaiter de se manifester. Les Sept Esprits devant le Trône eux-mêmes doivent posséder les véhicules nécessaires, qui sont naturellement d'une structure différente pour chacun d'eux. Pris collectivement, les Sept Esprits sont Dieu et ils forment la Déité Trinitaire dans l'Unité Qui se manifeste d'une manière différente par l'intermédiaire de chacun d'Eux.

Ce n'est pas une contradiction que d'attribuer des nombres différents à Dieu. Nous ne péchons pas contre « l'unité » de la lumière en distinguant les trois couleurs fondamentales dans lesquelles elle se divise. La lumière blanche du Soleil contient les sept couleurs du spectre. L'occultiste distingue même douze couleurs, car il y en a cinq entre le rouge et le violet, en faisant le tour du cercle, en plus du rouge, de l'orangé, du jaune, du vert, etc., du spectre visible. Quatre de ces couleurs ne peuvent être décrites, mais la cinquième, celle qui se trouve au milieu des cinq, est analogue à la nuance d'une fleur de pêcher fraîchement éclose. C'est la couleur du corps vital. Les clairvoyants correctement développés qui la décrivent comme étant « bleu-gris » ou « rouge-gris », cherchent à décrire une couleur qui n'a pas d'équivalent dans le Monde physique et, par suite, ils sont obligés d'employer les termes descriptifs les plus rapprochés que leur offre notre langue.

Il se peut que, mieux que toute autre chose, la couleur nous permette de concevoir l'unité de Dieu avec les Sept Esprits devant le Trône. Nous allons donc examiner la planche en couleurs ci-après.

Nous y voyons un triangle blanc se détachant sur un fond noir. Le blanc est une couleur synthétique qui contient en elle toutes les couleurs, de même que Dieu contient en Lui tout ce qui se trouve dans le système Solaire.

Dans le triangle blanc se trouvent un cercle bleu, un cercle rouge et un cercle jaune. Les autres couleurs ne sont que des combinaisons de ces trois couleurs fondamentales. Ces cercles correspondent aux trois aspects de Dieu, qui sont sans commencement et qui se terminent *en Dieu,* bien qu'extériorisés uniquement pendant la manifestation active.

Quand ces trois couleurs sont mélangées, comme dans le tableau, quatre teintes supplémentaires apparaissent : les trois couleurs secondaires, dont chacune est due au mélange de deux couleurs fondamentales, et une autre (indigo) qui contient la gamme des six couleurs, complétant ainsi les sept couleurs du spectre. Ces couleurs représentent les Sept Esprits devant le Trône, chacun d'eux ayant une mission différente à remplir dans le Royaume de Dieu, notre Système Solaire.

Les sept planètes qui tournent autour du Soleil sont les corps physiques des sept Génies Planétaires. Ce sont : Uranus avec son satellite, Saturne et ses huit lunes, Jupiter et ses quatre satellites, Mars et ses deux satellites, la Terre et son satellite, Vénus et Mercure [1].

On trouve toujours que les corps servent l'objet en vue duquel ils sont faits; c'est pourquoi les corps physiques des sept Esprits Planétaires sont sphériques, cette forme étant, mieux que toute autre, adaptée à la vitesse énorme avec laquelle ils voyagent dans l'espace. La Terre, par exemple, se meut sur son orbite à la vitesse d'environ 106 000 km à l'heure.

Le corps de l'homme était, dans le passé, différent de ce qu'il est aujourd'hui et de ce qu'il sera demain. Durant l'involution, il affectait une forme approximativement sphérique qu'il conserve encore pendant la gestation, car le développement intra-utérin est la récapitulation des phases antérieures de l'évolution. Si l'organisme a eu, au début, la forme d'une sphère, c'est que, pendant l'involution, l'énergie de l'homme était dirigée vers l'intérieur pour servir à la construction de ses propres véhicules.

(1) Au sujet des différences d'avec les données astronomiques pour Uranus, Saturne et Jupiter, voir les 3 dernières lignes du chapitre.

ASPECTS 1, 3, 7 et 10 de DIEU et de L'HOMME

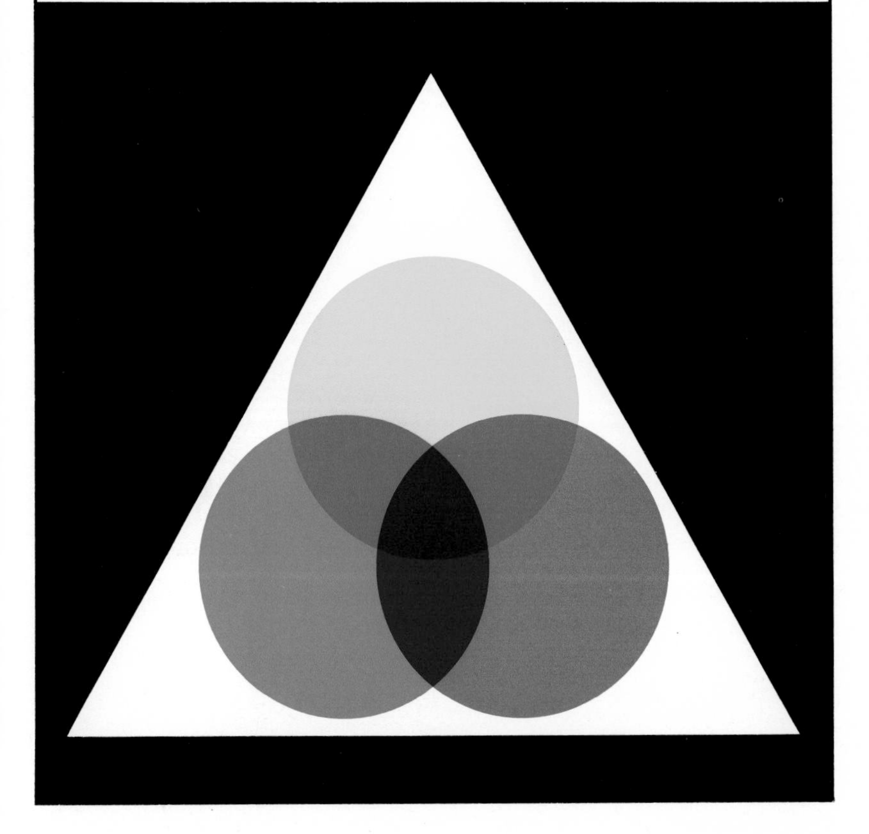

TABLE DES VIBRATIONS

DONT LES EFFETS SONT RECONNUS ET ÉTUDIÉS PAR LA SCIENCE

	Nombre de Vibrations par seconde	
1re Octave	2	
2e —	4	
3e —	8	
4e —	16	
5e —	32	
6e —	64	Ondes Hertziennes
7e —	128	Son
8e —	256	
9e —	512	
10e —	1 024	
15e —	32 768	
20e —	1 048 576	
25e —	33 554 432	Ultra-sons
30e —	1 073 741 824	
35e —	34 359 738 368	
40e —	1 099 511 627 776	Infra-rouge lointain
45e —	35 184 372 088 832	
46e —	70 368 744 177 644	
47e —	140 737 468 355 328	Chaleur (Infra-rouge)
48e —	281 474 979 710 656	
49e —	562 949 953 421 312	Lumière
50e —	1 125 899 906 842 624	
51e —	2 251 799 813 685 248	Radiations chimiques
57e —	144 115 188 075 855 872	Ultra-violet
58e —	288 230 376 151 711 744	lointain
59e —	576 460 752 303 423 488	Rayons X
60e —	1 152 921 504 606 846 976	
61e —	2 305 843 009 213 693 952	Rayons gamma
62e —	4 611 686 618 427 389 904	Rayons cosmiques

N.D.T. Tableau mis à jour en l'état actuel des connaissances. Les radiations chimiques sont appelées actuellement ultra-violet. Elles étaient nommées de cette façon autrefois, car elles sont indispensables pour l'amorçage de certaines réactions chimiques (réactions de photosynthèse) en particulier. Les rayons cosmiques sont encore mal connus ; on sait cependant qu'ils ne sont pas uniquement de nature électromagnétique.

FIGURE 4

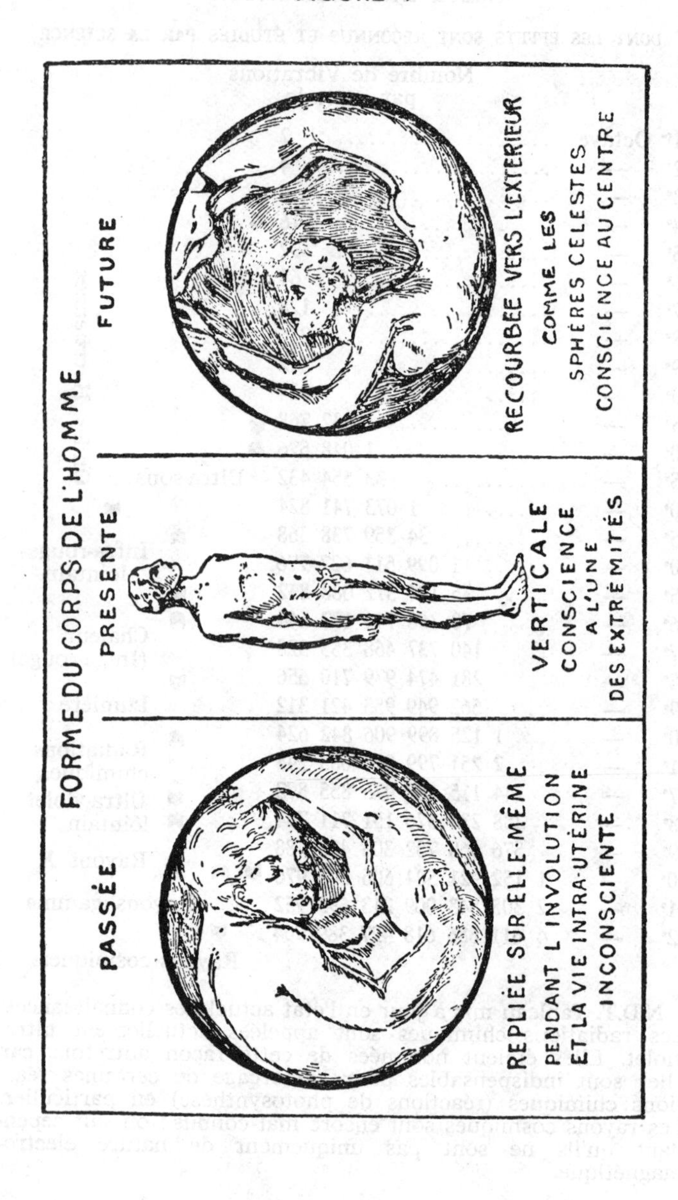
FORME DU CORPS DE L'HOMME
PASSÉE
PRESENTE
FUTURE
REPLIÉE SUR ELLE-MÊME
PENDANT L'INVOLUTION
ET LA VIE INTRA-UTÉRINE
INCONSCIENTE
VERTICALE
CONSCIENCE
A L'UNE
DES EXTRÉMITÉS
RECOURBEE VERS L'EXTERIEUR
COMME LES
SPHÈRES CELESTES
CONSCIENCE AU CENTRE

C'est d'ailleurs ainsi que l'embryon se développe dans la sphère de l'utérus.

Le corps dense et le corps vital de l'homme se sont redressés, mais ses véhicules supérieurs conservent encore leur forme ovoïde. Dans le corps physique, le cerveau directeur et coordinateur est situé à l'une des extrémités. C'est la position la plus défavorable pour un tel organe. Il faut trop de temps pour que les impulsions puissent passer d'une extrémité à l'autre, du cerveau aux pieds et des pieds au cerveau. En cas de brûlure, par exemple, la science a démontré que nous perdons des moments précieux ; la peau est sérieusement brûlée avant qu'un message puisse être transmis de la partie blessée au cerveau, et vice versa.

Ce défaut serait moins grave si le cerveau se trouvait au milieu du corps. Les sensations et la réaction qu'elles provoquent pourraient être alors beaucoup plus rapidement transmises et reçues. Dans les planètes sphériques, l'Esprit Planétaire dirige *à partir du centre* les mouvements de son véhicule. A l'avenir, l'homme se courbera en arrière, comme le montre la figure 4. Il redeviendra une sphère, mais il dirigera son énergie vers l'extérieur, car une forme sphérique offre la plus grande liberté possible de mouvements dans toutes les directions, et favorise une combinaison de nouvements simultanés.

La Cosmogonie des Rose-Croix enseigne qu'une évolution ultérieure est réservée aux planètes.

Lorsque les êtres habitant une planète ont atteint un degré suffisant de développement, cette planète devient un Soleil, centre fixe d'un système solaire. Quand ce qui vit à sa surface a atteint un degré d'évolution encore plus élevé et que, par conséquent, le soleil a atteint son maximum d'éclat, il se divise pour former un zodiaque et devient pour ainsi dire la matrice d'un nouveau système solaire.

C'est ainsi que les grandes Légions d'Etres Divins qui étaient confinées dans ce Soleil, obtiennent leur liberté d'action sur un grand nombre d'astres, d'où elles peuvent influencer de manières diverses le système qui se développe dans leur sphère d'influence. Les planètes (mondes porteurs d'hommes) comprises dans ce Zodiaque, sont constamment travaillées par ces forces, mais de diverses manières, selon le degré d'évolution qu'elles ont atteint.

Notre Soleil ne pouvait devenir un Soleil avant d'avoir rejeté hors de lui-même tous les Etres n'ayant pas suffisamment évolué pour supporter le taux de vibration et la grande luminosité de ceux qui étaient qualifiés pour cette évolution. Toutes les créatures vivant sur les différentes planètes auraient été consumées si elles étaient restées dans le Soleil.

Toutefois, ce Soleil visible, bien qu'il soit le champ d'évolution d'Etres très supérieurs à l'homme, n'est en aucune façon le Père des autres planètes, comme le suppose la science matérialiste. Il est, au contraire, lui-même une émanation du Soleil Central qui est la source invisible de tout ce qui EST dans notre système solaire. Notre Soleil visible n'est que le miroir dans lequel sont réfléchis les rayons d'énergie émanés du Soleil spirituel. Le Soleil réel est aussi invisible que l'Homme réel.

Uranus a été la première planète lancée dans l'espace par la nébuleuse quand sa différenciation a commencé dans le Chaos, à l'aube de la Période de la Terre. Il n'y avait pas alors de lumière, si ce n'est la faible lueur du Zodiaque. La vie partie du Soleil central avec Uranus est d'un genre plutôt arriéré ; elle évolue, à ce qu'il paraît, d'une manière extrêmement lente.

Saturne a été la deuxième planète différenciée. Elle est le champ d'action de la vie qui passe par la phase d'évolution correspondant à la Période de Saturne. Cette planète a été différenciée avant l'embrasement de la nébuleuse et (comme toutes les nébuleuses quand elles passent par la Période de Saturne de leur évolution) elle n'était pas une source de lumière, mais un réflecteur.

Jupiter a été différencié peu après, alors que la nébuleuse était devenue lumineuse. La chaleur de cette planète n'est pas aussi grande que celle du Soleil, de Vénus et de Mercure, mais, en raison de son immense volume, elle est capable de retenir sa chaleur et se trouve être ainsi un champ d'évolution convenant à des êtres très avancés. Elle correspond au degré de développement qui sera atteint par la Terre elle-même pendant la Période de Jupiter.

Mars est un mystère, et il ne nous est permis de donner

que peu d'informations au sujet de cette planète. Nous pouvons dire cependant que la vie sur Mars est d'une nature très arriérée et que les soi-disant « canaux » ne sont pas des excavations sur la surface de la planète ; ce sont des courants tels que ceux qui, pendant l'époque Atlantéenne, circulaient autour de notre planète et dont on peut observer les vestiges dans les Aurores Boréales. Cela explique le déplacement des « canaux » Martiens observé par les astronomes. S'ils étaient réellement des canaux, il leur serait impossible de se déplacer ; tandis que les courants qui émanent des Pôles de Mars peuvent changer de place.

La Terre, y compris la Lune, ont été ensuite séparées du Soleil et, plus tard, Vénus et Mercure. Nous parlerons plus loin de ces planètes et de Mars dans leur relations avec l'évolution de l'homme sur la Terre. Il n'est pas nécessaire pour le moment de les examiner davantage.

Quand une planète a des satellites, cela indique que, dans la vague de vie évoluant sur cette planète, il y a eu des Etres trop arriérés pour partager l'évolution de la vague de vie principale. C'est la raison pour laquelle ils ont été éloignés de la planète afin de les empêcher de retarder le progrès des pionniers. Tel est le cas pour les Etres qui habitent notre Lune. En ce qui concerne Jupiter, il est probable que les habitants de trois de ses satellites seront finalement capables de rejoindre la vague de vie sur la planète-mère, mais on pense que, sur les autres, au moins un est une huitième sphère sur laquelle la rétrogradation et la désagrégation du véhicule déjà acquis résulteront, comme sur notre Lune, d'un attachement trop étroit à l'existence matérielle des Etres en évolution qui ont eux-mêmes provoqué cette fin déplorable.

Neptune et ses satellites n'appartiennent pas à proprement parler à notre système solaire. Les autres planètes, ou plutôt leurs Esprits, exercent une influence sur l'humanité tout entière, mais l'influence de Neptune est limitée à une classe particulière, celle des astrologues. L'auteur, par exemple, a plusieurs fois nettement ressenti son influence impérieuse.

Quand les retardataires habitant un satellite ont rattrapé leur retard et sont retournés sur la planète-mère, ou lorsque leur rétrogression persistante a provoqué la désintégration complète de leurs véhicules, ce satellite, alors abandonné, commence à se désintégrer. L'impulsion spirituelle qui l'avait projeté sur une orbite fixe peut se maintenir encore pendant des âges ; d'un point de vue matériel, il peut paraître quelque temps encore comme un satellite de la planète-mère. Petit à petit, cependant, le pouvoir d'attraction de la planète diminue, l'orbite du satellite s'élargit jusqu'à atteindre les limites de notre système solaire ; il est alors rejeté dans l'espace interstellaire et dissous dans le Chaos. L'expulsion de cette sorte de scorie, de ce monde mort, est analogue à celle des éléments étrangers, aiguilles, etc., entrés dans le corps humain et qui cheminent à travers les muscles vers la peau. Les Astéroïdes en sont un exemple : ce sont des fragments de lunes qui ont été autrefois les satellites de Vénus et de Mercure. Les Etres qui les ont habités sont connus ésotériquement sous les noms de « Seigneurs de Vénus » et « Seigneurs de Mercure » ; ils ont rattrapé leur retard, en grande partie, grâce aux services qu'ils ont rendus à notre humanité, ainsi que nous le verrons plus tard. Ils sont maintenant en sûreté sur les planètes-mères, et les lunes qu'ils ont habitées sont partiellement désintégrées et déjà loin au-delà de l'orbite de la Terre. Il y a d'autres « soi-disant » satellites dans notre système, mais les Rose-Croix ne les prennent pas en considération, car ils n'ont rien à voir avec l'évolution.

CHAPITRE XII

ÉVOLUTION SUR LA TERRE

EPOQUE POLAIRE

Alors que la matière qui forme maintenant la Terre faisait encore partie du Soleil, elle était naturellement à une température très élevée ; mais, comme le feu ne peut brûler l'esprit, notre évolution a immédiatement commencé ; elle était plus particulièrement limitée à la Région Polaire du Soleil.

Les êtres les plus développés qui devaient devenir humains sont apparus en premier. Les substances qui forment maintenant la Terre étaient toutes en fusion et l'atmosphère était gazeuse ; malgré cela, l'homme a de nouveau récapitulé sa phase minérale d'existence.

De cette substance chimique atténuée du Soleil, l'homme a lui-même construit son premier corps minéral avec l'aide des Seigneurs de la Forme. Si on objecte à cela que l'homme ne pouvait rien construire inconsciemment, on peut citer comme réponse le cas de la maternité. La mère est-elle consciente de la construction du corps de l'enfant dans son sein ? Cependant, il est certain que personne ne soutiendra qu'elle ne prend aucune part à ce travail ! La seule différence est que la mère construit inconsciemment le corps de son bébé, tandis que l'homme construit inconsciemment ses propres véhicules.

Le premier corps physique de l'homme n'avait pas la plus lointaine ressemblance avec la splendide organisation de son véhicule actuel, dont le plein développement a exigé des myriades d'années. Le premier corps dense était un objet de grandes dimensions en forme de sac. D'une ouverture placée au sommet sortait une sorte d'organe d'orientation et de direction. Au cours des âges, le corps physique s'est contracté et condensé. S'il s'approchait trop d'une source de chaleur plus forte que celle qu'il était capable d'endurer, il se désintégrait. Peu à peu, cet organe est devenu sensible aux conditions qui menaçaient de destruction le corps dense. Ce dernier, averti, se retirait automatiquement dans un lieu plus sûr.

Cet organe a maintenant dégénéré. Il est devenu ce qu'on appelle la glande pinéale. On l'appelle aussi parfois le « troisième œil ». Cette dénomination est mal choisie, parce que cet organe n'a jamais été un œil, mais plutôt un organe localisé, fait pour percevoir des sensations de chaleur et de froid, faculté qui s'étend maintenant à toute la surface du corps physique. Pendant l'époque polaire, ce sens était localisé, de même que le sens de la vue est maintenant confiné dans l'œil et celui de l'ouïe dans l'oreille. L'extension du sens du toucher depuis cette époque indique de quelle manière se fera le perfectionnement du corps, en sorte que, dans les temps futurs, toutes les parties du corps seront capables de tout percevoir. Les sens de la vue et de l'ouïe seront étendus à toute la surface du corps, comme l'est maintenant le sens du toucher. L'homme sera alors « tout yeux et tout oreilles ». Des organes de sensation localisés indiquent une limitation. Une faculté de sensation répandue par tout le corps indique une perfection relative.

Pendant la phase primitive d'évolution dont nous parlons maintenant, il y avait une sorte d'acte de reproduction. Ces immenses créatures en forme de sac se divisaient par moitié d'un manière analogue à la division des cellules par scissiparité, mais les parties séparées ne se développaient pas ; chacune d'elles restait à la dimension de la moitié de la forme originelle.

EPOQUE HYPERBOREENNE

Au cours des âges, sur divers points du globe ardent, des îles ont commencé à se former sur la mer de feu. Les Seigneurs de la Forme sont apparus, de même que les Anges (humanité de la Période de la Lune) et ont ajouté un corps vital à la forme physique de l'homme. Ces corps en forme de sac ont alors commencé à augmenter de volume en attirant à eux des matériaux extérieurs, par osmose pour ainsi dire. Pour se reproduire, ils ne se divisaient plus en deux parties égales, mais en deux parties inégales. Ces deux parties croissaient jusqu'à ce qu'elles aient atteint la taille originelle du corps qui leur avait donné naissance.

Comme l'époque Polaire a été en réalité une récapitulation de la Période de Saturne, on peut dire que pendant cette époque l'homme est passé par la condition minérale ; il avait les mêmes véhicules que les minéraux, le corps physique et un état de conscience analogue à l'état de léthargie. Pour des raisons analogues, la phase d'existence végétale a été récapitulée pendant l'Epoque Hyperboréenne, alors que l'homme avait un corps physique, un corps vital et un état de conscience de sommeil sans rêves.

L'homme a commencé son évolution sur la Terre après la séparation de Mars de la masse centrale, alors que ce qui forme maintenant la Terre faisait encore partie du Soleil ; mais, à la fin de l'Epoque Hyperboréenne, la solidification avait fait de tels progrès qu'elle était devenue un obstacle pour l'avancement d'un certain nombre d'Etres supérieurs de l'Evolution Solaire. La température élevée du globe gênait aussi l'évolution de quelques-unes des créatures des classes inférieures telles que l'homme qui, à cette époque, avait besoin d'un monde plus dense pour continuer son développement. C'est pourquoi la partie qui est devenue la Terre a été séparée du Soleil à la fin de l'Epoque Hyperboréenne et s'est mise à graviter autour de l'astre central sur une orbite quelque peu différente de l'orbite actuelle. Peu de temps après, Vénus et Mercure ont été lancés dans l'espace pour des raisons analogues.

La solidification commence toujours au pôle d'une planète, où la rotation est lente. La partie solidifiée se fraye graduellement son chemin vers l'équateur, en obéissant à la force centrifuge. Si cette force est supérieure à la force de cohésion, la masse solidifiée est lancée dans l'espace.

A l'époque où le Globe Terrestre a été séparé de la masse centrale, il englobait la partie qui forme maintenant la Lune. Sur ce grand Globe évoluait la vague de vie formant à présent le règne humain, ainsi que les vagues de vie qui ont commencé leur évolution dans les Périodes du Soleil, de la Lune et de la Terre, et qui évoluent maintenant dans les règnes animal, végétal et minéral.

Nous avons mentionné les retardataires des diverses Périodes qui, dans les Périodes ultérieures, ont été mis à même de s'élever d'un degré dans l'évolution. Il en est cependant qui n'ont pu le faire. Ils n'ont pas évolué et ont été, par conséquent, laissés de plus en plus en arrière, au point de devenir un obstacle pour ceux qui continuaient à progresser. Il est alors devenu nécessaire de les éloigner pour éviter de retarder l'évolution des autres.

Au commencement de l'Epoque Lémurienne, ces êtres qui avaient *échoué* (notez qu'ils avaient *échoué* et n'étaient pas de simples retardataires) avaient solidifié à tel point la partie de la Terre qu'ils occupaient qu'ils avaient fini par constituer comme une énorme scorie ou mâchefer sur le globe par ailleurs tendre et brûlant. Ils étaient une entrave et un obstacle ; aussi ont-ils été projetés dans l'espace sans retour possible, avec la partie de la Terre qu'ils avaient cristallisée. Telle est la genèse de la Lune.

LA LUNE, HUITIEME SPHERE

Les sept Globes, de A à G, sont le terrain de l'Evolution. La Lune est le terrain de la Désagrégation.

Si la Terre n'avait pas été séparée du Globe originel qui est maintenant le Soleil, la rapidité des vibrations solaires aurait désagrégé les véhicules de l'homme. Il aurait eu un développement physique si rapide que la croissance d'un champignon aurait paru lente en comparaison. Il serait devenu vieux avant d'avoir eu le temps de faire l'expérience de la jeunesse. Un phénomène analogue se présente dans la rapidité de la croissance sous les tropiques, où la maturité et la vieillesse sont atteints beaucoup plus tôt que dans le Nord. D'autre part, si la

Lune ne s'était pas séparée de la Terre, l'homme se serait cristallisé en statue. La séparation de la Terre d'avec le Soleil, lequel envoie maintenant ses rayons d'une grande distance, permet à l'homme de vivre au taux de vibration qui lui convient et de se développer lentement. Les forces lunaires lui parviennent de la distance exactement nécessaire pour lui permettre de construire un corps de densité suffisante. Mais, quoique ces forces concourent à la construction de la forme, elles causent aussi la mort par une influence trop prolongée qui finit par cristalliser les tissus du corps.

Le Soleil est actif dans le corps vital ; il est la force vitale par excellence, qui lutte contre la force mortelle et cristallisante de la Lune.

EPOQUE LEMURIENNE

Pendant cette époque, les Archanges (qui sont l'humanité de la Période du Soleil) ont fait leur apparition, ainsi que les Seigneurs du Mental (humanité de la Période de Saturne). Ces hiérarchies ont été aidées par les Seigneurs de la Forme qui ont en charge la Période de la Terre. Ils ont aidé l'homme à construire son corps du désir ; les Seigneurs du Mental ont *donné* le germe de l'Intellect à la majorité des pionniers de l'humanité qui formaient la classe I du tableau 13.

Les Seigneurs de la Forme ont vivifié l'esprit humain chez tous ceux des retardataires de la Période de la Lune qui avaient accompli les progrès nécessaires dans les trois Révolutions et demie qui s'étaient écoulées depuis le commencement de la Période de la Terre ; mais à ce moment, les Seigneurs du Mental n'ont pas pu leur donner le germe de l'Intellect. Ainsi, une grande partie de l'humanité naissante a-t-elle été laissée sans ce trait d'union entre l'esprit triple et le corps triple.

Les Seigneurs du Mental se sont chargés de la partie supérieure du corps du désir et du germe de l'intellect et leur ont communiqué la qualité de personnalité distincte sans laquelle les êtres à la fois complets et individualisés que nous sommes aujourd'hui n'auraient pu exister.

Nous devons donc aux Seigneurs du Mental une personnalité distincte et toutes les possibilités d'expérience et de croissance qui nous sont ainsi offertes. Ce point marque la naissance de l'Individu.

NAISSANCE DE L'INDIVIDU

Le tableau 1 met en évidence le fait que la personnalité est l'image réfléchie de l'Esprit, l'Intellect servant de miroir ou de foyer.

De même que, réfléchie dans un étang, l'image des arbres semble inversée et que le feuillage paraît être au plus profond de l'eau, ainsi l'aspect le plus élevé de l'esprit (esprit divin) trouve sa contre-partie dans le plus dense des trois corps (corps physique). L'esprit vital est réfléchi dans le corps vital. L'esprit humain et son image, le corps du désir, sont plus rapprochés que tous les autres au miroir réflecteur qu'est l'intellect et qui correspond à la surface de l'étang (milieu réflecteur de notre image).

Au cours de l'Involution, l'Esprit est descendu des Mondes supérieurs, alors que les corps ont été construits dans le sens ascendant pendant la même période. C'est la rencontre de ces deux courants dans l'Intellect centralisateur qui marque dans le temps le point où l'individu, l'être humain, l'Ego est né, alors que l'Esprit prenait possession de ses véhicules.

Il ne faudrait pas supposer toutefois que cette prise de possession a immédiatement élevé l'homme à la condition actuelle de son évolution en faisant de lui, d'emblée, l'être conscient et pensant qu'il est arrivé à être de nos jours. Avant que ce stade ait pu être atteint, il a fallu que l'être humain parcoure un chemin long et pénible, car, à l'époque reculée que nous considérons, ses organes étaient dans la phase la plus rudimentaire et il n'avait pas de cerveau pour lui servir d'instrument d'expression. Aussi sa conscience était-elle la plus obscure qui se pût concevoir. A vrai dire, l'homme d'alors était loin d'être aussi intelligent que le sont nos animaux domestiques d'aujourd'hui. Le premier pas vers le progrès a été marqué par la construction d'un cerveau qui devait servir d'instrument à l'Intellect dans le monde physique. Cet objet a été atteint par la séparation de l'humanité en sexes.

SEPARATION DES SEXES

Contrairement à ce que l'on croit généralement, l'Ego est bissexué. S'il était asexué, le corps humain serait, lui aussi, sans sexe, car il est le symbole extérieur de l'esprit intérieur.

Le sexe de l'Ego — cela est évident — ne s'exprime pas directement dans les mondes intérieurs. Il s'y manifeste sous la forme de deux qualités distinctes — la Volonté et l'Imagination. La Volonté est le pouvoir masculin et elle est reliée aux forces solaires ; l'Imagination est le pouvoir féminin et elle est toujours reliée aux forces lunaires. Cela explique la tendance imaginative de la femme et le pouvoir spécial que la Lune exerce sur l'organisme féminin.

Alors que la matière dont la Terre et la Lune ont, plus tard, été formées, faisait encore partie du Soleil, le corps de l'homme en devenir était encore plastique. Les forces émanées par la partie qui est devenue plus tard le Soleil et par la partie qui est maintenant la Lune, étaient aisément actives dans tous les corps, en sorte que l'homme de l'Epoque Hyperboréenne était hermaphrodite, capable de produire un nouvel Etre sans avoir de relations sexuelles avec un autre être.

Quand la Terre a été séparée du Soleil et que, peu après, elle a lancé la Lune dans l'espace, les forces des deux astres n'ont plus affecté uniformément tous les êtres comme par le passé. Certains corps ont été plus affectés par un astre et certains l'ont été davantage par les forces de l'autre.

INFLUENCE DE MARS

Pendant la partie de la Période de la Terre qui a précédé la séparation des sexes, c'est-à-dire pendant les trois Révolutions et demie qui se sont écoulées entre la séparation de Mars et le commencement de l'Epoque Lémurienne, Mars décrivait une orbite différente de l'orbite actuelle et son aura (la partie des véhicules subtils qui s'étendent au-delà de la planète physique) pénétrait le corps de la planète centrale et polarisait le fer qu'elle contenait.

Comme le fer est indispensable à la production du sang rouge et chaud, tous les êtres étaient à sang froid, ou plus exactement les parties liquides de leur corps n'étaient pas plus chaudes que l'atmosphère environnante.

Quand la Terre a été séparée du Soleil central, cet événement a modifié les orbites des planètes, et c'est ainsi que l'influence de Mars sur le fer contenu dans la Terre a été réduite à son minimum. L'Esprit Planétaire de Mars a fini par supprimer les derniers vestiges de cette influence et, bien que les corps du désir de la Terre et de Mars s'interpénètrent encore, le pouvoir dynamique de Mars sur le fer (qui est un métal martien) a cessé d'exister et le fer est devenu disponible sur notre planète pour l'usage de l'homme.

Le fer est, en réalité, la base de l'existence distincte. Sans lui, il ne pourrait y avoir de sang rouge et chaud et l'Ego n'aurait pas de prise sur le corps. Quand le sang rouge s'est développé, dans la dernière partie de l'Epoque Lémurienne, le corps a pris la station verticale ; le temps était venu où l'Ego pouvait habiter à l'intérieur de son corps et de le gouverner.

Mais habiter un corps n'est ni l'intention ni le but de l'évolution. Ce n'est qu'un moyen pour permettre à l'Ego de mieux s'exprimer par l'intermédiaire de son instrument et de se manifester dans le Monde Physique. Pour arriver à cette fin, le larynx, les organes des sens et surtout le cerveau devaient être construits et perfectionnés.

Pendant les premiers temps de l'Epoque Hyperboréenne, alors que la Terre était encore unie au Soleil, les forces solaires fournissaient à l'homme tout ce dont il avait besoin pour sa subsistance, et l'homme en irradiait inconsciemment le surplus dans un but de reproduction.

Quand l'Ego est entré en possession de ses véhicules, il est devenu nécessaire d'utiliser une partie de cette force pour la construction du cerveau et du larynx. A l'origine, ce dernier faisait partie de l'organe de reproduction. Le larynx avait été construit alors que le corps physique était encore replié en une forme de sac, comme nous l'avons déjà décrit, forme qui est encore celle de l'embryon humain. Quand le corps physique s'est redressé et a pris la position verticale, une partie de l'organe de reproduction est resté avec la partie supérieure du corps physique et, plus tard, elle est devenue le larynx.

Ainsi, la double force créatrice qui avait jusqu'ici travaillé dans une seule direction, dans le but de créer un autre Etre, s'est divisée. Une partie en a été dirigée vers la tête pour servir à la construction du cerveau et du larynx, qui devaient permettre à l'Ego de penser et de communiquer ses pensées à d'autres créatures.

En vertu de ce changement, une partie seulement de la force requise pour créer un autre individu restait disponible à toute créature vivante, et c'est pourquoi il est devenu nécessaire, pour chacune d'elles, de rechercher la collaboration d'un autre être possédant la partie complémentaire de l'énergie créatrice.

C'est ainsi que, grâce au cerveau, l'entité en évolution a pris conscience du monde extérieur, mais au prix de la moitié de son pouvoir créateur. Précédemment, elle avait utilisé en elle-même les deux parties de ce pouvoir pour produire un autre être. Toutefois, cette modification a eu pour résultat de développer le pouvoir créateur et celui d'exprimer sa pensée. Auparavant, cette entité ne créait que dans le monde physique ; depuis lors, elle est devenue capable de créer dans les trois Mondes.

LES RACES ET LEURS CHEFS

Avant d'entrer dans le détail de l'évolution des Lémuriens, il n'est pas inutile de considérer d'une manière générale les Races et leurs Chefs.

Certains ouvrages d'occultisme de grande valeur, qui ont mis à la portée du public les enseignements de la sagesse orientale, contiennent cependant certaines erreurs, en raison d'une interprétation erronée de ces enseignements. Tous les livres qui ne sont pas écrits directement par les Frères Aînés peuvent contenir de telles erreurs. Prenant en considération l'extrême complexité du sujet et ses nombreuses ramifications, il est étonnant, non pas que des erreurs se soient produites, mais qu'elles ne soient pas plus fréquentes. Par conséquent, l'auteur ne prétend pas critiquer les autres, car il est possible que des erreurs plus nombreuses et plus graves se soient glissées dans le présent ouvrage, à cause de l'interprétation erronée qu'il a pu faire de ces enseignements. Il se contente de présenter, dans les quelques paragraphes qui suivent, les notions qu'il a reçues et qui montrent comment les enseignements différents (et en apparence contradictoires) de deux ouvrages d'une valeur aussi considérable que « La Doctrine Secrète », de H.P. Blavatsky, et « Le Bouddhisme Esotérique », de A.-P. Sinnett, peuvent se concilier.

La partie de l'évolution humaine qui doit s'accomplir pendant le séjour actuel de la vague de vie sur notre Terre est divisible en sept grandes Phases ou Epoques ; mais on ne peut pas, à proprement parler, leur donner le nom de Races. Avant la fin de l'Epoque Lémurienne, on ne peut vraiment appliquer ce nom à quoi que ce soit. Ensuite, les Races se succèdent pendant les époques Atlantéenne et Aryenne et elles s'étendront quelque peu jusqu'à la sixième Grande Epoque.

Dans notre plan d'évolution, le nombre total des Races passées, présentes et futures, est de seize : une Race à la fin de l'Epoque Lémurienne, sept Races pendant l'Epoque Atlantéenne, sept autres pendant l'Epoque Aryenne actuelle et une au début de la sixième Epoque. Après cela, il n'y aura plus rien qui puisse être proprement appelé une Race.

Il n'y avait pas de Races dans les Périodes qui ont précédé la Période de la Terre, et il n'y en aura pas dans les Périodes qui suivront. Ce n'est qu'ici, au véritable nadir de l'existence matérielle, que la différence d'homme à homme est suffisante pour justifier la division de l'humanité en Races.

Les Chefs immédiats de l'humanité (indépendamment des Hiérarchies créatrices) qui ont aidé l'homme à faire ses premiers pas chancelants sur la voie de l'évolution, alors que l'Involution lui avait procuré ses véhicules, étaient des Etres beaucoup plus avancés que lui sur le chemin de l'évolution. Pour remplir cette mission d'amour, ils sont venus des deux planètes situées entre la Terre et le Soleil : Vénus et Mercure.

Les Etres qui habitent Vénus et Mercure ne sont pas tout à fait aussi avancés que ceux dont le Soleil est le champ actuel d'évolution, mais ils sont beaucoup plus avancés que notre humanité. Ils sont donc restés un peu plus longtemps que les habitants de la Terre avec la masse centrale ; mais, à un certain moment, leur évolution exigeait un champ d'action distinct, en sorte que ces deux planètes ont été lancées dans l'espace : Vénus, tout d'abord, puis Mercure. Chaque planète fut placée à une distance de l'astre central qui devait lui assurer la rapidité de vibration nécessaire à son évolution. Les habitants de Mercure sont les plus avancés et, par conséquent, les plus rapprochés du Soleil.

Quelques-uns des habitants de l'une et de l'autre planète ont été envoyés sur la Terre pour aider l'humanité naissante, et ils sont connus des Occultistes sous les noms de « Seigneurs de Vénus » et de « Seigneurs de Mercure ».

Les Seigneurs de Vénus ont été les Chefs des multitudes. Ils étaient des Etres inférieurs de l'évolution de Vénus qui étaient apparus parmi les hommes et qui étaient connus sous le nom de « Messagers des Dieux ». Pas à pas et pour son plus grand bien, ils ont dirigé et guidé notre humanité. Aucune révolte contre leur autorité ne s'est produite, parce que l'homme n'avait pas encore développé de volonté indépendante. C'était pour l'amener au degré de développement où il serait capable de manifester sa volonté et son jugement qu'ils l'ont guidé jusqu'à ce qu'il lui soit possible de se guider lui-même.

On savait que ces messagers étaient en relation avec les Dieux. Ils étaient tenus en grande révérence, et leurs ordres étaient obéis sans discussion.

Une fois que, sous la direction de ces Etres, l'humanité est parvenue à un certain degré de développement, les entités les plus avancées ont été placées sous la direction des Seigneurs de Mercure qui les ont initiées aux vérités supérieures dans le but d'en faire des chefs. Ces initiés ont alors été élevés au rang royal et ont été les fondateurs des dynasties de Souverains Divins qui étaient, en vérité, rois « par la grâce de Dieu » ; c'est-à-dire par la grâce des Seigneurs de Vénus et de Mercure qui étaient comme des Dieux pour notre humanité dans l'enfance. Ils ont guidé et instruit les rois, afin qu'ils règnent pour le bien de leur peuple et non pour se donner de l'importance ou pour s'arroger des privilèges à ses dépens.

En ce temps-là, un Souverain considérait comme un devoir sacré d'instruire et d'aider son peuple, d'adoucir ses souffrances, d'assurer son bien-être et de rendre la justice. Pour l'instruire dans la sagesse et pour guider son jugement, il avait la lumière de Dieu. Aussi, tant que ces rois ont régné, la prospérité était générale et c'était vraiment l'Age d'Or. Cependant, à mesure que nous suivons en détail l'évolution de l'homme, nous voyons que la phase, ou période actuelle de développement, bien qu'on ne puisse en aucune façon l'appeler un âge d'or, si ce n'est dans un sens matériel, n'en est pas moins nécessaire afin d'amener l'homme au point où il sera capable de se gouverner lui-même, car *la maîtrise de soi est l'objet et le but de toute souveraineté. Un homme qui n'a pas appris à se gouverner ne peut sans danger être privé de guide* et, dans la condition actuelle de son développement, c'est la tâche la plus pénible qui puisse lui être assignée. Il est facile de commander aux autres ; il est difficile d'obtenir de nous-mêmes l'obéissance.

INFLUENCE DE MERCURE

Le but des Seigneurs de Mercure, à l'Epoque dont nous parlons, et depuis lors celui de tous les Hiérophantes des Mystères, comme aussi de toutes les écoles occultes de nos jours, était et est encore d'enseigner au candidat l'art de se rendre maître de soi. Celui qui sait se maîtriser est seul capable de gouverner les autres et cela *seulement dans la mesure où il possède cette maîtrise.* Si ceux qui gouvernent les peuples étaient capables de bien se gouverner *eux-mêmes,* nous connaîtrions un nouveau « Millénium » (1) ou « Age d'Or ».

De même que jadis les Seigneurs de Vénus ont tra-

(1) Nom de la période de « mille ans » pendant laquelle, selon Apocalypse 20 : 1 à 7, le Christ régnerait sur la terre. *(N. d. T.)*

vaillé au profit des multitudes d'un âge reculé, ainsi, de nos jours, les seigneurs de Mercure travaillent pour le bien de l'individu en lui apprenant à se gouverner lui-même et (accessoirement, non principalement) à gouverner les autres. Ce travail n'est que le commencement de ce que pourra apporter une influence mercurienne croissante pendant les trois dernières Révolutions et demie de la Période de la Terre.

Pendant les trois premières révolutions et demie de la Période de la Terre, Mars a dominé. Il a polarisé le fer, empêchant la formation du sang rouge, de telle sorte que l'Ego ne pouvait élire domicile à l'intérieur de son corps tant que ce corps n'avait pas atteint un degré suffisant de développement.

Pendant les trois dernières révolutions et demie de la Période de la Terre, Mercure fera sentir son influence et dégagera l'Ego de son véhicule le plus dense par l'Initiation.

On peut noter en passant que, de même que Mars avait polarisé le fer, Mercure a polarisé le métal qui porte son nom, et le mode d'action de ce métal fera très bien comprendre quelle est sa tendance : séparer le corps physique de l'esprit qu'il cherche à libérer.

Ce redoutable fléau, la syphilis, nous donne l'exemple d'un cas où l'Ego est enchaîné, retenu captif du corps physique à un degré particulièrement incommodant. Or, on sait qu'une quantité suffisante de mercure améliore ces conditions, diminue l'emprise du corps dense sur l'Ego en laissant à ce dernier, dans les limites du possible, la liberté relative dont l'individu normal peut jouir. Par contre, une dose trop forte de ce métal provoque la paralysie générale et soustrait ainsi le corps physique à l'autorité de l'Ego d'une manière fâcheuse.

Les Seigneurs de Mercure ont enseigné à l'homme la façon de quitter son corps et d'y rentrer à son gré, et aussi comment utiliser ses véhicules supérieurs indépendamment du corps physique, de telle sorte que ce dernier devienne une demeure agréable au lieu d'être une prison strictement close, un instrument utile au lieu d'être une entrave gênante.

C'est pourquoi la science occulte parle de la Période de la Terre, comme de la Période Mars-Mercure ; ainsi, on peut dire avec raison que nous avons été en Mars et que nous allons en Mercure, comme l'enseigne l'un des ouvrages occultes mentionnés ci-dessus. Il est également vrai, cependant, que nous n'avons jamais habité la planète Mars et que nous n'aurons pas non plus à quitter la Terre à un moment donné dans l'avenir pour aller demeurer sur la planète Mercure, comme l'affirme l'autre ouvrage précédemment nommé, ouvrage écrit dans l'intention de redresser les erreurs du premier auteur.

Comme Mercure est encore maintenant « en obscuration », il n'a sur nous qu'une très faible influence, mais il est sur le point de sortir de son repos planétaire et, au cours des siècles, son influence deviendra de plus en plus évidente en tant que facteur de notre évolution. Les Races futures recevront beaucoup d'assistance de la part des Mercuriens, et les hommes des Epoques et des Révolutions encore plus lointaines en recevront davantage encore.

LA RACE LEMURIENNE

Nous sommes maintenant à même de comprendre les enseignements qui vont suivre au sujet des hommes qui vivaient *pendant la dernière partie* de l'Epoque Lémurienne et que nous pouvons appeler la Race Lémurienne.

L'atmosphère de la Lémurie était encore très dense, assez analogue au brouillard de feu de la Période de la Lune, mais plus dense. La croûte terrestre commençait seulement à devenir tout à fait dure et solide à certains endroits, alors que d'autres étaient encore en feu. Entre les îles formées par les incrustations, il y avait une mer d'eau bouillante et agitée. Des éruptions volcaniques et des cataclysmes ont marqué cette époque, pendant laquelle les feux souterrains luttaient contre la formation du mur sphérique qui devait plus tard les emprisonner.

Sur les endroits les plus solidifiés, et qui s'étaient relativement refroidis, l'homme vivait au milieu de forêts de fougères géantes et d'animaux d'une taille gigantesque. Les formes de l'homme et des animaux étaient encore tout à fait plastiques. Le squelette était formé, mais l'homme lui-même avait, dans une large mesure, le pouvoir de modeler son propre corps et celui des animaux qui l'entouraient.

A sa naissance, il avait le sens de l'ouïe et du toucher. La faculté de percevoir la lumière ne lui venait que plus tard. Nous trouvons des cas analogues chez des animaux tels que les chiens et les chats, dont les yeux acquièrent le sens de la vue quelque temps après leur naissance. Le Lémurien n'avait pas d'yeux. Il avait deux points sensibles qui étaient affectés par la lumière du Soleil, alors qu'elle brillait faiblement à travers l'atmosphère ardente de l'antique Lémurie, et ce n'est que vers la fin de l'Epoque Atlantéenne qu'il a développé la faculté de voir, telle que nous l'avons aujourd'hui. Avant cette époque, la construction de l'œil était en cours. Tant que le Soleil était interne, c'est-à-dire tant que la Terre faisait partie de la masse lumineuse, l'homme n'avait pas besoin de lumière extérieure ; il était lumineux lui-même. Mais, quand la Terre a été séparée du Soleil, il devint nécessaire de percevoir la lumière ; aussi, quand des rayons de lumière frappaient l'homme, il en avait conscience. La Nature a construit l'œil pour rendre possible la perception de la lumière et répondre aux besoins d'une fonction déjà existante, comme c'est vraisemblablement le cas, ainsi que l'a si habilement démontré le Professeur Huxley. L'amibe n'a pas d'estomac, cependant elle digère. Elle est tout estomac. La nécessité de digérer les aliments a construit l'estomac au cours des âges, mais la digestion a existé avant le tube digestif. D'une manière analogue, la perception de la lumière a provoqué la formation de l'œil. La lumière elle-même a construit l'œil et elle l'entretient. Là où il n'y a pas de lumière, il ne peut y avoir d'œil. Dans le cas d'animaux qui se sont retirés dans des cavernes pour y demeurer, se tenant éloignés de la lumière, les yeux ont dégénéré et se sont atrophiés, parce qu'il n'y avait pas de rayons lumineux pour les entretenir et qu'il n'y a pas besoin d'yeux dans les lieux obscurs. Le Lémurien avait besoin d'yeux ; il avait une certaine faculté de perception de la lumière et la lumière a commencé à construire l'œil, pour répondre à cette exigence.

Son langage consistait en sons semblables à ceux de la Nature. La plainte du vent dans les immenses forêts qui croissaient d'une façon extrêmement luxuriante dans ce climat hypertropical, le murmure du ruisseau, les hurlements de la tempête, car la Lémurie était battue par les tempêtes, le tonnerre des cataractes, les grondements du volcan étaient pour lui comme les voix des Dieux dont il se savait être le descendant.

Il ignorait tout de la naissance de son corps. Il ne pouvait le *voir*, mais il *percevait* la présence de ses semblables — perception tout intérieure à la manière de celle que nous avons en rêve quand nous voyons des personnes et des choses, mais avec cette différence très importante : la perception qu'avait le Lémurien était claire et logique.

Donc, il n'était pas conscient de son propre corps, pas plus que nous ne le sommes de notre estomac quand cet organe est en bon état. Nous ne nous rendons compte de son existence que lorsque, après avoir été surmené, il nous fait souffrir. Dans des conditions normales, nous sommes parfaitement inconscients de son action, et c'est ainsi que, bien qu'il ignorât son existence, le corps du Lémurien le servait admirablement. Toutefois c'est au moyen de la douleur qu'on a pu le rendre conscient de son corps et du monde extérieur.

Tout ce qui avait rapport à la reproduction de la race humaine et à la gestation s'accomplissait sous la direction des Anges, guidés eux-mêmes par Jéhovah, Régent de la Lune. L'acte de reproduction s'accomplissait à une époque déterminée de l'année, quand les lignes de force qui passent de planète à planète étaient concentrées aux angles propices. Ainsi, la force créatrice ne rencontrait pas d'obstruction et la parturition se faisait sans douleur. L'homme était ignorant de sa naissance, parce que, à cette époque, il était aussi inconscient du monde physique qu'il l'est maintenant pendant son sommeil. C'est seulement pendant le contact intime des rapports sexuels que l'esprit devenait conscient de la chair et que l'homme « connaissait » sa femme. Cela est indiqué dans certains passages de la Bible, tels que « Adam *connut* Eve et elle mit au monde Seth » ; « Elkanah *connut* Hannah et elle mit au monde Samuel » ; et la question de Marie : « Comment pourrais-je concevoir, alors que je ne *connais* point d'homme ? » Cela fournit aussi la clef du symbole de « l'arbre de la Connaissance » dont le fruit a ouvert les yeux d'Adam et d'Eve, de telle sorte qu'ils en sont venus à « connaître » le bien et le mal. Auparavant, ils n'avaient connu que le bien ; mais quand ils ont commencé à exercer la fonction créatrice d'une manière indépendante, ils étaient ignorants des influences stellaires, comme le sont leurs descendants. Or, la soi-disant malédiction de Jéhovah n'était pas le moins du monde une malédiction, mais la simple déclaration du résultat, inévitable, d'un usage de la force créatrice qui néglige de faire entrer en ligne de compte l'influence des rayons stellaires sur l'enfantement.

Ainsi, l'usage inconsidéré de la force créatrice est, au premier chef, responsable de nos souffrances, de nos maladies et de nos afflictions.

Le Lémurien ne connaissait pas la mort ; lorsque, au cours de longues périodes, son corps l'abandonnait, il entrait dans un autre corps, sans avoir conscience du changement. Sa conscience n'était pas centrée sur le monde physique ; par suite, l'abandon d'un corps et son entrée dans un autre n'était pas pour lui un inconvénient plus grand que ne l'est pour l'arbre le desséchement et la chute d'une feuille ou d'une ramille et son remplacement par une nouvelle.

Le langage du Lémurien était pour lui quelque chose de sacré. Ce n'était pas un langage mort comme le nôtre, un simple arrangement de sons bien ordonnés. Chaque son émis par lui avait un certain pouvoir sur ses semblables, sur les animaux et même sur la nature autour de lui. Aussi, sous la direction des Seigneurs de Vénus qui étaient les Messagers des Dieux, les émissaires des Hiérarchies Créatrices, le pouvoir du langage était-il utilisé avec une grande vénération, comme quelque chose de très saint.

L'éducation des garçons était très différente de celle des filles. Les méthodes lémuriennes d'éducation paraissent choquantes à notre sensibilité plus raffinée ; aussi, pour épargner les sentiments du lecteur, nous ne mentionnerons que les moins cruelles d'entre elles. Quelque rigoureuses qu'elles puissent nous paraître, il ne faut pas oublier que le corps du Lémurien était loin d'avoir des nerfs d'une sensibilité aussi grande que ceux du corps humain de nos jours ; que, de plus, c'est seulement par les moyens les plus violents que la conscience, alors très obscure, pouvait être tant soit peu affectée. Dans la suite des temps, la conscience s'est éveillée de plus en plus et les moyens extrêmes employés au début, devenus inutiles, ont été abandonnés ; mais à cette époque, ils étaient indispensables pour éveiller les forces dormantes de l'esprit à la perception du monde extérieur.

L'éducation des garçons avait pour but spécial de développer la Volonté. On les faisait lutter les uns contre les autres, et ces combats étaient d'une brutalité extrême. On les empalait sur des piquets, avec liberté absolue de se dégager, mais en exerçant leur volonté, ils devaient rester là en dépit de la douleur. Ils apprenaient à rendre leurs muscles rigides et à porter d'énormes fardeaux par l'exercice de leur volonté.

L'éducation des filles avait pour but de favoriser le développement de la faculté d'imagination. Elles aussi étaient soumises à un traitement rude et sévère. On les exposait dans de grandes forêts pour laisser la voix du vent dans les branches leur parler et pour qu'elles entendent les éclats de la tempête et des inondations. Elles apprenaient ainsi à ne pas craindre ces convulsions de la nature et à ne plus percevoir que la grandeur des éléments en lutte. Les fréquentes éruptions volcaniques étaient très appréciées comme moyen d'éducation, parce qu'elles favorisaient particulièrement l'éveil de la mémoire.

Il ne saurait être question d'employer de nos jours de telles méthodes d'éducation, mais sur le Lémurien dépourvu de mémoire, elles n'exerçaient pas d'action déprimante. Quelque douloureuses ou même terrifiantes que fussent les épreuves qu'on lui faisait traverser, il les oubliait aussitôt après les avoir subies. Les rudes expériences mentionnées avaient pour but de développer la mémoire, de graver sur le cerveau ces chocs violents et constamment répétés qui venaient de l'extérieur, parce que la mémoire est nécessaire pour permettre aux expériences du passé de servir de guide pour l'action.

L'éducation des filles a développé les premiers symptômes de la mémoire, encore incertaine. *Elles ont été les premières à formuler l'idée du Bien et du Mal,* à cause de leurs expériences qui influençaient surtout l'imagination. Les expériences les mieux faites pour laisser un souvenir étaient considérées comme quelque chose de

« Bien » ; celles qui ne produisaient pas ce résultat tant désiré étaient considérées comme quelque chose de « Mal ».

Ainsi, la femme est devenue le pionnier de la civilisation, car c'est en elle qu'a germé en premier lieu la pensée de vivre une vie vertueuse dont l'exemple fut fort apprécié des Anciens. Sous ce rapport, elle s'est toujours noblement et fidèlement maintenue à l'avant-garde. Comme les Egos s'incarnent alternativement dans l'un et l'autre sexe, il n'y a pas là, à proprement parler, de véritable prééminence. Le fait est seulement que les esprits qui, pour le temps présent se trouvent dans un corps physique du sexe féminin, ont un corps vital positif et sont, par suite, plus ouverts aux impressions spirituelles que lorsque le corps vital est négatif comme chez l'individu du sexe masculin.

Comme nous l'avons vu, le Lémurien était magicien de naissance. Il avait le sentiment d'être un descendant des Dieux, un Etre spirituel ; par suite, le but qu'il devait poursuivre consistait en l'acquisition, non pas de connaissances spirituelles, mais de connaissances *matérielles.* Les Temples d'Initiation n'avaient pas besoin de révéler aux plus avancés des Lémuriens leur haute origine, de leur apprendre à accomplir de hauts faits de magie, de les instruire sur le moyen d'opérer dans le Monde du Désir et les Plans Supérieurs. De telles instructions sont nécessaires de nos jours, où l'homme ordinaire n'a pas connaissance du monde spirituel et ne peut pas agir consciemment dans les mondes hyperphysiques. Le Lémurien possédait, à sa manière, cette connaissance et pouvait exercer ces facultés. Par contre, il était ignorant des lois du Cosmos et de certains phénomènes du monde physique qui sont, pour nous, d'expérience courante. C'est pourquoi, dans les Ecoles d'Initiation, on lui apprenait les Arts, les lois de la Nature et certains faits relatifs à l'univers physique. On fortifiait sa volonté, on éveillait son imagination et sa mémoire, de telle sorte qu'il pouvait saisir la corrélation de ses expériences et inventer des moyens d'action quand ses expériences passées ne suffisaient pas à lui indiquer la manière adéquate de procéder. Aussi, les Temples d'Initiation des temps Lémuriens étaient-ils des Ecoles Supérieures pour l'exercice du pouvoir de la Volonté et de l'Imagination, avec, en plus, un « cours supérieur » consacré aux Arts et aux Sciences.

Cependant, bien que le Lémurien ait été un magicien né, il ne faisait jamais mauvais usage de ses pouvoirs, parce qu'il se sentait l'allié des Dieux. Sous la direction des Messagers des Dieux, dont nous avons déjà parlé, ses forces étaient employées au modelage des formes dans le règne animal et dans le règne végétal. Le matérialiste aura sans doute du mal à comprendre comment l'homme pouvait accomplir un tel travail s'il était incapable de voir le monde qui l'entourait. Il est vrai que l'homme ne pouvait pas « voir », dans le sens que nous donnons à ce terme et de la manière dont il voit maintenant des objets avec ses yeux physiques, extérieurement, dans l'espace. Cependant, de même que les plus purs de nos enfants sont aujourd'hui clairvoyants, tant qu'ils demeurent dant un état d'innocence exempte de péché, ainsi les Lémuriens, qui étaient encore purs et innocents, possédaient une faculté de perception intérieure qui ne leur donnait qu'une idée vague de la forme *extérieure* d'un objet quelconque, mais qui illuminait d'autant plus brillamment sa nature intime, sa qualité d'âme, au moyen d'une faculté de perception spirituelle, née d'une innocente pureté.

Innocence, toutefois, n'est pas synonyme de vertu. L'innocence est la fille de l'ignorance et elle ne peut être maintenue dans un univers où le but de l'évolution est l'acquisition de la sagesse. Pour atteindre ce but, la connaissance du bien et du mal est nécessaire, ainsi que le libre arbitre.

Si, possédant la connaissance et le libre arbitre, l'homme se range du côté du bien, il cultive la vertu et la sagesse. S'il succombe à la tentation et fait le mal en connaissance de cause, il nourrit le vice en lui-même.

Le plan de Dieu, cependant, ne séra pas mis en échec. Chacun de nos actes est un terrain propice où peut s'exercer la Loi de cause à effet. Nous récoltons ce que nous avons semé. Les ronces des mauvaises actions portent des fleurs de chagrin et de douleur mais quand leur semence tombe dans un cœur purifié, quand elles sont arrosées par les pleurs du repentir, les fleurs de la vertu ne tardent pas à s'épanouir. Quelle assurance bienheureuse de savoir que de chacune de nos mauvaises actions le bien devra surgir finalement ! Car dans le royaume de notre Père, le bien seul peut durer.

Par conséquent, la « Chute », avec la douleur et la souffrance qu'elle entraîne, n'est qu'une condition temporaire pendant laquelle nous ne voyons qu'obscurément, mais bientôt, nous contemplerons de nouveau, face à face, le Dieu qui est en nous et hors de nous et qui est toujours perçu par ceux dont le cœur est pur.

LA CHUTE DE L'HOMME

Cet événement est décrit d'une manière cabalistique comme l'expérience d'un couple humain qui, bien entendu, représente l'humanité. La clef de ce symbole se trouve au verset dans lequel le Messager des Dieux dit à la femme : « Tu enfanteras dans la douleur », et on découvre également le fil conducteur dans la sentence de mort qui a été prononcée en même temps.

On peut noter qu'avant la Chute de l'homme, sa conscience n'était pas centrée sur le monde physique. Il était inconscient de l'acte de reproduction, de la naissance et de la mort. Les Anges chargés du corps vital, et qui travaillaient sur ce corps, régularisaient la fonction génératrice. Ils rassemblaient les deux sexes à certaines époques de l'année ; ils utilisaient les forces solaires et lunaires alors qu'elles présentaient les conditions les plus favorables à la fécondation. A l'origine, l'union était consommée sans la connaissance de ceux qui y participaient. Mais, plus tard, elle produisit une impression physique temporaire. La période de gestation ne causait pas alors d'inconvénients et la parturition se faisait sans douleur, car la mère était plongée dans un profond sommeil. La naissance et la mort n'entraînaient aucune interruption de conscience et elles étaient, par conséquent, inexistantes pour les Lémuriens.

Leur conscience était orientée vers le dedans. Ils percevaient les objets physiques d'une manière spirituelle, tels que nous les percevons en rêve où tout ce que nous voyons se trouve en nous-mêmes.

Quand « leurs yeux furent ouverts » et que leur conscience fut dirigée vers l'extérieur sur les phénomènes du monde physique, les conditions ont changé. La reproduction a passé sous la dépendance, non plus des Anges, mais de l'homme qui était ignorant de l'action des forces solaires et lunaires. Il a aussi abusé de la fonction sexuelle et s'en est servi pour la satisfaction des sens, si bien que l'enfantement est devenu douloureux. C'est alors que sa conscience s'est concentrée sur le monde physique. Ce qui l'entourait n'a pas été perçu avec des contours très définis avant la dernière partie de l'Epoque Atlantéenne. Cependant, il en est peu à peu venu à connaître la mort, à cause de l'interruption de conscience qui résultait de son passage dans les mondes supérieurs, quand la mort avait lieu, et de son retour dans le monde physique, au moment d'une nouvelle naissance.

« Les yeux de l'homme furent ouverts » de la manière suivante : nous nous rappelons que lorsque les sexes ont été divisés, le sexe masculin est devenu l'expression de la volonté, qui est une partie de la double énergie de l'âme ; le sexe féminin a exprimé l'autre partie, l'imagination. Si la femme n'était pas imaginative, elle ne pourrait pas construire le nouveau corps de l'enfant dans son sein, et si le spermatozoïde n'était pas l'expression de la volonté humaine concentrée, il ne pourrait pas accomplir la fécondation et commencer ainsi la germination qui a pour résultat la segmentation continue de l'ovule.

Ces forces jumelles, la volonté et l'imagination, sont toutes deux nécessaires pour la reproduction des corps. Toutefois, depuis la séparation des sexes, une de ces forces demeure à l'intérieur de chaque individu et seule la partie extériorisée est disponible pour la procréation. De là est venue la nécessité, pour l'être unisexuel, qui n'exprime qu'un seul aspect de l'énergie de l'âme, de s'unir à un autre être qui exprime l'énergie complémentaire. Cela a déjà été expliqué, et aussi le fait que la partie de l'énergie de l'âme qui n'est pas utilisée pour la procréation devient disponible pour le développement *intérieur*. Tant que l'homme extériorisait complètement sa double force sexuelle pour l'acte de la génération, il ne pouvait rien accomplir par lui-même pour le développement de son âme. Mais, depuis lors, et afin de pouvoir s'exprimer, l'esprit intérieur s'est approprié la force non employée par les organes sexuels pour créer un cerveau et un larynx.

Ainsi, l'homme a continué à construire son corps pendant toute la dernière partie de l'époque Lémurienne et les deux premiers tiers de l'époque Atlantéenne jusqu'à ce que, grâce à l'usage indiqué plus haut de la moitié de sa force sexuelle, il soit devenu un être tout à fait conscient, pensant et capable de raisonner.

Chez l'homme, le cerveau est le trait d'union entre l'esprit et le monde extérieur. Il ne peut rien apprendre du monde physique qui ne lui soit transmis par l'intermédiaire du cerveau. Les organes des sens ne font que transmettre les impressions venues de l'extérieur au cerveau qui interprète et coordonne ces impressions. Les Anges appartenaient à une évolution différente de la nôtre ; ils n'avaient jamais été emprisonnés dans un véhicule dense et d'une lenteur gênante tel que le nôtre. Ils avaient appris à acquérir des connaissances sans l'aide d'un cerveau physique. Leur véhicule inférieur est le corps vital. La sagesse leur est venue comme un don, sans la nécessité de la découvrir péniblement au moyen d'un cerveau physique.

Cependant, l'homme devait passer par la « chute » dans la génération et peiner pour s'instruire. L'esprit, grâce à une partie de la force sexuelle dirigée vers l'intérieur, a construit le cerveau dans le but d'amasser des connaissances concernant le monde physique. Cette même force n'a pas cessé d'alimenter cet organe. Malheureusement, cette force qui ne devrait être employée autrement que dans le but de procréer, est détournée de son cours normal par l'homme qui la gaspille dans un but égoïste. Il n'en est pas de même pour les Anges. Il n'ont pas eu à subir la division de leur pouvoir de l'âme ; aussi peuvent-ils extérioriser leur double pouvoir sans faire de *restrictions égoïstes.*

La force qui s'extériorise dans le but de créer un autre être est l'Amour ; les anges ont donné *tout leur amour, sans égoïsme et sans désir personnel,* et, en retour, la Sagesse cosmique afflue en eux.

L'homme n'extériorise qu'une partie de son amour. Il conserve *égoïstement* le reste et l'utilise pour parfaire les organes qui lui servent à s'exprimer. C'est pourquoi son amour est devenu égoïste et sensuel. Avec une partie de son pouvoir de l'âme, il aime égoïstement un autre être parce qu'il désire un partenaire en vue de la procréation. Avec l'autre partie de son pouvoir de l'âme, il s'efforce de penser (également par égoïsme) parce qu'il aspire au savoir.

Les anges ne mêlent pas de désir à leur amour, mais il fallait que l'homme fasse l'expérience du sentiment d'égoïsme. Il faut qu'il désire acquérir la sagesse et qu'il travaille en égoïste pour l'obtenir avant d'arriver au pur désintéressement au cours d'une phase supérieure de son développement.

Les anges l'ont aidé à se reproduire, même après qu'il eut détourné une partie de son pouvoir de l'Ame. Ils l'ont aidé à construire son cerveau physique, bien qu'étant eux-mêmes incapables d'en utiliser un pour communiquer avec ceux qui en étaient pourvus. Tout ce qu'ils pouvaient faire était de diriger les humains dans la manière dont ils expriment leur amour et de guider leurs émotions dans une voie innocente et tendre, leur épargnant ainsi la douleur et les inconvénients qui résultent d'un abus de la fonction sexuelle non disciplinée par la sagesse.

Si ce régime avait duré, l'homme serait resté un simple automate conduit par Dieu et ne serait jamais devenu une personnalité, un individu. Il doit son individualité à cette classe d'entités très décriée qu'on appelle les Esprits Lucifériens.

LES ESPRITS LUCIFERIENS

Ces esprits étaient une classe de retardataires appartenant à la vague de vie des Anges. Pendant la Période de la Lune, ils avaient atteint un degré de développement bien supérieur à celui de la grande majorité des êtres les plus avancés de notre humanité actuelle. Ils n'avaient pas progressé, cependant, au même point que les Anges qui étaient l'humanité supérieure de la Lune, mais ils étaient tellement en avance sur notre humanité actuelle, qu'il leur était impossible de prendre, comme nous l'avons fait, un corps physique ; malgré cela, ils ne pouvaient pas acquérir de connaissances sans l'usage d'un organe intérieur, d'un cerveau physique. Ils se trouvaient à un échelon intermédiaire entre l'homme, qui a un cerveau, et les Anges, qui n'en ont aucun besoin ; en un mot, ils étaient des demi-dieux.

Ils se trouvaient par conséquent dans une situation difficile. Le seul moyen qui pouvait leur permettre de s'exprimer personnellement et d'acquérir des connaissances était de se servir du cerveau physique de l'homme, car, au contraire des anges, ils avaient la possibilité de se faire comprendre d'un être physique ayant un cerveau.

Comme nous l'avons déjà dit, l'homme, dans la dernière partie de l'époque lémurienne, ne voyait pas le monde physique comme nous le voyons de nos jours. Pour lui, le monde du désir était beaucoup plus réel qu'il ne l'est pour nous. Le Lémurien avait la conscience de rêve de la Période de la Lune, la vue intérieure. Il n'était pas conscient du monde extérieur. Les esprits lucifériens n'ont pas eu de peine à se manifester à sa vue intérieure et à appeler son attention sur sa forme extérieure que jusqu'alors il ne percevait pas. Ils lui ont appris comment il pouvait cesser d'être le serviteur de pouvoirs extérieurs pour devenir son propre maître et, comme les Dieux, « connaître le bien et le mal ». Ils lui ont aussi expliqué qu'il n'avait pas besoin d'appréhender la mort de son corps, puisqu'il avait en lui le pouvoir créateur nécessaire pour former de nouveaux corps sans l'intermédiaire des Anges. Tous ces enseignements lui ont été donnés dans le seul but de tourner sa conscience vers le monde extérieur, pour acquérir des connaissances.

Les Lucifériens ont agi ainsi en vue d'en profiter eux-mêmes, afin d'acquérir des connaissances en même temps que l'homme. Ils lui ont apporté la douleur et la souffrance jusqu'alors inconnues, mais en même temps l'inestimable bienfait de l'émanciper de toute influence et tutelle extérieures. C'est ainsi qu'ils lui ont fait faire les premiers pas dans l'évolution de ses propres pouvoirs spirituels, évolution qui lui permettra en définitive de s'armer d'une sagesse semblable à celle des Anges et autres Etres qui ont été ses Guides avant qu'il ne commence à exercer son libre arbitre.

Avant d'être instruit pas les Esprits Lucifériens, l'homme n'avait connu ni la maladie, ni la douleur, ni la mort, qui ont été le résultat de l'usage inconsidéré de la fonction de reproduction, de son abus pour la satisfaction des sens. Les animaux, à l'état sauvage, sont exempts de maladies et de souffrances, parce que leur reproduction s'accomplit par les soins et sous la direction d'un esprit-groupe avisé, aux seules époques de l'année qui sont propices à cette fonction. La fonction sexuelle a pour seul objet la perpétuation de l'espèce, non pas la satisfaction de désirs sensuels.

Si l'homme avait continué d'être un automate guidé par Dieu, il n'aurait connu ni la souffrance, ni la mort, jusqu'à ce jour. Par contre, il aurait été privé de la conscience acquise par le cerveau et de l'indépendance qui a résulté pour lui des instructions données par les Esprits lucifériens « dispensateurs de lumière », lesquels ont ouvert les voies de son entendement et lui ont appris à utiliser sa vision, jusqu'alors confuse, pour accéder ainsi à la connaissance du Monde Physique qu'il était destiné à dominer.

Depuis cette époque, deux forces sont actives chez l'homme. L'une est celle des Anges qui construisent de nouveaux Etres dans le sein de la mère au moyen de l'Amour dirigé vers le bas pour la procréation ; ce sont donc eux qui perpétuent la race humaine.

L'autre force est celle des Lucifériens qui sont les instigateurs de toute activité mentale par l'intermédiaire de l'autre partie de la force sexuelle dirigée vers le haut pour le travail du cerveau.

On donne également aux Lucifériens le nom de serpents et on les représente de diverses manières dans les différentes mythologies. Nous parlerons d'eux plus longuement quand nous en viendrons à l'analyse de la Genèse. Nous en avons dit assez maintenant pour être à même de continuer nos recherches, ce qui nous permet de suivre plus avant les progrès de l'évolution humaine, jusqu'au temps présent, en passant par les époques atlantéenne et aryenne.

Ce que nous avons dit des instructions données aux Lémuriens s'applique seulement à une faible partie de ceux qui vivaient dans la dernière partie de cette Epoque et qui sont devenus les Ancêtres des Sept Races Atlantéennes. La plupart des Lémuriens étaient analogues aux animaux. Les *formes* qu'ils habitaient ont dégénéré et sont utilisées par les primitifs et les anthropoïdes de notre époque.

L'étudiant est prié de noter avec soin que ce sont les *Formes* qui ont dégénéré. Il est très important de faire une distinction entre les corps (ou les formes) d'une race et les Egos (ou la vie) qui s'incarnent dans les corps de cette race.

Quand une race naît, les *formes* sont animées par un certain groupe d'esprits et elles ont en elles le pouvoir d'évoluer jusqu'à un certain degré de développement, mais pas plus loin. Il ne peut y avoir d'arrêt complet dans la nature ; par conséquent, lorsque la limite de développement a été atteinte, les corps ou formes de cette race commencent à dégénérer. Ils se dégradent de plus en plus, et, finalement, la race s'éteint.

Il n'est pas nécessaire de chercher bien loin pour en découvrir les raisons. Les corps nouveaux sont particulièrement flexibles et souples. Ils offrent aux Egos qui s'y incarnent une grande latitude pour faire progresser ces véhicules et pour progresser eux-mêmes par ce moyen. Les Egos les plus avancés naissent dans de tels corps. Ils les développent au mieux de leurs capacités. Ce ne sont encore, pourtant, que des apprentis, et ils sont la cause de la cristallisation et du durcissement graduels de ces corps, jusqu'à ce que la limite de développement de cette espèce particulière de « formes » ait été atteinte. Les formes d'une race nouvelle sont alors créées pour donner aux Egos une plus grande liberté d'action, pour se développer davantage en traversant des expériences plus variées et plus étendues. Les corps de la race déchue sont abandonnés pour des corps nouveaux. Ces formes abandonnées deviennent la demeure d'êtres moins avancés qui, à leur tour, s'en servent comme moyen de développement sur le sentier de l'évolution. C'est ainsi que les anciens corps d'une race en voie d'extinction sont utilisés par des Egos de valeur décroissante qui dégénèrent petit à petit, jusqu'à ce que, finalement, il n'y ait plus d'Egos assez peu avancés pour pouvoir tirer profit d'une incarnation dans de tels corps. Les femmes deviennent alors stériles et les *formes* de la race meurent.

Nous pouvons aisément retracer cette manière de procéder au moyen de quelques exemples. La race Teutonique-Anglo-Saxonne (particulièrement la branche américaine de cette race), possède un corps moins dur et plus souple et un système nerveux plus développé qu'aucune autre race actuellement existante. L'Indien et le Noir ont des corps beaucoup plus durs que les autres races, et l'infériorité de leur système nerveux les rend beaucoup moins sensibles aux blessures. Un Indien continuera à se battre après avoir reçu des blessures dont le choc mettrait hors de combat ou tuerait un homme blanc, alors que l'Indien s'en remettra promptement. Les aborigènes d'Australie, ou Bochimans, offrent l'exemple d'une race qui s'éteint pour cause de stérilité, en dépit de tout ce que fait le gouvernement pour la perpétuer.

Des hommes de la race blanche ont dit, en parlant de leur propre race, que, partout où elle s'installe, les autres races s'éteignent. Les blancs se sont rendus coupables, en opprimant cruellement ces autres races, car ils ont souvent massacré des multitudes d'indigènes confiants et sans défense, comme le montre la conduite des Espagnols envers les anciens Péruviens et Mexicains, pour ne citer qu'un exemple entre beaucoup d'autres. Les obligations qu'entraînent une telle perfidie, un tel abus d'intelligence et de pouvoirs supérieurs devront être payées intégralement par ceux qui les ont contractées. Il est toutefois également vrai que même si les blancs n'avaient pas massacré, réduit à la famine et à l'esclavage, expatrié et maltraité de diverses manières ces races plus anciennes, ces dernières se seraient néanmoins éteintes à coup sûr, quoique plus lentement, parce que telle est la loi de l'Evolution, l'Ordre de la Nature. Dans les temps à venir, les corps de la race blanche seront habités par les Egos qui sont maintenant incarnés dans des corps de couleur rouge, noire, jaune ou brune. Ces corps auront dégénéré à tel point qu'eux aussi disparaîtront pour faire place à de meilleurs véhicules.

La science parle seulement d'évolution. Elle oublie de prendre en considération *les lignes de dégénérescence :* elles détruisent lentement, mais sûrement, les corps qui se sont cristallisés au-delà de toute possibilité d'amélioration.

EPOQUE ATLANTEENNE

La plus grande partie du continent Lémurien a été détruite par des cataclysmes volcaniques. Pour le remplacer s'est formé le continent Atlantéen, là où se trouve maintenant l'Océan Atlantique.

Des hommes de science, poussés par l'histoire de Platon à entreprendre des recherches sur l'Atlantide, ont démontré que la tradition qui affirme l'existence d'un tel continent repose sur des bases sérieuses. Les occultistes, de leur côté, savent qu'il a existé et voici la description qu'ils en donnent :

L'ancienne Atlantide différait de notre monde actuel sur plus d'un point, mais la différence la plus grande était la constitution de l'atmosphère et de l'eau de cette Epoque. Du sud de la planète montait le souffle chaud et enflammé des innombrables volcans encore en pleine activité. Du nord, venait le souffle glacé des régions polaires. Le continent de l'Atlantide était le lieu de rencontre de ces deux courants. Par conséquent, son atmosphère était toujours saturée d'un brouillard épais et obscur. L'eau n'était pas aussi dense qu'elle l'est de nos jours, car elle contenait une plus grande proportion d'air. L'épaisse et brumeuse atmosphère atlantéenne contenait beaucoup d'eau en suspension.

Le soleil ne brillait jamais clairement à travers cette atmosphère. Il paraissait entouré d'un halo de brume lumineuse, comme le sont les lumières de l'éclairage public, vues à travers un épais brouillard. On ne pouvait alors voir à plus de quelques mètres dans chaque direction, et les contours de tous les objets qui n'étaient pas tout proches paraissaient vagues, confus et incertains. L'homme était plutôt guidé par sa faculté de vision intérieure que par sa perception visuelle.

Ce n'est pas seulement le pays, mais aussi l'homme de cette époque qui différait beaucoup de tout ce qui existe sur la Terre à l'époque actuelle. Il avait une tête, mais presque pas de front ; son cerveau n'avait pas de développement frontal ; la tête formait un angle presque immédiatement à l'arrière d'un point se trouvant juste au-dessus des yeux. Comparé à l'homme moderne, c'était un géant ; en proportion du corps, ses bras et ses jambes étaient beaucoup plus longs que les nôtres. Au lieu de marcher, il se déplaçait par une série de sauts assez analogues à ceux du kangourou. Il avait de petits yeux clignotants et ses cheveux avaient une section ronde. Cette dernière particularité, à défaut d'une autre, distingue les descendants des Races Atlantéennes qui vivent encore parmi nous. Les cheveux de l'Atlantéen étaient droits, lustrés, noirs et avaient une section *ronde.* Ceux de l'Aryen, bien qu'ils varient de couleur, ont toujours une section *ovale.* Les oreilles de l'Atlantéen étaient situées beaucoup plus en arrière que celles de l'Aryen.

Les véhicules supérieurs des premiers Atlantéens n'étaient pas situés, comme les nôtres, dans une position concentrique par rapport au corps physique. L'esprit n'était pas tout à fait un esprit *intérieur ;* il se trouvait partiellement en dehors. En conséquence, il ne pouvait pas gouverner ses véhicules avec une aussi grande facilité que s'il les avait complètement habités. La tête du corps vital se trouvait en dehors et très au-dessus de la tête physique. Il y a un point entre les sourcils, à environ un centimètre et demi sous la surface de la peau, qui correspond à un autre point du corps vital. Ce point n'est pas le corps pituitaire, lequel est situé beaucoup plus près du centre de la tête physique. On pourrait appeler ce point « la racine du nez ». Quand ces deux points du corps vital et du corps physique viennent à correspondre, comme ils le font aujourd'hui chez l'homme, le clairvoyant expérimenté les observe comme une tache noire ou plutôt comme un espace vide, tel le centre invisible d'une flamme de gaz. C'est là le siège de l'esprit intérieur chez l'homme, le Saint des Saints dans le temple du corps humain, fermé pour tous, excepté pour l'Ego humain intérieur dont il est la demeure. Le clairvoyant expérimenté peut voir avec une netteté plus ou moins grande, suivant ses capacités et son degré d'expérience, les corps divers qui forment l'aura de l'homme. Seul, ce point est caché à sa vue. C'est là l' « Isis» dont personne ne peut soulever le voile. L'Etre même le plus hautement développé qui soit sur la Terre n'est pas capable de dévoiler l'Ego de la créature la plus humble et la moins développée. Ce point, et ce point seul sur la Terre, est si sacré qu'il est absolument à l'abri de toute intrusion.

Ces deux points dont nous venons de parler, celui du corps physique et sa contre-partie dans le corps vital, étaient très éloignés l'un de l'autre chez les hommes des premiers temps de l'Atlantide, comme ils le sont aujourd'hui chez les animaux. La tête du corps vital du cheval est très en dehors de la tête de son corps physique. Les deux points sont plus rapprochés chez le chien que chez tout autre animal, à l'exception peut-être de l'éléphant. Quand ils viennent à correspondre, il en résulte un animal prodige, capable de compter, d'épeler, etc.

En raison de la distance entre ces deux points, le pouvoir de perception visuelle de l'Atlantéen était beaucoup plus actif dans les Mondes Intérieurs que dans le Monde Physique obscurci par son atmosphère d'épais et lourd brouillard. Cependant, au cours des âges, l'atmosphère s'est lentement éclaircie ; en même temps, le point du corps vital dont nous avons parlé s'est rapproché de plus en plus du point correspondant du corps physique. Au fur et à mesure de leur rapprochement, l'homme a graduellement perdu contact avec les Mondes Intérieurs, qui devenaient de plus en plus indistincts, en même temps que le Monde Physique accusait des contours mieux définis. Finalement, dans le dernier tiers de l'Epoque Atlantéenne, le point du corps vital s'est uni au point correspondant du corps physique. C'est seulement alors que l'homme est devenu complètement éveillé au Monde Physique ; mais, en même temps qu'il obtenait la vue et la perception complète de ce Monde, la faculté de percevoir les Mondes Intérieurs se perdait graduellement chez la majorité de ses semblables.

A une époque plus reculée, l'Atlantéen ne percevait pas clairement le contour d'un objet ou d'une personne, mais il voyait l'âme, connaissait aussitôt ses caractéristiques, et sentait si elles lui étaient propices ou défavorables. Il savait si l'homme ou l'animal qu'il regardait était bien ou mal disposé à son égard. Il apprenait correctement, par perception spirituelle, la manière d'agir avec ses semblables et comment se soustraire à ce qui pouvait lui nuire. Aussi, sa douleur fut-elle grande quand le Monde Spirituel a graduellement disparu de sa conscience.

Les Rmoahals formaient la première Race Atlantéenne. Il n'avaient que peu de mémoire et ce peu se rapportait surtout aux sensations. Ils se rappelaient les couleurs et les sons. De cette manière, ils ont développé tant soit peu leurs sentiments. Le Lémurien avait été absolument privé de sentiments dans le sens élevé du mot. Il avait le sens du toucher et pouvait percevoir les sensations physiques de douleur, d'aise et de bien-être mais pas les sentiments du mental et de l'esprit : joie, peine, sympathie et antipathie.

En même temps que la mémoire, les Atlantéens ont développé les rudiments d'un langage. Ils ont formé des mots, au lieu de se servir de simples sons, comme l'avaient fait les Lémuriens. Les Rmoahals ont commencé à donner des noms aux choses. Ils étaient encore une race spirituelle et leur pouvoir de l'âme était analogue aux forces de la nature ; ils ne donnaient pas seulement un nom aux objets qui les entouraient, mais dans leurs mots résidait un pouvoir qui influençait la chose nommée. Comme les derniers Lémuriens, leurs sentiments en tant qu'esprits les inspiraient, et ils ne se nuisaient jamais les uns aux autres. Pour eux, le langage était quelque chose de sacré, car il était la manifestation directe la plus haute de l'esprit. Ils n'abusaient pas de ce pouvoir et ne le dégradaient pas en s'en servant pour bavarder ou tenir des propos insignifiants. L'usage d'un langage défini a permis à l'âme de cette race d'entrer pour la première fois en contact avec l'âme des choses dans le monde extérieur.

Les Tlavatlis ont été la seconde race Atlantéenne. Ils commençaient à être conscients de leur propre valeur en tant qu'êtres humains distincts. Ils sont devenus ambitieux et ont demandé qu'on se souvienne de leurs travaux. La mémoire devenait un facteur important dans la vie de la communauté. Les souvenirs des actions d'éclat accomplies par certains individus décidaient un groupe d'hommes à choisir pour chef celui qui avait accompli les plus grands exploits, et telle a été l'origine de la royauté.

Ce souvenir des exploits méritoires des grands hommes a été conservé même après la mort de ces chefs. L'humanité a commencé à honorer la mémoire des ancêtres et à les adorer, ainsi que d'autres hommes qui avaient fait preuve de grands mérites. Tel a été le commencement d'une sorte de culte encore pratiqué de nos jours par certains Asiatiques.

Les Toltèques ont été la troisième race Atlantéenne. Ils ont développé encore plus avant les idées de leurs prédécesseurs, en créant la Monarchie et la Succession Héréditaire. Ils ont été les premiers à suivre la coutume d'honorer certains hommes pour les exploits de leurs ancêtres, mais il y avait alors une excellente raison à cela : à cause de l'éducation particulière de cette époque, le père avait le pouvoir de communiquer à son fils ses propres qualités, ce dont l'humanité actuelle est incapable.

L'éducation consistait à évoquer dans l'âme de l'enfant des images des différentes phases de la vie. La conscience des premiers Atlantéens était encore principalement une conscience de vision intérieure. Le pouvoir qu'avait l'éducateur d'évoquer ces images dans l'âme de l'enfant était le facteur déterminant des qualités d'âme que possèderait l'homme fait. C'est à l'instinct, et non à la raison, qu'on faisait appel ; c'est l'instinct qu'on essayait d'éveiller. Par ces méthodes d'éducation, le fils, dans la grande majorité des cas, absorbait facilement les qualités du père. Il est évident qu'il y avait alors une bonne raison pour honorer les descendants des grands hommes, parce que le fils héritait presque toujours des bonnes qualités du père. Malheureusement, tel n'est pas le cas de nos jours, bien que nous suivions la même coutume qui consiste à honorer les fils des grands hommes, tout en n'ayant absolument aucune raison de le faire.

Chez les Toltèques, l'expérience a été de plus en plus hautement estimée. L'homme qui avait acquis l'expérience la plus variée était le plus honoré et le plus recherché. La mémoire était alors si développée et si fidèle que notre mémoire actuelle n'est rien en comparaison. En cas d'urgence, un Toltèque d'une grande expérience pratique était très probablement à même de se rappeler des cas semblables de sa vie passée et de suggérer quelle ligne de conduite il convenait de suivre. Il devenait ainsi un conseiller de valeur pour la communauté lorsqu'une situation que personne d'autre n'avait encore rencontrée se présentait et quand personne n'était capable de raisonner par analogie et d'imaginer une manière rapide de résoudre la difficulté. Faute d'un tel conseiller, il leur fallait tenter diverses expériences afin de découvrir la meilleure manière de procéder.

Le second tiers de l'époque atlantéenne nous offre les premiers exemples de nations distinctes. Des groupes d'hommes qui se découvraient des goûts et des habitudes communes quittaient leurs anciens logis pour former entre eux une colonie nouvelle. Ils se rappelaient leurs vieilles coutumes et les observaient dans leurs nouvelles demeures pour autant qu'elles leur convenaient. Et ils en établissaient de nouvelles pour répondre à leurs idées et à leurs besoins particuliers.

Les Guides de l'humanité ont initié à cette époque de grands rois pour gouverner les peuples et leur ont conféré un pouvoir étendu. Les masses honoraient ces rois avec toute la vénération due à ceux qui étaient vraiment rois « par la grâce de Dieu ». Cette condition heureuse portait cependant en elle le germe du déclin, car, peu à peu, les rois se sont enivrés de leur pouvoir. Ils ont oublié que ce pouvoir avait été placé entre leurs mains par la grâce de Dieu, comme un dépôt sacré ; qu'ils avaient été élevés au rang royal dans le but de traiter leurs sujets avec justice et de leur venir en aide. Ils ont commencé à mésuser de leur pouvoir à des fins égoïstes et pour se donner de l'importance, au lieu de viser au bien commun. Ils se sont arrogé des privilèges et une autorité qui ne leur avaient jamais été réservés. L'ambition et l'égoïsme ont été dès lors leurs guides et ils ont abusé de leurs pouvoirs d'origine divine pour opprimer leurs sujets et exercer des représailles.

Cela était vrai, non seulement des rois, mais aussi des nobles et des classes supérieures ; or, quand on considère le pouvoir qu'ils avaient sur les hommes des classes moins développées, il est facile de comprendre que ces abus devaient amener des résultats désastreux.

Les Touraniens primitifs ont été la quatrième race atlantéenne. Leur égoïsme était particulièrement abject. Ils érigèrent des Temples où les rois furent adorés comme des dieux. Ils opprimèrent d'odieuse façon les classes inférieures sans défense. Ils s'adonnèrent peu à peu à une magie noire des plus répugnantes. Tous les efforts de ce peuple furent employés à satisfaire leur vanité par un faste éclatant.

Les Sémites primitifs ont été la cinquième et la plus importante des sept races Atlantéennes, car c'est en eux que nous trouvons pour la première fois le germe de la qualité corrective de la pensée. C'est pourquoi la Race Sémitique primitive est devenue la « Race mère » des sept Races de l'Epoque Aryenne actuelle.

Pendant l'Epoque Polaire, l'homme avait acquis un corps physique comme instrument d'action. Dans l'Epoque Hyperboréenne, le corps vital lui a été ajouté pour donner la faculté de mouvement nécessaire à l'action. Dans l'Epoque Lémurienne, le corps du désir fournit le mobile de l'action.

L'intellect a été donné à l'homme pendant l'Epoque Atlantéenne pour donner un objet à l'action ; mais, comme l'Ego était extrêmement faible et que les désirs naturels étaient puissants, l'intellect naissant s'est allié au corps du désir, donnant naissance à la ruse qui a été la cause de toute la perversité du deuxième tiers de l'Epoque Atlantéenne.

Pendant l'Epoque Aryenne, la Pensée et la Raison devaient être développées par le travail de l'Ego dans l'intellect, en vue de guider le désir dans une voie conduisant à la perfection spirituelle, but de l'évolution. Cette faculté de la pensée et le pouvoir de former des idées ont été acquis par l'homme au prix de la perte de son pouvoir sur les forces vitales, c'est-à-dire sa domination sur la Nature.

Avec la Pensée et l'Intellect, il ne peut à présent exercer son pouvoir que sur la matière chimique et les minéraux, car son intellect est maintenant dans sa première phase, ou phase minérale de son évolution, comme l'était son corps physique pendant la Période de Saturne. Il ne peut pas exercer de pouvoir sur la *vie* animale ou végétale, Il utilise le bois et diverses substances végétales, ainsi que certains produits animaux pour ses industries. Ces substances sont toutes, en définitive, de la matière chimique animée de vie minérale, qui sert à composer les *corps* denses de tous les règnes, ainsi que nous l'avons dit précédemment. L'homme, dans son état actuel de développement, peut exercer son pouvoir sur toutes ces variétés de combinaisons chimiques et minérales. Toutefois, tant qu'il n'aura pas atteint la Période de Jupiter, l'homme ne connaîtra pas l'extension de ce pouvoir qui lui permettrait de travailler sur la vie même. Dans cette Période, l'être humain exercera son pouvoir sur la vie végétale comme le font actuellement les Anges pendant la Période de la Terre.

Les hommes de science matérialistes se sont évertués depuis de nombreuses années à « créer » la vie, mais ils n'y réussiront pas tant qu'ils n'auront pas appris à s'approcher de la table de laboratoire avec le plus profond respect, comme s'ils venaient auprès de l'autel d'un temple, les mains et le cœur purs, exempts de cupidité et d'ambition égoïste.

Telle est la sage décision des Frères Aînés qui gardent ce secret, ainsi que tous les profonds secrets de la nature, jusqu'à ce que l'homme soit prêt à s'en servir pour le progrès de la race humaine, pour la gloire de Dieu et non pour son profit personnel ou pour se donner de l'importance.

Cependant, c'est précisément cette perte de pouvoir, éprouvée par les Atlantéens, qui a permis à l'être humain de poursuivre son évolution, car, après cela, quelque grand qu'ait été son égoïsme, il ne pouvait plus être totalement pernicieux au point de provoquer sa propre destruction ou de déclencher un cataclysme de la nature, comme cela aurait été le cas si l'égoïsme humain croissant avait été combiné avec l'immense pouvoir que l'homme avait détenu dans son état premier d'innocence. La pensée qui s'exerce uniquement *dans* l'homme est impuissante à commander la Nature et ne peut jamais mettre l'humanité en danger, comme cela serait possible si les forces de la Nature lui étaient soumises.

Les Sémites primitifs ont réprimé jusqu'à un certain point leurs désirs par l'usage de l'intellect. A la place du désir pur et simple sont venus la ruse et l'astuce, au moyen desquelles ils ont cherché à parvenir à leurs fins égoïstes. Bien qu'ils aient été un peuple très indiscipliné, ils ont appris dans une large mesure à dompter leurs passions et à accomplir leurs desseins grâce à l'astuce qu'ils trouvaient plus subtile et plus puissante que la simple force brutale. Ils ont été les premiers à découvrir que le cerveau est supérieur aux muscles.

Pendant l'existence de cette Race, l'atmosphère de

l'Atlantide a commencé à s'éclaircir de manière bien définie, et le point du corps vital mentionné précédemment en est venu à correspondre avec le point similaire du corps physique. La combinaison de ces deux événements a donné à l'homme la faculté de voir clairement les choses avec des contours nets et bien définis ; mais elle a aussi eu pour résultat la perte de la faculté de percevoir les Mondes Intérieurs.

Ainsi, nous voyons (et il est peut-être bon de l'énoncer nettement comme une loi) que : « Tout progrès accompli n'est jamais obtenu sans la perte d'une faculté précédemment possédée et qui est recouvrée plus tard sous une forme supérieure ».

L'homme a construit son cerveau aux dépens de la perte momentanée de sa faculté de produire à lui seul des descendants. Pour avoir obtenu l'instrument qui devait servir de guide à son corps physique, il est en proie à toutes les difficultés, au chagrin et à la douleur qu'entraîne la coopération nécessaire à la perpétuation de la race humaine. Il a obtenu le pouvoir de raisonner au prix de la perte temporaire de sa faculté de perception spirituelle.

Alors que la raison a été, à plus d'un titre, un bienfait pour lui, elle a par contre éteint la vision qu'il avait eue jusqu'alors de l'âme des choses. L'acquisition de l'intellect, qui est devenu son bien le plus précieux, a été envisagée avec regret, tout d'abord, par l'Atlantéen qui déplorait la perte des pouvoirs spirituels qu'elle avait entraînée.

L'échange de pouvoirs spirituels contre des facultés physiques était cependant nécessaire pour permettre à l'homme d'agir dans le monde physique, indépendamment de toute direction extérieure, car il est dans le destin de l'homme de s'assujettir la Terre. En temps voulu, et grâce aux expériences vécues pendant son séjour dans le Monde Physique plus dense, il recouvrera ses pouvoirs supérieurs dès qu'il aura appris à les utiliser d'une façon convenable. Quand il les possédait, il n'avait pas connaissance de leur usage correct et ils étaient trop précieux et trop dangereux pour lui servir de jouets.

Sous la direction d'un grand Etre, la Race Sémitique primitive a été conduite vers l'Est, hors du continent de l'Atlantide, en passant par l'Europe, jusqu'aux grandes solitudes de l'Asie Centrale, connues maintenant sous le nom de Désert de Gobi. Là, ce grand Etre a préparé cette race à devenir le germe des sept races de l'Epoque Aryenne. Il lui a communiqué la potentialité des qualités que leurs descendants devaient développer.

Pendant tous les âges précédents — dès le début de la Période de Saturne, en passant par les Périodes du Soleil et de la Lune et pendant les trois Révolutions et demie de la Période de la Terre (les Epoques Polaire, Hyperboréenne, Lémurienne et la première partie de l'Epoque Atlantéenne) — l'homme avait été conduit et guidé par des Etres supérieurs, sans connaître le moindre libre arbitre. Il était alors incapable de se guider lui-même, car il n'avait pas encore développé un intellect qui lui fût propre ; mais le moment était enfin venu où il était nécessaire pour son développement ultérieur qu'il commence à se guider lui-même. Il devait apprendre à devenir indépendant et à assumer la responsabilité de ses actes. Jusqu'alors, il avait été obligé d'obéir aux ordres de son souverain ; maintenant, il lui fallait détourner sa pensée de ses Chefs visibles, les Seigneurs de Vénus qu'il adorait en tant que Messagers des Dieux, pour les concentrer sur l'idée du vrai Dieu, Créateur invisible de notre système solaire. L'homme devait apprendre à adorer et à respecter les commandements d'un Dieu qu'il ne pouvait voir.

En conséquence, le Chef a réuni son peuple et lui a tenu un discours émouvant qui pourrait se résumer ainsi :

« Jusqu'à présent, vous avez pu voir les Etres qui vous ont guidés, mais il y a des Chefs de divers degrés de splendeur, qui leur sont supérieurs, que vous n'avez jamais vus et qui ont guidé chacun de vos pas chancelants dans l'évolution de votre conscience.

« Très au-dessus de ces Etres glorieux se trouve le Dieu invisible qui a créé le Ciel et la Terre sur laquelle vous habitez. Sa volonté est de vous accorder la souveraineté sur tout ce pays, afin que vous y croissiez et que vous vous y multipliiez.

« Ce Dieu invisible est le seul que vous deviez adorer, mais vous devez l'adorer en Esprit et en Vérité et il ne vous est pas permis de faire de Lui d'image taillée, ni de vous servir d'aucune similitude pour Le représenter, car Il est partout présent et est au-dessus de toute comparaison ou similitude.

« Si vous suivez ces préceptes, Il vous accordera abondamment tout ce qui est désirable. Si vous abandonnez Ses commandements, vous aurez à souffrir. Le choix vous appartient. Vous êtes libres : *mais vous devez supporter les conséquences de vos propres actions* ».

L'éducation de l'homme a donc consisté en quatre grandes étapes. Inconscient tout d'abord et influencé du dehors, il a été placé en second lieu sous la tutelle des Messagers et des Rois divins qu'il pouvait percevoir et aux ordres desquels il obéissait. Plus tard, on lui a enseigné à se conformer aux commandements d'un Dieu redoutable autant qu'invisible. Finalement, il apprend à s'élever au-dessus de la crainte, à trouver sa propre loi en lui-même, à acquérir la maîtrise de soi et à vivre en accord avec l'Ordre de la Nature, qui est la Loi de Dieu.

Les degrés par lesquels l'homme s'élève jusqu'à Dieu sont également au nombre de quatre.

Premièrement, poussé par la crainte, il adore le Dieu qu'il commence à percevoir et lui offre des sacrifices propitiatoires comme le font les adorateurs de fétiches.

Ensuite, il arrive à voir en Dieu le *Dispensateur* de toutes choses et il espère en recevoir des avantages matériels *ici-bas*. Il offre des sacrifices par cupidité, dans l'espoir que le Seigneur les lui rendra au centuple, ou bien pour échapper à un *prompt* châtiment par épidémie, guerre, etc.

Plus tard, on lui apprend à adorer Dieu par la prière et en vivant une vie sainte, à entretenir sa foi dans un Ciel où il trouvera *plus tard* sa récompense, et à s'abstenir de faire le mal afin d'échapper à un châtiment *futur* en Enfer.

Il finit par atteindre un point où il est prêt à agir sans arrière-pensée de récompense, ou de châtiment, mais simplement parce qu' « il est louable de bien agir ». Il fait le bien par amour du bien et cherche à vivre selon ce principe, sans égard pour les avantages ou les inconvénients qui peuvent en résulter ici-bas, ni pour des conséquences pénibles dans le futur.

Les Sémites Primitifs avaient atteint le deuxième de ces

quatre degrés. On leur avait appris à adorer un Dieu invisible et à s'attendre à des récompenses sous forme d'avantages matériels ou à des punitions par de douloureuses afflictions.

Le Christianisme populaire est le troisième degré de cette ascension. Les Chrétiens ésotériques et les élèves de toutes les écoles occultes tâchent d'atteindre le degré le plus élevé qui sera acquis par les masses dans la sixième Epoque, dans la Nouvelle Galilée, quand le pouvoir d'unification de la Religion Chrétienne ouvrira le cœur de l'homme comme s'ouvrent en ce moment les portes de son entendement.

Les Akkadiens ont été la sixième et les Mongols la septième des Races Atlantéennes. Ils ont développé encore davantage la faculté de penser, mais ont suivi des lignes de raisonnement qui déviaient de plus en plus de la tendance générale de la vie en évolution. Les Mongols de Chine maintiennent jusqu'à ce jour que les vieilles coutumes sont encore les meilleures. Toutefois, le progrès exige constamment de nouvelles méthodes, une nouvelle faculté d'adaptation et le maintien de nos idées dans un état fluide ; aussi, ces races ont-elles rétrogradé et sont-elles en train de dégénérer avec le reste des Races Atlantéennes.

A mesure que les brouillards épais de l'Atlantide se sont condensés, l'augmentation du volume d'eau a graduellement inondé ce continent, détruisant la plus grande partie de la population et les derniers vestiges de sa civilisation.

Un grand nombre d'Atlantéens ont été chassés, par les inondations, hors du continent voué à la destruction. Ils traversèrent l'Europe. Les Races Mongoles sont les descendantes de ces réfugiés Atlantéens. Les Noirs et les races antérieures dont les cheveux sont crépus sont les derniers descendants des Lémuriens.

EPOQUE ARYENNE

L'Asie centrale a été le berceau des races Aryennes qui descendent des Sémites Primitifs. De ce centre ont rayonné les différentes races. Il est inutile de les décrire ici, car les recherches historiques ont suffisamment révélé leurs traits saillants.

Pendant l'époque actuelle (Epoque Aryenne ou cinquième Epoque), l'homme a commencé à faire usage du feu et d'autres forces dont l'origine divine lui était cachée à dessein, afin qu'il soit libre de les employer dans un but supérieur ou pour son propre développement. Par conséquent, nous trouvons, à l'Epoque actuelle, deux classes. L'une considère la Terre et l'Homme comme étant d'origine divine, l'autre envisage toutes choses d'un point de vue purement utilitaire.

Les Etres les plus avancés de l'humanité au début de l'Epoque Aryenne ont reçu les Initiations supérieures, afin de pouvoir prendre la place des Messagers des Dieux, c'est-à-dire des Seigneurs de Vénus. Ces Initiés humains ont désormais été les seuls médiateurs entre Dieu et l'homme. Mais ils ne paraissent pas en public et ne montrent pas non plus par des signes et des miracles qu'ils sont des Chefs et des Instructeurs. L'homme a été laissé entièrement libre de se mettre ou non à leur recherche, selon ses désirs.

A la fin de l'Epoque actuelle, l'Initié le plus élevé paraîtra publiquement quand un nombre suffisant d'hommes ordinaires le désireront de tout leur cœur et accepteront de plein gré de se soumettre à un tel chef. Ils formeront ainsi le noyau de la dernière race qui apparaîtra au début de la sixième Epoque. Après quoi, les races et les nations cesseront d'exister. L'humanité formera une Fraternité spirituelle, comme avant la fin de l'époque lémurienne.

Les noms des races qui se sont disséminées sur la Terre, pendant la cinquième Epoque jusqu'au temps présent, sont les suivants :

1. — La Race Aryenne qui, par le sud, a passé dans l'Inde.
2. — La Race Babylonienne-Chaldéo-Assyrienne.
3. — La Race Persique-Gréco-Latine.
4. — La Race Celtique.
5. — La Race Teutonique-Anglo-Saxonne (à laquelle nous appartenons).

Du mélange des différentes nations qui s'opère maintenant aux Etats-Unis, sortira la « race-mère » de la dernière Race, au début de la sixième Epoque.

Deux autres Races seront développées pendant notre Epoque ; l'une d'elles est la Race Slave. Dans quelques siècles, quand le Soleil, par précession des équinoxes, sera entré dans le signe du Verseau, le peuple russe et, en général, les Races Slaves atteindront un degré de développement spirituel qui les élèvera très au-dessus de leur condition présente. La musique sera le principal facteur de ce progrès, car, sur les ailes de la musique, l'âme qui vibre à son unisson peut prendre son essor jusqu'au trône même de Dieu, que la seule intelligence ne saurait atteindre. Toutefois, le développement ainsi obtenu n'est pas durable, parce qu'il est unilatéral et que, par suite, il ne s'accorde pas avec la Loi de l'Evolution qui veut qu'un développement, pour être durable, soit bien équilibré ; en d'autres termes, que la spiritualité évolue par l'intermédiaire de l'intelligence ou au moins d'un pas égal avec elle. Pour cette raison, la civilisation slave sera de courte durée, mais elle sera magnifique et joyeuse tant qu'elle durera, car elle est conçue dans une douleur profonde et dans des souffrances indicibles, et la Loi de Compensation amènera en temps voulu des conditions opposées (1).

Des Slaves descendra un peuple qui formera la dernière des sept Races de l'Epoque Aryenne. Des Américains descendra la dernière de toutes les Races dans notre système d'évolution et cette race accomplira sa destinée au commencement de la sixième Epoque.

LES SEIZE CHEMINS DE LA PERDITION

Les seize races sont appelées les seize chemins de la Perdition parce qu'en chacune d'elles il y a un risque constant de voir l'âme s'attacher trop à sa race, et s'identifier avec elle, dans toutes ses caractéristiques, au point de ne pouvoir s'élever au-dessus de l'idée de *race* et de se trouver par suite dans l'impossibilité de progresser ; qu'elle se cristallise, pour ainsi dire, dans cette race et qu'elle soit confinée dans des corps de cette race au

(1) Ceci a été écrit en 1909.

moment où elle commence à dégénérer, ce qui est arrivé pour les Juifs.

Tout au long des périodes, des révolutions et des Epoques dans lesquelles il n'était pas question de races, il y avait beaucoup de temps disponible, et les occasions de se cristalliser n'ont été, ni aussi grandes ni aussi fréquentes. Mais les seize races ont pour naître, se développer et mourir un espace de temps relativement court. Aussi le danger est-il grand d'être laissé en arrière pour l'homme qui s'attache trop fortement à certaines conditions.

Le Christ est le grand Chef unificateur de la sixième Epoque, et Il a fait allusion à cette loi (du renoncement) quand il a prononcé ces mots si peu compris : « Si un homme vient à moi, qui ne hait pas son père, sa mère, sa femme, ses enfants, ses frères, ses sœurs et même sa vie, cet homme ne peut être mon disciple ».

« Et quiconque ne porte pas sa croix pour me suivre ne peut être mon disciple ».

« ... celui d'entre vous qui n'abandonne pas tout ce qu'il a ne peut être mon disciple ».

Non pas que nous devions abandonner ou mépriser les attaches de la famille, mais il est nécessaire de nous élever au-dessus d'elles. Le père et la mère sont des « corps » ; tous les parents font partie de la Race qui appartient à la Forme. Les âmes doivent reconnaître qu'elles ne sont ni des Corps, ni des Races, mais des Egos qui s'efforcent d'atteindre la perfection. L'homme qui oublie ce fait et qui s'identifie avec sa Race, qui s'y attache avec un patriotisme fanatique, a des chances d'être retenu captif par elle et de sombrer avec elle quand ses frères en humanité auront atteint une position plus élevée sur le chemin de la Perfection.

CHAPITRE XIII

RETOUR A LA BIBLE

A notre époque, l'esprit de prosélytisme est puissant. Les Eglises d'Occident envoient des missions dans tous les pays du globe pour convertir les membres de chaque nation à leurs propres croyances. Or, elles ne sont pas les seules à s'efforcer de faire des prosélytes. L'Orient a commencé sérieusement à envahir les pays occidentaux ; un grand nombre de Chrétiens, que ne satisfont plus les croyances et les dogmes enseignés par le clergé, ont été poussés à se mettre à la recherche de la Vérité pour satisfaire aux exigences de leur mental qui demande impérieusement des explications devant les problèmes de la vie. Ils se sont familiarisés avec les doctrines orientales du Bouddhisme, de l'Hindouisme, etc., et les ont adoptées dans bien des cas.

Au point de vue occulte, l'effort des missionnaires, qu'il vienne de l'Est ou de l'Ouest, n'est pas souhaitable, parce qu'il va à l'encontre du courant de l'évolution. Les grands Chefs de l'humanité, chargés de notre développement, nous donnent toute l'aide dont nous avons besoin. La Religion est l'une de ces aides et il y a d'excellentes raisons pour que la Bible, qui contient, non pas seulement une, mais deux religions, la Juive et la Chrétienne, ait été donnée aux peuples de l'Occident. Si nous cherchons sincèrement la lumière, nous comprendrons quelle suprême Sagesse nous a fait don de cette double religion et qu'au temps présent il n'y a pas d'autre religion qui soit mieux adaptée à nos besoins particuliers.

Pendant les Epoques Polaire, Hyperboréenne et Lémurienne, c'était une tâche relativement aisée que de guider l'humanité, car l'homme n'avait pas alors d'intellect ;

mais lorsqu'est apparu cet élément perturbateur, l'intellect, dans la première partie de l'Epoque Atlantéenne, l'homme a développé la Ruse, qui est le produit de l'intellect non dirigé par l'Esprit. La Ruse agit comme aide du désir, que celui-ci soit bon ou mauvais, qu'il soit une cause de joie ou de douleur.

Au milieu de l'Epoque Atlantéenne, l'Esprit avait pénétré complètement dans ses véhicules et commençait à travailler dans l'intellect pour produire la Pensée et la Raison, autrement dit le pouvoir de suivre une certaine cause jusqu'à son effet inévitable et de déduire d'un effet quelconque la cause qui l'a produit. Cette faculté de Raisonnement ou Logique devait être plus complètement développée pendant l'Epoque Aryenne ; et c'est pourquoi les Sémites Primitifs (la cinquième Race de l'Epoque Atlantéenne) ont été « le peuple élu » pour amener cette faculté en germe à un tel degré de maturité qu'elle s'imprégnerait dans les fibres même de leurs descendants, lesquels deviendraient ainsi la Nouvelle Race.

Transmuer la Ruse en Raison n'a pas été chose facile. Les changements apportés antérieurement à la nature de l'homme avaient été facilement accomplis. Il pouvait alors être guidé sans difficulté, parce qu'il n'avait pas de désir conscient, ni d'intellect pour se diriger dans un chemin plutôt que dans un autre ; mais à l'époque où vivaient les Sémites primitifs, ces derniers étaient devenus assez rusés pour s'offenser des limitations apportées à leur liberté et pour se soustraire aux mesures prises pour les tenir dans le droit chemin. Les guider était une tâche d'autant plus difficile qu'il était nécessaire de leur laisser une certaine liberté d'action, afin qu'ils puissent, dans l'avenir, apprendre à se gouverner eux-mêmes. C'est pourquoi une *Loi* prévoyant des *récompenses immédiates* pour l'obéissance et un *prompt châtiment* pour toute infraction, a été promulguée. Ainsi, l'homme a été instruit, incité et contraint à découvrir, par un raisonnement d'une nature limitée, que « la voie du transgresseur est rude » et qu'il devait « craindre Dieu » ou le Chef qui le guidait.

Parmi tous ceux qui ont été choisis pour devenir la « semence » de la nouvelle race, un petit nombre seulement est demeuré fidèle. La plupart se sont montrés rebelles et ont complètement fait échec au plan du Chef en s'alliant par le mariage avec les autres Races Atlantéennes, faisant ainsi couler un sang inférieur dans les veines de leurs descendants. C'est là le sens du passage de la Bible où est mentionné le fait que les fils de Dieu s'allièrent avec les filles des hommes. A cause de cet acte de désobéissance, ils ont été abandonnés et « perdus ». Même ceux qui étaient restés fidèles sont morts, quant au corps, dans le désert de Gobi en Asie centrale, berceau de notre propre Race. Ils se sont naturellement réincarnés comme leurs propres descendants ; et c'est ainsi qu'ils ont hérité de la « Terre Promise », la Terre telle qu'elle est maintenant. Ils forment les Races Aryennes, chez lesquelles la Raison évolue vers la perfection.

Les rebelles qui ont été abandonnés sont les Juifs, qui dans leur grande majorité sont encore dirigés plus par la faculté Atlantéenne de la Ruse que par la Raison. Chez eux, le sentiment de race est si fort qu'ils ne distinguent que deux classes d'hommes : les Juifs et les Gentils. Ils méprisent les autres nations et sont à leur tour méprisés d'elles pour leur astuce, leur égoïsme et leur cupidité. On ne saurait nier qu'ils donnent de l'argent pour des œuvres de charité, mais c'est principalement, sinon exclusivement, pour leurs propres congénères ; leur charité est rarement internationale, même dans les cas où les barrières élevées par les différences de croyances, de races et de nationalités ont été abolies par le sentiment *humain* de sympathie, comme lors des tremblements de terre en Italie.

Dans des cas semblables, comme celui du désastre de San-Francisco, la nature intime et spirituelle de l'homme est mise en évidence plus qu'en toute autre circonstance ; l'observateur attentif peut alors discerner la tendance de l'évolution. Nous savons et nous arrivons à reconnaître que nous sommes frères ; et la blessure reçue par l'un de nous est, en réalité, ressentie par tous. L'emprise de la Raison sur l'homme doit être suivie de celle de l'Amour qui, au temps présent, agit indépendamment des conseils de la Raison et parfois même à leur encontre. Cette anomalie vient du fait que de nos jours, l'Amour est rarement tout à fait désintéressé et que notre Raison n'est pas toujours juste. Dans la « Nouvelle Galilée », la future sixième Epoque, l'Amour deviendra désintéressé et la Raison approuvera ses commandements. La Fraternité

Universelle sera alors complètement réalisée ; chacun de nous travaillera pour le bien de tous, car l'égoïsme sera un souvenir du passé.

Pour obtenir ce résultat tant désiré, il sera nécessaire de choisir un autre « peuple élu » dans le fonds actuel de la race humaine pour former le noyau d'où sortira la Race nouvelle. Cette sélection ne sera pas faite contre la volonté de ceux qui seront choisis. Chaque homme devra faire son choix et entrer *volontairement* dans le rang.

Les Races ne sont qu'un aspect éphémère de l'évolution. Avant la fin de l'Epoque Lémurienne, il y avait un « peuple élu », différent de l'humanité ordinaire de ce temps et dont sont issus les ancêtres des Races Atlantéennes. De la cinquième de ces dernières Races a été tiré un autre « peuple élu », dont descendent les Races Aryennes qui ont été jusqu'ici au nombre de cinq et dont deux autres sont encore à venir. Avant l'inauguration d'une nouvelle Epoque, il doit y avoir toutefois, « de nouveaux Cieux et une nouvelle Terre » (2 Pierre 3 : 13) ; les traits physiques de la Terre seront changés et sa densité sera diminuée. Une Race apparaîtra au début de la nouvelle Epoque, mais, après cela, toute idée et tout sentiment de Race disparaîtront. L'Humanité constituera de nouveau une grande confraternité, indifférente à toute distinction. Les Races sont simplement des étapes de l'évolution que nous devons parcourir ; autrement, il n'y aurait pas de progrès pour les Esprits qui s'incarnent dans ces races. Mais, bien que nécessaires, ces degrés sont aussi extrêmement dangereux et ils sont, par la suite, la cause de graves soucis pour les Chefs de l'humanité. Ceux-ci appellent les seize Races « les seize chemins de la perdition » parce que, tandis que, dans les Epoques précédentes, les changements se sont produits après des périodes d'une telle durée qu'il était facile de préparer pour leur promotion la majorité des entités, il n'en va pas de même pour les Races. Elles sont relativement éphémères ; par conséquent, il faut prendre un soin tout particulier pour que le moins d'Esprits possible soient retenus par les entraves de la Race.

C'est précisément ce qui est arrivé aux Esprits incarnés dans les corps de Race Juive. Ils se sont tant et si bien attachés à la Race qu'ils y sont ramenés par des incarnations successives. « Une fois Juif, toujours Juif », est leur devise. Ils ont entièrement oublié leur nature spirituelle et se font gloire d'être les descendants d'Abraham. Aussi, ne sont-ils « ni chair ni poisson ». Ils ne font pas partie de la Race Aryenne qui progresse, et cependant ils sont supérieurs aux descendants des nations Lémuriennes et Atlantéennes qui sont encore avec nous. Ils sont devenus un peuple sans patrie, une anomalie parmi les hommes [1].

A cause de leur asservissement à l'idée de Race, celui qui avait été leur Chef s'est vu forcé de les abandonner, et ils ont été « perdus ». Pour qu'ils puissent cesser de se considérer comme distincts des autres peuples, d'autres nations ont été soulevées contre eux à maintes reprises par les Chefs de l'humanité, et ils ont été amenés en captivité hors du pays où ils s'étaient établis, mais en vain. Ils ont obstinément refusé de s'amalgamer aux autres nations. A plusieurs reprises, ils sont revenus en masse dans leur pays aride. Des prophètes de leur propre race ont été suscités, qui les ont réprimandés sans pitié et leur ont prédit de cruels désastres, mais sans succès.

Dans un effort final, et pour les persuader de rompre ces entraves, le Chef de la Race Future, le Christ, grand Instructeur, est apparu (ce qui paraît être une anomalie), parmi eux. C'est là une nouvelle preuve de la compassion et de la sagesse des grands Etres qui guident l'évolution. De toutes les Races de la Terre, pas une n'était « perdue » dans le même sens que les Juifs ; pas une n'avait un besoin aussi pressant d'être secourue. Leur envoyer un étranger aurait été manifestement une mesure inutile, car ils l'auraient impitoyablement rejeté. De même que le grand Esprit connu sous le nom de Booker T. Washington s'est incarné parmi les Noirs pour être reçu par eux comme un des leurs et être ainsi capable de les instruire mieux qu'un blanc n'aurait pu le faire, ainsi les Grands Chefs espéraient que la venue du Christ parmi les Juifs, comme l'un des leurs, pourrait les amener à L'accepter et les recevoir, Lui et Ses enseignements, et les délivrer ainsi des attaches des corps de cette Race. Mais il est désolant de voir comment les préjugés des hommes

(1) Ecrit en 1909. *(N. d. T.)*

peuvent prévaloir. « Il vint parmi les siens »... « et ils choisirent Barrabas. » Jésus-Christ ne s'est pas fait gloire d'Abraham ni d'aucune de leurs anciennes traditions. Il a parlé d'un « autre monde », d'une nouvelle terre, de l'Amour, du pardon des offenses et répudié la doctrine qui exige « œil pour œil ». Il ne les a pas appelés aux armes pour combattre César ; s'Il l'avait fait, ils L'auraient acclamé comme leur libérateur. Sous ce rapport, Il n'a pas été compris, même de Ses disciples, qui ont autant pleuré sur leur espoir évanoui d'un royaume terrestre, que sur la mort de l'Ami tué par les soldats de Rome.

Le fait que les Juifs aient rejeté le Christ, a été la preuve suprême de leur asservissement à la Race. A partir de ce moment, tous les efforts faits pour les sauver *dans leur ensemble,* en leur donnant des prophètes et des instructeurs spéciaux, ont été abandonnés ; et, comme la futilité d'un exil *en masse* avait été démontrée, on a usé d'un dernier expédient, et c'est ainsi qu'ils ont été dispersés parmi toutes les nations de la terre. Cependant, en dépit de tout, l'obstination extrême de ce peuple a prévalu jusqu'ici, car les Juifs sont encore en majorité « pratiquants». Toutefois, en Amérique, il y a maintenant une légère défection, car la nouvelle génération commence à se marier en dehors de la Race. Peu à peu, un nombre croissant de corps qui posséderont des caractéristiques raciales de moins en moins marquées, deviendront ainsi disponibles pour les esprits des anciens Juifs qui cherchent à s'incarner. De cette façon, ils seront sauvés en dépit d'eux-mêmes.

Ils ont été « perdus » en s'alliant aux races inférieures ; ils seront sauvés en s'amalgamant aux races plus avancées que la leur.

Comme les Races Aryennes actuelles sont composées d'êtres capables de raisonner, de mettre à profit leurs expériences passées, la manière logique de les aider est de leur rappeler les phases passées de leur développement et le sort qui a frappé les Juifs désobéissants. Ces rebelles possédaient un document écrit sur la manière dont leurs Chefs les avaient traités. Ce document rappelait comment ils avaient été choisis et comment ils s'étaient révoltés ; il décrivait leur châtiment, mais disait aussi leur espoir d'une rédemption finale. Nous pouvons le mettre à profit nous-mêmes et apprendre par cet écrit ce qu'il nous faut *éviter*. Peu importe si, au cours des âges, il a été mutilé et si les Juifs entretiennent encore aujourd'hui l'erreur de penser qu'ils sont le « peuple élu » ; la leçon qui peut être tirée de leur propre expérience n'en est pas moins valable. Nous pouvons apprendre comment un « peuple élu » peut rebuter son Chef, faire avorter ses plans et rester attaché à une Race pendant des siècles. Son histoire devrait servir d'avertissement à tout « peuple élu » de l'avenir.

Saint Paul fait ressortir ce point en termes non équivoques (Hébreux 2 : 2-3) : « Car si la parole des Anges a eu son effet et si toute transgression et toute désobéissance a reçu sa juste rétribution, comment serions-nous sauvés si nous négligions un tel moyen de salut ? » Et saint Paul parlait à des Chrétiens, car les Hébreux auxquels il écrivait s'étaient convertis. Ils avaient accepté le Christ et ils étaient des hommes qui, dans sa pensée, feraient partie, dans une incarnation future, du nouveau « peuple élu » ; peuple qui suivrait *volontairement* son Chef et développerait la faculté d'Amour et de perception spirituelle : l'intuition, qui succédera à l'égoïsme et à la Raison.

La doctrine chrétienne du Nouveau Testament est particulièrement destinée aux Races avancées du Monde Occidental. Elle est en voie d'être implantée spécialement parmi les Américains ; car l'objet de la nouvelle race de la sixième Epoque étant l'unification de toutes les Races, les Etats-Unis vont devenir le « creuset » dans lequel toutes les nations de la terre seront amalgamées et, de ce mélange, sera extrait le prochain « peuple élu ».

Les Esprits qui, dans toutes les contrées du Monde, se sont efforcés de suivre les enseignements du Christ, consciemment ou non, s'incarneront en Amérique, afin d'y trouver les conditions favorables pour leur développement. Aussi, le Juif né aux Etats-Unis est-il différent du Juif des autres pays. Le fait même qu'il se soit incarné dans le Monde Occidental montre qu'il est en train de s'émanciper de l'Esprit de Race et qu'il est, par conséquent, plus avancé que le Juif conformiste cristallisé du Vieux Monde, de même que l'étaient ses parents ; car, s'il en était autrement, ceux-ci n'auraient pas conçu l'idée de briser leurs vieilles attaches et d'émigrer en Amérique. Par conséquent, le Juif né aux Etats-Unis est le pionnier qui préparera la voie que ses compatriotes suivront plus tard.

Ainsi, nous pouvons voir que la Bible contient les enseignements spéciaux et nécessaires aux peuples de l'Occident, afin que le terrible exemple des Juifs, comme il est rappelé dans l'Ancien Testament, leur serve de leçon et qu'ils apprennent à vivre selon les enseignements du Christ, tels qu'ils sont contenus dans le Nouveau Testament, en offrant volontairement leur corps comme un *vivant* sacrifice sur l'autel de la Fraternité et de l'Amour.

CHAPITRE XIV

ANALYSE OCCULTE DE LA GENÈSE

LIMITATIONS DE LA BIBLE

Dans la partie précédente de notre étude, jusqu'au chapitre XIII, nous avons assez rarement fait allusion à la Bible, mais nous allons maintenant lui consacrer notre attention, non pas que nous ayons l'intention de soutenir que la Bible (dans la forme où elle nous est ordinairement connue aujourd'hui) soit la seule véritable Parole de Dieu et la seule inspirée ; mais il n'en est pas moins vrai qu'elle contient beaucoup d'enseignements occultes et précieux. Ces enseignements sont, dans une large mesure, cachés par des interpolations et obscurcis par l'élimination arbitraire de certaines parties rejetées comme « apocryphes ». L'occultiste qui en connaît le sens profond peut aisément voir, il va sans dire, quelles sont les parties originales et quelles sont celles qui ont été interpolées. Si nous prenons, par exemple, le premier chapitre de la Genèse, tel qu'il se trouve dans les meilleures traductions que nous possédions, nous trouverons qu'il renferme un plan d'évolution identique à celui qui a été exposé dans la première partie de cet ouvrage et que ce plan s'harmonise très bien avec les enseignements occultes en ce qui concerne les Périodes, les Révolutions, les Races, etc. Les aperçus qu'il en donne sont nécessairement brefs et condensés, une Période entière étant récapitulée en une vingtaine de mots ; néanmoins, les traits saillants s'y trouvent.

Avant d'en commencer l'analyse, il est nécessaire de mentionner que les mots de la langue hébraïque, surtout dans le vieux style, sont liés les uns aux autres et qu'ils ne sont pas séparés comme dans notre langue. Ajoutez à cela la coutume qui consiste à omettre, dans l'écriture, les voyelles, de sorte qu'en lisant, l'interprétation dépend en grande partie de la place qu'on leur a donnée et de la manière de les y insérer, et vous vous rendrez compte des grandes difficultés qu'il faut surmonter pour en déterminer le sens original. Un léger changement peut altérer complètement la signification d'une phrase quelconque.

Outre ces sérieuses difficultés, nous devons aussi nous rappeler que, sur les quarante-sept traducteurs de la version du roi Jacques (celle qui est la plus usitée en Angleterre et en Amérique), *trois* seulement étaient des hébraïsants, et que, sur ces trois-là, deux moururent avant la traduction des Psaumes. En outre, il faut considérer que l'Acte qui autorisa la traduction interdisait aux traducteurs toute interprétation qui s'écarterait trop des croyances admises ou qui tendrait à les troubler. Il est donc évident que les chances d'obtenir une traduction correcte étaient très minimes.

Les conditions n'étaient guère plus favorables en Allemagne, car là, Martin Luther était le seul traducteur, et pour sa traduction il ne se servit même pas de l'hébreu original, mais simplement d'un texte en latin.

Il est vrai qu'il y a eu des révisions, mais elles n'ont pas apporté beaucoup d'améliorations. De plus, dans notre pays (les Etats-Unis), bien des gens veulent que le texte de la version *anglaise* du roi Jacques soit absolument correct de la première à la dernière ligne, comme si la Bible avait été originalement écrite en anglais, et comme si la version en question était une copie certifiée conforme du manuscrit original. Ainsi, les vieilles erreurs sont encore là, en dépit des efforts faits pour les éliminer.

Il faut noter que ceux qui, à l'origine, ont écrit la Bible, n'avaient pas l'intention de présenter aux hommes une vérité sous une forme accessible aux lecteurs superficiels. Rien n'était plus éloigné de leur pensée que d'écrire sur Dieu « à livre ouvert ». Les grands occultistes qui ont écrit le Zohar sont très catégoriques sur ce point. Il ne fallait pas que la Thorah fût mise à la portée de tous. La citation suivante en fait foi :

« Malheur à l'homme qui ne voit dans la Thorah (les livres de la Loi) qu'une simple narration et des mots ordinaires ! Car si, en vérité, elle ne contenait que cela, nous serions capables, même aujourd'hui, de composer une Thorah beaucoup plus digne d'admiration. Mais il n'en est pas ainsi. Chaque mot de la Thorah contient un sens élevé et un mystère sublime... Les récits de la Thorah sont les vêtements de la Thorah. Malheur à celui qui prend les vêtements de la Thorah pour la Thorah elle-même !... Les simples d'esprit ne s'intéressent qu'aux vêtements et aux narrations de la Thorah. Ils ne connaissent rien d'autre. Ils ne voient pas ce que le vêtement cache. *Les hommes plus instruits ne font pas attention au vêtement, mais au corps dont il est l'enveloppe.* »

Les mots précédents impliquent clairement le sens allégorique de la Thorah. Saint Paul déclare en termes non équivoques que l'histoire d'Abraham et des deux fils qu'il eut de Sarah et d'Agar est purement allégorique. (Galates 4 : 22-26). Beaucoup de passages bibliques sont voilés, alors que d'autres doivent être pris dans le sens littéral, et toute personne qui ne possède pas la clef occulte est incapable de trouver la vérité profonde cachée sous ce qui est, parfois, un vêtement hideux.

La discrétion gardée sur ce qui concerne ces sujets profonds, l'usage répandu des allégories, chaque fois que les masses étaient à même d'approcher des vérités occultes, se retrouvent dans la manière dont procédait le Christ qui, s'adressant à la multitude, parlait en paraboles, se réservant d'expliquer plus tard et en secret à ses disciples le sens profond qu'elles recelaient. A maintes reprises, il leur imposa le secret au sujet de ces enseignements privés.

Saint-Paul agit de même, car il donne le « lait », ou les enseignements les plus élémentaires, aux « nouveau-nés » dans la foi, et garde la « nourriture solide » (I Corinthiens 3 : 2) ou les enseignements les plus avancés pour les « forts », ceux qui sont qualifiés pour les comprendre et les recevoir.

La Bible juive a été écrite d'abord en hébreu, mais nous ne possédons pas une seule ligne des manuscrits originaux [1]. Dès 280 ans avant Jésus-Christ a paru une

(1) Les études sur les manuscrits en provenance des grottes de la mer Morte jettent une lumière nouvelle sur ces questions. *(N. d. t.)*

traduction en grec, la version des Septante. Même au temps du Christ, existaient déjà la plus grande confusion et des opinions divergentes au sujet des parties qui devaient être admises comme originales, et de celles qui auraient été interpolées.

Ce n'est qu'après le retour de l'exil de Babylone que les scribes ont commencé à rassembler les divers écrits, et ce n'est que vers 500 ans après Jésus-Christ, qu'a paru le Talmud, premier texte qui ressemblait au texte actuel et qui, en raison des faits précédents, ne saurait être parfait.

Le Talmud fut alors pris en main par l'Ecole Massorétique qui, de l'an 590 à l'an 800 environ de notre ère, siégeait à Tibériade. Après un travail long et minutieux, un Ancien Testament hébraïque a été élaboré, qui est le texte le plus rapproché de l'original que nous possédions actuellement.

Nous nous servirons du texte massorétique dans l'interprétation suivante de la Genèse et, ne nous contentant pas du travail d'un seul traducteur, nous le compléterons par une traduction allemande, l'ouvrage de trois hébraïsants éminents, H. Arnheim, M. Sachs et Jul. Furst, qui collaborèrent avec un quatrième traducteur, le Dr Zunz, ce dernier étant également le rédacteur du texte.

AU COMMENCEMENT

La première phrase de la Genèse est un exemple frappant de ce que nous avons dit au sujet de l'interprétation du texte hébraïque dont le sens peut être altéré en plaçant différemment les voyelles et en séparant les mots d'une autre manière.

Il y a deux manières reconnues de lire cette phrase. La première est : « Au commencement, Dieu créa le ciel et la terre » ; la deuxième : « Au moyen de l'essence éternelle (de l'espace), l'énergie double forma le double ciel ». On a beaucoup discuté et il a coulé beaucoup d'encre sur la question de savoir laquelle de ces deux interprétations était la bonne. Le malheur est que les gens veulent quelque chose d'invariable et de déterminé. Ils s'imaginent que si une certaine explication est juste, toutes les autres doivent être fausses. Mais on ne saurait trop répéter que tel n'est pas le moyen d'arriver à la vérité, qui est plus complexe et revêt plusieurs aspects. Toute vérité occulte doit être examinée de plusieurs points de vue différents, chacun de ces points de vue présentant une certaine phase de la vérité, car ils concourent tous à la formation d'un concept défini et complet d'un sujet quelconque.

Le fait même que, de cette phrase, comme de beaucoup d'autres qui forment le « vêtement » de la Thorah, on puisse extraire plusieurs interprétations, est une source de confusion pour celui qui n'est pas initié, alors qu'il est une source de lumière pour celui qui en possède la clef, démontre la sagesse transcendante des Intelligences merveilleuses qui ont inspiré la Thorah. Si les voyelles avaient été insérées et les mots convenablement séparés, il n'y aurait qu'une seule manière de la lire, et ces grands et sublimes mystères n'auraient pu y être cachés. Si les auteurs avaient eu l'intention d'écrire un livre « ouvert » de Dieu, ils auraient suivi cette méthode, mais tel n'était pas leur dessein. Ce livre a uniquement été écrit pour les initiés, et eux seuls peuvent à la fois le lire et le comprendre. Il aurait fallu beaucoup moins d'habileté pour l'écrire d'une manière ouverte que pour en voiler le sens. Toutefois, tous les efforts sont faits pour qu'en soient dévoilés, en temps voulu, les enseignements cachés, à ceux qui y ont droit, tout en les tenant hors de la portée de ceux qui n'ont pas encore mérité le droit de les posséder.

LA THEORIE NEBULAIRE

La lumière jetée sur l'œuvre du Créateur et sur l'évolution de notre système planétaire par les deux interprétations du Livre de la Genèse nous montre que les deux interprétations sont nécessaires à la complète compréhension du sujet. La première dit que notre évolution a eu un commencement, au cours duquel les Cieux ont été créés. La seconde vient compléter la première en ajoutant que les Cieux et la Terre ont été extraits de « l'essence éternelle » et non créés « à partir de rien » comme le fait remarquer ironiquement le matérialiste. La substance primordiale cosmique est condensée et mise en mouvement. Les anneaux formés par l'inertie de la masse tournant sur elle-même se séparent de la partie centrale pour former les planètes, ainsi que l'ont découvert les savants modernes, en procédant par déduction et avec une remarquable ingéniosité. Ainsi, les enseignements occultes et la science sont parfaitement d'accord sur la manière dont s'est créé le système solaire. Il n'y a rien dans ces deux assertions qui ne soit compatible avec les deux théories, comme nous allons le voir.

La science occulte enseigne que Dieu a mis en train le processus de formation du système planétaire et qu'il continue à le guider dans une voie bien définie. Le savant, pour réfuter ce qu'il estime être une idée absurde et pour démontrer l'inutilité d'un Dieu, prend un vase rempli d'eau, à la surface de laquelle il verse un peu d'huile. L'eau et l'huile représentent respectivement l'espace et la nébuleuse ardente. Il se met alors à faire tourner l'huile avec une aiguille et l'amène à former une sphère, dont il dit qu'elle représente le Soleil central. A mesure qu'il fait tourner de plus en plus vite la sphère d'huile, celle-ci s'enfle à l'équateur et lance un anneau au-dehors ; l'anneau se brise et ses fragments se fondent et forment une sphère plus petite qui se met à tourner autour de la masse centrale, comme une planète tourne autour du Soleil. Et le savant de demander à l'occultiste sur un ton plein de commisération : « Vous avez vu comment cela se passe ? Il n'y a pas besoin de votre Dieu, ni d'un pouvoir surnaturel quelconque ».

L'occultiste admet volontiers qu'un système solaire soit formé par un processus à peu près semblable, mais il est fort surpris de constater qu'un savant possédant la claire intuition qui lui permet de percevoir avec une telle exactitude l'opération des forces cosmiques, qu'un homme qui a l'intelligence de concevoir cette brillante démonstration de sa théorie monumentale, soit incapable de voir que, dans sa démonstration, *c'est lui qui joue le rôle de Dieu,* car c'est lui qui est le Pouvoir extérieur ; c'est lui qui a placé l'huile sur l'eau, où elle serait restée inerte et sans forme de toute éternité s'il n'avait fourni la force impulsive qui l'a mise et tenue en mouvement, la faisant ainsi se modeler à l'image du Soleil et des planètes. C'est sa *pensée* qui a conçu cette expérience, c'est lui qui a eu l'idée d'employer sa propre énergie pour démontrer magistralement l'action du Dieu Trinitaire activant la substance cosmique pour en former un système solaire.

Les attributs de Dieu sont la Volonté, la Sagesse et l'Activité (Voir le tableau 8 et noter avec soin ce que le mot « Dieu » signifie dans cette terminologie). L'homme de science a la *Volonté* de faire l'expérience. Il a l'ingéniosité de fournir les moyens nécessaires à cette démonstration. Cette ingéniosité correspond à la *Sagesse,* second attribut de Dieu. Il a aussi la force musculaire voulue pour accomplir l'action, et cette force correspond à l'*Activité,* troisième attribut de Dieu.

En outre, l'univers n'est pas une vaste machine à mouvement perpétuel qui, une fois mise en marche, continue à fonctionner sans agent intérieur, ni force directrice. Cela, l'expérience du savant le prouve également car, aussitôt qu'il cesse de faire tourner la sphère d'huile, le mouvement ordonné de ses planètes en miniature cesse également et le tout redevient une masse informe d'huile flottant sur l'eau. L'univers se dissoudrait de même immédiatement en « espace impondérable » si Dieu cessait un seul instant d'exercer Sa sollicitude qui embrasse toutes choses, et Son activité productrice d'énergie.

La deuxième interprétation de la Genèse est merveilleusement exacte dans sa description d'une double énergie créatrice, sans toutefois spécifier que Dieu est triple en son essence, le lecteur étant censé le savoir. Elle énonce une vérité exacte quand elle dit que, seules, deux forces sont actives dans la formation d'un univers.

Quand le premier aspect du Dieu trinitaire se manifeste par la volonté de créer, Il éveille le deuxième aspect (qui est la Sagesse) pour élaborer un plan du futur univers. Cette première manifestation de la Force est l'Imagination. Une fois que cette force primordiale de l'Imagination a conçu l'idée d'un Univers, le troisième aspect (qui est l'Activité) travaillant avec la substance Cosmique, produit le Mouvement. Ceci est la deuxième manifestation de la Force. Cependant, le Mouvement seul ne suffit pas. Pour former un Système de Mondes, le Mouvement doit être *ordonné.* La Sagesse est, par conséquent, nécessaire pour guider le Mouvement d'une manière intelligente et produire des résultats définis.

Ainsi, nous voyons que la première phrase du livre de

la Genèse nous apprend que, au commencement, un mouvement régulier et rythmique dans la Substance Cosmique primordiale a formé l'univers.

LES HIERARCHIES CREATRICES

La deuxième interprétation de la première phrase nous donne aussi une idée plus complète de Dieu. Il y est question de la « double énergie », ce qui désigne les phases positive et négative de l'Esprit Unique de Dieu en manifestation. D'accord avec les enseignements de la science occulte, Dieu est représenté comme un Etre complexe. La suite des versets du même chapitre appelle l'attention sur ce point.

En plus des Hiérarchies Créatrices qui ont travaillé de leur propre gré à notre développement, il y en a sept autres qui appartiennent à notre évolution et qui collaborent avec Dieu dans la formation de l'univers. Dans le premier chapitre de la Genèse, ces Hiérarchies sont appelées « Elohim ». Ce terme signifie une Légion d'Etres doubles ou qui possèdent les deux sexes. La première partie du mot « Eloh » est un nom féminin ; la lettre « h » en indique le genre. Si on avait voulu désigner un seul être féminin, on se serait servi du mot « Eloh ». Le féminin pluriel est « oth ». Si on avait eu l'intention d'indiquer un certain nombre de Dieux du genre féminin, le mot correct aurait été « Elooth ». Cependant, au lieu d'une de ces deux formes, nous trouvons la terminaison du masculin pluriel « im » ajoutée au nom féminin « Eloh » qui indique ainsi une légion d'Etres masculins-féminins, bissexuels, et qui sont l'expression de la double énergie créatrice, à la fois positive et négative.

La pluralité des Créateurs est encore donnée à entendre dans la dernière partie du chapitre où les mots suivants sont attribués aux Elohim : « Faisons l'homme à *notre* image », après quoi, il est ajouté d'une manière inconséquente : «*Il* les fit mâle et femelle ».

Les traducteurs ont rendu le mot embarrassant « Elohim » (qui n'était pas seulement un mot au pluriel, mais aussi masculin et féminin), comme s'il était l'équivalent du mot au singulier et sans sexe de « Dieu ». Cependant, comment auraient-ils pu faire autrement, même s'ils avaient su ? Il leur était défendu d'apporter le trouble dans les idées qui avaient alors cours. Ce n'était pas la vérité à tout prix, mais la paix à tout prix que le roi Jacques désirait ; son seul souci était d'éviter toute controverse qui aurait pu créer de l'agitation dans son royaume.

Le pluriel est également employé quand on fait allusion à la création de l'homme, ce qui indique clairement que le passage s'applique à la création d'ADM, la race humaine, et non pas à Adam, l'individu.

Nous avons dit que six Hiérarchies Créatrices (en plus des Seigneurs de la Flamme, des Chérubins, des Séraphins et des deux Hiérarchies sans nom qui tous sont passés vers la libération) ont aidé activement les Esprits Vierges qui forment eux-mêmes une septième Hiérarchie.

Les Chérubins et les Séraphins n'ont pas participé à la création de la Forme ; aussi, ne sont-ils pas mentionnés dans le chapitre considéré qui traite principalement du côté forme de la Création. Ici, nous ne trouvons que les sept Hiérarchies Créatrices qui firent le travail effectif consistant à amener l'homme jusqu'au point où il a reçu une forme physique dense, par l'intermédiaire de laquelle l'esprit intérieur pouvait s'exercer.

Après la description de chaque étape de l'œuvre de la Création, il est dit : « Et les Elohim virent que cela était bon. » Cette phrase est répétée sept fois, la dernière fois étant à la fin du sixième jour, alors que la forme humaine venait d'être créée.

Il est écrit que le septième jour « les Elohim se reposèrent ». Tout cela s'accorde avec nos enseignements occultes, relativement à la part prise par chacune des Hiérarchies Créatrices au travail de l'évolution, jusqu'à la Période actuelle. On nous apprend aussi que, pendant l'Epoque présente, les Dieux et les Hiérarchies Créatrices ne prennent plus de part active à l'évolution, afin que l'homme puisse travailler lui-même à son propre salut. La direction de l'humanité ordinaire est laissée entre les mains des « Frères Aînés» qui sont maintenant les médiateurs entre l'homme et les Dieux.

PERIODE DE SATURNE

Après nous être assurés que le commencement de notre Système solaire et le travail des Hiérarchies Créatrices, tels qu'ils sont décrits par la science occulte, s'accordent avec les enseignements de la Bible, nous allons maintenant examiner la description qu'elle donne des différents « Jours de la Création » et voir comment cette description s'harmonise avec les enseignements occultes relatifs aux Périodes de Saturne, du Soleil et de la Lune, suivies des trois Révolutions et demie de la Période de la Terre, avec les Epoques Polaire, Hyperboréenne, Lémurienne et Atlantéenne qui ont précédé l'Epoque Aryenne actuelle.

Il est évident qu'il était impossible de donner, dans les quelques versets du premier chapitre de la Genèse, un exposé détaillé de la création, mais les faits principaux s'y trouvent énumérés dans leur ordre logique, en une sorte de succession de formules algébriques.

Le deuxième verset poursuit : « La Terre était déserte et l'obscurité était sur la face de la Terre ; et les Esprits des Elohim planaient au-dessus de l'abîme ». Au commencement de la Manifestation, le globe qui est maintenant notre Terre passait par la Période de Saturne et se trouvait exactement dans les conditions décrites ci-dessus, comme on peut le voir en se reportant à la description déjà donnée de cette Période. Il n'était pas « sans forme et vide », comme on peut le lire dans certaines versions. Il était brûlant et, par conséquent, bien défini et séparé du reste de l'espace, qui était froid. Il est vrai qu'il était obscur, mais il pouvait être en même temps obscur et chaud, car la chaleur « sombre » précède nécessairement la chaleur rougeoyante ou visible. Au-dessus de ce globe obscur de la Période de Saturne planaient les Hiérarchies Créatrices, qui travaillaient sur lui en le modelant de l'extérieur. La Bible les appelle les « Esprits des Elohim ».

PERIODE DU SOLEIL

La Période du Soleil est fort bien décrite dans le troisième verset : « Et les Elohim dirent : Que la Lumière soit, et la Lumière fut. » On s'est moqué de ce passage comme étant le plus ridicule non-sens qui fût. On a demandé ironiquement : « Comment pouvait-il y avoir de la lumière sur la Terre, alors que le Soleil n'a pas été formé avant le quatrième jour ? » Le narrateur de la Bible, toutefois, ne parle pas seulement de la Terre. Il parle de la « Nuée ardente » centrale, dont ont été formées les planètes de notre système, y compris la Terre. Ainsi, quand la nébuleuse atteignit une condition de chaleur lumineuse, comme ce fut le cas dans la Période du Soleil, un luminaire extérieur n'était nullement nécessaire ; la lumière se trouvait dans la nébuleuse même.

Au quatrième verset, nous lisons : « Les Elohim séparèrent la lumière d'avec les ténèbres ». Cela va sans dire, car l'espace extérieur était sombre et contrastait avec la nébuleuse brillante de la Période du Soleil.

PERIODE DE LA LUNE

La Période Lunaire est ainsi décrite au sixième verset : « Et les Elohim dirent : « Qu'il y ait une *expansion* (d'autres versions disent « étendue » ou « firmament ») dans les eaux pour séparer l'eau d'avec l'eau ». Cela décrit exactement les conditions de la Période de la Lune, alors que la chaleur de la « nuée ardente » et le froid de l'espace extérieur avaient formé une masse d'eau autour du noyau embrasé. Le contact de l'eau et du feu produisait de la vapeur qui était de l'eau en expansion, comme le décrit notre verset. Elle différait de l'eau relativement froide qui gravitait sans cesse vers le noyau embrasé pour remplacer la vapeur qui se précipitait vers l'extérieur. De cette manière, il y avait une circulation constante de l'eau tenue en suspension et aussi une expansion de vapeur s'échappant vers l'extérieur, en formant une atmosphère de « brouillard de feu », condensée au contact de l'espace et retournant vers le centre pour y être de nouveau chauffée en recommençant continuellement le même cycle. Ainsi, il y avait deux sortes d'eau et une division entre elles, comme indiqué dans la Bible. L'eau dense se trouvait plus près du centre ardent, l'eau en expansion, ou vapeur, se trouvait à l'extérieur.

Cette description s'accorde également avec la théorie

scientifique des temps modernes. D'abord la chaleur obscure ; puis la nébuleuse incandescente ; plus tard, l'humidité à l'extérieur et la chaleur à l'intérieur. Finalement, la formation de la croûte terrestre.

PERIODE DE LA TERRE

La Période de la Terre est ensuite décrite. Mais avant de commencer sa description, remarquons que les versets cités et les descriptions données correspondent aussi avec les récapitulations. Ainsi, ce qui est dit de la Période de Saturne décrit aussi la condition du Système quand il émerge de toute Période de repos. La description des Périodes de Saturne, du Soleil et de la Lune correspondait, par conséquent, aux trois premières Révolutions de la Période de la Terre, et la suivante aux conditions existant sur la Terre pendant la Révolution actuelle.

Aux versets 9 et 10, nous lisons : « Et les Elohim dirent : « Que les eaux soient séparées du terrain sec... et les Elohim appelèrent le terrain sec « Terre ». Ce passage se rapporte à la première formation de la croûte terrestre. La chaleur et l'humidité avaient produit la partie solide de notre Globe actuel.

Epoque Polaire : Le neuvième verset qui décrit la Période de la Terre dans cette quatrième Révolution (alors que commençait le véritable travail de la Période Terrestre) décrit aussi la formation du règne minéral et la Récapitulation, faite par l'homme, de la phase minérale de l'Epoque Polaire. Chaque Epoque est également une récapitulation de la phase précédente. De même qu'il y a des Récapitulations de Globes, de Révolutions et de Périodes, ainsi sur chaque globe, il y a des récapitulations de tout ce qui s'est passé auparavant. Ces récapitulations sont sans fin, toujours par spirales dans des spirales, qu'il s'agisse d'atomes, de Globes ou de toute autre phase de l'évolution.

Quelque compliqué et déroutant que ce processus puisse paraître au premier abord, il n'est pas si difficile à comprendre. Il y a dans toutes ces phases une méthode logique et, peu à peu, l'esprit arrive à percevoir et à suivre sa mise en œuvre, comme un fil conducteur à travers un dédale. La loi de l'analogie est l'une des meilleures aides pour arriver à comprendre l'évolution.

L'Epoque Hyperboréenne est décrite, du verset 11 au verset 19, comme étant le travail du quatrième jour. On y relate comment les Elohim ont créé le règne végétal, le Soleil, la Lune et les étoiles.

La Bible s'accorde avec les enseignements de la science moderne sur le fait que les plantes ont succédé aux minéraux, mais les deux enseignements diffèrent au sujet du moment où la Terre a été lancée dans l'espace à partir de la masse centrale. La science dit que cet événement s'est produit avant la formation de toute croûte qui pourrait être appelée minérale ou végétale. Si l'on entend par là les minéraux et les végétaux tels que nous les connaissons de nos jours, cette assertion est correcte. Il n'existait pas encore de matière dense, et cependant les premières formations solides qui sont apparues dans le Soleil central étaient minérales. Le narrateur de la Bible ne relate que les événements principaux. Il ne mentionne pas que la croûte s'est fondue lorsqu'elle a été lancée hors de la masse centrale, sous la forme d'un anneau qui s'est ensuite désagrégé pour s'unir en une seule planète. Pour un corps aussi petit que notre globe, le temps requis pour une nouvelle concrétion était relativement si court que le narrateur ne le mentionne même pas ; il ne cite pas non plus le fait subsidiaire que cette « fonte » se soit produite une fois de plus, quand la Lune a été projetée hors de la Terre. Il aura probablement pensé que celui qui a accès aux enseignements occultes est déjà au courant de ces détails relativement secondaires.

Les plantes qui se trouvaient sur la partie solide de la nébuleuse ardente étaient éthériques ; aussi n'ont-elles pas été détruites par le processus de fusion. De même que les lignes de force le long desquelles se forment les cristaux de glace sont présentes dans l'eau, ainsi ces formes végétales éthériques se trouvaient présentes dans la Terre au moment où elle s'est solidifiée. Elles étaient des sortes de matrices qui attiraient à elles les matériaux solides formant la substance des plantes actuelles, aussi bien que des formes végétales du passé, enfouies dans les couches géologiques de notre Globe terrestre.

Ces plantes éthériques ont été aidées dans leur formation par la chaleur qui venait du dehors après la séparation de la Terre d'avec le Soleil et la Lune. Cette chaleur leur a donné la force vitale nécessaire pour attirer à elles une matière plus dense.

L'Epoque Lémurienne est décrite comme étant le travail du cinquième jour. Cette Epoque, étant la troisième, est, dans un certain sens, une Récapitulation de la Période de la Lune. Dans le récit biblique, nous retrouvons les conditions qui ont prévalu durant cette Période : l'eau, la nuée ardente et les premiers essais de vie douée de mouvement et de respiration.

Les versets 20 et 21 nous apprennent que les Elohim dirent : « Que les eaux produisent des choses qui aient le souffle de la vie... et des volatiles... ; et les Elohim formèrent les grands amphibies et toutes les choses qui ont le souffle de la vie, selon leur espèce, et les oiseaux pourvus d'ailes ».

Ce texte s'accorde également avec les enseignements de la science matérielle, selon laquelle les amphibies ont précédé les oiseaux.

Veuillez bien noter que les *choses ainsi formées n'étaient pas la vie.* Le passage ne dit pas que la vie fut créée, mais « *des choses qui respirent ou qui aspirent la vie.* » Le mot hébreu qui exprime ce que respiraient les créatures est *nephesh,* un mot qu'il convient de garder en mémoire, car nous rencontrerons plus tard cette même idée sous une autre forme.

L'Epoque Atlantéenne correspond au travail du sixième jour. Le verset 24 mentionne la création des mammifères, et nous y retrouvons le mot *nephesh,* servant à expliquer que les mammifères « respiraient la vie ». Nous lisons que « Les Elohim dirent : « Que la terre produise des choses qui respirent la vie..., des mammifères... » ; et au verset 27 : « les Elohim formèrent l'homme à leur image; ils (les Elohim) les créèrent mâle et femelle ».

L'historien biblique omet ici les phases asexuelle et hermaphrodite de l'humanité et en arrive immédiatement aux deux sexes séparés, tels que nous les connaissons aujourd'hui. Du moment qu'il décrivait l'Epoque Atlantéenne, il ne pouvait dire autre chose, car à ce stade de l'évolution, il n'y avait plus ni êtres sans sexe, ni hermaphrodites, la différenciation des sexes ayant eu lieu auparavant, pendant l'Epoque Lémurienne. Ce qui, plus tard, est devenu une créature humaine, ne pouvait guère recevoir le nom d'homme dans les premières phases de son évolution, où il différait à peine des animaux. Par conséquent, le narrateur de la Bible ne va pas à l'encontre des faits quand il dit que l'homme a été formé pendant l'Epoque Atlantéenne.

Au verset 28 (dans toutes les versions anglaises), nous rencontrons un tout petit préfixe qui a une très grande signification : « Les Elohim dirent : « Croissez, REpeuplez la terre » (1), ce qui indique clairement que le rédacteur de ce passage avait connaissance de l'information occulte selon laquelle la vague de vie avait évolué, sur le Globe D de la Période de la Terre, dans les Révolutions antérieures.

L'Epoque Aryenne correspond au septième jour de la Création, alors que les Elohim « se reposèrent » de leur labeur de créateurs et de guides, laissant l'humanité s'engager seule dans sa carrière indépendante.

Ici se termine l'histoire de la construction des Formes. Au chapitre suivant, nous traiterons plutôt de la Vie en Evolution.

JEHOVAH ET SA MISSION

Un grand nombre de discussions savantes ont été engagées tant au sujet des divergences que l'on rencontre entre l'histoire de la Création, au premier chapitre de la Genèse, et celle qui débute au quatrième verset du deuxième chapitre, que sur l'identité de l'auteur. Certains affirment que les deux narrations ont été écrites par des

---

(1) En anglais « *Re*plenish » ; en français « *R*emplissez » ; à ce sujet, il convient de rappeler la définition que donne, du verbe « remplir », le dictionnaire : « emplir de nouveau ». Il est vrai que, de plus en plus, on utilise à tort le verbe « remplir » au lieu d' « emplir », alors que ce serait ce dernier qui serait correct lorsqu'il n'y a pas répétition. Néanmoins, les plus anciennes versions françaises de la Bible disent toutes « remplissez » et non « emplissez ». *(N.d.t.)*

hommes différents, parce que l'Etre ou les Etres, dont le nom a été rendu par les traducteurs, par le mot « Dieu » dans le premier et le deuxième chapitre de la plupart des versions, sont appelés, dans le texte hébreu « Elohim » au premier chapitre, et « Jéhovah » au deuxième. On fait valoir que le même narrateur n'aurait pas nommé Dieu de deux manières différentes.

S'il avait voulu désigner le même Dieu dans les deux cas, il ne se serait probablement pas servi de noms différents ; mais il n'était pas un monothéiste. Il était suffisamment éclairé pour ne pas se représenter Dieu comme une sorte de surhomme ayant pris le ciel pour trône et la terre pour y poser les pieds. Là où il mentionne Jéhovah, il entend le Chef chargé de la partie spéciale du travail de la Création qu'il est en train de décrire. Jéhovah était, et est encore, l'un des Elohim. Il est le Chef des Anges qui ont formé l'humanité de la Période de la Lune, et il est le Régent de la Lune actuelle. Nous renvoyons le lecteur au tableau 16 pour se faire une idée exacte de la position de Jéhovah et de la constitution de ses véhicules.

En qualité de Régent de la Lune, Il a la charge des Etres dégénérés et malfaisants qui s'y trouvent et Il gouverne également les Anges. Avec Lui, il y avait aussi quelques-uns des Archanges qui étaient l'humanité de la Période du Soleil. On les appelle les « Esprits de Race ».

Le travail de Jéhovah consiste à construire des corps ou des formes concrètes au moyen des forces Lunaires qui durcissent et cristallisent. Par conséquent, Il est le dispensateur des enfants, et les Anges, dans cette activité, sont Ses messagers. Les physiologistes connaissent bien la relation de la Lune avec la gestation. Ils ont tout au moins observé qu'elle mesure et gouverne les périodes de la vie intra-utérine et d'autres fonctions physiologiques.

Les Archanges, en tant qu'Esprits et Chefs de Race, combattent pour ou contre une nation, selon les besoins de l'évolution de cette Race. Dans le livre de Daniel (10 : 20), un Archange dit en s'adressant à Daniel : « Et maintenant je m'en retournerai pour combattre contre le prince de Perse : et, quand je partirai, voici, le prince de Grèce viendra ».

L'Archange Michel est l'Esprit de Race des Juifs

(Daniel, 12 : 1), *mais Jéhovah n'est pas le Dieu des Juifs seulement : Il est l'auteur de toutes les Religions de Race qui ont été un acheminement vers le Christianisme.* Il est vrai, pourtant, qu'Il s'est particulièrement intéressé aux ancêtres des Juifs d'aujourd'hui, les Sémites Primitifs qui ont été la race-mère des sept Races de l'Epoque Aryenne. Jéhovah prend naturellement un soin tout spécial d'une race-mère à laquelle on doit inculquer les facultés embryonnaires de l'humanité d'une nouvelle Epoque. C'est pourquoi les Sémites Primitifs étaient son « peuple élu », choisi pour devenir la souche d'une nouvelle Race qui devait hériter de la « Terre Promise », ce terme ne désignant pas simplement l'insignifiante Palestine, mais la Terre entière, telle qu'elle est aujourd'hui.

Jéhovah n'a pas réellement conduit les Sémites « hors d'Egypte ». Cette histoire a pris naissance parmi leurs descendants et représente un récit embrouillé de leur voyage vers l'Est, à travers le désastre du Déluge, hors de l'Atlantide condamnée à la destruction, vers le « désert » (celui de Gobi, en Asie centrale) où ils ont erré pendant les quarante années cabalistiques, avant de pouvoir entrer dans la Terre Promise. Le mot descriptif « promise » possède dans ce cas un sens double et spécial. La terre a été appelée la Terre Promise, parce que, en tant que pays ou terre pouvant servir de demeure aux hommes, elle n'existait pas au moment où le « peuple élu » fut amené dans le « désert ». Une partie de la Terre avait été submergée par des inondations, et d'autres parties avaient été modifiées à la suite d'éruptions volcaniques ; ainsi, il était nécessaire d'attendre un certain temps avant que la Nouvelle Terre ne se trouvât en état de servir de demeure à la nouvelle Race Aryenne.

Les Sémites Primitifs ont été mis à part et on leur a interdit de se marier avec les membres des autres tribus ou des autres peuples ; mais ils étaient obstinés et opiniâtres et, par suite, ils ont désobéi à l'ordre donné, poussés presque exclusivement par les désirs et la ruse. La Bible mentionne que les fils de Dieu prirent pour femmes les filles des hommes (leurs compatriotes Atlantéennes qui leur étaient inférieures). Ils ont contrecarré les desseins de Jéhovah, qui les a rejetés, car le fruit d'un pareil croisement de races ne pouvait devenir la semence de la Race future.

Ces êtres, nés du croisement, sont les ancêtres des Juifs actuels qui parlent maintenant de « tribus perdues ». Ils savent qu'un certain nombre des leurs, faisant partie du nombre initial, les a quittés pour suivre une voie différente, mais ce qu'ils ne savent pas, c'est qu'il s'agissait précisément des rares Sémites restés fidèles. L'histoire de la perte des dix tribus est une fable. La plupart ont péri, mais ceux qui étaient restés fidèles ont survécu, et c'est de ce noyau que sont issues les Races Aryennes actuelles.

La science occulte est pleinement d'accord avec ceux des adversaires de la Bible qui déclarent qu'elle n'est qu'une mutilation des écrits originaux. Elle admet même que certaines parties ont été inventées de toutes pièces ; aussi n'essaierons-nous pas de prouver qu'elle est entièrement authentique sous sa forme actuelle. Nous essayons simplement d'extraire de la masse déroutante d'interprétations tendancieuses ou erronées sous laquelle ils ont été enfouis par les divers traducteurs, quelques perles de vérité occulte.

INVOLUTION, EVOLUTION ET EPIGENESE

Maintenant que, dans les paragraphes précédents, nous avons dégagé de la confusion générale l'identité et la mission de Jéhovah, nous pourrons sans doute trouver un accord entre les deux descriptions, apparemment contradictoires, de la création de l'homme, telles qu'elles se trouvent dans le premier et le deuxième chapitre de la Genèse. Dans le premier, il est dit qu'il a été créé le dernier, et dans le deuxième, nous lisons qu'il a été le premier de tous les êtres vivants qui aient été créés.

Remarquons que le premier chapitre traite principalement de la création de la Forme ; le deuxième est consacré à l'examen de la Vie, tandis que le cinquième chapitre s'occupe du développement de la Conscience. Ainsi, la clef de l'énigme est que nous devons établir une distinction bien nette entre la Forme physique et la Vie qui construit cette Forme pour sa propre expression.

Bien que, dans le second chapitre, l'ordre de création des autres règnes ne soit pas aussi exactement précisé que dans le premier, il n'en est pas moins vrai que, si nous considérons l'homme au point de vue de la Vie, il a bien été créé *en premier*, mais si nous le considérons au point de vue de la Forme, comme le fait le premier chapitre, il a été créé *en dernier*.

Au cours de l'évolution, à travers les Périodes, les Globes, les Révolutions et les Races, les êtres qui ne progressent pas en formant de *nouvelles* caractéristiques, se mettent en retard et commencent immédiatement à dégénérer. Seul, ce qui demeure souple et flexible est susceptible de se laisser modeler en de nouvelles Formes propres à exprimer une conscience en expansion ; seule, la Vie qui est capable de dépasser les possibilités de développement inhérentes aux formes qu'elle anime, peut évoluer de pair avec les pionniers de toute vague de vie. Tout le reste doit avancer péniblement à la suite.

C'est là l'essence des enseignements occultes. Le progrès n'est pas un simple déploiement de pouvoirs latents. Il n'est pas limité à l'Involution et à l'Evolution. Ici intervient un troisième facteur, qui forme avec les deux autres une triade : Involution, Evolution et *Epigénèse.*

Tous ceux qui ont étudié la Vie et la Forme sont familiarisés avec les deux premiers de ces termes, mais alors qu'il est généralement admis que l'Involution de l'Esprit dans la matière a pour objet de permettre la construction de la Forme, on ne reconnaît pas aussi communément que l'*Involution de l'Esprit se fait parallèlement à l'Evolution de la Forme.*

Du commencement de la Période de Saturne jusqu'au moment de l'Epoque Atlantéenne où « les yeux de l'homme furent ouverts » par les Esprits Lucifériens, l'activité de l'homme, ou de la force vitale qui est devenue l'homme, était principalement dirigée vers l'intérieur ; autrement dit, cette même force qu'il extériorise aujourd'hui, et qu'il emploie pour construire des chemins de fer, des navires, etc..., était utilisée intérieurement à la construction d'un véhicule dans lequel il puisse se manifester. Ce véhicule est triple comme l'Esprit qui l'a construit.

Ainsi, ce même pouvoir, au moyen duquel l'homme

améliore de nos jours les conditions extérieures, était utilisé, au cours de l'Involution, pour aider son développement intérieur.

La Forme a été construite par l'Evolution ; l'Esprit l'a construite et s'y est introduit par l'Involution ; mais c'est par l'Epigénèse que les perfectionnements sont conçus.

On a tendance à penser que tout ce qui existe est le résultat de choses qui existaient déjà dans le passé ; à considérer toutes les améliorations apportées aux Formes déjà existantes comme présentes en elles en tant que facultés latentes, à envisager l'Evolution comme un simple développement d'améliorations existant déjà en germe. Une telle conception exclut l'Epigénèse du plan universel. Elle ne laisse aucune place à la construction de quelque chose de *nouveau,* ni de champ d'action à l'originalité.

L'occultiste estime que le but de l'Evolution est le développement de l'homme de l'état d'un dieu statique à celui d'un Dieu dynamique, d'un créateur. Si, tandis qu'il poursuit présentement son développement, toute son instruction doit se borner à l'épanouissement de possibilités déjà présentes en lui à l'état latent, où et comment apprendrait-il à CREER ?

Si son développement consiste uniquement à apprendre à construire de mieux en mieux des Formes d'après des *modèles* qui existent déjà dans la pensée de son Créateur, l'homme ne peut devenir, au mieux, qu'un bon *imitateur,* jamais un *créateur.*

Pour qu'il puisse devenir un créateur indépendant et original, il est nécessaire que son éducation lui laisse une liberté suffisante pour exercer l'originalité individuelle qui distingue la création de l'imitation. Tant que certaines caractéristiques de l'ancienne Forme répondent aux exigences du progrès, elles sont conservées, mais, à chaque incarnation, la Vie en évolution ajoute aux corps tels perfectionnements originaux qui lui sont nécessaires pour se manifester de façon plus complète.

Les pionniers de la science se heurtent constamment à l'Epigénèse, comme se manifestant dans tous les domaines de la nature. Dès 1759, Gaspard Wolff avait publié sa *Theoria Generationis,* dans laquelle il montre que dans l'ovule humain il n'y a absolument aucune trace de l'organisme futur, que son évolution résulte de l'addition de *nouvelles* formations, de la construction de quelque chose qui n'est pas latent dans l'ovule.

Haeckel (ce grand et courageux étudiant de la Nature telle qu'il la voit et qui n'a pas été loin de découvrir la vérité totale en ce qui concerne l'Evolution) dit de la *Theoria Generationis :* « En dépit de sa brièveté et de sa terminologie difficile, c'est un des ouvrages les plus précieux de toute la littérature sur la biologie. »

Haeckel exprime son opinion en ces termes dans son *Anthropogénie :* « De nos jours, nous n'avons guère de raisons pour appeler l'Epigénèse une hypothèse, car nous sommes complètement convaincu qu'elle est un FAIT et nous sommes capable de le démontrer à n'importe quel moment à l'aide du microscope. »

Un constructeur ne serait guère qu'un piètre artisan, si son habileté se limitait à la construction de maisons faites seulement d'après un modèle spécial que, pendant son apprentissage, son maître lui aurait appris à imiter, mais qu'il serait incapable de modifier pour faire face à de nouvelles demandes. Pour réussir, il doit être capable de concevoir de nouvelles et de meilleures maisons, en améliorant ce que l'expérience lui a montré comme défectueux dans les constructions antérieures. La même force que le constructeur extériorise aujourd'hui en bâtissant des maisons mieux adaptées aux nouvelles conditions, était utilisée, dans les Périodes passées, à la construction de meilleurs véhicules destinés à l'évolution de l'Ego.

En commençant par les organismes les plus élémentaires, la *Vie* qui anime aujourd'hui l'homme a construit successivement des *Formes* répondant à ses propres besoins. Au cours des âges, à mesure que la nouvelle entité progressait, le besoin de nouvelles améliorations qui fussent en contradiction avec les directives précédemment suivies se faisait sentir. Il fallait donc prendre un nouveau départ, en créant une autre espèce permettant de réparer les erreurs antérieures, dont l'expérience avait montré qu'elles feraient obstacle à toute innovation. Ainsi, la vie en évolution était en mesure de progresser dans une nouvelle espèce et quand, plus tard, l'expérience montra qu'à son tour cette forme était devenue incapable de s'adapter à un nouveau progrès, elle fut abandonnée pour une autre plus adaptable, compte tenu des améliorations jugées nécessaires.

C'est ainsi que, par paliers successifs, la Vie en évolution a perfectionné ses véhicules et continue à le faire. L'homme, qui est à la tête du progrès, a construit ses corps à partir d'une Forme analogue à celle de l'amibe, jusqu'à la Forme de l'homme primitif, en continuant à progresser par degrés successifs, si bien qu'aujourd'hui les races les plus avancées utilisent les corps les meilleurs et les plus complètement organisés qui soient sur terre. Dans l'intervalle entre la mort et la réincarnation, nous ne cessons de construire des corps pour la vie suivante et nous atteindrons à un degré d'efficacité beaucoup plus grand que le degré actuel. Chaque fois que nous faisons des erreurs au cours de ce travail dans l'au-delà, ces erreurs deviennent manifestes une fois que nous utilisons ces corps pendant notre vie terrestre, et il est fort heureux que l'occasion nous soit donnée de reconnaître nos erreurs, afin d'éviter de les renouveler de vie en vie.

Mais, de même qu'un architecte verrait ses affaires péricliter s'il n'améliorait pas sans cesse ses méthodes pour faire face aux exigences des affaires, ainsi ceux qui persistent à s'attacher aux vieilles Formes sont incapables de s'élever au-delà des limites de l'espèce et sont laissés en arrière comme retardataires. Ces derniers occupent les Formes abandonnées par les pionniers, comme nous l'avons expliqué auparavant, et ils forment les Races ou espèces inférieures du règne dans lequel ils évoluent. A mesure que la Vie qui est maintenant l'Homme passait par des phases analogues à celles des règnes minéral, végétal et animal et par les Races inférieures de l'humanité, elle a laissé tout le long du chemin des retardataires qui n'avaient pas réussi à rester à l'avant-garde de la vague de vie en évolution. Ces retardataires se sont servis des Formes abandonnées par les pionniers, pour progresser et s'efforcer de rattraper les autres ; mais les Formes plus avancées, loin de demeurer au même point, avaient poursuivi leur avance, car sur le chemin de l'Evolution, il n'y a pas de temps d'arrêt. Dans le développement de la Vie, comme dans le commerce, il n'est pas possible de ne rien faire d'autre que de « se maintenir ». La loi veut qu'il y ait Progrès ou Rétrogradation. La Forme devenue incapable de progresser plus avant doit dégénérer.

Par conséquent, il y a une série de Formes *en progrès*, animées par les pionniers de la vie en évolution, et une autre série de Formes qui sont *en dégénérescence*, dépassées par les pionniers, mais animées par les retardataires tant qu'il en existe dans la vague de vie particulière à laquelle ces Formes appartenaient à l'origine.

Là où il n'y a plus de retardataires, l'espèce disparaît graduellement, les Formes ayant été cristallisées au-delà de toute possibilité d'amélioration par des occupants d'une incapacité croissante. Elles retournent, par conséquent, au règne minéral, se fossilisent et s'ajoutent aux différentes couches de la croûte terrestre.

L'assertion faite par la science matérialiste selon laquelle l'homme s'est développé en passant par les différents règnes végétal et animal qui existent maintenant autour de nous, puis par la condition d'anthropoïde et de là par celle de l'homme, n'est pas tout à fait correcte.

L'homme n'a jamais habité des Formes identiques à celles de nos animaux actuels ou à celles de nos espèces anthropoïdes d'aujourd'hui. Il a habité des Formes *analogues*, quoique *supérieures* à celles de nos anthropoïdes actuels.

L'homme de science constate qu'il y a une ressemblance anatomique entre l'homme et le singe et, comme l'impulsion évolutive tend toujours vers le perfectionnement, il en a conclu que l'homme devait être descendu du singe, mais il échoue sans cesse dans ses efforts pour découvrir « le chaînon manquant » qui les relie l'un à l'autre.

Depuis l'époque où les pionniers de notre vague de vie (les Races Aryennes) occupaient des Formes analogues à celles des singes, ces pionniers ont *progressé* jusqu'à leur état actuel de développement, tandis que les Formes qui étaient le « chaînon manquant » ont *dégénéré* et sont maintenant animées par les derniers retardataires de la Période de Saturne.

Les singes inférieurs, au lieu d'être les ancêtres des espèces supérieures, sont des retardataires qui occupent les spécimens les plus dégénérés de ce qui fut jadis la Forme humaine. Ce n'est pas l'homme qui s'est élevé au-dessus de la condition d'anthropoïde ; la vérité est, au contraire, que les anthropoïdes sont tombés en dégénérescence hors de la condition humaine. Du moment que la Science matérialiste s'occupe seulement de la Forme, il n'est pas surprenant qu'elle se soit fourvoyée en tirant des conclusions erronées.

Les mêmes conditions se retrouvent dans le règne animal. Les pionniers de la vague de vie qui entra en évolution dans la Période du Soleil sont nos mammifères actuels. Les diverses classes correspondent aux progrès réalisés par le genre humain, *mais les Formes sont toutes en train de dégénérer par l'usage qu'en font les retardataires.* On trouve de même les pionniers de la vague de vie qui entra en évolution dans la Période de la Lune parmi les arbres fruitiers, tandis que les retardataires de cette même vague de vie occupent les autres Formes végétales.

Toutefois, chaque vague de vie reste confinée dans ses limites propres. Les anthropoïdes peuvent nous rejoindre et devenir des êtres humains, mais ce sont les seuls animaux qui puissent atteindre notre condition spéciale de développement. Les autres animaux passeront par une phase analogue à la nôtre pendant la Période de Jupiter, mais dans des conditions différentes. Les végétaux actuels seront l'humanité de la Période de Vénus, où les conditions seront plus différentes encore, et nos minéraux atteindront la phase humaine dans les conditions qui seront celles de la Période de Vulcain.

On notera que, si on les renversait complètement, les théories modernes de l'Evolution, particulièrement celle de Haeckel, seraient en accord presque complet avec les enseignements de la science occulte.

Le singe est un homme qui a dégénéré.

Les polypes sont la dernière dégénérescence laissée en arrière par les mammifères en évolution.

Les mousses sont la dernière dégénérescence du règne végétal.

Le règne minéral est l'aboutissement final des Formes de tous les règnes lorsqu'elles ont atteint la limite de la dégénérescence.

Le charbon nous offre un bon exemple à l'appui de cette assertion, car il faisait jadis partie des Formes végétales ; il en est de même pour le bois pétrifié et les restes fossilisés de diverses Formes animales. La pierre commune ou la roche, dont pas un homme de science ne ferait remonter l'origine à un règne autre que le règne minéral, est, pour l'investigateur occulte, la minéralisation de plantes au même degré que le charbon lui-même. Le minéralogiste expliquera savamment que le granit est composé de quartz, de feldspath et de mica ; mais le clairvoyant exercé, qui peut suivre sa trace dans la mémoire de la Nature pendant des millions d'années, peut compléter l'explication en ajoutant : « Parfaitement, et ce que vous appelez du quartz et du feldspath sont les feuilles et les tiges de fleurs préhistoriques ; quant au mica, il est tout ce qui reste de leurs pétales. »

Les enseignements occultes traitant de l'évolution sont également confirmés par la science de l'embryologie, par la récapitulation intra-utérine de toutes les phases précédentes de développement. Entre l'ovule d'un être humain et celui de quelques-uns des mammifères supérieurs et même des plantes les plus développées du règne végétal, on ne trouve aucune différence, même avec l'aide du microscope. Les experts sont incapables de faire une distinction entre l'ovule humain et celui de l'animal, même après les premières phases de développement, et ils ne peuvent faire aucune différence entre l'embryon animal et l'embryon humain.

Mais, si l'on continue à étudier l'ovule animal pendant toute la période de gestation, on observera qu'il passe d'abord par les phases minérale et végétale et que l'être naît quand la phase animale est atteinte. Cela vient de ce que la Vie incorporée dans cet ovule a passé par son stade minéral pendant la Période du Soleil, par son stade végétal pendant la Période de la Lune et qu'elle est maintenant forcée de s'arrêter à la phase animale dans la Période Terrestre.

D'un autre côté, la Vie qui utilise l'ovule humain et qui a évolué comme minéral pendant la Période de Saturne, comme végétal pendant celle du Soleil, et comme animal pendant celle de la Lune, a encore une certaine marge laissée par l'Epigénèse, quand elle atteint la phase animale, et aborde celui d'être humain. Toutefois, son développement ne s'arrête pas là ; il est vrai que le père et la mère donnent de la substance de leur corps pour la construction du corps de l'enfant, mais, surtout dans les Races les plus avancées, l'Epigénèse rend possible l'addition de quelque chose qui fait que l'enfant diffère de ses parents.

Là où l'Epigénèse n'agit plus, que ce soit chez l'individu, la famille, la nation ou la race, l'évolution cesse et la dégénérescence commence.

SOUFFLE VITAL, OU AME VIVANTE ?

Ainsi, les deux récits de la Création se concilient très bien.

L'un traite de la Forme, construite en passant par les règnes minéral, végétal et animal, et qui atteignit *finalement* le règne humain.

L'autre nous dit que la Vie qui anime maintenant les formes humaines s'est manifestée avant celle qui anime les formes des autres règnes.

Un seul de ces exposés de la Création n'aurait pas été suffisant. Certains détails importants sont cachés derrière le récit de la création de l'homme dans le deuxième chapitre où nous lisons : « Alors Jéhovah forma l'homme de la poussière de la Terre et souffla le souffle (nephesh) dans ses narines et l'homme devint une créature respirante » (nephesh chayim). Dans diverses autres versions, « nephesh » est traduit par le mot « vie ». Mais dans ce cas particulier (Genèse, 2 : 7), il est traduit par « une âme vivante », ce qui suggère l'idée qu'une distinction était établie entre la vie qui animait la forme humaine et celle qui animait les créatures inférieures. Rien dans la traduction n'autorise à établir cette différence qui, en l'occurrence, serait purement arbitraire (1).

Le souffle vital *nephesh* est le même chez l'homme et chez la bête. On peut montrer qu'il en est ainsi, même

(1) Ceci ne s'applique pas à la plupart des versions françaises, le mot « nephesh » y étant correctement traduit *(N.d.t.)*.

à ceux qui ne transigent pas sur l'autorité de la Bible, car la version du Roi Jacques elle-même dit (Ecclésiaste, 3 : 19-20)... « comme meurt l'un, ainsi meurt l'autre ; en vérité, ils ont tous le même souffle (*nephesh*), et la supériorité de l'homme sur la bête est nulle... Tous se dirigent vers le même point. »

Les animaux ne sont que nos « frères cadets », et, bien qu'ils ne soient pas aussi hautement organisés que nous, ils atteindront en temps voulu une condition semblable à la nôtre, alors que nous aurons nous-mêmes progressé encore plus loin.

Si l'on soutient que *l'homme* a réellement reçu son âme de la manière décrite au verset 7 du deuxième chapitre de la Genèse et qu'il n'aurait pu la recevoir d'aucune autre manière, on est en droit de se demander où et comment *la femme*, elle, a pu recevoir son âme ?

Si nous nous servons de la clef occulte, le sens de ce chapitre devient très clair et nous comprenons alors fort bien ce que signifie le geste de Jéhovah qui a insufflé le souffle de vie. Ainsi, tout devient logique et sensé.

C'est donc Jéhovah, Régent de la Lune, qui, avec l'aide de ses anges et de ses archanges, a donné le souffle de vie, et cette donnée en fixe l'époque entre le début et le milieu de l'Epoque Lémurienne et probablement après l'éjection de la Lune du globe terrestre. En effet, auparavant, Jéhovah n'intervenait pas dans la génération des corps, car les Formes étaient plus éthérées, et il n'y avait pas de corps denses, ni consistants. Pour créer de tels corps, les forces Lunaires durcissantes et cristallisantes étaient nécessaires, et leur action doit avoir commencé pendant la première moitié de l'Epoque Lémurienne, car la séparation des sexes, mentionnée dans la suite du texte, ne s'est produite qu'au milieu de la même Epoque.

En ce temps-là, l'homme en devenir n'avait pas encore commencé à respirer au moyen des poumons. Il était muni d'un système de branchies que l'on retrouve encore dans l'embryon humain passant par le stade de vie intra-utérine correspondant à cette Epoque. Il n'avait pas de sang chaud et rouge, car pendant cette phase il n'y avait pas d'esprit individuel ; la forme entière était molle et flexible et le squelette aussi tendre que du cartilage.

Avant la dernière époque, alors qu'il était devenu nécessaire de séparer l'humanité en sexes, le squelette était ferme et solide.

Le travail accompli par Jéhovah avait été la construction d'une substance osseuse, dure et compacte dans les corps mous qui existaient déjà. Avant ce temps-là, c'est-à-dire pendant les Epoques Polaire et Hyperboréenne, ni les animaux, ni les hommes n'avaient de squelette.

LA COTE D'ADAM

La manière grotesque et impossible dont la séparation des sexes aurait été réalisée (aussi bien dans les versions ordinaires de la Bible que dans le texte massorétique) offre un autre exemple du résultat que peut avoir le changement de voyelles dans l'ancien texte hébraïque. Lu d'une certaine manière, le mot en question est « côte », mais lu d'une autre manière qui a au moins aussi bon droit à notre considération et qui a, en plus, l'avantage de répondre à quelque chose de raisonnable, il devient « côté ». Si nous interprétons cela comme voulant signifier que l'homme possédait les deux sexes et que Jéhovah fit en sorte qu'un côté (ou un sexe) demeure à l'état latent dans chaque créature, nous ne ferons pas violence à notre bon sens, comme ce serait le cas en acceptant l'histoire de la « côte ».

Cette modification faite, les enseignements occultes, tels qu'ils sont donnés précédemment, s'accordent avec ceux de la Bible, et tous les deux s'harmonisent avec ceux de la science moderne en ce qui concerne le fait que l'homme était bissexuel, avant que l'un des sexes ne se développe aux dépens de l'autre.

Pour corroborer ces dires, nous ferons remarquer que le fœtus est bissexuel jusqu'à un certain point de son développement ; plus tard, l'un des sexes prédomine, tandis que l'autre reste à l'état latent, de telle sorte que l'être humain possède encore les organes du sexe opposé sous une forme rudimentaire et que, par conséquent, il est réellement bissexuel comme l'était l'homme primitif.

Il est clair que le narrateur biblique n'a pas voulu

donner dans ce deuxième exposé de la Création une description exacte de l'ensemble de l'Evolution, mais plutôt quelques détails complémentaires sur ce qui avait été dit dans le premier chapitre. Il nous apprend que l'homme n'a pas toujours respiré de la manière dont il respire de nos jours ; qu'il y eut un temps où les sexes n'étaient pas séparés et que c'est Jéhovah qui a effectué ce changement, ce qui permet de déterminer l'époque à laquelle cet événement a eu lieu. A mesure que nous avancerons, nous verrons que beaucoup d'informations supplémentaires nous seront révélées.

LES ANGES GARDIENS

Pendant les Epoques et les Périodes les plus reculées, les Grandes Hiérarchies Créatrices avaient travaillé pour une humanité en train d'évoluer dans l'inconscience. Il n'y avait alors qu'*une seule conscience commune* à TOUS les êtres humains, pourrait-on dire, une sorte d'esprit-groupe pour l'humanité tout entière.

Pendant l'Epoque Lémurienne s'accomplit un nouveau progrès. Des corps aux contours bien définis avaient été formés, mais ils devaient avoir le sang chaud et rouge avant de pouvoir recevoir une âme et devenir la demeure d'esprits intérieurs.

Aucun changement brusque ne se produit dans la nature. Nous aurions tort de croire que le simple fait de souffler de l'air dans les narines d'une forme d'argile puisse lui donner une âme et la transformer en un être animé, sensible et capable de penser.

L'esprit individuel était très faible, impuissant et tout à fait incapable d'assumer la tâche de guider son véhicule physique. De ce point de vue, il n'est guère plus avancé de nos jours. Pour tout observateur qualifié, il est évident que le corps du désir, plus que l'esprit, gouverne la personnalité, même dans notre état actuel de développement. Mais, au milieu de l'époque lémurienne, au moment où la partie inférieure de la personnalité, le corps triple, s'est trouvé sur le point de recevoir la lumière de l'Ego, si ce dernier avait été laissé à lui-même, il se serait montré tout à fait incapable de diriger ses véhicules.

Il était donc nécessaire qu'une entité beaucoup plus avancée vînt aider l'esprit individuel et le préparer graduellement à l'union complète avec ses véhicules. Le cas était analogue à celui d'une nouvelle nation sur laquelle, tant qu'elle n'est pas capable de former pour elle-même un gouvernement stable, une Puissance supérieure établit un protectorat pour la protéger à la fois contre des dangers extérieurs et des troubles intérieurs. C'est un tel protectorat que l'Esprit de Race a exercé sur l'humanité en évolution, et c'est celui qu'exerce encore l'esprit-groupe sur les animaux, mais d'une manière quelque peu différente.

Jéhovah est le Très-Haut. Il est le Dieu des Races pourrait-on dire, et Il gouverne toutes les Formes. Il est le premier Guide et le Pouvoir suprême dans le maintien des Formes, qu'il régit avec méthode. Les Archanges sont les Esprits de Race ; chacun d'eux a la charge d'un certain groupe d'êtres humains. Ils exercent également leur domination sur les animaux, tandis que les Anges l'exercent sur les plantes.

Les Archanges dominent les Races ou les groupes d'hommes et aussi les animaux, car ces deux règnes ont des corps du désir. Or, les Archanges sont experts à modeler la matière du désir. En effet, dans la Période du Soleil, le globe le plus dense était composé de cette substance et les hommes de cette Période, qui sont maintenant les Archanges, avaient appris à construire leurs véhicules les plus denses avec la substance du désir, de même que nous apprenons maintenant à construire nos corps avec les éléments chimiques dont notre globe terrestre est composé. Ainsi, on comprend facilement que les Archanges soient spécialement qualifiés pour aider les vagues de vie ultérieures à passer par la phase pendant laquelle elles apprennent à construire et à diriger un corps du désir.

Pour des raisons analogues, les Anges travaillent sur le corps vital de l'homme, des animaux et des plantes. Leur corps le plus dense est composé d'éther, comme le Globe D de la Période de la Lune à l'époque où ils passaient par le stade humain.

Par conséquent, Jéhovah et ses Archanges occupent vis-à-vis des Races une situation analogue à celle de l'esprit-groupe par rapport aux animaux. Quand des membres individuels d'une Race ont appris à se gouverner eux-mêmes, ils sont émancipés, dégagés de l'influence de l'Esprit de Race et d'entités de même ordre.

Comme nous l'avons vu, le lieu d'élection de l'esprit-groupe, comme aussi de tout Ego dans le corps physique, est dans le sang. Le texte massorétique montre que l'auteur du Lévitique possédait cette information. Au quatorzième verset du dix-septième chapitre, défense est faite aux Juifs de consommer du sang, parce que « ...l'âme de *toute* chair se trouve dans le sang... » et au verset onze du même chapitre, nous trouvons ces mots : « ...car l'âme de la chair est dans le sang..., c'est le sang qui fait expiation pour l'âme », ce qui prouve que ce passage s'applique à la fois à l'homme et à la bête, car le mot employé dans le texte hébreu est « *neshamah* ». Ce mot signifie « âme » et non pas « vie » comme on l'a traduit dans la version anglaise du roi Jacques [1].

L'Ego travaille directement par l'intermédiaire du sang. L'Esprit de Race guide les Races en agissant dans le sang, de même que l'esprit-groupe guide les animaux de l'espèce dont il a la charge par l'intermédiaire du sang. L'Ego gouverne son propre véhicule de la même manière ; mais avec une différence qui est la suivante :

L'Ego opère au moyen de la chaleur du sang, tandis que l'esprit de Race (de tribu ou de famille) travaille au moyen de l'*air*, quand il est aspiré dans les poumons. C'est pourquoi Jéhovah ou ses Messagers « soufflèrent dans les narines de l'homme », assurant par ce moyen l'entrée des Esprits de Race, de communautés, etc..., dans les corps.

Les différentes classes d'Esprits de Race ont fait passer leurs peuples par divers climats et différentes parties de la Terre. Pour le clairvoyant exercé, un esprit de tribu a l'apparence d'un nuage qui enveloppe et pénètre l'atmosphère du pays habité par les hommes sur lesquels s'exerce sa domination. Ainsi sont produits les différents peuples et les nations diverses. Saint Paul, quand il fait allusion au « Prince du Pouvoir de l'air », aux « Princi-

---

(1) et dans la Bible de Jérusalem

pautés » et aux « Puissances » nous donne à penser qu'il avait connaissance des Esprits de Race, mais de nos jours, on ne tente même pas de comprendre leur rôle et leur raison d'être, bien que leur influence se fasse sentir profondément. Le patriotisme est un des sentiments qui émanent d'eux et qu'ils encouragent. Il n'a pas maintenant autant d'emprise sur les hommes que précédemment. Certains sont en voie d'être soustraits à l'Esprit de Race et même ils peuvent dire comme Thomas Paine : « *Le Monde est ma patrie* ». Ceux-là peuvent quitter père et mère et regarder tous les hommes comme leurs frères. Ils sont soustraits à l'influence de l'esprit de famille ou esprit du clan, qui diffère de l'esprit de Race et qui est une entité éthérique, mais d'autres, qui sont entièrement soumis à l'influence de l'esprit de Race ou de famille, souffriront d'une dépression terrible s'ils quittent leur foyer ou leur pays pour respirer l'air d'un autre Esprit de Race ou d'un autre Esprit de Famille.

A l'époque où l'Esprit de race a pénétré dans des corps humains, l'Ego qui commençait à s'individualiser s'était mis à gouverner quelque peu ses véhicules. Chaque entité humaine a pris de plus en plus conscience du fait qu'elle était séparée et distincte des autres hommes, mais pendant des âges, elle ne s'est pas considérée *essentiellement* comme un être à part, mais comme faisant partie d'une tribu ou d'une famille. Le suffixe « son » qui signifie « fils » en anglais et dans les langues scandinaves, termine beaucoup de noms de famille et témoigne de la pérennité de cette impression première. Un homme n'est pas seulement Jean ou Jacques, mais Jean, fils de Robert (Robertson) ou fils de Jack (Jackson).

Chez les Juifs, même à l'époque du Christ, l'Esprit de Race était plus fort que l'esprit individuel. Chaque Juif se considérait *en premier lieu* comme appartenant à une certaine tribu ou famille. Sa plus grande gloire était d'être de la « Race d'Abraham ». Tout cela était dû au travail de l'Esprit de Race.

Avant la venue de Jéhovah, alors que la Terre faisait encore partie du Soleil, il y avait un esprit-groupe commun à tous, qui était composé de toutes les Hiérarchies Créatrices, dirigeant l'ensemble de la famille humaine. Toutefois, il était prévu que chaque corps devînt le temple et l'instrument docile d'un esprit intérieur, ce qui entraînait une division infinie du pouvoir.

Jéhovah est venu avec ses Anges et ses Archanges pour la première grande division des Races et a placé chaque groupe sous l'influence directrice d'un Esprit de Race, d'un Archange. Pour chaque Ego, Il a désigné un des Anges qui devait agir comme gardien jusqu'à ce que l'esprit individuel soit devenu assez fort pour être délivré de toute influence extérieure.

MELANGE DU SANG PAR MARIAGE

Le Christ est venu ouvrir la voie à la libération de l'humanité de la tutelle séparatrice des Esprits de Race et de famille, et pour unir toute la famille humaine en Une Fraternité Universelle.

Il a enseigné que le terme de « Race d'Abraham » ne s'appliquait qu'aux *corps* et Il appela l'attention des Juifs sur le fait qu'avant Abraham, le « Je », l'Ego existait. Le triple esprit individuel existait avant les Tribus et les Races, et il demeurera après qu'elles se seront éteintes et que leur souvenir même aura disparu.

L'esprit triple de l'homme, l'Ego, est notre Dieu intérieur, celui auquel l'homme personnel et corporel doit apprendre à obéir. C'est pourquoi le Christ disait que, pour devenir son disciple, un homme doit abandonner tout ce qu'il possède. Son enseignement vise à l'émancipation du Dieu intérieur. Il fait appel à l'homme pour qu'il exerce ses prérogatives en tant qu'individu et qu'il s'élève au-dessus de l'idée de famille, de tribu, de nation. Non pas qu'il doive méconnaître sa famille et son pays. Il lui faut remplir tous ses devoirs, mais il doit cesser de s'identifier avec une partie seulement de l'humanité et reconnaître sa parenté avec le monde *entier*. Tel est l'idéal offert aux hommes par le Christ.

Sous la domination de l'Esprit de Race, la nation, la tribu ou la famille tenaient la première place, alors que l'individu venait en dernier. La famille devait conserver son intégrité. Quand un homme mourait sans laisser de descendants pour perpétuer son nom, son frère devait « apporter la semence » pour que la lignée ne s'éteigne pas (Deutéronome 25 : 5-10). Aux époques primitives, on considérait avec horreur un mariage en dehors de la famille. Un membre d'une certaine tribu ne pouvait contracter mariage dans une autre tribu, sans perdre sa situation dans la sienne propre. Ce n'était pas chose facile de devenir membre d'une autre famille. Ce n'est pas seulement chez les Juifs et les autres nations anciennes qu'on insistait sur l'intégrité de la famille, mais aussi à une époque plus moderne. Comme nous l'avons mentionné précédemment, les Ecossais, même à une époque relativement récente, s'attachaient avec ténacité à leur Clan, et les anciens Vikings Scandinaves ne voulaient accepter personne dans leur famille sans tout d'abord « mélanger leur sang » avec le sien, car les effets spirituels de l'hémolyse, qui sont ignorés de la science matérielle, étaient connus des anciens.

Toutes ces coutumes résultaient du travail de l'Esprit de Race et de Tribu dans le sang commun. Admettre dans la famille un étranger dans les veines de qui ne coulait pas le sang de la communauté aurait causé la « confusion des castes ». Plus les mariages étaient consanguins, plus grand était le pouvoir de l'esprit de Race, et plus fortes les attaches qui reliaient l'individu à la tribu, car la force vitale de l'homme est dans le sang. La mémoire est en relation intime avec le sang qui est la plus haute expression du corps vital.

Le cerveau et le système nerveux sont l'expression la plus élevée du corps du désir. Ils évoquent des images du monde extérieur ; mais, dans cette création d'images mentales, ou « imagination », c'est le sang qui fournit la substance nécessaire à ces « tableaux » ; c'est pourquoi, lorsque la pensée est active, le sang afflue au cerveau.

Quand le même sang, exempt de mélange, coule dans les veines d'une certaine famille pendant des générations, les images mentales produites par le bisaïeul, l'aïeul et le père sont reproduites chez le fils par l'esprit de famille qui vit dans l'hémoglobine du sang. Ce descendant se considère comme étant la continuation d'une longue lignée d'ancêtres qui *vivent en lui.* Il voit tous les événements des vies passées de la famille, comme s'il en avait été le témoin ; par suite, il n'a pas l'impression d'être lui-même un Ego. Il n'est pas simplement « David », mais

« le *fils* d'Abraham » ; il n'est pas seulement « Joseph », mais « le *fils* de David ».

Par l'intermédiaire de ce sang commun, il y a des hommes qui passent pour avoir *vécu* pendant de nombreuses générations parce que, au moyen du sang, leurs descendants avaient accès à la mémoire de la nature dans laquelle le souvenir des vies de leurs ancêtres était demeuré. C'est pour cela qu'au cinquième chapitre de la Genèse, il est dit que les patriarches ont vécu pendant des siècles. Non pas qu'Adam, Mathusalem et les autres patriarches aient atteint *personnellement* un âge aussi avancé, mais ils ont vécu dans la conscience de leurs descendants qui voyaient les vies de leurs ancêtres, comme s'ils les avaient vécues *eux-mêmes.* A l'expiration de la période mentionnée, les descendants ont cessé de s'identifier avec Adam ou Mathusalem ; le souvenir de leurs ancêtres s'est effacé, et c'est pourquoi nous lisons dans la Bible qu'ils moururent.

Le « don de seconde vue » des montagnards écossais prouve que, par l'endogamie, la faculté de percevoir les mondes intérieurs est maintenue chez eux, où la coutume s'est perpétuée de se marier dans le clan, jusqu'à une époque récente. Il en est de même pour les Tsiganes qui se marient toujours dans la tribu. Plus celle-ci est petite, plus les alliances sont rapprochées, et plus « la seconde vue » est prononcée.

Les races primitives n'auraient pas osé désobéir aux commandements émanant de leur Dieu qui leur interdisait de contracter mariage en dehors de la Tribu. D'ailleurs, rien ne les portait à le faire, car elles n'avaient pas de volonté personnelle.

Les Sémites Primitifs ont été les premiers à développer la Volonté et ils ont aussitôt commencé à épouser les filles des hommes qui appartenaient à d'autres tribus, déjouant ainsi temporairement le plan de leur Esprit de Race ; aussi ont-ils été promptement rejetés pour « s'être prostitués à des dieux étrangers », se rendant par là impropres à former la semence pour les sept Races de l'Epoque Aryenne actuelle. Les Sémites Primitifs étaient, à cette époque, la dernière Race que l'Esprit de Race désirait tenir à part.

Plus tard, l'homme ayant reçu son libre arbitre, le

moment était venu où il devait être préparé pour son individualisation. L'ancienne conscience « commune », cette clairvoyance involontaire ou seconde vue qui présentait constamment à la vision d'un homme d'une certaine tribu l'image des vies de ses ancêtres, si bien qu'il s'identifiait totalement à la tribu ou la famille, cette conscience commune devait faire place, pour un certain temps, à une conscience strictement individuelle exclusivement centrée sur le monde matériel. Il fallait fragmenter les nations en individus, afin que la Fraternité des hommes, indépendamment des conditions extérieures, pût devenir un fait. C'est d'après le même principe que si, possédant un certain nombre de maisons, nous désirions en faire un grand édifice, il est nécessaire de les démolir. C'est alors seulement qu'on peut en utiliser les matériaux pour la nouvelle construction.

Afin d'accomplir cette séparation en individus, des lois interdisant l'endogamie, ou mariage dans la famille, ont été promulguées. A partir de ce moment, les mariages incestueux ont été tenus en horreur. Ainsi, un sang étranger a été introduit dans toutes les familles de la Terre. Ce sang a peu à peu effacé la clairvoyance involontaire qui était la cause de l'esprit de clan et de la division de l'humanité en groupes. L'altruisme commence à supplanter le patriotisme, et l'attachement à la famille est en voie de disparaître, comme conséquence du mélange des sangs.

La science a découvert que l'inoculation du sang d'un être vivant dans les veines d'un autre être appartenant à un règne différent cause la mort par hémolyse de celui des deux qui est de race inférieure. Ainsi, tout animal auquel on inocule le sang d'un homme meurt. Le sang d'un chien transfusé dans les veines d'un oiseau tue ce dernier, mais le chien ne souffrira pas si on lui inocule le sang d'un oiseau. La science ne fait que mentionner le fait ; l'occultiste en donne la raison. Le sang est le lieu d'élection de l'esprit, comme nous l'avons montré ailleurs. L'Ego, dans l'homme, travaille dans ses propres véhicules au moyen de la *chaleur* du sang ; l'esprit de race, de famille ou de communauté pénètre dans le sang par l'intermédiaire de l'*air* que nous respirons. Chez les animaux se trouvent l'esprit distinct de l'animal et l'esprit-groupe de l'espèce à laquelle il appartient, mais l'esprit de l'animal n'est pas individualisé et ne travaille pas consciemment avec ses véhicules comme le fait l'Ego ; aussi est-il entièrement dominé par l'esprit-groupe qui travaille dans le sang.

Quand le sang d'un animal supérieur est injecté dans les veines d'un animal d'une espèce inférieure, l'esprit qui se trouve dans le sang de l'animal supérieur est naturellement plus fort que l'esprit de l'animal moins développé ; aussi dès qu'il cherche à affirmer sa présence, il tue la forme qui l'emprisonne et se libère. D'autre part, quand le sang d'une espèce inférieure est injecté dans les veines d'un animal supérieur, l'esprit supérieur est capable d'expulser l'esprit moins développé du sang étranger et d'assimiler le sang pour ses fins personnelles ; par conséquent, il ne s'ensuit pas de catastrophe visible.

L'esprit-groupe cherche toujours à préserver l'intégrité de son domaine dans le sang de l'espèce dont il a la garde. Comme le Dieu de Race des humains, il s'offense du mariage de ses sujets avec d'autres espèces et fait retomber les péchés des pères sur les enfants, comme nous le voyons dans le cas des hybrides. Par exemple, le croisement d'un cheval et d'une ânesse produit un mulet qui n'a pas la faculté de reproduire son espèce. C'est ainsi que le mélange des sangs étrangers empêche la perpétuation de l'hybride qui en résulte. L'hybride est une abomination du point de vue de l'esprit-groupe, car le mulet échappe en partie à la domination de l'esprit-groupe du cheval ainsi qu'à celui de l'ânesse. Par contre, il n'en est pas assez éloigné pour être entièrement soustrait à leur influence. Si une mule et un mulet pouvaient se féconder, leur progéniture serait encore moins sous la domination de ces deux esprits-groupes et deviendraient ainsi une nouvelle espèce *sans esprit-groupe.* Ce serait une anomalie dans la nature, une impossibilité, jusqu'à ce que les « esprits-animaux » distincts se soient suffisamment développés pour pouvoir *se suffire à eux-mêmes.* Une telle espèce, si elle pouvait être produite, serait privée de la direction de ce que nous appelons l'instinct, qui résulte, en réalité, des suggestions de l'esprit-groupe ; elle serait dans une position analogue à celle d'une portée de jeunes chats extraits du corps de la mère avant leur naissance. Ils seraient absolument incapables de se suffire à eux-mêmes, et, par suite, ils mourraient.

Par conséquent, comme c'est l'esprit-groupe des animaux qui aide les esprits distincts des animaux à se réincarner, il retient simplement l'atome-germe fertilisateur quand des animaux d'espèces très différentes sont accouplés. Il permet aux animaux dont il a la charge de saisir une occasion pour s'incarner quand deux animaux d'une nature analogue sont accouplés, mais il refuse de laisser les hybrides perpétuer une nouvelle race. Ainsi, nous voyons que l'introduction de sang étranger diminue l'emprise de l'esprit-groupe et que, par suite, elle détruit soit la *forme*, soit la *faculté* de reproduction chaque fois que cela est possible.

L'esprit humain est individualisé. C'est un Ego qui développe son libre arbitre et son sens des responsabilités. Il est appelé à renaître par la loi irrésistible de cause à effet, de telle sorte que ni l'esprit de race ni celui de la communauté ou de la famille ne peuvent l'empêcher de retourner sur la Terre dans un corps humain au stade actuel où est arrivé l'espèce humaine ; par l'apport de sang étranger, par les mariages entre individus appartenant à des tribus et des nations différentes, les chefs de l'humanité l'aident peu à peu à rejeter hors du sang l'esprit de famille, de tribu ou de nation. Mais, en même temps, a disparu nécessairement la clairvoyance involontaire qui était due à leur activité dans le sang, par l'intermédiaire duquel ils entretenaient les traditions de famille chez les êtres confiés à leur garde. Nous voyons ainsi que, *dans le cas de l'homme, une faculté a également été détruite par le mélange du sang*. Mais cette perte a été largement compensée, car elle a concentré l'énergie de l'homme sur le monde matériel et l'a mis à même de profiter des leçons de ce monde, mieux que s'il était encore distrait par la vision des plans supérieurs.

A mesure que l'homme s'émancipe, il cesse graduellement de se considérer comme faisant partie de la « descendance d'Abraham », comme étant un « homme du clan Stewart », un « Brahmane » ou un « Lévite » ; il apprend à se considérer davantage comme un individu, un « Moi ». Plus il cultive ce « Moi », plus il se libère de l'esprit de famille ou de nation qui se trouve dans son sang, et plus il se développe en un citoyen du monde se suffisant à lui-même.

On entend souvent tenir des propos ridicules et même dangereux sur le renoncement au Moi pour le Non-Moi ; ce n'est que lorsque nous avons cultivé notre Moi que nous pouvons en faire le sacrifice et renoncer à lui pour le TOUT. Tant que nous ne sommes capables que d'aimer notre propre famille et notre propre pays, nous ne pouvons pas réellement aimer notre prochain. Nous sommes entravés par les attaches de la famille et de la Patrie. Quand nous aurons rompu les attaches du sang, quand nous aurons *affirmé notre personnalité* et que nous serons devenus capables de nous suffire à nous-mêmes, nous pourrons réellement devenir pour l'humanité des aides désintéressés. Quand un homme en est arrivé à ce point, il s'aperçoit que, loin d'avoir perdu sa propre famille, il a gagné toutes les familles du monde, car elles sont devenues ses sœurs et ses frères, ses pères et ses mères, dont il doit prendre soin et qu'il doit aider.

Alors, il recouvrera la vision du Monde Spirituel qu'il avait perdue par le mélange du sang, mais ce sera une faculté supérieure, une clairvoyance intelligente et volontaire qui lui permettra de voir *ce qu'il veut voir*. Ce ne sera plus seulement une faculté négative incorporée dans son sang par cet esprit de famille qui l'avait attaché à un certain groupe à l'exclusion de tous les autres. Sa vision sera universelle et servira au bien de tous.

Pour des raisons données plus haut, les mariages entre tribus et plus tard entre nations en sont peu à peu venus à être considérés comme désirables et préférables aux alliances entre proches parents.

Tandis que l'homme passait par ces phases et qu'il perdait graduellement contact avec les mondes intérieurs, il s'affligeait de cette perte et désirait retrouver cette « vision intérieure » — cependant, peu à peu, il en a perdu le souvenir. Le monde extérieur s'est imposé de plus en plus à son attention jusqu'à lui paraître la seule réalité. Finalement, il en est venu à rejeter l'idée qu'il pouvait y avoir des Mondes Intérieurs et s'est mis à considérer comme une superstition ridicule la croyance en leur existence.

Les quatre causes qui ont contribué à cet état de choses ont été :

1° L'éclaircissement de l'atmosphère brumeuse du continent Atlantéen ;

2° La connexion plus étroite du corps vital avec le corps physique, de telle sorte qu'un certain point à la racine du nez coïncide avec un point analogue dans le corps vital ;

3° La suppression des unions consanguines, qui ont fait place à des mariages en dehors de la famille et de la tribu ;

4° L'usage des boissons alcooliques.

Les Esprits de Race existent encore et travaillent avec l'homme et en lui, mais plus la nation est avancée, plus grande est la liberté laissée à l'individu. Dans les pays où les hommes sont le moins libres, l'Esprit de Race est le plus fort. Plus un homme est en harmonie avec la Loi d'Amour, plus son idéal est élevé, et plus il se dégage de l'influence de l'Esprit de Race.

Alors que le patriotisme est en lui-même une bonne chose, il n'en est pas moins une attache à l'Esprit de Race. L'idéal d'une Fraternité Universelle qui ne s'identifie avec aucun pays, ni aucune race est la seule voie qui mène à l'émancipation.

Le Christ est venu pour réunir, dans des liens de paix et de réciproque bonne volonté, les races divisées. En suivant son enseignement, tous les hommes obéiront volontiers et *consciemment* à la Loi d'Amour.

Le Christianisme actuel n'est même pas l'ombre de la véritable religion du Christ. Cette religion restera en attente jusqu'à ce que tout sentiment racial ait été surmonté. Dans la Sixième Epoque, il n'y aura plus qu'une seule Fraternité Universelle, sous la direction du Christ *revenu*, mais personne ne connaît ni le jour, ni l'heure, car le temps n'est pas fixé et dépend de l'époque à laquelle un nombre suffisant de personnes auront commencé à vivre la vie de Fraternité et d'Amour qui sera la marque distinctive de la nouvelle Dispensation.

LA CHUTE DE L'HOMME

En faisant l'analyse de la Genèse, il nous faut ajouter quelques mots au sujet de la « Chute » qui est la pierre angulaire du Christianisme populaire. S'il n'y avait pas eu de « Chute », il n'y aurait pas eu besoin de « Rédemption ».

Quand, au milieu de l'Epoque Lémurienne, la séparation des sexes a eu lieu (en vertu de l'activité de Jéhovah et de Ses Anges), l'Ego a commencé à travailler quelque peu sur le corps physique à la construction d'organes internes. L'homme n'était pas alors l'être conscient et éveillé qu'il est à présent, mais, par l'usage de la moitié de la force sexuelle, il était en voie de construire un cerveau pour l'expression de sa pensée, comme nous l'avons décrit précédemment. Il était plus éveillé dans le Monde Spirituel que dans le Monde Physique ; il pouvait à peine voir son corps et il n'était pas conscient de l'acte de reproduction. L'assertion biblique selon laquelle Jéhovah endormait l'homme à ce moment est exacte (Genèse 2 : 21). Il n'y avait pas alors de douleur ou de difficultés causées par l'enfantement. En outre (à cause de la conscience extrêmement obscure qu'il avait de son milieu physique), l'homme ne savait rien de la perte de son corps par suite de la mort ou de son entrée dans un nouveau véhicule physique à sa naissance.

On se rappellera que les esprits lucifériens faisaient partie de l'humanité de la Période de la Lune ; ils sont les retardataires de la vague de vie des Anges. Trop avancés pour prendre un corps physique, ils avaient cependant besoin d'un organe « interne » qui leur permît d'acquérir des connaissances. En outre, ils pouvaient travailler par l'intermédiaire d'un cerveau physique, chose que Jéhovah ou les Anges ne pouvaient faire.

Ces esprits ont pénétré dans l'épine dorsale et le cerveau de la femme dont l'Imagination, comme nous l'avons expliqué ailleurs, avait été éveillée par l'éducation spéciale de la Race Lémurienne. Comme sa faculté de perception était surtout intérieure, elle recevait d'eux l'impression d'une image et les voyait sous la forme de serpents, car ils étaient entrés dans son cerveau par la moelle épinière serpentine.

L'éducation des femmes comportait l'observation des combats périlleux et des exploits des hommes, faits pour développer la Volonté. Or, dans ces combats, il arrivait souvent et nécessairement que des corps fussent tués. La conscience obscure qu'il se passait quelque chose d'inusité a poussé l'imagination de la femme à se demander pourquoi elle voyait ces choses étranges. Elle était consciente des esprits de ceux qui avaient perdu leur corps, mais elle avait une perception si imparfaite du Monde Physique qu'elle fut dans l'impossibilité de se rendre compte de la présence des corps denses des amis qui venaient de périr.

Les Anges lucifériens trouvèrent une solution à ce problème en lui « ouvrant les yeux ». Ils lui révélèrent son propre corps et celui de l'homme, et lui apprirent comment, à eux deux, ils pourraient vaincre la mort en créant des corps nouveaux. Ainsi, la mort ne pourrait plus les affecter, puisque, à l'instar de Jéhovah, ils pourraient créer à volonté.

Lucifer ouvrit donc les yeux de la femme. Elle rechercha la collaboration de l'homme et lui ouvrit les yeux à son tour. C'est ainsi que d'une manière obscure mais bien réelle, ils se « connurent » ou devinrent, pour la première fois, conscients l'un de l'autre et aussi du Monde Physique. Ils connurent la mort et la douleur et par là, ils ont appris à faire la différence entre l'homme intérieur et le vêtement extérieur qu'il porte et qu'il renouvelle chaque fois que cela est nécessaire pour avancer d'un degré dans l'Evolution. Cessant d'être des automates, ils sont devenus des êtres libres et pensants, au prix de leur assujettissement à la douleur, à la maladie et à la mort.

Le symbole de l'acte de génération représenté par le fait de manger le fruit défendu (celui de la connaissance) s'explique par la déclaration de Jéhovah, qui n'est pas du tout une malédiction, mais un simple avertissement quant aux conséquences de cet acte : l'humanité sera soumise à la maladie et à la mort et la femme en particulier, connaîtra les douleurs de l'enfantement. Jéhovah savait que, dorénavant, l'attention de l'homme ayant été dirigée vers son corps physique, il deviendrait conscient de sa perte à l'instant de la mort. Il savait également que l'homme ne possédait pas encore la sagesse qui lui permettrait de maîtriser ses passions et de régler les rapports sexuels en observant la position des planètes. De la méconnaissance de ces principes, et de l'abus des fonctions sexuelles, devaient résulter les douleurs accompagnant l'enfantement.

Les commentateurs de la Bible se sont toujours trouvés embarrassés pour établir le rapport qu'il pouvait y avoir entre l'acte de manger un fruit et celui qui consiste à enfanter. Mais la solution est facile si nous comprenons que cette consommation du fruit n'est qu'un symbole qui représente l'acte de génération grâce auquel l'être humain est devenu « semblable aux dieux » en ce sens qu'il *connaît* son partenaire et qu'il est capable d'engendrer des êtres semblables à lui.

Dans la dernière partie de l'Epoque Lémurienne, quand l'homme s'est arrogé le droit d'accomplir l'acte de génération à sa guise, c'est sa toute-puissante volonté qui lui permettait cet accomplissement. En « mangeant du fruit de l'arbre de la connaissance » à tous moments, il était capable de créer de nouveaux corps pour remplacer les véhicules détruits.

Nous sommes habitués à penser que la mort est un événement redoutable, mais si l'homme avait pu aussi goûter au fruit de « l'arbre de vie », s'il avait aussi appris le secret qui lui aurait permis de revitaliser perpétuellement son corps, il se serait trouvé dans une condition pire encore. Nous savons que nos corps, même aujourd'hui, ne sont pas parfaits et que, dans ces temps reculés, ils étaient extrêmement primitifs. On comprend, dès lors, l'inquiétude des Hiérarchies créatrices qui redoutaient que l'homme ne mangeât aussi du fruit de « l'arbre de vie », ce qui l'aurait rendu capable de renouveler indéfiniment son corps vital. S'il avait mangé de cet arbre, l'homme serait sans nul doute devenu immortel, mais incapable de progresser plus avant. L'évolution de l'Ego dépend de la qualité de ses véhicules ; si des morts et des renaissances successives ne devaient plus lui permettre d'acquérir des corps nouveaux, de plus en plus perfectionnés, il piétinerait sur place. Comme le dit si bien une maxime occulte : « plus souvent nous mourons, mieux nous sommes capables de vivre » car chaque naissance nous apporte une nouvelle chance de progresser.

Nous avons vu que l'acquisition par l'homme des connaissances mentales obtenues par l'intermédiaire du cerveau, avec l'égoïsme qui les accompagne, a été réalisée au prix du pouvoir de créer à lui seul un autre être. La souffrance et la mort ont été la rançon de son libre arbitre. Mais quand il aura appris à utiliser son intelligence pour le bien de l'humanité, il obtiendra un pouvoir spirituel sur la vie et, de plus, il sera guidé par un savoir inné qui dépassera la conscience actuelle du cerveau autant que celle-ci surpasse la conscience animale la plus élémentaire.

La chute de l'homme dans l'acte de génération était nécessaire à la construction du cerveau qui, à vrai dire, n'est qu'un moyen indirect d'acquérir des connaissances ; il sera supplanté plus tard par ce qui permettra à l'être humain un contact direct avec la Sagesse de la Nature que nous connaîtrons sans le secours d'aucune collaboration et qui nous permettra de créer des corps. Le larynx prononcera de nouveau le « Mot Perdu », le « Fiat créateur », qui avaient servi dans l'ancienne Lémurie, sous la direction des grands instructeurs, à créer des plantes et des animaux.

L'homme alors sera véritablement un créateur. Non pas à la manière lente et laborieuse d'aujourd'hui ; mais, par l'usage du mot et de la formule magique convenables, il sera capable de créer un nouveau corps.

Tout ce qui a été manifesté pendant la période descendante de l'Involution demeure jusqu'à ce que le point correspondant sur l'arc ascendant de l'Evolution soit atteint. Les organes actuels de génération dégénéreront et s'atrophieront. L'organe féminin a été le premier à paraître, en tant qu'unité distincte. Comme, d'après la loi, les « premiers seront les derniers », cet organe sera le dernier à s'atrophier. L'organe masculin a été différencié en dernier et il commence, de notre temps, à se séparer du corps. La figure 5 fera comprendre la question.

FIGURE 5

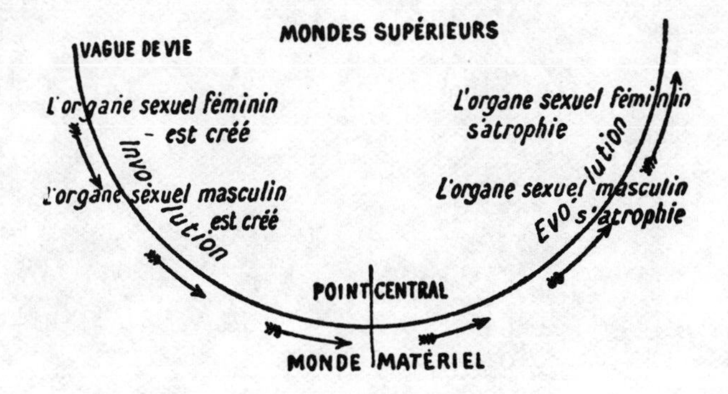
MONDES SUPÉRIEURS
VAGUE DE VIE
L'organe sexuel féminin
- est créé
Involution
L'organe sexuel masculin
est créé
L'organe sexuel féminin
s'atrophie
Evolution
L'organe sexuel masculin
s'atrophie
POINT CENTRAL
MONDE MATÉRIEL

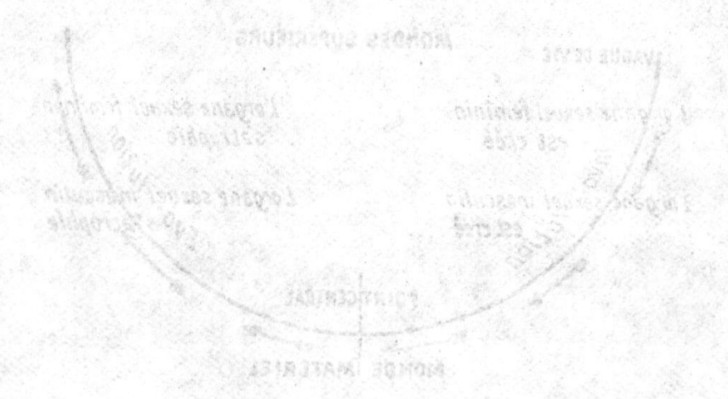

TROISIÈME PARTIE

Développement futur de l'homme
Initiation

TABLEAU 15

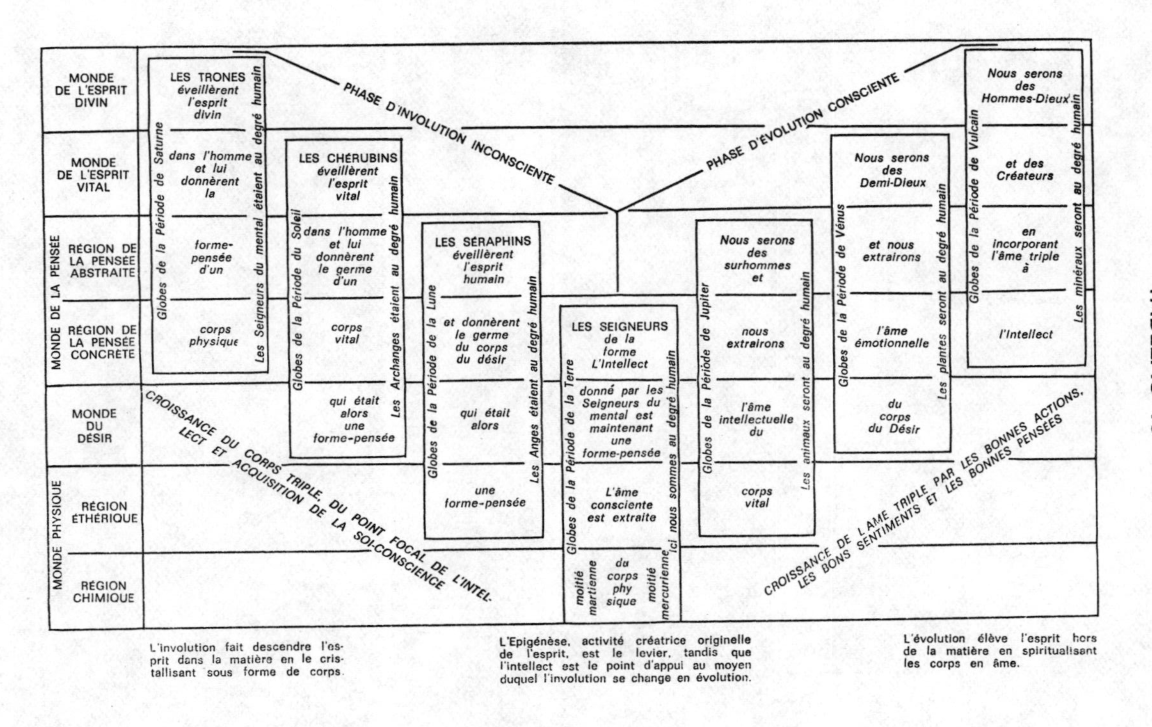

L'involution fait descendre l'esprit dans la matière en le cristallisant sous forme de corps.

L'Epigénèse, activité créatrice originelle de l'esprit, est le levier, tandis que l'intellect est le point d'appui au moyen duquel l'involution se change en évolution.

L'évolution élève l'esprit hors de la matière en spiritualisant les corps en âme.

CHAPITRE XV

LE CHRIST ET SA MISSION

L'EVOLUTION DE LA RELIGION

Dans la partie précédente de cet ouvrage, nous avons vu comment le monde extérieur actuel s'est formé et comment l'homme a développé l'organisme compliqué qui le met en rapport avec le monde extérieur. Nous avons étudié également, dans une certaine mesure, la Religion de Race des Juifs. Nous allons maintenant considérer le dernier et le plus important des moyens divins qui aient été donnés à l'humanité pour aider son développement spirituel, à savoir : le « Christianisme » qui sera la Religion Universelle de l'avenir.

C'est un fait digne de remarque que l'homme et ses religions ont évolué côte à côte et selon le même rythme. On constate que la religion initiale de n'importe quelle Race est aussi primitive que les hommes qui la pratiquent et que, dans la mesure où ils deviennent plus civilisés, leurs religions deviennent de plus en plus humaines et visent à un idéal plus élevé.

Les matérialistes en ont tiré la conclusion qu'il n'y a pas de religion qui tire son origine d'une source supérieure à l'homme lui-même. Leurs recherches dans l'histoire primitive des peuples ont eu pour résultat de les convaincre qu'à mesure que l'homme progressait, il civilisait son Dieu et Le façonnait à sa propre image.

Ce raisonnement ne tient pas compte du fait que l'homme *n'est pas un corps,* mais un *esprit intérieur,* un Ego, qui se sert du corps avec une facilité toujours croissante à mesure que l'évolution avance.

En ce qui concerne le *corps*, on ne saurait douter de la valeur de la loi de « Sélection Naturelle », ou « survivance du plus fort ».

Quant à l'évolution de l'esprit, la loi est celle du « Sacrifice ». Tant que l'homme croit que la « Force prime le Droit », la Forme prospère et devient plus vigoureuse parce qu'elle renverse tous les obstacles qui sont sur son chemin, sans égard pour les autres. S'il n'y avait rien de plus que le corps, cette manière de vivre serait la seule possible pour l'homme. Il serait absolument incapable d'aucune considération pour les autres et résisterait vigoureusement à toute tentative qui empiéterait sur ce qu'il considère comme étant son droit, le droit du plus fort, seule base de la justice, sous la loi de la Sélection Naturelle. Il n'aurait pas le moindre égard pour ses semblables et serait absolument insensible à toute force *extérieure* qui tendrait à le faire agir d'une manière qui ne contribuerait pas, momentanément, à assurer sa satisfaction personnelle.

Il est donc manifeste que toute impulsion qui pousse l'homme à adopter un idéal plus élevé de conduite dans ses relations avec les autres hommes, doit venir de l'*intérieur* et d'une source qui ne peut être identifiée avec le corps car, autrement, elle n'entrerait pas en lutte avec lui et ne prévaudrait pas souvent contre ses intérêts les plus évidents. De plus, cette force doit être supérieure à celle du corps ; sans cela, elle ne pourrait pas réussir à vaincre ses désirs et à le forcer à faire des sacrifices pour ceux qui sont physiquement plus faibles.

Assurément, personne ne niera l'existence d'une telle force. Nous en sommes arrivés à une phase de notre développement où, au lieu de voir dans la faiblesse physique une victime à exploiter, nous lui reconnaissons un titre à notre protection. Lentement, mais sûrement, l'Altruisme supplante l'Egoïsme.

Il est certain que la Nature arrivera à ses fins. Si ses progrès sont lents, ils sont réguliers et sûrs. Cette force de l'altruisme travaille comme un levain dans le cœur de tout homme. C'est elle qui transforme le primitif en homme civilisé et qui, au cours des âges, transformera ce dernier en un Dieu.

Bien que tout ce qui est vraiment spirituel ne puisse

être entièrement saisi par l'intellect, on peut tout au moins s'en faire une idée au moyen d'une comparaison.

Si l'on frappe un diapason, on éveillera dans un diapason voisin et de même ton les mêmes vibrations, tout d'abord faiblement ; mais, si les coups sont répétés, les vibrations du deuxième diapason seront de plus en plus fortes, jusqu'à ce qu'elles soient égales à celles du premier. Ce phénomène se produira même si les diapasons sont placés à une distance de plusieurs mètres l'un de l'autre. Même si l'un d'eux est mis sous un globe de verre, le son qui émane de celui qu'on frappe pénétrera le verre, et l'instrument sous globe répondra en faisant entendre la même note.

Les vibrations invisibles du son ont un grand pouvoir sur la matière concrète. Elles peuvent à la fois construire et détruire. Si l'on place une petite quantité de poudre très fine sur une plaque de bronze ou de verre sur l'arête de laquelle on frotte un archet de violon, les vibrations feront prendre à cette poudre la forme de belles figures géométriques. La voix humaine est aussi capable de produire ces figures, la même figure correspondant toujours au même son.

Si l'on fait résonner un certain nombre de notes ou d'accords sur un instrument de musique, un piano, ou mieux encore un violon, car cet instrument permet d'obtenir des gradations de son plus variées, on obtiendra finalement un son qui fera éprouver à l'auditeur des vibrations distinctes à la partie supérieure de la nuque. Il sentira ces vibrations chaque fois que la note résonnera. Cette note est la « note fondamentale » de la personne qu'elle affecte ainsi. Si elle est jouée avec lenteur et avec douceur, elle aidera à reposer son corps, à tonifier ses nerfs et à améliorer son état de santé. Si, au contraire, on la fait résonner d'une manière brutale, assez fort et assez longtemps, elle causera la mort aussi sûrement que le ferait une balle de pistolet.

Si nous appliquons maintenant ce qui vient d'être dit relativement à la musique et au son, au problème de l'éveil et du développement de la force intérieure de l'altruisme, nous en arriverons probablement à une meilleure compréhension du sujet.

Tout d'abord, prenons spécialement note du fait que

nos deux diapasons émettaient *le même nombre de vibrations.* S'il en avait été autrement, nous aurions pu faire résonner l'un d'eux jusqu'au jour du jugement dernier, sans que l'autre fasse entendre le moindre son. Comprenons bien ce point : les vibrations ne peuvent être éveillées dans un diapason que par un diapason qui émet *le même son.* Un objet ou un être, quel qu'il soit, ne peut être affecté par un son autre que celui qui est *sa propre note fondamentale.*

Nous savons que cette force de l'Altruisme existe. Nous savons aussi qu'elle est moins éveillée chez les peuples non civilisés que chez ceux qui ont atteint une condition sociale plus élevée, et que chez les races les moins avancées elle fait presque complètement défaut. Il est logique d'en conclure qu'il y eut un temps où elle était tout à fait absente. Cette conclusion a naturellement pour conséquence de provoquer la question : Qu'est-ce qui a éveillé cette force ?

Assurément, cet éveil ne peut pas être attribué à la personnalité matérielle ; à vrai dire, cette partie de la nature de l'homme se trouvait beaucoup plus à l'aise sans cette force, qu'elle ne l'a été à aucun moment depuis lors. Cette force d'altruisme doit avoir été latente *dans l'homme même ;* autrement, elle n'aurait pu être éveillée. Bien plus, elle a dû être éveillée par une force de même nature qu'elle, par une force analogue qui était déjà active, de même que le deuxième diapason a été mis en vibration par le premier, *après* que celui-ci eut été frappé.

Nous avons vu également que les vibrations du deuxième diapason devenaient de plus en plus fortes sous l'influence continue des vibrations sonores du premier et qu'un globe de verre n'offrait pas d'obstacle à la transmission du son. Sous l'impulsion répétée d'une force analogue à celle qui se trouve en lui, l'Amour de Dieu envers l'homme a éveillé cette force de l'Altruisme et ne cesse d'accroître sa puissance.

Il est donc raisonnable et logique de conclure qu'au début il a été nécessaire de donner à l'homme une religion qui fût au niveau de son ignorance. Il aurait été inutile, dans cette phase de son évolution, de lui parler d'un Dieu toute tendresse et tout amour. Envisagés du point de vue humain d'alors, ces attributs n'étaient que faiblesse, et l'on n'aurait pu s'attendre à ce que l'être humain de cette époque vénère un Dieu qui possédait des qualités considérées comme méprisables. Le Dieu envers lequel il aurait fait preuve d'obéissance devait être un Dieu fort, un Dieu redoutable, un Dieu qui pouvait lancer la foudre et le tonnerre.

Ainsi, l'homme a d'abord été poussé à *craindre* Dieu ; ses religions ont été d'une nature propre à favoriser son développement spirituel sous l'aiguillon de la crainte.

Le pas suivant a consisté à éveiller en lui une certaine sorte de désintéressement en le contraignant à renoncer à une partie de ses possessions matérielles, et à les offrir en sacrifice. Ce but a été atteint grâce au Dieu de Race ou de Tribu, Dieu jaloux qui exigeait de lui la plus stricte obéissance et l'abandon de biens auxquels l'homme en évolution attachait un grand prix. En revanche, ce dieu était un ami sûr et un allié puissant qui combattait aux côtés de l'homme et qui lui rendait au centuple les brebis, les bœufs et le grain qu'il lui avait sacrifiés. L'homme n'était pas encore arrivé au point où il lui était possible de comprendre que toutes les créatures ont une origine commune ; mais le Dieu de Tribu lui apprenait qu'il devait traiter avec clémence *ses frères de la tribu.* Il lui a donné des lois qui favorisaient la justice et la probité entre membres de la même Race.

Il ne faudrait pas croire que ces degrés successifs ont été aisément franchis, sans révolte ou sans écarts, de la part de l'homme primitif. L'égoïsme est profondément ancré dans notre nature inférieure, même de nos jours, et il devait y avoir de nombreuses rechutes et des infidélités. Nous avons, dans la Bible Juive, de nombreux exemples de laisser-aller de l'homme et de la manière dont il lui a fallu être « aiguillonné », à diverses reprises, avec patience et persistance, par le Dieu de la Tribu. Seules, les calamités envoyées par un Esprit de Race persévérant étaient assez puissantes, à certaines époques, pour ramener l'homme à l'observance de la loi, de cette loi que si peu d'entre nous ont appris à respecter, même à notre époque.

Cependant, il y a toujours des pionniers qui ont besoin d'un idéal plus élevé. Quand ils deviennent assez nombreux, une nouvelle phase de l'évolution commence, de telle sorte qu'il existe toujours diverses gradations. Il y aura bientôt deux mille ans, un moment était venu où les membres les plus avancés de l'humanité se trouvaient prêts à faire un autre pas en avant et à assimiler la religion qui enseigne à vivre une vie sainte, dans l'espoir d'une récompense future, dans des conditions d'existence en lesquelles ils devaient avoir foi.

Franchir un tel pas ne pouvait qu'être long et difficile. Il était comparativement aisé de mener une brebis ou un bœuf au temple et de l'offrir en sacrifice. Si un homme apportait les prémices de son grenier, de ses vignes ou de ses troupeaux, il en avait encore de reste et il savait que le Dieu de la Tribu remplirait de nouveau ses réserves et les lui rendrait avec abondance. Mais, dans ce nouvel ordre de choses, il ne suffisait plus de sacrifier ses biens. On lui demandait de *se sacrifier lui-même.* Ce n'était même pas un sacrifice qu'il devait faire dans un effort suprême en s'offrant en martyr ; cela aussi aurait été comparativement aisé. Au lieu de cela, on lui demandait que, jour par jour, heure par heure, il agisse avec bonté envers tous. Il devait renoncer à l'égoïsme et *aimer* son prochain, comme il s'aimait lui-même. En outre, on ne lui promettait aucune récompense immédiate et visible : il devait avoir foi dans un bonheur futur.

Est-il surprenant que les hommes trouvent difficile de mettre en pratique cet idéal élevé qui consiste à bien agir *continuellement,* idéal d'autant plus difficile à atteindre qu'il ne tient aucun compte de l'intérêt personnel ? On doit faire des sacrifices sans recevoir l'assurance positive d'une récompense *quelconque.* Le fait que l'altruisme soit pratiqué autant qu'il l'est et qu'il ne cesse de s'étendre, est tout à l'honneur de l'humanité. Ses guides pleins de sagesse, avertis de la faiblesse de l'esprit dans sa lutte contre les tendances égoïstes du corps et les dangers du découragement en face de telles conditions, ont ajouté une autre impulsion spirituelle en incorporant à cette nouvelle religion la doctrine de la rémission des péchés par substitution.

Cette doctrine est rejetée par certains philosophes très avancés qui mettent en première ligne la loi de cause à effet. S'il se trouve que le lecteur soit d'accord avec ces philosophes, nous le prions d'attendre l'explication qui va suivre et qui montre que *les deux* doctrines font partie du plan de salut. Il suffit, pour le moment, de dire que cette doctrine de la rémission des péchés donne à plus d'une âme sincère la force de lutter et, en dépit d'insuccès répétés, de subjuguer la nature inférieure. N'oublions pas que, pour les raisons données dans le chapitre sur les lois de Réincarnation et de cause à effet, les peuples occidentaux ne savaient pratiquement rien de ces lois. Mis en face d'un idéal aussi élevé que celui du Christ, et ne croyant pouvoir disposer que de quelques brèves années pour atteindre un degré de développement tel que celui-là, n'aurait-ce pas été la plus grande cruauté imaginable que de les laisser sans secours ? C'est pour cette raison que le GRAND SACRIFICE du Calvaire, alors qu'il servait aussi à d'autres fins, comme nous allons le voir, est devenu l'Etoile de l'Espoir pour toute âme sincère qui cherche à accomplir l'impossible en essayant, dans le court intervalle d'une vie humaine, d'atteindre la perfection que demande la religion chrétienne.

JESUS ET JESUS-CHRIST

Pour arriver à percer quelque peu le mystère grandiose du Calvaire et pour comprendre quelque chose à la mission du Christ en tant que Fondateur de la religion universelle de l'avenir, il est nécessaire de se faire tout d'abord une idée de Sa nature exacte et, incidemment, de la nature de Jéhovah, qui est le chef des religions de race telles que le Taoïsme, le Bouddhisme, l'Hindouisme, le Judaïsme, etc... Il faut connaître également l'identité du « Père » à qui le Christ devra remettre le Royaume en temps voulu.

Dans le Credo Chrétien, se trouvent ces mots : « Jésus-Christ, le Fils Unique de Dieu ». On admet généralement que ces mots signifient qu'une certaine personne qui parut en Palestine, il y a environ deux mille ans, et qu'on appelle Jésus-Christ, représente, comme Etre Unique, le seul Fils « engendré par Dieu ».

C'est là une grave erreur, car trois Etres distincts et très différents sont impliqués dans ce passage. Il est de la plus grande importance que l'étudiant comprenne clairement la nature exacte de ces Trois Etres exaltés, qui diffèrent beaucoup en gloire, tout en ayant le même droit à notre adoration la plus profonde et la plus fervente.

Nous prions l'étudiant de se reporter au tableau 8 et de noter que le « Fils Unique » (« le Verbe » dont parle saint Jean) est le deuxième aspect de l'Etre Suprême.

Ce « Verbe », et Lui seulement, est « engendré par Son Père (le premier aspect) avant tous les Mondes ». « Rien de ce qui a été fait n'a été fait sans Lui ». Pas même le troisième aspect de l'Etre Suprême qui procède des deux aspects précédents. Par conséquent, le « Fils Unique » est l'Etre exalté qui prend rang avant tout autre dans l'Univers, à l'exception de l'Aspect-Pouvoir qui l'a créé.

Avant le commencement de la manifestation active, le premier aspect de l'Etre Suprême « conçoit » ou imagine l'Univers entier, y compris les millions de systèmes solaires et les Grandes Hiérarchies créatrices qui peuplent les plans d'existence supérieurs au septième plan cosmique qui est le champ d'action de notre évolution. (Voir tableau 8). C'est aussi cette même Force qui dissout tout ce qui s'est cristallisé au-delà de la possibilité d'un développement ultérieur et qui, à la fin de la Manifestation active, résorbe en Elle tout ce qui est, jusqu'à l'aube d'une nouvelle Période de Manifestation.

Le deuxième aspect de l'Etre Suprême est celui qui se manifeste dans la matière comme force d'attraction et de cohésion et lui donne ainsi la capacité de se combiner en des Formes variées. C'est le « Verbe », le « Fiat Créateur », qui façonne la Substance cosmique primordiale d'une manière qu'on peut comparer à la formation de figures par des vibrations musicales, comme nous l'avons mentionné auparavant, le même son produisant toujours la même figure. Ainsi, ce grand « Verbe » primordial « ordonna » l'existence de tous les différents Mondes dans la matière la plus subtile qui soit avec toutes leurs myriades de formes qui ont été, par la suite, copiées et reproduites en détail par les innombrables Hiérarchies Créatrices.

Le « Verbe » n'aurait pu, toutefois, aboutir a ce résultat avant que le troisième aspect de l'Etre Suprême n'ait tout d'abord préparé la Substance cosmique primordiale, en la tirant de son état normal d'inertie, en commençant à faire tourner sur leurs axes les innombrables atomes jusqu'ici non différenciés, en variant l'inclinaison de ces axes les uns par rapport aux autres et en donnant à chaque groupe d'atomes un certain « taux de vibration ».

Cette diversité des angles d'inclinaison des axes et celle des taux vibratoires a permis à la Substance cosmique primordiale de former les différentes combinaisons qui sont à la base des sept grands Plans Cosmiques. Dans chacun de ces Plans, l'inclinaison des axes des atomes est différente, et il en est de même des taux de vibration, si bien que les conditions et les combinaisons de chacun des Plans diffèrent les unes des autres, grâce à l'activité du « Fils Unique ».

Le tableau 16 montre que :

« Le Père » est l'Initié le plus élevé de l'humanité de la Période de Saturne. L'humanité ordinaire de cette Période est devenue la classe des Seigneurs du Mental.

« Le Fils » (le Christ) est l'Initié le plus élevé de la Période du Soleil. L'humanité ordinaire de cette Période est devenue la classe des Archanges.

« Le Saint-Esprit » (Jéhovah) est l'Initié le plus élevé de la Période de la Lune. L'humanité ordinaire de cette Période est devenue la classe des Anges.

Ce tableau montre aussi quels sont les véhicules de ces différents ordres d'Etres. En le comparant avec le tableau 10, on verra que leurs corps ou véhicules (indiqués par des carrés au tableau 16) correspondent aux Globes de la Période dans laquelle ils étaient humains. Tel est toujours le cas en ce qui concerne les humanités ordinaires car, à la fin de la Période pendant laquelle une vague de vie quelconque s'individualise, en tant qu'êtres humains, ces êtres conservent des *véhicules* correspondant aux Globes sur lesquels ils ont évolué.

D'autre part, les Initiés ont progressé. Ils ont développé pour eux-mêmes des véhicules supérieurs, leur permettant de renoncer à se servir habituellement de leur véhicule inférieur, à mesure qu'ils ont acquis la faculté de se servir d'un corps nouveau et supérieur. D'ordinaire, le véhicule inférieur d'un Archange est le corps du désir, mais le Christ, qui est le plus grand Initié de la

TABLEAU 16

LES VÉHICULES DES PLUS HAUTS INITIÉS ET DE L'HUMANITÉ ORDINAIRE								
SIGNES DU ZODIAQUE		LES MONDES DANS LESQUELS CES ORDRES ONT DES VÉHICULES CORRESPONDANTS	PÉRIODE DE ♄ SATURNE		PÉRIODE DU ☉ SOLEIL		PÉRIODE DE ☽ LA LUNE	
			Le plus *haut* Initié est LE PÈRE	Les hommes ordinaires sont maintenant les SEIGNEURS DU MENTAL	Le plus *haut* Initié est le Christ LE FILS	Les hommes ordinaires sont maintenant les ARCHANGES	Le plus *haut* Initié est Jéhovah le SAINT ESPRIT	Les hommes ordinaires sont maintenant les ANGES
13	TOUS ENSEMBLE	MONDE						
12	♈	DE						
11	♉	DIEU						
10	♊	MONDE						
9	♋	DES						
8	♌	ESPRITS VIERGES						
7	♍	MONDE DE L'ESPRIT DIVIN						
6	♎	MONDE DE L'ESPRIT VITAL						
5	♏	MONDE DE LA PENSÉE: RÉGION DE LA PENSÉE ABSTRAITE						
4	♐	MONDE DE LA PENSÉE: RÉGION DE LA PENSÉE CONCRÈTE						
3	♑	MONDE DU DÉSIR						
2	♒	MONDE PHYSIQUE: RÉGION ÉTHERIQUE		CORPS DE JÉSUS				
1	♓	MONDE PHYSIQUE: RÉGION CHIMIQUE						

Période du Soleil, utilise généralement l'esprit vital comme véhicule inférieur. Il est capable d'agir tout aussi consciemment dans le Monde de l'Esprit vital que nous humains, agissons dans le Monde Physique. Veuillez bien noter que le Monde de l'Esprit Vital est le premier Monde *Universel*, comme l'explique le chapitre sur les Mondes. C'est le Monde dans lequel la différenciation cesse et dans lequel commence la conscience de l'Unité, du moins en ce qui concerne notre système solaire.

Le Christ a le pouvoir de construire et d'employer un véhicule aussi inférieur que le corps du désir, tel qu'il est utilisé par les Archanges, *mais Il ne peut pas descendre plus bas*. Nous verrons tout à l'heure la signification de cette particularité.

Jésus appartient à notre humanité. Quand on étudie l'homme appelé Jésus, dans la mémoire de la nature, on peut remonter le cours de son évolution, de vie en vie, et retrouver les différentes circonstances dans lesquelles il a vécu, ses noms divers dans des incarnations successives, comme on peut le faire pour n'importe quel être humain. *Mais on ne peut en faire autant pour l'Etre appelé Christ.* Dans Son cas, on ne peut trouver *qu'une seule incarnation.*

Il ne faudrait pas supposer, toutefois, que Jésus était un homme ordinaire. Son mental était d'un type spécialement pur, très supérieur à celui de la grande majorité des hommes modernes. Pendant de nombreuses vies, il avait suivi le Sentier de la Sainteté et s'était ainsi préparé pour le plus grand honneur qui pût échoir à un être humain.

Sa mère, la Vierge Marie, était aussi un des exemples les plus sublimes de pureté humaine, et c'est pour cette raison qu'elle a été choisie pour devenir la mère de Jésus. Son père était un Initié supérieur, vierge et capable d'accomplir l'acte de fécondation comme un sacrement, sans passion ni désirs personnels.

Ainsi l'admirable, l'adorable et pur esprit que nous connaissons sous le nom de Jésus de Nazareth, est né dans un corps pur et exempt de passions. Ce corps était le meilleur qui puisse être produit sur la Terre et la tâche de Jésus, dans cette incarnation, a consisté à en prendre soin et à le développer jusqu'au plus haut degré possible d'efficacité en vue du grand dessein qu'il devait servir.

Jésus de Nazareth est né à peu près à l'époque mentionnée dans les écrits historiques et non pas en l'an 105 avant Jésus-Christ, comme l'indiquent certains ouvrages d'occultisme. Le nom de Jésus est commun dans les pays orientaux, et un initié du nom de Jésus est effectivement né environ 105 ans avant Jésus-Christ, mais il a passé par l'initiation égyptienne et il n'était pas le Jésus de Nazareth qui nous intéresse.

L'Ego qui s'est incarné plus tard sous le nom de Christian Rosenkreuz passait déjà par une incarnation supérieure quand Jésus de Nazareth est né, et il est encore en incarnation de nos jours. Son témoignage et les données auxquelles ont abouti les recherches occultes de Rose-Croix contemporains, s'accordent pour placer la naissance de Jésus de Nazareth au commencement de l'ère chrétienne, vers la date généralement assignée à cet événement.

Jésus a été instruit par les Esséniens et a atteint un très haut degré de développement spirituel pendant les trente années où Il s'est servi de son corps.

Ajoutons en passant que les Esséniens étaient la troisième secte existant à l'époque en Palestine, en même temps que les deux sectes mentionnées dans le Nouveau Testament, celle des Pharisiens et celle des Sadducéens. Les Esséniens étaient un ordre extrêmement pieux, très différents des Sadducéens matérialistes, et tout le contraire des Pharisiens hypocrites et poseurs. Ils évitaient de faire mention d'eux-mêmes, de leurs méthodes d'enseignement et de leur culte. C'est à cette dernière particularité qu'est dû le fait que nous ne savons presque rien d'eux et qu'ils ne sont pas mentionnés dans le Nouveau Testament.

C'est une loi du Cosmos qu'aucun Etre, si élevé soit-il, ne peut opérer dans un Monde quelconque sans être pourvu d'un véhicule formé de la substance de ce monde. (Voir les tableaux 10 et 16). C'est pourquoi le corps du désir était le véhicule le plus bas dont pouvaient disposer les esprits qui avaient atteint la condition humaine dans la Période du Soleil.

Le Christ étant l'un de ces esprits, Il était incapable

de se construire pour Lui-même un corps vital et un véhicule physique dense. Il aurait pu travailler pour l'humanité dans un corps du désir, comme le faisaient Ses plus jeunes frères les Archanges, en tant qu'Esprits de Race. Jéhovah leur avait facilité l'entrée du corps physique de l'homme par l'intermédiaire de l'air que celui-ci respirait. Toutes les Religions de Race étaient des Religions de la Loi, qui créent le péché par désobéissance à cette loi. Elles sont sous la direction de Jéhovah, dont le véhicule le plus bas est l'esprit humain qui le met en relation avec le Monde de la Pensée Abstraite, où tout tend à la séparation et, par suite, à l'égoïsme.

C'est précisément pour cette raison que l'intervention du Christ était devenue nécessaire. Sous le régime de Jéhovah, l'unité était impossible. C'est pourquoi le Christ, qui possède comme véhicule inférieur l'esprit unificateur, devait entrer dans un corps physique humain, paraître comme un homme parmi les autres hommes et habiter dans ce corps physique, car c'est seulement de l'*intérieur* qu'il est possible de triompher de la Religion de Race qui influence l'homme de l'*extérieur*.

Le Christ ne pouvait pas *naître* dans un corps physique, parce qu'Il n'était jamais passé par une évolution telle que celle de la Période de la Terre ; par suite, il lui aurait fallu d'abord acquérir la faculté de construire un corps physique tel que le nôtre. Mais, même s'Il avait possédé cette qualité, il n'aurait pas été judicieux pour un Etre aussi sublime, de dépenser l'énergie qu'exige la construction d'un corps passant par la période de la vie utérine, puis par celle de l'enfance et de l'adolescence, pour l'amener à un degré de maturité le rendant apte à servir. Il avait abandonné l'usage des véhicules qui correspondraient à notre esprit humain, à notre intellect et à notre corps du désir, bien qu'Il ait appris à les construire pendant la Période du Soleil et qu'Il ait conservé le pouvoir de les construire et de les employer toutes les fois qu'Il le désire ou que cela est nécessaire. Il a utilisé chacun de ses véhicules et n'a emprunté que le corps vital et le corps physique de Jésus. A la trentième année de la vie de Jésus, le Christ a pénétré dans ces corps et s'en est servi jusqu'au moment suprême de Sa Mission sur le Calvaire. Après la destruction de son corps physique, le Christ est apparu au milieu de ses disciples, revêtu du corps vital qu'il a utilisé pendant un certain temps. C'est aussi de ce corps vital qu'Il se servira quand Il viendra de nouveau parmi nous, car *Il n'entrera plus jamais dans un corps physique.*

Nous empiétons sur un sujet que nous traiterons plus tard en mentionnant que l'objet de tout entraînement ésotérique est de travailler sur le corps vital, afin que l'esprit vital soit développé et vivifié. Quand nous en viendrons à parler de l'Initiation, nous pourrons donner des explications plus détaillées, mais nous ne pouvons maintenant en dire davantage sur ce sujet. Parlant des événements relatifs à l'existence après la mort, le sujet a été partiellement traité ; nous prions maintenant l'étudiant de remarquer que, avant de commencer son éducation ésotérique, tout homme doit avoir obtenu, dans une large mesure, la maîtrise de son corps du désir. Son éducation ésotérique et ses premières Initiations sont consacrées au travail à effectuer sur le corps vital et elles ont pour résultat le développement de l'esprit vital. A l'époque où le Christ a pénétré le corps de Jésus, ce dernier était un disciple d'un degré élevé, aussi son esprit vital était-il bien organisé. Par conséquent, il y avait identité entre le véhicule le plus inférieur utilisé par le Christ, et le mieux organisé des véhicules supérieurs de Jésus. Aussi, lorsque le Christ a pris possession du corps vital et du corps physique de Jésus, Il disposait d'un ensemble de véhicules reliant complètement le monde de l'Esprit vital au monde physique.

Le fait que Jésus soit passé par plusieurs initiations a eu un effet très particulier sur son corps vital. Le corps vital de Jésus se trouvait déjà au diapason des vibrations élevées de l'esprit vital. Le corps vital d'un homme ordinaire se serait immédiatement effondré sous l'influence des vibrations intenses du grand Esprit qui avait pénétré le corps de Jésus. Ce corps de Jésus, si pur et si sensitif qu'il ait été, ne pouvait d'ailleurs supporter longtemps ces vibrations puissantes, et quand nous lisons que de temps à autre le Christ se tenait temporairement éloigné de ses disciples, comme lorsque, plus tard, il a marché sur les eaux pour aller à leur rencontre, l'occultiste sait qu'il se retirait hors des véhicules de Jésus pour leur permettre de se reposer, grâce aux soins des Frères Esséniens qui, mieux que le Christ, savaient comment il convenait de traiter ces véhicules.

Ce changement de corps s'est accompli avec le libre et entier consentement de Jésus qui avait toujours su qu'il préparait un véhicule pour le Christ. Il avait accepté avec joie de faire ce sacrifice, afin que ses frères en humanité puissent bénéficier du formidable élan qu'ils recevraient pour leur développement, grâce au mystérieux sacrifice accompli sur le Calvaire.

Ainsi (comme le montre le tableau 16) Jésus-Christ a possédé les douze véhicules qui formaient une chaîne ininterrompue entre le Monde Physique et le Trône même de Dieu. C'est pourquoi Il est le seul Etre dans notre système solaire qui, en contact à la fois avec Dieu et avec les hommes, puisse jouer entre eux le rôle de médiateur, car il a, personnellement et individuellement, fait l'expérience de toutes les conditions possibles et Il connaît toutes les limitations particulières à l'existence physique.

Le Christ est un Etre unique parmi ceux qui peuplent les sept mondes. Lui seul possède les douze véhicules, nul autre que Lui n'est capable d'éprouver autant de compassion pour l'humanité, de comprendre aussi pleinement sa situation et ce dont elle a besoin. Lui seul est qualifié pour apporter le secours qui répondra à nos besoins.

Telle est donc la nature du Christ. Il est l'Initié le plus élevé de la Période du Soleil ; Il a pris le corps physique et le corps vital de Jésus afin de pouvoir agir directement dans le Monde physique et d'apparaître comme un homme parmi les hommes. S'Il était apparu d'une manière manifestement miraculeuse, cela aurait été contraire au Plan de l'Evolution car, à la fin de l'Epoque Atlantéenne, toute liberté avait été donnée à l'homme d'agir en bien ou en mal. Dès ce moment, aucune contrainte ne devait être exercée à son égard, afin qu'il pût apprendre à se gouverner lui-même et à discerner, par l'expérience, entre le bien et le mal. Avant cette époque, l'humanité avait été guidée de gré ou de force, mais désormais elle était libre d'agir dans les limites des différentes Religions de Race, chacune de ces religions étant adaptée aux besoins particuliers d'une tribu ou d'une nation.

PAS LA PAIX, MAIS L'EPEE

Toutes les Religions de Race émanent du Saint-Esprit. Elles sont insuffisantes, parce qu'elles ont pour cause la Loi qui provoque le péché, cause de mort, souffrance et affliction.

Tous les esprits de Race le savent, et ils se rendent compte que leurs religions ne sont que des degrés conduisant à de meilleures conditions, ainsi que le démontre le fait que toutes les religions de Race, sans exception, parlent de *Celui qui doit venir*. La religion des Persans annonçait la venue de Mithra ; celle des Chaldéens, la venue de Tammuz. Les anciens Dieux scandinaves ont pressenti l'approche du « Crépuscule des Dieux », lorsque Sutar, le brillant esprit solaire, allait les supplanter et qu'un ordre nouveau et meilleur serait établi sur « Gimle », la Terre régénérée. Les Egyptiens attendaient la venue d'Horus, le Soleil nouvellement né. Mithra et Tammuz sont aussi symbolisés par des globes solaires, et tous les principaux temples de l'antiquité étaient construits face à l'Est, pour que les rayons du soleil levant puissent passer directement à travers leurs portes ouvertes. Même la basilique de Saint-Pierre de Rome est ainsi orientée. Ces faits démontrent qu'on savait généralement que Celui qui devait venir était un Esprit Solaire et qu'Il sauverait l'humanité des influences séparatrices qui sont nécessairement contenues dans toutes les Religions de Race.

Ces religions étaient des degrés que l'homme devait franchir afin de se préparer pour la venue du Christ. L'homme doit d'abord cultiver son « moi », avant de devenir réellement désintéressé et comprendre la phase supérieure de la Fraternité Universelle — unité de but et d'intérêts — dont le Christ a jeté les fondements lors de sa première venue et dont il fera une réalité vivante à son retour.

Comme le principe fondamental d'une Religion de Race est la séparation, la recherche des intérêts personnels aux dépens d'autres hommes et d'autres nations, il est évident que, poussé à son extrême limite, il doit nécessairement avoir une tendance de plus en plus destructive et finalement contrecarrer l'évolution, s'il n'est pas suivi par une religion plus constructive.

Par conséquent, les religions séparatrices du Saint-Esprit doivent faire place à la religion unificatrice du Fils, qui est la Religion chrétienne.

La Loi doit faire place à l'Amour. Les Races et les Nations séparées doivent être réunies en une Fraternité Universelle dont le Christ sera le suprême Frère Aîné.

La Religion chrétienne n'a pas encore eu le temps d'accomplir cette noble tâche. L'homme est encore soumis à l'influence de l'Esprit de Race et l'idéal du Christianisme est encore trop élevé pour lui. L'intelligence peut saisir quelques-unes des beautés de cet idéal et admettre volontiers que nous devrions aimer nos ennemis, mais les passions du corps du désir sont encore trop puissantes. La loi de l'Esprit de Race étant : « œil pour œil », le Sentiment qui en résulte est : « Je prendrai ma revanche ! » Le cœur aspire à l'Amour, le corps du désir souhaite la vengeance. L'intelligence comprend, *d'une manière abstraite,* la beauté de l'idéal qui veut que nous aimions nos ennemis mais, dans la vie courante, cet idéal cède au besoin de vengeance du corps du désir. Pour prendre sa revanche, l'homme donne comme excuse que « l'organisme social doit être protégé ».

On ne peut, toutefois, que se féliciter du fait que la société se sente poussée à s'excuser des méthodes de représailles qu'elle emploie. Les méthodes correctives et la clémence deviennent des facteurs toujours plus importants dans l'application des lois, comme le montre l'accueil très favorable qui a été fait à l'institution moderne des tribunaux pour enfants. On peut noter une autre manifestation de la même tendance dans l'augmentation croissante du nombre de condamnés auxquels la loi de sursis est appliquée, de même aussi dans la façon plus humaine dont les prisonniers de guerre sont traités depuis quelques années. Telles sont les premières manifestations du sentiment de Fraternité Universelle qui, lentement mais sûrement, fait sentir son influence.

Cependant, quoique le monde soit en progrès et que, par exemple, l'auteur de ce livre ait pu, avec une facilité relative, exposer ses vues dans les différentes villes où il a fait des conférences, les journaux quotidiens consacrant parfois à ses enseignements des pages entières (et des premières pages), tant qu'il se contentait de parler des mondes supérieurs et des conditions qui succèdent à la mort, il a constaté que, dès qu'il prenait la Fraternité Universelle pour thème, ses articles étaient *invariablement* jetés à la corbeille.

Le monde, en général, se refuse à envisager un idéal qu'il considère comme étant « trop » désintéressé. Il doit y avoir un « profit quelconque ». Tout ce qui n'offre pas l'occasion de « remporter un avantage » sur son semblable n'est pas considéré comme étant une ligne de conduite entièrement naturelle. Les entreprises commerciales sont basées sur ce principe. Pour ceux qui sont asservis au désir d'accumuler des richesses inutiles, l'idée d'une Fraternité Universelle évoque la vision redoutable de l'abolition du capitalisme avec sa conséquence inévitable, l'abolition de l'exploitation des autres et par suite la ruine des « intérêts commerciaux » qu'elle implique. Le mot « asservis » décrit exactement cette condition. D'après la Bible, l'homme devait dominer le monde, mais, dans la grande majorité des cas, c'est le contraire qui est vrai ; c'est le monde qui domine l'homme. Tout homme qui a des biens admettra, s'il veut être sincère, qu'ils sont pour lui une source d'anxiété continuelle, qu'il lui faut constamment réfléchir à la manière de conserver ses biens ou au moins éviter d'en être dépouillé par les manœuvres peu honnêtes de ceux qui les convoitent. L'homme est l'esclave de ce que, avec une ironie inconsciente, il appelle « ses possessions », alors qu'en réalité ce sont elles qui le possèdent. Le Sage de Concord (Emerson) dit avec raison : « Les *Choses* sont en selle et chevauchent l'humanité ! »

Ces conditions sont produites par les Religions de Race et leur système de lois ; c'est pourquoi, elles sont toutes dans l'attente de « Celui Qui doit venir ». SEULE la Religion Chrétienne *n'attend pas* Celui Qui *doit venir*, mais Celui qui doit *revenir*. L'époque de ce deuxième avènement dépend du moment auquel l'Eglise pourra se séparer de l'Etat. L'Eglise, surtout en Europe, est attachée au char de l'Etat. Le clergé est entravé par des considérations économiques et ses membres n'osent pas proclamer les vérités que leurs études leur ont révélées.

Un touriste, se trouvant récemment à Copenhague, assistait dans une église à une cérémonie de confirmation. Dans ce pays, l'Eglise est sous la dépendance de l'Etat et tous les pasteurs sont nommés par le pouvoir temporel. Les paroissiens n'ont absolument aucune voix au chapitre. Ils peuvent aller ou non à l'église, selon leur bon plaisir, mais ils sont forcés de payer les impôts qui soutiennent l'institution.

En plus de l'avantage de tenir un office par la faveur de l'Etat, le pasteur de l'église en question était décoré de plusieurs Ordres conférés par le roi ; leurs insignes brillants étaient un témoignage silencieux, mais éloquent, de l'étendue de sa dépendance vis-à-vis de l'Etat. Pendant la cérémonie, il pria pour le roi et le Parlement et demanda qu'ils gouvernent le pays avec sagesse. Tant qu'il y aura des rois et des députés, cette prière peut être très nécessaire, mais ce fut une surprise considérable de l'entendre ajouter : « et, Dieu Tout-Puissant, protège et soutiens notre armée et notre flotte ! »

Une prière de ce genre montre clairement que le Dieu auquel on rend un culte est le Dieu de Tribu ou de Nation : l'Esprit de Race ; car le dernier acte du tendre Jésus-Christ a été de détourner l'épée de l'ami qui voulait s'en servir pour Le protéger. Il avait dit cependant qu'Il n'était pas venu pour apporter la paix, mais le glaive ; c'est parce qu'il prévoyait quelles rivières de sang les nations « chrétiennes », dites militantes, feraient couler par suite de leur conception erronée de Ses enseignements et qu'Il savait qu'un idéal élevé ne pourrait pas être atteint immédiatement par l'humanité. Les hécatombes causées par les guerres et autres atrocités sont des choses terribles, mais elles montrent quelles horreurs l'Amour pourrait abolir.

Il y a visiblement une contradiction formelle entre les paroles de Jésus-Christ : « Je suis venu pour apporter non la paix mais l'épée », et les mots du chant céleste qui annonça la naissance de Jésus : « Paix sur la terre. Bonne Volonté parmi les hommes ». Mais cette contradiction n'est qu'apparente.

Une contradiction aussi grande existe entre les paroles et la manière d'agir d'une femme qui dit : « Je vais nettoyer la maison et tout mettre en ordre », et qui commence par enlever les tapis, mettre les chaises les unes sur les autres et produire un désordre général dans une maison auparavant bien tenue. Une personne qui n'observerait que cet aspect des choses serait en droit de dire : « Elle empire les conditions au lieu de les améliorer » ; mais, quand on connaît le but de son travail, on comprend l'utilité du désordre temporaire ; finalement, la maison ne s'en trouvera que mieux du dérangement passager.

De même nous devons nous rappeler que la période de temps qui s'est écoulée depuis la venue de Jésus-Christ n'est guère qu'un instant en comparaison de la durée d'un seul Jour de Manifestation. Nous devons, comme Whitman, apprendre à « connaître l'amplitude du temps » et regarder, au-delà des cruautés et des jalousies passées et présentes des sectes en lutte, vers l'âge brillant de la Fraternité Universelle qui marquera la prochaine et grande phase du progrès de l'homme dans son long et merveilleux voyage du limon de la terre jusqu'à Dieu, du protoplasme à l'unité consciente avec le Père, ce

> ... lointain et divin événement,
> Vers lequel tend la Création.

On peut ajouter que le pasteur mentionné auparavant, dans la cérémonie au cours de laquelle il recevait ses élèves dans l'Eglise, leur a enseigné que Jésus-Christ est un Etre complexe, que Jésus était la partie humaine et mortelle de cet Etre, tandis que le Christ en était l'Esprit divin et immortel. Il est très probable que si l'on avait discuté du sujet avec lui, il n'aurait pu soutenir cette assertion ; néanmoins, en faisant cette déclaration il énonçait un fait occulte.

L'ETOILE DE BETHLEEM

L'influence unifiante du Christ a été symbolisée dans la belle légende de l'adoration des Rois mages ou des trois « sages de l'Orient », si expertement incorporée au récit de « Ben Hur » par le général Lew Wallace.

Les trois sages : Gaspard, Melchior et Balthazar, sont

les représentants des Races blanche, jaune et noire, et ils symbolisent les peuples de l'Europe, de l'Asie et de l'Afrique, qui sont tous conduits par l'Etoile vers le Sauveur du Monde, devant lequel « tout genou fléchira » et Que « toute langue glorifiera », (Romains 14 : 11), Qui réunira toutes les nations dispersées sous la bannière de la Paix et de la Bonne Volonté et qui fera que les hommes « forgeront leurs épées en socs de charrue et leurs lances en faucilles ».

On dit que l'étoile de Bethléem est apparue à l'époque de la naissance de Jésus et qu'elle a guidé les trois mages vers le Sauveur.

On a beaucoup discuté sur la nature de cette étoile. La plupart des hommes de science matérialistes ont déclaré qu'elle était un mythe, tandis que d'autres ont dit que, si elle n'était autre chose qu'un mythe, elle pourrait bien avoir été une « coïncidence » ; deux soleils éteints auraient pu entrer en collision et causer une conflagration. Tout mystique cependant connaît « l'Etoile » et aussi la « Croix », non seulement comme symboles de la vie de Jésus et de Jésus-Christ, mais comme faisant partie de son expérience personnelle.

Saint Paul disait : « Jusqu'à ce que le Christ soit formé en vous », et le mystique Angelus Silesius lui fait écho :

> Le Christ serait-il né mille fois à Bethléem,
> S'il ne naît en toi, ton âme sera perdue à jamais.
> Et c'est en vain que tu contemples la croix du Calvaire,
> Tant qu'en toi-même elle ne se dresse à nouveau.

Avec sa riche intuition d'artiste, Richard Wagner fait dire à Gurnemanz, en réponse à la question de Parsifal : « Qui est le Graal ? » :

> Nous ne le disons pas, mais si tu as été appelé par Lui,
> La vérité, à tes yeux, ne sera point cachée.
>
> ....
>
> Aucun chemin ne conduit à Son royaume,
> Et le rechercher ne fait que l'éloigner
> Lorsque Lui-même n'est point le Guide.

Sous « l'ancienne dispensation », le chemin de l'Initiation n'était pas ouvert à tous. Il était réservé à un petit nombre d'élus. On pouvait chercher à le découvrir mais, seuls, ceux qui étaient guidés vers les Temples par les Hiérophantes y étaient admis. Avant l'avènement du Christ, il n'y a jamais eu d'invitation aussi générale que celle-ci : « Quiconque le veut, peut venir ».

Cependant au moment où le sang a coulé sur le Calvaire, « le voile du temple se déchira », pour des raisons que nous allons expliquer tout à l'heure. Dès lors, quiconque veut chercher l'entrée du temple la trouvera certainement.

Dans les Temples des Mystères, l'Hiérophante apprenait à ses élèves qu'il y a dans le Soleil une force spirituelle aussi bien qu'une force physique. Cette dernière force des rayons solaires est le principe fécondant de la nature. Il cause la croissance du monde végétal et nourrit aussi les règnes animal et humain. Il est l'énergie constructive, source de toute force physique.

Cette énergie physique du Soleil atteint le point culminant de sa manifestation au milieu de l'été, quand les jours sont les plus longs et les nuits les plus courtes, car les rayons solaires frappent alors directement l'hémisphère boréal. A cette époque-là, les forces spirituelles passent par leur minimum d'activité. D'autre part, en décembre, durant les longues nuits d'hiver, la force physique du globe solaire est endormie et les forces spirituelles atteignent leur maximum d'activité.

La nuit du 24 au 25 décembre est la Nuit Sainte par excellence de l'année. Le signe zodiacal de la Vierge céleste et immaculée se trouve à l'Orient au-dessus de l'horizon, vers minuit ; le Soleil de la nouvelle année naît alors et commence son voyage de l'extrême point austral vers l'hémisphère boréal pour sauver (physiquement) la partie de l'humanité qui l'habite, de l'obscurité et de la famine qui s'ensuivraient inévitablement s'il demeurait d'une façon permanente au sud de l'équateur.

Pour les peuples de l'hémisphère boréal, dans lequel toutes nos religions actuelles ont eu leur origine, le Soleil se trouve alors exactement de l'autre côté de la terre, et les influences spirituelles ont leur plus grande force dans le nord, le 24 décembre à minuit.

Tel étant le cas, il s'ensuit naturellement que ce moment est le plus propice pour ceux qui désirent faire un pas positif en vue de l'Initiation, afin d'entrer consciemment en contact avec le Soleil spirituel, surtout pour la première fois.

C'est pourquoi les élèves qui s'étaient préparés pour l'Initiation étaient pris en charge par les Hiérophantes des Mystères ; au moyen de cérémonies accomplies dans le Temple, ils étaient amenés à un état d'exaltation dans lequel ils s'élevaient au-dessus des conditions physiques. Pour leur vision spirituelle, le globe dense de la Terre devenait transparent et ils voyaient le Soleil à minuit, — « l'Etoile » ! Ce n'était pas, toutefois, le Soleil physique qu'ils voyaient au moyen de la vue spirituelle, mais l'Esprit Solaire, le Christ, Qui était leur Sauveur spirituel, de même que le Soleil physique était leur Sauveur matériel.

Telle est l'Etoile qui a brillé pendant la Nuit Sainte et qui brille encore pour le mystique dans l'obscurité de la nuit. Quand le bruit et la confusion dus aux activités du jour se sont apaisés, le mystique entre dans sa retraite et cherche la voie qui mène au Prince de la Paix. « La Brillante Etoile » est toujours là pour le guider et son âme entend le chant prophétique : « Paix sur la Terre et Bonne Volonté parmi les hommes ».

Paix et bonne volonté envers tous, sans exception ; il n'y a pas de place pour un seul ennemi ou un seul proscrit. Faut-il s'étonner qu'il soit si difficile d'amener l'humanité à suivre une règle de conduite aussi élevée ? Y a-t-il un meilleur moyen de montrer la beauté et la nécessité de la paix, de la bonne volonté et de l'amour qu'en les mettant en contraste avec l'état présent de guerre, d'égoïsme et de haine ? Plus la lumière est forte, plus accentuée est l'ombre qu'elle projette. Plus notre idéal est élevé, plus il nous est facile de voir nos fautes.

Malheureusement, dans la phase actuelle de son développement, l'humanité ne consent à être instruite qu'au prix des expériences les plus pénibles. En tant que Race, il lui faut devenir absolument égoïste pour ressentir les angoisses cruelles causées par l'égoïsme d'autrui, de même qu'un homme doit avoir bien connu la maladie pour être tout à fait reconnaissant de se trouver en bonne santé.

C'est pour cela que la Religion appelée *à tort* Christianisme a été la religion la plus sanglante que nous connaissions, sans en excepter l'Islam qui, sous ce rapport, se rapproche assez de notre Christianisme mal pratiqué. Sur les champs de bataille et dans les prisons de l'Inquisition, des atrocités horribles et sans nombre ont été commises au nom du tendre Nazaréen. L'Epée et la Coupe de vin, qui sont la perversion de la Croix et du calice de la Communion, ont été les moyens par lesquels les plus puissantes parmi les nations soi-disant chrétiennes ont imposé leur domination sur les peuples païens, et même sur d'autres peuples plus faibles qui professaient la même religion que leurs conquérants. La lecture la plus superficielle de l'histoire des Races Gréco-Latines, Teutoniques et Anglo-Saxonnes confirmera cette assertion.

Alors que l'homme était *complètement* sous l'influence des Religions de Race, chaque nation formait un Tout uni. Les intérêts de l'individu étaient volontiers subordonnés aux intérêts de la communauté. Tous étaient « soumis à la Loi ». Chacun était avant tout membre de sa tribu ; ce n'est qu'en second lieu qu'il était considéré comme une personne distincte.

De nos jours, il y a une tendance marquée vers l'autre extrême, tendance à exalter le « moi » au-dessus de tout le reste. On peut en voir les résultats dans les problèmes économiques et industriels soulevés dans chaque nation et qui demandent une solution.

La phase de développement pendant laquelle tout homme se sent être une unité absolument distincte, un Moi qui poursuit indépendamment sa propre route, est une phase nécessaire, car l'unité de la nation, de la tribu et de la famille doit être rompue avant que la Fraternité Universelle puisse devenir un fait. Le régime du Paternalisme a été supplanté dans une large mesure par le règne de l'Individualisme. Nous sommes en train d'apprendre de mieux en mieux les désavantages de cette condition, à mesure que notre civilisation avance. Notre manque de méthode dans la distribution des produits du travail, l'avidité d'une minorité et l'exploitation des masses, tous ces crimes sociaux ont pour résultat une consommation restreinte, des dépressions industrielles et l'agitation chez les travailleurs, toutes choses qui détruisent la paix intérieure. La guerre industrielle de l'époque actuelle a une portée beaucoup plus grande et elle est beaucoup plus destructrice que les guerres militaires des nations [1].

L'ANOMALIE DU CŒUR

Aucune leçon, même acceptée intellectuellement comme étant vraie, n'a de réelle valeur comme principe actif dans la vie, tant que le cœur ne l'a pas apprise à force de soupirs et d'amertume. Or, la leçon que l'homme devra ainsi apprendre est que ce qui ne profite pas à tous, ne pourra jamais profiter réellement à personne. Depuis près de deux mille ans, nous avons admis du bout des lèvres que nous devions gouverner notre vie en accord avec une maxime telle que : « Rendez le bien pour le mal ». Le Cœur nous pousse à la compassion et à l'amour, mais la Raison nous incite à prendre des mesures offensives et à user de représailles, sinon par vengeance, tout au moins comme moyen d'empêcher un retour des hostilités. C'est le divorce du cerveau et du cœur qui retarde le développement d'un véritable sentiment de Fraternité Universelle et l'adoption des doctrines du Christ, Seigneur de l'Amour.

Grâce à l'Intellect, l'Ego prend conscience de l'univers matériel. Comme instrument servant à acquérir des connaissances dans ce monde, cet intellect a une valeur inestimable. Mais, quand il s'arroge le *rôle* de dictateur, en ce qui concerne la conduite d'un homme envers ses semblables, c'est comme si un astronome en train de photographier le soleil au moyen d'un télescope s'entendait dire par la lentille : « Vous m'avez mal mise au point. Vous n'observez pas le soleil d'une manière correcte. De toute façon, je ne trouve pas bon qu'on photographie le soleil et je veux que vous me pointiez vers Jupiter. Les rayons me chauffent trop et pourraient m'endommager ».

Si l'astronome impose sa volonté et met au point le télescope comme il l'entend, lui disant de s'occuper de

(1) Ecrit en 1909.

son affaire, qui est de transmettre les rayons qui tombent sur lui, sans se préoccuper des résultats, le travail se fera normalement. Mais si la lentille peut imposer sa volonté et si le mécanisme du télescope se met de la partie, l'astronome sera sérieusement gêné, ayant à lutter contre un instrument réfractaire, et le tout aura pour résultat des images indécises, de peu ou d'aucune valeur.

Il en est de même pour l'Ego qui travaille avec un corps triple qu'il gouverne ou devrait gouverner par l'intermédiaire de l'intellect. Mais il faut, hélas ! convenir que ce corps a une volonté qui lui est propre et qu'il est souvent aidé et encouragé par l'intellect, ce qui contrecarre les intentions de l'Ego.

Cette « volonté inférieure » rivale est l'expression de la partie supérieure du corps du désir. Quand la séparation entre le Soleil, la Lune et la Terre a eu lieu dans la première partie de l'Epoque Lémurienne, les corps du désir de la classe la plus avancée de l'humanité en évolution se sont divisés en deux parties : une inférieure et l'autre supérieure. Il en a été de même pour le reste de l'humanité au début de l'époque Atlantéenne.

Cette partie supérieure du corps du désir est devenue une sorte d'âme animale. Elle a construit le système cérébro-spinal nerveux et les muscles volontaires et a subjugué par ce moyen la partie inférieure du corps triple, jusqu'à ce qu'il reçoive le trait d'union de l'intellect. Alors l'intellect a « fusionné » avec cette âme animale et a partagé sa domination sur le corps.

L'intellect est ainsi lié par les désirs, il est entravé par l'égoïsme de la nature inférieure, ce qui rend très difficile la maîtrise du corps par l'esprit. L'intellect qui, dans son rôle de foyer devait devenir l'allié de la nature supérieure, est déformé par la nature inférieure et, ligué avec elle, devient asservi au désir.

La loi des Religions de Race a été donnée pour soustraire l'intellect à l'empire des désirs. « La crainte de Dieu » a été opposée aux « convoitises de la chair ». Cela n'a cependant pas suffi à rendre l'homme capable de devenir le maître de son corps et d'obtenir sa collaboration volontaire. L'esprit a donc été obligé de trouver dans le corps un autre terrain qui ne soit pas dominé par les désirs naturels. Tous les muscles sont l'expression du corps du désir et ils offrent un chemin direct vers le point central où l'intellect traître est allié aux désirs et règne en maître.

Si les Etats-Unis étaient en guerre avec la France, ils ne débarqueraient pas leurs troupes en Angleterre dans l'espoir de subjuguer par ce moyen les Français. Ils débarqueraient leurs soldats sur le sol même de la France et c'est là qu'ils livreraient bataille.

L'Ego, tel un habile général, s'est servi d'un procédé analogue. Il n'a pas commencé sa campagne en cherchant à s'emparer d'une des glandes, car elles sont l'expression du corps vital ; il ne lui était pas non plus possible de s'assujettir les muscles volontaires, car ils sont trop bien défendus par l'ennemi. La partie du système musculaire involontaire, que dirige le système nerveux sympathique, était également inutilisable. Il fallait donc que l'Ego entre plus directement en contact avec le système nerveux cérébro-spinal. Pour y arriver et s'assurer une base d'opérations dans le pays de l'ennemi, il doit s'assurer la maîtrise d'un muscle involontaire relié au système nerveux musculaire. Ce muscle est le cœur.

Il a été question dans cet ouvrage des deux sortes de muscles : volontaires et involontaires, ces derniers étant formés de stries longitudinales et se rapportant à des fonctions qui ne sont pas dominées par la volonté, fonctions telles que la digestion, la respiration, l'excrétion, etc. Les muscles volontaires sont ceux que la volonté gouverne par l'intermédiaire du système nerveux volontaire, tels que les muscles de la main et du bras. Ils ont des stries transversales.

Cela s'applique à tous les muscles du corps, *à l'exception du cœur* qui est un muscle involontaire. Ordinairement, nous ne pouvons pas commander la circulation du sang. Dans les conditions normales, les battements du cœur ont une cadence régulière ; malgré cela, au grand étonnement des physiologistes, le cœur a des *stries transversales,* comme un muscle volontaire. C'est le seul organe du corps qui offre cette particularité ; mais, tel le sphinx, il refuse de donner le mot de l'énigme aux savants matérialistes.

L'occultiste trouve facilement la réponse dans la

mémoire de la nature où il apprend, d'après ses archives, que lorsque l'Ego a cherché pour la première fois à prendre place dans le cœur, cet organe n'était strié que dans le sens de la longueur, comme n'importe quel autre muscle involontaire ; mais, à mesure que l'Ego s'assure la maîtrise du cœur, les stries transversales se multiplient. Elles ne sont ni aussi nombreuses, ni aussi bien développées que celles des muscles qui sont entièrement gouvernés par le corps du désir, mais à mesure que les principes altruistes d'amour et de fraternité augmentent de force et supplantent graduellement la domination de la raison, qui a les désirs inférieurs pour base, ces stries transversales deviennent plus nombreuses et mieux définies.

Comme nous l'avons dit précédemment, l'atome-germe du corps physique est situé dans le cœur pendant la vie et il n'en est retiré qu'à la mort. Le travail actif de l'Ego se fait dans le sang. Or, à l'exception des poumons, le cœur est, dans le corps, le seul organe à travers lequel le sang passe à chaque cycle.

Le sang est la plus haute expression du corps vital, car il nourrit l'organisme physique tout entier. Il est aussi, dans un certain sens, le véhicule de la mémoire subconsciente, en contact avec la mémoire de la Nature, dans la division la plus élevée de la Région Ethérique. Le sang transmet les scènes de la vie des ancêtres à leurs descendant pendant des générations, partout où il y a communauté de sang, comme il résulte du mariage entre proches parents.

Il y a dans la tête trois points dont chacun est le siège particulier d'un des trois aspects de l'esprit (voir tableau 20) ; le deuxième et le troisième aspect ont, en outre, un terrain d'élection secondaire.

Le corps du désir est l'expression pervertie de l'Ego. Il transforme l'« Individualité » de l'esprit en « Egoïsme ». L'individualité ne cherche pas son avantage aux dépens d'autrui, alors que l'égoïsme recherche son profit sans égard pour autrui. Le siège de l'esprit humain est en premier lieu dans la glande pinéale et, en second lieu, dans le cerveau et le système nerveux cérébro-spinal qui commande les muscles volontaires.

L'amour et l'unité du Monde de l'Esprit Vital trouvent

leur contre-partie illusoire dans la Région Ethérique à laquelle nous sommes reliés par le corps vital, qui provoque l'amour sexuel et l'union sexuelle. L'esprit vital a son siège, premièrement, dans le corps pituitaire et, en second lieu, dans le cœur, porte d'entrée du sang qui nourrit les muscles.

L'esprit Divin, qui n'agit pas — Veilleur silencieux — trouve son expression matérielle dans le squelette inerte et passif du corps physique, instrument obéissant des autres corps, mais qui n'a pas le pouvoir d'agir par sa propre initiative. L'esprit divin a son siège dans le point impénétrable qui se trouve à la racine du nez.

En réalité, il n'y a qu'un seul esprit, l'Ego, mais, en l'observant du point de vue du Monde Physique, il est réfléchi en trois aspects qui agissent comme nous l'avons dit.

En passant à travers le cœur, cycle après cycle, pendant toute la vie, le sang grave les images qu'il contient sur l'atome-germe, pendant que ces images sont encore très nettes. C'est ainsi que les annales de la vie s'impriment d'une manière indélébile et sont enregistrées fidèlement dans l'existence d'après-vie. Le sang est toujours en contact très étroit avec l'esprit vital — esprit d'amour et d'unité. Par conséquent, le cœur est le sanctuaire de l'amour altruiste.

Lorsque ces images se gravent intérieurement dans le monde de l'Esprit Vital, où se trouve la véritable mémoire de la Nature, elles ne sont pas transmises par les sens physiques qui sont tellement lents, mais passent directement par le quatrième éther contenu dans l'air que nous respirons. Dans le monde de l'Esprit Vital, l'Esprit Vital a une vision beaucoup plus claire que celle qu'il obtiendrait dans les mondes plus denses. Dans sa demeure élevée, l'Esprit Vital est en contact avec la sagesse cosmique et, quelle que soit la situation, il sait immédiatement comment agir. Dans un éclair, il communique au cœur le message qui transmet la règle de conduite adoptée. Non moins instantanément, le cœur porte au cerveau, par l'intermédiaire du nerf pneumogastrique, produisant ainsi une première impression, « l'impulsion intuitive » qui est toujours la bonne, car elle est puisée directement à la source de la Sagesse et de l'Amour Cosmiques.

Tout cela s'accomplit si rapidement que le cœur est maître de la situation avant que la raison, plus lente, n'ait eu, pour ainsi dire, le temps de « se rendre compte de ce qui se passe ». C'est bien là cette pensée « qui vient du cœur » et il est exact de lire que « l'homme est ce qu'il pense en son cœur ». L'homme est, par sa nature, un esprit vierge, bon, noble et loyal à tous points de vue. Tout ce qui n'est pas bon en lui vient de sa nature inférieure, réflexion illusoire de l'Ego. L'Esprit Vierge ne donne que de bons conseils. Si nous pouvions toujours suivre les premières impulsions de notre cœur, la pensée initiale qui nous vient à l'esprit, la fraternité universelle serait déjà réalisée.

Mais c'est justement là que la difficulté commence. Après avoir reçu le bon conseil de la première idée, le cerveau commence à raisonner et le résultat est que, dans la grande majorité des cas, il domine le cœur. Le télescope choisit son propre foyer et pointe dans la direction qui lui plaît, en dépit de l'astronome. L'intellect et le corps du désir contrecarrent les intentions de l'esprit en prenant le commandement et, comme la sagesse de l'esprit leur fait défaut, l'esprit et le corps souffrent tous les deux.

Les physiologistes ont remarqué que certaines parties du cerveau sont réservées à des activités mentales spéciales, et les phrénologistes ont porté encore plus loin l'étude de cette branche de la science. D'autre part, il est notoire que la pensée use et détruit les tissus nerveux. Cette perte, comme toutes celles des autres parties du corps, est réparée par le sang. Quand, par suite du développement du cœur en un muscle volontaire, la circulation du sang passera finalement sous la domination de l'esprit vital — Esprit-Amour qui unifie — cet esprit aura alors le pouvoir de ne pas envoyer de sang vers les parties du cerveau qui sont consacrées à des desseins égoïstes. Le résultat sera que ces centres particuliers de pensée s'atrophieront graduellement.

En outre, l'esprit aura la faculté d'augmenter l'afflux de sang toutes les fois que l'activité mentale aura une tendance altruiste, ce qui développera les parties consacrées à l'altruisme ; en sorte que, au cours des temps, la nature-désir sera vaincue et l'Amour délivrera l'intellect de l'empire qu'elle avait sur lui. Seule, son émancipation complète par l'Amour permet à l'homme de s'élever au-dessus de la loi et de devenir lui-même sa propre loi. S'étant vaincu lui-même, il aura vaincu le Monde.

Les stries transversales du cœur peuvent être développées au moyen de certains exercices au cours d'un entraînement occulte ; mais, comme quelques-uns de ces exercices sont dangereux, ils ne doivent être entrepris que sous la direction d'un instructeur compétent. Afin que les lecteurs de ce livre ne soient pas trompés par des imposteurs qui prétendraient avoir la capacité et le désir d'instruire des aspirants pour une certaine somme d'argent, nous répétons expressément « *qu'un véritable occultiste ne se vante jamais de son pouvoir occulte, qu'il ne l'affiche pas, qu'il ne vend pas d'informations ou de leçons occultes à tant l'une ou à tant la série, et qu'il ne consent pas non plus à faire un étalage théâtral de son pouvoir. Il accomplit son travail de la manière la plus discrète possible, à seule fin d'aider légitimement les autres sans souci d'intérêt personnel* ».

Comme nous l'avons dit au début de ce chapitre, tous ceux qui désirent sérieusement recevoir les enseignements supérieurs peuvent être sûrs que, s'ils se donnent seulement la peine de chercher la voie, ils trouveront qu'elle leur est ouverte. Le Christ Lui-même a préparé la voie pour « quiconque veut la suivre ». Il aidera et Il accueillera tous ceux qui la cherchent réellement et qui sont prêts à travailler à la Fraternité Universelle.

LE MYSTERE DU CALVAIRE

Depuis près de deux mille ans, on a dit beaucoup de choses au sujet du « sang purificateur ». Le sang du Christ a été exalté du haut de toutes les chaires comme étant le remède souverain pour nos péchés, *l'unique* moyen de rédemption et de salut.

Mais, si les lois de la Réincarnation et de cause à effet opèrent de telle sorte que les êtres en évolution récoltent ce qu'ils ont semé, et si l'impulsion évolutionnaire pousse sans cesse l'humanité vers un niveau toujours plus élevé pour parvenir finalement à la perfection, quel besoin y a-t-il de rédemption et de salut ? Même si cette nécessité s'imposait, comment la mort d'un seul individu pourrait-elle être profitable à tous les autres ? Ne serait-il pas plus noble de supporter les conséquences de ses propres actes que de s'abriter derrière la vertu d'un autre ? Telles sont quelques-unes des objections qui sont faites à la doctrine de la rémission des péchés par substitution et de la Rédemption par le sang de Jésus-Christ. Nous allons essayer d'y répondre avant de montrer l'harmonie logique qui concilie l'opération de la loi de cause à effet et la doctrine de la rémission des péchés par le Christ.

Tout d'abord, il est indubitable que l'impulsion évolutionnaire opère en vue d'amener tous les êtres à la perfection finale ; malgré cela, il y en a toujours qui restent à l'arrière. Nous venons précisément de franchir l'extrême limite de la matérialité et nous sommes en train de passer par les seize races. Nous foulons donc les « seize chemins vers la perdition » de telle sorte que nous nous trouvons plus en danger de prendre du retard que pendant toute autre période de notre évolution.

Dans le monde abstrait, le temps n'est rien. Certains peuvent se trouver tellement en retard qu'il devient nécessaire de les abandonner afin qu'ils puissent poursuivre le cours de leur évolution sur un autre plan cosmique qui leur permettra de continuer leur voyage vers la perfection. Néanmoins, ce n'était pas là l'évolution qui, à l'origine, leur était destinée, et il est raisonnable de supposer que les grandes Intelligences, chargées de notre évolution, mettent en œuvre tous les moyens dont elles disposent pour mener à bon port le plus grand nombre possible des entités dont elles ont la charge.

En ce qui concerne l'évolution pure et simple, les lois de la Réincarnation et de cause à effet suffisent parfaitement pour amener la plus large part de notre vague de vie jusqu'à la perfection. Mais elles ne suffisent pas dans le cas des retardataires qui se trouvent à l'arrière des différentes races. Pendant la phase d'individualisme, point culminant de l'illusion de notre identité séparée des autres, toute l'humanité a besoin d'être assistée particulièrement, mais pour ce qui concerne les retardataires, une aide spéciale, supplémentaire, est indispensable.

Donner cette aide spéciale et racheter les retardataires a été la Mission du Christ. Il est venu, dit-il, pour chercher et pour sauver ce qui était perdu (Matt 18 : 11 ; Luc 19 : 10). Il a ouvert la voie de l'Initiation à tous ceux qui veulent bien la chercher.

Contre cette doctrine de la rémission des péchés par le Christ, on soulève une objection : n'est-ce pas une lâcheté que de se retrancher derrière quelqu'un d'autre ? Chaque homme ne devrait-il pas être prêt à subir les conséquences de ses actes ?

Considérons un cas analogue. Les eaux des Grands Lacs se déversent dans le passage étroit du Niagara. Sur une distance d'une trentaine de kilomètres, cet énorme volume d'eau s'écoule rapidement vers les chutes. Le lit du fleuve est rempli de rochers et, si une personne qui s'aventure au-delà d'un certain point ne perd pas la vie dans les rapides qui se trouvent au-dessus des chutes, elle mourra sûrement en tombant du haut du précipice.

Supposez qu'un homme paraisse qui, par pitié pour les victimes, se mette à tendre une corde au-dessus des chutes, sachant parfaitement qu'en accomplissant cet acte il ne peut en aucune façon échapper lui-même à la mort. Il n'en sacrifie pas moins sa vie avec joie et de son plein gré : il place la corde et modifie les conditions antérieures de telle sorte que toute victime, autrement impuissante, qui saisirait cette corde, serait sauvée et que désormais nul ne devrait être perdu.

Que penseriez-vous alors d'un homme qui, tombé à l'eau de sa propre négligence, luttant de toutes ses forces pour regagner la rive, s'écrierait : « Et quoi ! je sauverais mes jours et je chercherais à éviter le châtiment que mérite ma négligence en m'abritant derrière la vertu d'un autre qui a souffert sans commettre de faute personnelle et qui a donné sa vie afin qu'un être tel que moi puisse vivre ? Non ! jamais. Ce ne serait pas là une attitude « virile ». Je subirai la peine que je mérite ! » Ne dirions-nous pas tous que cet homme est stupide ?

Tous les hommes n'ont pas besoin d'être sauvés. Le Christ savait qu'il y a une très nombreuse classe d'êtres qui n'en ont pas besoin ; mais, de même qu'il y en a bien quatre-vingt-dix-neuf sur cent pour qui les lois de la Réincarnation et de cause à effet suffisent à assurer l'évolution et qui arriveront de cette manière à la perfection, ainsi, il y a des « pécheurs » qui se sont « embourbés » dans la matière et qui ne peuvent pas être sauvés sans l'aide d'une corde. Le Christ est venu pour les sauver et pour apporter à tous, la paix et la bonne volonté, en les élevant jusqu'au degré nécessaire de spiritualité et en amenant un changement dans leurs corps du désir qui rendra plus puissante l'influence de l'esprit vital dans le cœur.

Ses plus jeunes frères, les Esprits Solaires ou Archanges, avaient travaillé comme Esprits de Race au corps du désir de l'homme, mais leur travail avait été accompli de l'*extérieur*. Ce n'était que le reflet d'une force solaire spirituelle transmise par la Lune, de même que le clair de lune n'est que la lumière réfléchie du soleil. Le Christ, l'Initié le plus élevé des Esprits solaires, a pénétré Lui-Même le corps dense de la Terre pour apporter directement la Force solaire qui Lui a permis d'influencer, de l'*intérieur*, nos corps du désir.

Un homme ne peut regarder longtemps le Soleil sans en être aveuglé, parce que les vibrations solaires sont si rapides qu'elles détruisent la rétine de l'œil, mais il peut observer impunément la Lune, dont les vibrations sont beaucoup plus lentes. Pourtant, elles sont également de la lumière solaire, mais les vibrations solaires les plus élevées sont d'abord absorbées par notre satellite qui nous réfléchit celles qui restent.

Il en est de même pour les impulsions spirituelles qui aident l'homme à évoluer. La raison pour laquelle la Terre a été lancée hors du Soleil, tient à ce que notre humanité ne pouvait plus supporter les terribles impulsions physiques et spirituelles de cet astre ; même après que la Terre se fut trouvée à une distance énorme du Soleil, l'impulsion spirituelle solaire aurait été trop forte encore si elle n'avait pas été dirigée d'abord vers la Lune, cela afin que Jéhovah, son régent, puisse l'utiliser pour le bien de l'humanité. Un certain nombre d'Archanges

— Esprits solaires ordinaires — ont été choisis pour aider Jéhovah à réfléchir ces impulsions spirituelles du Soleil sur l'humanité terrestre, sous forme de religions de Jéhovah ou religions de races.

Le véhicule inférieur des Archanges est le corps du désir. Notre propre corps du désir a été ajouté à nos autres véhicules pendant la Période de la Lune dont Jéhovah est l'initié le plus élevé, ce qui lui permet de s'occuper du corps du désir de l'homme. Le véhicule inférieur de Jéhovah est l'esprit humain dont la contre-partie est le corps du Désir (voir tableau 16). Les Archanges peuvent assister Jéhovah dans son œuvre parce qu'ils ont le pouvoir de diriger les forces spirituelles solaires et que le corps du Désir est leur véhicule inférieur. C'est pourquoi ils peuvent travailler avec l'humanité et la préparer pour l'époque où il lui sera possible de recevoir les impulsions spirituelles directement du Globe Solaire, sans l'entremise de la Lune.

Comme le Christ est l'Initié le plus élevé de la Période du Soleil, c'est à Lui qu'incombe la tâche de faire rayonner cette impulsion. L'impulsion que Jéhovah réfléchissait était envoyée par le Christ, qui préparait ainsi la Terre et l'humanité pour Son Avènement.

L'expression « préparait la Terre » veut dire que, sur une planète, toute évolution va de pair avec l'évolution de *cette planète elle-même.* Si un observateur doué de vue spirituelle avait observé, d'une planète éloignée, l'évolution de la Terre, il aurait noté qu'un changement graduel avait lieu dans le corps du désir de notre planète. Sous l'ancienne dispensation, les corps du désir des hommes s'amélioraient généralement sous l'influence de la loi. Ce travail se poursuit encore chez la majorité des individus, qui se préparent ainsi à la vie supérieure.

Toutefois, la vie supérieure (l'Initiation) ne peut être entreprise avant que le travail sur le corps vital ne soit commencé. L'Amour, ou plutôt l'Altruisme, est le moyen employé pour développer l'activité de ce véhicule. On a tellement abusé du mot Amour qu'il n'exprime plus le sens qu'il devrait avoir ici.

Sous l'ancienne dispensation, le sentier de l'Initiation n'était ouvert qu'à un petit nombre d'élus. Les Hiérophantes des Mystères rassemblaient certaines familles près des Temples et les maintenaient séparées du reste des hommes. Ces familles choisies étaient alors rigoureusement surveillées en ce qui concerne l'accomplissement de certains rites et de certaines cérémonies. Leurs mariages et leurs rapports sexuels étaient dictés par les Hiérophantes. Cette manière de procéder a eu pour résultat de produire une race qui offrait le degré propre de relâchement entre le corps physique et le corps vital. Elle a eu également pour effet de tirer le corps du désir de sa condition léthargique pendant le sommeil. C'est ainsi qu'un petit nombre d'individus étaient préparés pour l'Initiation et avaient des occasions d'avancement qui ne pouvaient être données à tous. Nous trouvons des exemples de cette méthode parmi les Juifs, chez lesquels les membres de la tribu de Lévi étaient choisis pour le service du temple ; il en est de même dans la caste des Brahmanes, seule classe sacerdotale parmi les Hindous.

La mission du Christ a consisté à sauver ceux qui étaient perdus, mais aussi à rendre l'initiation accessible à tous. C'est que Jésus n'était pas un Lévite à qui la fonction sacerdotale était réservée comme un droit de naissance. Il sortait du peuple et, bien qu'Il n'ait pas appartenu à la classe des instructeurs, Ses enseignements étaient supérieurs à ceux de Moïse.

Jésus-Christ n'a renié ni Moïse, ni la loi, ni les prophètes. Au contraire, Il les a tous reconnus et a montré au peuple qu'ils Lui rendaient témoignage, parce qu'ils avaient tous parlé de Celui qui devait venir. Il disait au peuple que l'ancienne dispensation avait rempli son but et que, désormais, *l'Amour devait supplanter la Loi.*

Jésus-Christ a été tué. A propos de ce fait, nous sommes amenés à parler de la différence suprême et fondamentale qu'il y a entre Lui et les Instructeurs qui l'ont précédé et qui ont été des *Incarnations des Esprits de Race.* Tous sont morts et ont dû renaître à plusieurs reprises pour aider leurs peuples à soutenir le poids de leur destinée. L'Archange Michel (l'esprit de Race des Juifs) a élevé Moïse jusque sur le mont Nebo, où il devait mourir. Il est né de nouveau sous le nom d'Elie. Elie a reparu sous le nom de Jean-Baptiste ; Bouddha est mort et s'est réincarné sous le nom de Shankaracharya. Shri

Krishna dit : « Toutes les fois où il y a déclin de Dharma et exaltation de Adharma, je parais moi-même pour protéger le bien, pour détruire les méchants et pour établir Dharma sur une base solide. Je renais d'âge en âge ».

Quand vint l'heure de la mort, le visage de Moïse *brilla* et le corps de Bouddha devint *lumineux*. Tous ces instructeurs ont atteint la condition dans laquelle l'esprit commence à briller de l'intérieur, mais finalement, ils sont morts.

Jésus-Christ a atteint la même condition sur le Mont de la Transfiguration, et c'est un fait extrêmement significatif que *son œuvre véritable ait seulement commencé après cet événement*. Il a souffert, il a été *tué* et il est *ressuscité*.

Etre tué est une chose très différente de mourir. Le sang qui avait été le véhicule de l'Esprit de Race devait *couler* et être purifié de cette contamination. L'amour éprouvé envers un père et une mère, à l'exclusion d'autres pères et d'autres mères, doit disparaître ; autrement, la Fraternité Universelle et un Amour altruiste qui s'étend à toute la création ne pourront jamais devenir une réalité.

LE SANG PURIFICATEUR

Quand notre Sauveur Jésus-Christ fut crucifié, Son corps fut percé en cinq endroits, aux cinq centres par où passent les courants du corps vital ; la pression de la couronne d'épines fit aussi couler le sang hors du sixième centre. (Cela est une indication pour ceux qui connaissent déjà ces courants. Nous ne pouvons pas donner publiquement des explications sur ce sujet à l'époque actuelle).

Quand le sang coula hors de ces centres, le grand Esprit Solaire, Jésus-Christ, fut délivré du véhicule de Jésus et pénétra *dans l'intérieur de la Terre* avec ses véhicules individuels. Il pénétra les véhicules planétaires qui existaient déjà avec Ses propres véhicules et, en un instant, diffusa Son corps du désir dans toute l'étendue de la planète, ce qui Lui a permis, depuis lors, d'exercer son action *de l'intérieur*, sur la Terre et sur son humanité.

A ce moment, une vague immense de lumière spirituelle solaire inonda la Terre. Elle déchira le voile que l'Esprit de Race avait suspendu à l'entrée du Temple pour en tenir éloignés tous ceux qui n'étaient pas élus et elle ouvrit, à partir de ce moment, le Sentier de l'Initiation à tous ceux qui veulent le suivre. Pour ce qui est des Mondes Spirituels, cette vague a transformé les conditions de la Terre avec la rapidité de l'éclair, mais il va sans dire que les conditions denses et concrètes sont affectées d'une manière beaucoup plus lente.

Comme toutes les vibrations rapides et élevées de la lumière, cette grande vague avait aveuglé les hommes par sa lumière éblouissante ; c'est pourquoi il est écrit que le soleil s'obscurcit. En réalité, c'est le contraire qui s'est produit. Le soleil ne s'est pas obscurci mais il a brillé avec un éclat éblouissant, et c'est l'excès même de lumière qui a aveuglé les hommes. C'est seulement lorsque la Terre tout entière eut absorbé le corps du Désir du radieux esprit solaire que les vibrations ont repris un taux plus normal.

Quand on parle du « sang purificateur de Jésus-Christ », cela veut dire que, lorsque le sang coula sur le Calvaire, il entraîna avec lui le Grand Esprit Solaire, Christ, qui, par ce moyen, put pénétrer la Terre elle-même et qui est, depuis lors, Son Régent. Il a répandu Son propre corps du désir dans toute l'étendue de la planète, la purifiant ainsi de toutes les basses influences qui s'étaient développées sous le régime de l'Esprit de Race.

Devant la loi, tous les hommes péchaient ; ils ne pouvaient pas faire autrement. Ils n'avaient pas évolué jusqu'au point où ils pouvaient agir uniquement sous l'influence de l'Amour. Leur nature-désir était si forte qu'il leur était impossible de la tenir en bride, si bien que leurs dettes, contractées sous la loi de cause à effet, s'étaient accumulées dans des proportions monstrueuses. L'évolution en aurait été considérablement retardée et de nombreux êtres auraient été perdus sans retour pour notre vague de vie, si une aide n'avait été donnée.

C'est pourquoi le Christ est venu « pour chercher et sauver ce qui était perdu ». Il a effacé le péché du Monde par son sang purificateur qui lui a donné l'accès de la

Terre et de son humanité. Il a purifié les conditions alors existantes, et c'est à lui que nous devons de pouvoir incorporer, à notre corps du désir, une substance du désir plus pure qu'auparavant. Il continue à travailler et à nous aider en purifiant de plus en plus le milieu où nous sommes.

Quiconque est capable de se rendre compte des restrictions subies par ce grand Esprit en se soumettant aux conditions pénibles de l'existence physique, ne saurait mettre en doute que, même dans le véhicule le meilleur et le plus pur, cet assujettissement volontaire ne s'opère qu'au prix des plus grandes souffrances.

Les limitations auxquelles Il est contraint en qualité de régent de notre planète ne sont pas moins douloureuses. Il est vrai qu'il est également régent du Soleil et qu'en conséquence il n'est que périodiquement confiné dans la Terre. Cependant, les vibrations très ralenties de notre planète dense doivent être pour lui presque insupportables.

Si le Christ n'avait fait que mourir, il lui aurait été impossible d'accomplir la tâche voulue ; mais les Chrétiens ont un Sauveur *ressuscité,* toujours prêt à aider ceux qui invoquent Son nom. Comme Il a souffert en toutes choses autant que nous-mêmes et qu'Il connaît à fond ce dont nous avons besoin, Il est indulgent pour nos fautes et nos insuccès, tant que nous nous efforçons de vivre une bonne vie. Nous ne devons jamais perdre de vue le fait que *le seul véritable échec est de cesser d'essayer de bien faire.*

Immédiatement après la mort du corps physique de Jésus-Christ, l'atome-germe a été rendu à son possesseur Jésus de Nazareth qui, pendant un certain laps de temps, a travaillé dans un corps vital qu'il avait formé provisoirement et servir d'instructeur aux quelques membres de la nouvelle foi que le Christ en mourant avait laissés derrière lui. Depuis lors, Jésus de Nazareth assume la direction des branches ésotériques d'enseignement qui ont surgi à travers toute l'Europe.

En maints endroits, les chevaliers de la Table Ronde étaient des initiés de rang élevé des mystères de la nouvelle dispensation. Il en a été de même des Chevaliers du Saint Graal, auxquels fut confié finalement le calice qu'avait conservé Joseph d'Arimathie, calice dont le Christ s'était servi pendant la Sainte Cène. Plus tard, la lance qui avait percé son flanc et le réceptacle qui avait reçu le sang de sa blessure leur ont aussi été confiés.

Les Druides d'Irlande et les Trottes de la Russie septentrionale ont formé des Ecoles ésotériques par l'intermédiaire desquelles le Maître Jésus de Nazareth a travaillé durant l'époque qui fut appelée l'âge de l'obscurantisme. Or, si sombre qu'ait été cet âge — autrement dit le Moyen Age — l'impulsion spirituelle initiale s'y est étendue de telle sorte, qu'au point de vue de l'occultiste, c'était un « âge de lumière », surtout si on le compare au matérialisme croissant des trois derniers siècles qui a augmenté dans des proportions considérables les connaissances physiques, mais qui a éteint presque complètement la lumière de l'Esprit.

Les récits du « Graal », des « Chevaliers de la Table Ronde », sont maintenant rejetés comme autant de superstitions ; tout ce qui ne peut pas être matériellement démontré est considéré comme étant indigne de créance. Si glorieuses que soient les découvertes de la science moderne, elles ont été achetées au prix énorme de l'anéantissement de l'intuition spirituelle et, à cet égard, on n'a jamais vu d'époque plus sombre que l'époque actuelle.

Les Frères Aînés, Jésus parmi eux, se sont efforcés et s'efforcent encore de combattre cette terrible influence, analogue à celle des yeux du serpent qui fascine l'oiseau dont il fait sa proie. Toute tentative faite pour éclairer les hommes et pour éveiller en eux le côté spirituel de l'existence témoigne de l'activité des Frères Aînés.

Puissent leurs efforts être couronnés de succès et hâter la venue du jour où la science sera spiritualisée et poursuivra ses recherches dans l'univers matériel en se plaçant du point de vue de l'esprit. Alors, et alors, seulement, elle pourra arriver à une connaissance vraie du monde.

TABLEAU 17

« SUR LA TERRE COMME AU CIEL »

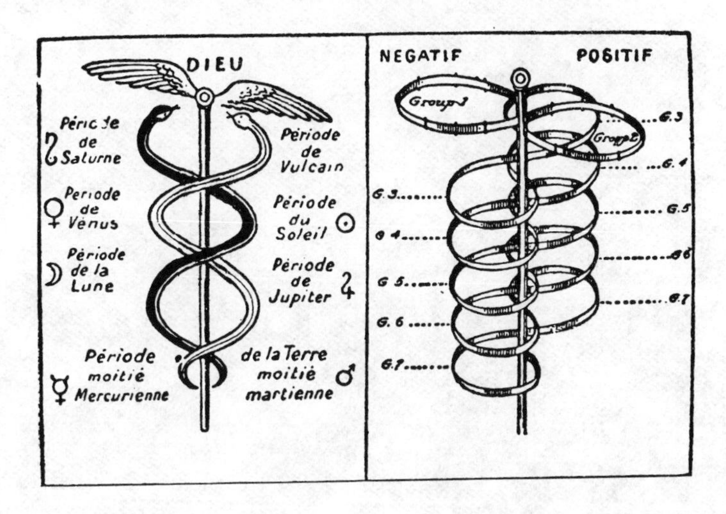

Groupe N°	1	2	3	4	5	6	7	8
Capacité de combinaison	* R^2O	R O	R^2O^3	RH^4 RO^2	RH^3 R^2O^5	RH^2 RO^3	RH R^2O^7	
Poids atomique	Li 7	Be 9	B 10,9	C 12	N 14	O 16	F 19	Ne
Densité	Na 0,97	Mg 1,72	Al 2,70	Si 2,5	S 2,07	P 1,83	Cl	A
Densité	K 0,86	Ca 1,54	Ga 5,9	Ge 5,3	As	Se 4,28	Br	Kr

Le monde, l'homme et l'atome sont gouvernés par la même loi. Notre Terre dense est maintenant dans la quatrième phase de sa solidification. L'intellect, le corps du désir et le corps vital sont moins denses que notre quatrième véhicule, le corps physique. Le poids atomique des éléments chimiques offre un arrangement analogue. Le quatrième groupe marque le maximum de densité.

* Radical carboné univalent indéterminé.

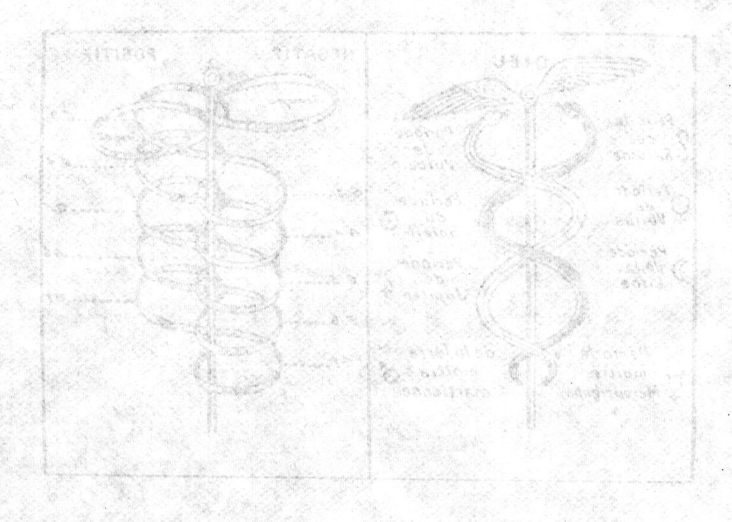

CHAPITRE XVI

DÉVELOPPEMENT FUTUR ET INITIATION

LES SEPT JOURS DE LA CREATION

Les Rose-Croix parlent de la Période de la Terre comme de la phase Mars-Mercure. Le grand Jour créateur de Manifestation est inclus dans le nom des jours de la semaine, car ces jours ont été nommés d'après les phases de l'évolution des esprits vierges dans leur pèlerinage à travers la matière.

Jour	*Correspond à la*	*Est gouverné par*
Samedi	Période de Saturne	**Saturne**
Dimanche	Période du Soleil	**Le Soleil**
Lundi	Période de la Lune	**La Lune**
Mardi	**Première moitié de la période de la Terre**	**Mars**
Mercredi	**Deuxième moitié de la période de la Terre**	**Mercure**
Jeudi	Période de Jupiter	**Jupiter**
Vendredi	Période de Vénus	**Vénus**

La Période de Vulcain est la dernière Période de notre Plan d'évolution. La quintessence de toutes les Périodes précédentes sera alors extraite par la récapitulation des spires, les unes après les autres. Rien de nouveau ne sera entrepris avant la dernière Révolution sur le dernier Globe, et alors seulement dans la Septième Epoque. Par conséquent, on peut dire que la Période de Vulcain correspond à la semaine qui comprend la totalité des sept jours.

L'affirmation faite par les astrologues selon laquelle les jours de la semaine sont gouvernés par la planète qui leur a donné son nom, est bien fondée. Les anciens possédaient également cette information occulte, comme le montrent leurs mythologies, dans lesquelles les noms des dieux sont associés aux jours de la semaine. Samedi (en latin *Sabati dies,* jour du sabbat, *Saturday* en anglais) est évidemment le « jour de Saturne ». Dimanche (jour du Seigneur, *dies dominica, Sunday* en anglais) est en corrélation avec le Soleil (*sun*), et lundi avec la Lune. Les Latins appellent Mardi « *dies Martis* » (le jour de Mars), ce qui montre évidemment sa relation avec Mars, le dieu de la guerre. Le mot anglais *Tuesday* (signifiant Mardi) est dérivé de « *Tirsdag* » ; « Tir » ou « Tyr » est le nom du dieu de la guerre scandinave. « *Wednesday* » (Mercredi) était « *Wotensdag* », d'après Woten, également un dieu scandinave ; ce jour est appelé « *dies Mercurii* » par les Latins, ce qui montre son association avec Mercure, tel que le donne notre liste. *Thursday* ou « *Thorsdag* » (jeudi) est nommé d'après « Thor », le dieu scandinave du tonnerre, et les Latins l'appellent « *dies Jovis* », d'après le nom du dieu du Tonnerre, Jupiter. *Friday* (Vendredi) est nommé d'après la déesse scandinave de la beauté « Freya » ; pour des raisons analogues, les Latins l'appellent « *dies Veneris* » ou jour de Vénus.

Les noms des Périodes n'ont rien de commun avec les planètes physiques, mais se rapportent aux incarnations passées, présentes et futures de la Terre ; car, appliquant de nouveau l'axiome d'Hermès : « En bas comme en haut », le macrocosme doit avoir ses incarnations, tout comme le microcosme, l'homme.

La science occulte enseigne qu'il y a 777 incarnations, mais cela ne veut pas dire que la Terre doive passer par 777 métamorphoses. Cela signifie que la vie en évolution fait :

7 Révolutions autour des
7 Globes des
7 Périodes Mondiales.

Ce pèlerinage de l'Involution et de l'Evolution, y compris le « chemin de traverse » de l'Initiation, est résumé par le Caducée ou « Sceptre de Mercure » (voir

TABLEAU 18

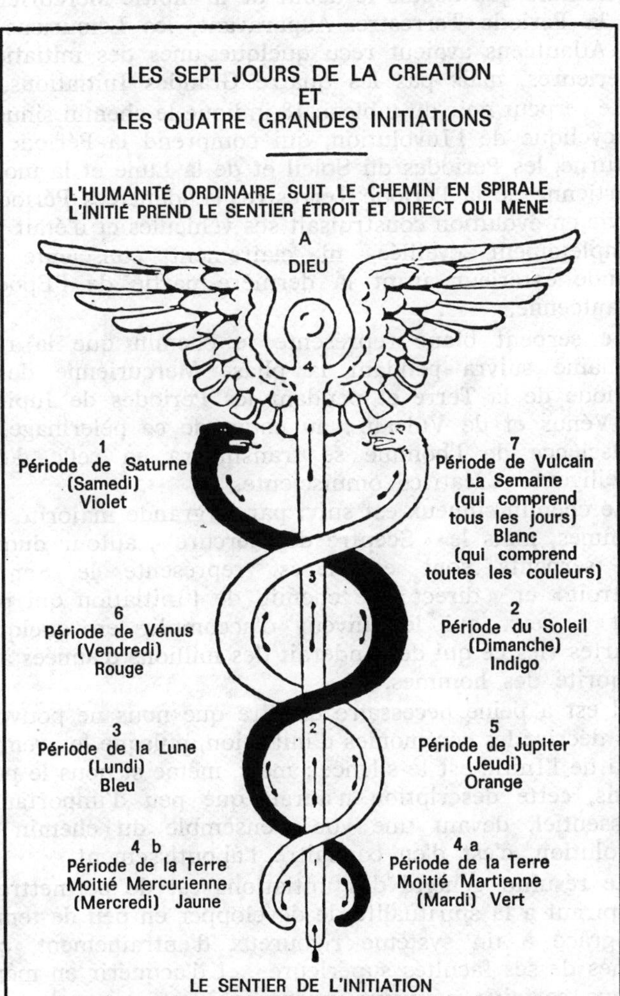
LES SEPT JOURS DE LA CREATION
ET
LES QUATRE GRANDES INITIATIONS
L'HUMANITÉ ORDINAIRE SUIT LE CHEMIN EN SPIRALE
L'INITIÉ PREND LE SENTIER ÉTROIT ET DIRECT QUI MÈNE
A
DIEU
4
1
Période de Saturne
(Samedi)
Violet
7
Période de Vulcain
La Semaine
(qui comprend
tous les jours)
Blanc
(qui comprend
toutes les couleurs)
3
6
Période de Vénus
(Vendredi)
Rouge
2
Période du Soleil
(Dimanche)
Indigo
2
3
Période de la Lune
(Lundi)
Bleu
5
Période de Jupiter
(Jeudi)
Orange
4 b
Période de la Terre
Moitié Mercurienne
(Mercredi) Jaune
4 a
Période de la Terre
Moitié Martienne
(Mardi) Vert
1
LE SENTIER DE L'INITIATION
Il n'y avait pas d'initiation avant la fin de la moitié martienne de la période de la Terre. Les mystères mineurs ont trait à l'évolution humaine dans la moitié mercurienne de la période de la Terre.

tableau 18), ainsi nommé parce que ce symbole occulte indique le Sentier de l'Initiation, lequel n'a été ouvert à l'homme que depuis le début de la moitié Mercurienne de la Période Terrestre. Auparavant, les Lémuriens et les Atlantéens avaient reçu quelques-unes des initiations inférieures, mais pas les quatre Grandes Initiations.

Le serpent noir du tableau 18 indique le chemin sinueux et cyclique de l'Involution, qui comprend la Période de Saturne, les Périodes du Soleil et de la Lune et la moitié Martienne de la Période Terrestre. Pendant ces Périodes, la vie en évolution construisait ses véhicules et n'était pas complètement éveillée, ni clairement consciente du monde extérieur avant la dernière partie de l'Epoque Atlantéenne.

Le serpent blanc représente le chemin que la race humaine suivra pendant la phase Mercurienne de la Période de la Terre et pendant les Périodes de Jupiter, de Vénus et de Vulcain ; au cours de ce pèlerinage, la conscience de l'homme se transmuera en celle d'une Intelligence Créatrice omnisciente.

Le chemin sinueux est suivi par la grande majorité des hommes, mais le « Sceptre de Mercure », autour duquel les serpents sont entrelacés, représente le Sentier « étroit » et « direct », le chemin de l'Initiation qui permet à ceux qui le suivent d'accomplir en quelques courtes vies ce qui demanderait des millions d'années à la majorité des hommes.

Il est à peine nécessaire de dire que nous ne pouvons pas décrire les cérémonies d'initiation, puisque le premier vœu de l'Initié est le silence ; mais, même si nous le pouvions, cette description n'aurait que peu d'importance. L'essentiel, devant une vue d'ensemble du chemin de l'évolution, c'est d'en connaître l'aboutissement.

Le résultat général des initiations est de permettre à l'aspirant à la spiritualité de développer en peu de temps et grâce à un système rigoureux d'entraînement, certaines de ses facultés supérieures, et d'acquérir en même temps certains pouvoirs inhérents à une expansion de conscience que toute l'humanité possédera un jour, mais que la grande majorité des hommes se contente d'acquérir par le lent processus de l'évolution ordinaire. Nous pouvons savoir à quels états de conscience le candidat peut arriver et quels pouvoirs correspondants il obtiendra en passant par les grandes initiations, si nous songeons aux états de conscience auxquels devra parvenir l'humanité tout entière dans un très lointain futur et aux pouvoirs dont elle disposera. Nous avons déjà fait allusion à ces conditions qui prévaudront à l'avenir et il est facile d'en tirer des conclusions utiles en appliquant la loi d'analogie. Ainsi serons-nous en mesure de nous faire une image claire de l'évolution réservée à l'humanité ainsi qu'aux initiés et de comprendre l'importance des grands degrés d'initiation. Pour cela, il n'est pas inutile de jeter un regard en arrière sur les phases de l'évolution de la conscience de l'homme, au cours des diverses périodes.

Nous nous rappelons que, pendant la Période de Saturne, l'inconscience de l'homme était analogue à celle du corps physique lorsqu'il est plongé dans la léthargie la plus profonde. A cette condition a succédé, pendant la Période du Soleil, une conscience de sommeil sans rêves. Dans la Période de la Lune sont apparus les premiers indices d'éveil, en tant qu'images d'objets extérieurs perçues intérieurement. Toute la conscience consistait en représentations intérieures d'objets, de couleurs et de sons extérieurs. Enfin, dans la dernière partie de l'Epoque Atlantéenne, cette conscience d'images intérieures a fait place à notre conscience actuelle de veille, qui permettait d'observer les objets à l'extérieur avec des contours très nets. Cette conscience objective a permis à l'homme de prendre connaissance du monde extérieur et de saisir complètement, et pour la première fois, la différence qu'il y a entre le « moi » et les « autres ». L'homme s'est alors rendu compte de son état de séparation, et dès lors la conscience du « Moi », ou Egoïsme, a pris la première place. Comme, antérieurement à cette époque, il n'avait eu ni idées, ni pensées se rattachant à un monde extérieur, il n'avait pas, en conséquence, de souvenir des événements passés.

Le changement de la conscience d'images intérieures à la conscience objective de nous-mêmes s'est effectué par un processus très lent, en rapport avec son importance, et qui a duré de la période d'existence sur le Globe C, dans la troisième Révolution de la Période de la Lune, jusqu'à la dernière partie de l'Epoque Atlantéenne.

Pendant ce temps, la vie en évolution est passée par quatre *grandes* phases de développement *quasi* animales, avant d'atteindre la phase humaine. Ces phases du passé correspondent à celles par lesquelles nous devons *encore* passer, et aux *quatre* Initiations Majeures.

Dans ces quatre phases de conscience qui sont déjà passées, on compte en tout treize degrés. De la condition présente de l'homme à la dernière des Grandes Initiations, il y a aussi treize initiations — les neuf degrés des mystères mineurs et les quatre Grandes Initiations.

On peut diviser de la même manière nos animaux actuels d'après leurs formes, parce que la forme étant l'expression de la vie, chaque degré de son développement doit nécessairement marquer un progrès dans l'évolution de la conscience.

Cuvier a été le premier naturaliste à diviser le règne animal en quatre classes principales, mais il n'a pas eu autant de succès en divisant les classes en sous-classes. L'embryologiste Karl Ernst von Baer, le professeur Agassiz et d'autres savants ont classé le règne animal en quatre grandes divisions et en treize subdivisions, comme suit :

I. RADIAIRES.
- 1. — Polypes, Anémones de mer et Coraux.
- 2. — Acalèphes ou Méduses.
- 3. — Astéries, Oursins.

II. MOLLUSQUES.
- 4. — Acéphales (huîtres, etc...).
- 5. — Gastéropodes (limaçons, etc...).
- 6. — Céphalopodes.

III. ARTICULES.
- 7. — Vers.
- 8. — Crustacés (langoustes, etc...).
- 9. — Insectes.

IV. VERTEBRES.
- 10. — Poissons.
- 11. — Reptiles.
- 12. — Oiseaux.
- 13. — Mammifères.

Les trois premières divisions correspondent aux trois Révolutions qu'il nous reste à accomplir de la moitié Mercurienne de la Période Terrestre, et leurs neuf degrés correspondent aux neuf degrés des mystères mineurs qui auront été pris par l'ensemble de l'humanité quand elle aura atteint le milieu de la dernière Révolution de la Période de la Terre.

La quatrième division, dans la série du règne animal en évolution, compte quatre subdivisions : les Poissons, les Reptiles, les Oiseaux et les Mammifères. Les degrés de conscience qu'elles indiquent correspondent aux degrés analogues de développement qu'atteindra l'humanité à la fin des Périodes de la Terre, de Jupiter, de Vénus et de Vulcain et que tout individu qualifié pour cela peut dès maintenant atteindre par l'initiation. La première des Grandes Initiations donne l'état de conscience qui sera atteint par l'humanité ordinaire à la fin de la Période de la Terre ; la deuxième donne la conscience que tous obtiendront à la fin de la Période de Jupiter ; la troisième donne l'expansion de conscience qui sera obtenue à la fin de la Période de Vénus ; la dernière apporte à l'Initié le pouvoir et l'omniscience qui seront l'apanage de la majorité des hommes, seulement à la fin de la Période de Vulcain.

La conscience objective au moyen de laquelle nous arrivons à connaître le monde extérieur dépend de ce que nous percevons par l'intermédiaire des sens. Nous appelons cela le réel, par opposition à celles de nos pensées et de nos idées qui nous viennent de notre conscience intérieure ; leur réalité ne nous apparaît pas de la même manière que celle d'un livre ou d'une table ou d'un autre objet quelconque visible ou tangible dans l'espace. Les idées et les pensées semblent être quelque chose de nuageux et d'irréel, et c'est pourquoi nous parlons d'une « simple » pensée, ou de « seulement » une idée.

Il y a cependant une évolution réservée à nos idées et à nos pensées ; elles sont destinées à devenir aussi réelles, aussi claires et tangibles que n'importe quel objet du monde extérieur perçu maintenant par l'intermédiaire des sens physiques. A présent, quand nous pensons à un objet ou à une couleur, l'image ou la couleur que notre mémoire présente à notre conscience intérieure est bien indécise et bien vague si on la compare à la chose elle-même.

Dès la période de Jupiter, il y aura un changement marqué à cet égard. Les images de rêve de la Période de la Lune reparaîtront, mais elles seront soumises au pouvoir de l'évocation du penseur au lieu d'être de simples reproductions d'objets extérieurs. Ainsi, il y aura une combinaison des images de la Période de la Lune avec les pensées et les idées développées consciemment pendant la Période de la Terre, c'est-à-dire que nous aurons alors une *perception consciente d'images.*

Quand un homme de la Période de Jupiter dira « rouge », ou qu'il prononcera le nom d'un objet, une reproduction claire et exacte de la teinte particulière de rouge à laquelle il pense, ou de l'objet auquel il fait allusion s'offrira, à sa vision intérieure et cette image sera nettement visible pour son interlocuteur également. Il n'y aura pas de méprise quant au sens des mots prononcés. Les idées et les pensées seront vivantes et visibles ; par conséquent, l'hypocrisie et la flatterie seront entièrement éliminées. On pourra voir les hommes tels qu'ils sont. Il y en aura de bons et de mauvais, mais les deux conditions ne se trouveront pas ensemble chez la même personne. Il y aura des hommes absolument bons et d'autres absolument mauvais, ce qui présentera un des problèmes les plus graves qu'il faudra résoudre à cette époque. Déjà les Manichéens, ordre d'une spiritualité plus élevée encore que celle des Rose-Croix, étudient ce problème et en cherchent la solution. On peut se faire une idée des conditions futures en réfléchissant à ce qu'est leur légende (car chaque ordre mystique possède une légende, symbole de son idéal et de ses aspirations). En voici un bref résumé.

Dans la légende des Manichéens, il y a deux royaumes, celui des Elfes du jour et celui des Elfes de la nuit. Ces derniers attaquent les premiers, sont battus et doivent être punis. Mais comme les Elfes du Jour sont aussi parfaitement bons que les Elfes de la Nuit sont mauvais, ils ne peuvent infliger de mal à leurs ennemis ; aussi, ces derniers *doivent être punis par le Bien.* En conséquence, une partie du royaume des Elfes du Jour est incorporée à celui des Elfes de la Nuit et, de cette manière, le mal est graduellement vaincu. La haine ne se laisse pas vaincre par la haine et elle doit succomber à l'Amour.

Les images internes de la Période de la Lune étaient en quelque sorte l'expression du milieu extérieur de l'homme. Dans la Période de Jupiter, les images seront exprimées de l'intérieur ; elles seront le résultat de la vie intérieure de l'homme. Il possédera en plus la faculté qu'il aura cultivée pendant la Période de la Terre et qui consiste à voir les choses, dans l'espace, en dehors de lui-même. Dans la Période de la Lune, il ne voyait pas les objets matériels, mais il percevait seulement leur essence. Dans la Période de Jupiter, il aura les deux facultés et il obtiendra ainsi une perception et une compréhension complète de ce qui l'entoure. Dans une phase ultérieure de la même Période, une condition encore plus élevée succédera à cette faculté de perception. Le pouvoir de concevoir nettement les couleurs, les objets et les sons permettra à l'homme de se mettre en contact avec des entités diverses que les sens ordinaires ne perçoivent pas, de les influencer, d'obtenir d'elles qu'elles lui obéissent, et de se servir de leur énergie selon son gré.

Toutefois, il ne pourra pas émaner hors de lui les forces nécessaires à l'exécution de ses desseins et il devra compter sur l'aide de ces êtres supraphysiques, qui seront alors à son service.

A la fin de la Période de Vénus, il pourra utiliser sa propre énergie pour donner de la vitalité aux images qu'il aura créées et pour les extérioriser comme des objets dans l'espace. Il possédera alors la « Conscience de soi, créatrice et objective ».

On ne peut dire que très peu de chose de la haute conscience spirituelle que nous obtiendrons à la fin de la Période de Vulcain ; ce serait tout à fait au-delà de notre faculté actuelle de compréhension.

SPIRALES DANS LES SPIRALES

Il ne faudrait pas supposer que ces états de conscience se manifestent dès le début des Périodes correspondantes et qu'ils persistent jusqu'à la fin. Il se fait toujours une Récapitulation et, par suite, il doit y avoir reproduction des états de conscience sur une échelle ascendante. La Révolution de Saturne de toute Période, le séjour sur le Globe A et la première Epoque d'un Globe quelconque sont la répétition des conditions de développement de la Période de Saturne. La Révolution du Soleil, le séjour sur le Globe B et la deuxième Epoque de n'importe quel Globe sont des Récapitulations des conditions de développement de la Période du Soleil, et ainsi de suite, en passant par toutes les Périodes. Autrement dit, la conscience qui doit être le résultat ou le produit spécial et particulier de toute Période, ne commencera pas son évolution avant que toutes les récapitulations n'aient été faites. La conscience de veille de la Période de la Terre ne s'est pas manifestée avant la quatrième Révolution, alors que la vie s'était établie sur le quatrième Globe (D) et qu'elle traversait la quatrième Epoque ou Epoque Atlantéenne de ce Globe.

La Conscience de la Période de Jupiter ne se manifestera pas dans la Période de Jupiter avant la cinquième Révolution, quand nous aurons atteint le cinquième Globe (E) et commencé la cinquième Epoque sur ce Globe.

De même, la Conscience de la Période de Vénus ne commencera pas à se manifester avant que la sixième Révolution n'ait atteint le sixième Globe et la sixième Epoque. Le travail spécial de la Période de Vulcain sera confiné au dernier Globe et à la dernière Epoque qui précéderont immédiatement la fin du Jour de Manifestation.

Le temps nécessaire pour passer par ces Périodes respectives varie énormément. Plus les Esprits Vierges pénètrent profondément dans la matière, plus leurs progrès sont lents, et plus nombreux sont les degrés ou phases de leur progression. Quand le nadir de l'existence matérielle est franchi et que la vague de vie s'élève vers des conditions plus subtiles et plus mobiles, les progrès s'accélèrent graduellement. La Période du Soleil dure plus longtemps que la Période de Saturne, et la Période de la Lune est plus longue que la Période du Soleil. La partie Martienne ou première partie de la Période de la Terre est la moitié la plus longue de n'importe quelle période. Après cela, les Périodes deviennent plus courtes, en sorte que la moitié Mercurienne de la Période Terrestre, c'est-à-dire les trois dernières Révolutions et demie, prendra moins de temps que la partie Martienne ; la Période de Jupiter sera plus courte que la Période de la Lune ; la Période de Vénus plus courte que la Période du Soleil, qui lui correspond, et la Période de Vulcain plus courte que toutes les autres.

On peut dresser comme suit le tableau des états de conscience des différentes Périodes :

Période	*Conscience correspondante*
Saturne	Inconscience correspondant à un état de léthargie profonde.
Soleil	Inconscience ressemblant à un sommeil sans rêves.
Lune	Conscience d'images correspondant à la condition de rêve.
Terre	Conscience objective à l'état de veille.
Jupiter	Conscience d'images Soi-Consciente.
Vénus	Conscience de soi créatrice et objective.
Vulcain	Conscience spirituelle suprême.

Maintenant que nous avons examiné d'une façon générale les états de conscience qui seront développés pendant les trois Périodes et demie futures, nous allons étudier par quels moyens ils seront obtenus.

ALCHIMIE ET DEVELOPPEMENT DE L'AME

Le corps physique a commencé son évolution dans la Période de Saturne, est passé par des transformations diverses dans les Périodes du Soleil et de la Lune, et atteindra son plus haut développement dans la Période de la Terre.

Le corps vital a commencé son évolution dans la deuxième Révolution de la Période du Soleil ; il a été reconstruit dans les Périodes de la Lune et de la Terre, et il atteindra la perfection dans la Période de Jupiter qui sera sa quatrième phase de développement, de même que la Période de la Terre est la quatrième phase de développement pour le corps physique.

Le corps du désir a commencé son évolution dans la

Période de la Lune ; il a été reconstruit dans la Période de la Terre, il sera de nouveau modifié dans la Période de Jupiter et il atteindra la perfection dans la Période de Vénus.

L'intellect a commencé son évolution dans la Période de la Terre ; il sera modifié dans les Périodes de Jupiter et de Vénus et il atteindra la perfection dans la Période de Vulcain.

En se reportant au tableau 10, on verra que le Globe le plus matériel de la Période de Jupiter est situé dans la Région Ethérique. Il serait, par conséquent, impossible de se servir sur ce Globe du véhicule physique, dense, puisque seul un corps fait d'éther peut être utilisé dans la Région Ethérique. Cependant, il ne faudrait pas supposer que, après avoir travaillé depuis le début de la Période de Saturne jusqu'à la fin de la Période de la Terre à compléter et à perfectionner ce corps physique, l'homme le rejettera complètement pour opérer dans un véhicule « supérieur ».

Rien dans la Nature ne se fait en pure perte. Dans la Période de Jupiter, les forces du corps physique s'ajouteront à celles du corps vital alors parachevé. Ce véhicule possédera à cette époque les facultés du Corps physique en plus de ses propres facultés et sera par conséquent, pour permettre à l'esprit triple de s'exprimer, un instrument d'une valeur beaucoup plus grande que s'il avait été uniquement construit avec ses propres forces. D'une façon similaire, le globe D de la Période de Vénus étant situé dans le monde du Désir (Voir tableau 10) ni un corps physique, ni un corps vital ne pourraient y être employés comme instrument de conscience. Aussi, l'essence du corps physique et du corps vital perfectionnés sera-t-elle incorporée au corps du désir parachevé, qui deviendra ainsi un véhicule d'une qualité transcendante, merveilleusement capable d'adaptation, et qui répondra si bien au moindre désir de l'esprit intérieur que, dans l'état actuel de nos limitations, nous ne pouvons nous en faire la moindre idée.

Malgré cela, l'efficacité de ce véhicule splendide sera dépassée lorsque, dans la période de Vulcain, son essence, avec celle du corps physique et du corps vital, sera ajoutée à l'intellect, qui deviendra alors l'unique véhicule de l'homme, véhicule qui contiendra la quintessence de tout ce qu'il y avait de meilleur dans tous les autres véhicules. Le véhicule de la Période de Vénus étant au-delà de notre pouvoir actuel de conception, celui qui sera au service des êtres divins de la période de Vulcain l'est bien davantage encore !

Pendant l'Involution, les Hiérarchies Créatrices ont aidé l'homme à éveiller l'activité de l'esprit triple, l'Ego, pour construire le corps triple et pour acquérir le trait d'union de l'intellect. Désormais, depuis le Septième Jour (pour employer le langage de la Bible), Dieu se repose. L'homme doit achever sa propre évolution. L'esprit triple doit compléter de lui-même l'exécution du plan commencé par les Dieux.

L'esprit humain, qui a été éveillé pendant l'Involution dans la Période de la Lune, sera le plus actif des trois aspects de l'esprit dans l'évolution de la Période de Jupiter qui est la période correspondant à celle de la Lune sur l'arc ascendant de la spirale. L'esprit vital, dont l'activité a débuté dans la Période du Soleil, manifestera son activité principalement dans la Période correspondante de Vénus ; l'influence particulière de l'Esprit Divin atteindra son maximum dans la période de Vulcain, parce que cet aspect de l'esprit a été vivifié dans la Période correspondante de Saturne.

Les trois aspects de l'esprit sont sans cesse actifs pendant l'évolution, mais l'activité principale de chaque aspect sera déployée au cours de ces Périodes spéciales, parce que le travail qui doit s'y accomplir est la tâche particulière de cet aspect.

Après avoir développé le corps triple et l'avoir discipliné par l'intermédiaire de l'Intellect, l'esprit triple a pu développer l'âme triple en travaillant de l'intérieur. Le degré de développement de l'âme qu'un homme possède dépend de la somme de travail accomplie par l'esprit dans les différents corps. Ceci a été expliqué au chapitre 3, où sont décrites les expériences par lesquelles passe l'esprit après le décès.

Tout ce qui a été l'objet du travail de l'Ego dans le corps du désir est transmué en âme émotionnelle et finalement assimilé par l'Esprit humain dont le véhicule spécial est le corps du Désir.

Tout ce qui a été l'objet du travail de l'Esprit vital dans le corps vital, devient l'âme intellectuelle qui nourrit l'Esprit vital, parce que cet aspect de l'esprit triple a sa contre-partie dans le corps vital.

Tout ce qui a été l'objet du travail de l'Esprit Divin dans le corps physique, devient l'âme consciente et finit par être absorbé par l'Esprit Divin, dont le corps physique est l'expression tangible.

L'Ame Consciente croît par l'action, les impressions extérieures et l'expérience.

L'Ame Emotionnelle croît par les sentiments et les émotions qu'engendrent l'action et l'expérience.

L'Ame Intellectuelle, en tant que médiatrice entre les deux autres, croît par l'exercice de la mémoire, au moyen de laquelle elle coordonne les expériences du passé avec celles du présent. Les sentiments ainsi engendrés suscitent la « sympathie » ou « l'antipathie », sentiments qui ne pourraient exister spontanément sans l'exercice de la mémoire, car les sentiments résultant uniquement de l'expérience du moment seraient éphémères.

Pendant l'involution, l'esprit a progressé en édifiant des corps, mais l'évolution dépend de la croissance de l'âme, de la transmutation des corps en âme. L'âme est, pour ainsi dire, la quintessence, le pouvoir ou la force du corps et, quand la construction d'un corps est complètement achevée et amenée à la perfection, en passant par les phases et les Périodes décrites ci-dessus, l'âme en est entièrement extraite pour être absorbée par celui des trois aspects de l'esprit qui, à l'origine, avait produit le corps correspondant. Donc :

L'*Ame Consciente* sera absorbée par l'*Esprit Divin* dans la septième Révolution de la Période de Jupiter.

L'*Ame Intellectuelle* sera absorbée par l'*Esprit Vital* dans la sixième Révolution de la Période de Vénus.

L'*Ame Emotionnelle* sera absorbée par l'*Esprit Humain* dans la cinquième Révolution de la Période de Vulcain.

LE VERBE CREATEUR

L'intellect est l'instrument le plus important que possède l'esprit. Il est son agent spécial dans le travail de création. Le larynx, spiritualisé et perfectionné, prononcera dans l'avenir le Verbe créateur, mais l'intellect devenu parfait décidera de la forme particulière et du volume des vibrations et en sera ainsi le facteur déterminant. L'imagination sera la faculté spiritualisée qui dirigera l'œuvre créatrice.

On a tendance, actuellement, à faire peu de cas de cette faculté de l'imagination qui est pourtant l'un des plus importants facteurs de notre civilisation. Sans elle, nous serions encore des sauvages tout nus. C'est elle qui a inspiré les premières esquisses de nos maisons, de nos vêtements, de nos moyens de transport et de transmission. Si ceux qui les ont inventés n'avaient pas eu l'idée et l'imagination qui leur ont permis de s'en former des images mentales, ces choses n'auraient jamais pu devenir des réalités concrètes. Dans notre époque matérialiste, on ne se donne même pas la peine de cacher le mépris dans lequel est tenue l'imagination et nul ne ressent les effets d'une telle attitude plus vivement que les inventeurs. Ils passent ordinairement pour des « farfelus », et cependant, ils ont été les facteurs principaux de la domination du Monde Physique et du développement de notre milieu social, tel qu'il est de nos jours. Toute amélioration des conditions spirituelles ou physiques doit être d'abord imaginée en tant que possibilité, avant de pouvoir devenir une réalité.

Si l'on veut bien se reporter au tableau 1, ce fait deviendra clair. Dans la comparaison qui y est établie entre les fonctions des divers véhicules humains et les différentes parties d'un appareil de projection, l'intellect correspond à la lentille. Il est le foyer à travers lequel les idées formées par l'imagination sont projetées dans l'univers matériel. Tout d'abord, elles ne sont que des formes-pensées mais, dès que le désir de réaliser ces possibilités imaginées a poussé l'homme à se mettre à l'œuvre dans le Monde Physique, elles sont devenues ce que nous appelons des « réalités » concrètes.

Toutefois, à l'époque actuelle, l'intellect n'est pas encore assez au point pour pouvoir transmettre une image claire et fidèle de ce que l'esprit imagine. Il n'est pas concentré sur un point unique et ne donne que des images floues. D'où la nécessité de faire des expériences qui révéleront les imperfections de la première conception et susciteront de nouvelles idées et de nouvelles inventions, jusqu'à ce que l'image produite par l'esprit dans la substance mentale puisse être concrétisée dans la matière physique.

De toute façon, nous ne sommes pas capables de former avec notre intellect autre chose que des images se rapportant à des formes, parce que l'Intellect humain n'a pas commencé son évolution avant la Période de la Terre, et, par conséquent, il en est encore à sa phase « minérale ». C'est pourquoi nous ne pouvons opérer que sur des formes. Nous sommes limités aux minéraux dans nos œuvres et ne pouvons faire que peu de choses avec les corps vivants. Il nous est loisible, il est vrai, de greffer un scion vivant sur un arbre vivant ou la partie vivante d'un animal ou d'un homme sur une autre partie vivante, mais ce n'est pas avec la *vie* que nous travaillons, c'est seulement avec la forme. Nous en altérons les conditions, mais la vie qui habitait déjà la forme continue à l'habiter. Créer la vie sera au-dessus du pouvoir de l'homme tant que son intellect ne sera pas devenu « vivant ».

Dans la Période de Jupiter, l'intellect sera vivifié dans une certaine mesure et l'homme pourra alors imaginer des formes qui *vivront* et croîtront comme des plantes.

Dans la Période de Vénus, quand son intellect aura acquis le « sentiment », il pourra créer des choses qui vivront, croîtront et qui seront *douées de sentiment*.

Quand il atteindra la perfection, à la fin de la Période de Vulcain, il pourra appeler à l'existence, au moyen de l'imagination, des créatures qui vivront, croîtront, qui seront douées de sentiment et qui *penseront*.

Dans la Période de Saturne, la vague de vie qui forme maintenant l'humanité a commencé son évolution. Les Seigneurs du Mental étaient alors humains. Ils ont travaillé avec l'homme dans la Période où il était minéral. Ils n'ont maintenant plus rien à faire avec les règnes inférieurs, mais s'occupent exclusivement du développement de notre humanité.

Les animaux actuels ont commencé leur existence minérale dans la Période du Soleil, alors que les Archanges étaient humains ; par conséquent, les Archanges sont les chefs et les guides de l'évolution des êtres qui sont maintenant des animaux, mais ils n'ont rien à faire avec les plantes et les minéraux.

Les plantes actuelles sont passées par leur existence minérale dans la période de la Lune. Les anges étaient alors humains — c'est pourquoi ils ont spécialement à faire avec la vie qui habite actuellement les plantes afin de les guider vers la phase humaine de l'évolution — mais ils ne s'occupent pas des minéraux.

Notre humanité actuelle doit travailler avec la nouvelle vague de vie qui est entrée en évolution dans la Période de la Terre et qui réside maintenant dans les minéraux. Grâce à notre faculté d'imagination, nous travaillons déjà avec cette vie minérale en modelant la matière, en construisant des navires, des viaducs, des édifices, des moyens de transport, etc.

Dans la Période de Jupiter, nous guiderons l'évolution du règne végétal. Ce qui de nos jours est minéral passera par une existence quasi végétale et il nous faudra travailler pour le développement du règne végétal à la manière dont travaillent les anges de nos jours. Notre faculté d'imagination sera à ce point développée que non seulement nous aurons le pouvoir de créer des formes, mais encore celui de leur donner la vie.

Dans la Période de Vénus, notre vague de vie minérale actuelle aura avancé d'un autre degré, et nous ferons alors, pour les animaux de cette période, ce que les Archanges font maintenant pour nos animaux, en leur donnant des formes vivantes douées de sentiment.

Finalement, dans la Période de Vulcain, nous aurons le privilège de donner à ces animaux le germe d'un intellect comme les Seigneurs du Mental l'ont fait pour nous. Les minéraux actuels seront alors devenus l'humanité de la Période de Vulcain, et nous serons passés par des phases analogues à celles par lesquelles les Anges et les Archanges sont en voie de passer. Nous aurons alors, atteint un point un peu plus élevé dans l'évolution que celui où se trouvent actuellement les Seigneurs du Mental, car il faut se rappeler qu'il n'y a jamais nulle part une reproduction exacte des conditions passées, mais toujours une amélioration graduelle le long de la spirale ascendante de l'évolution.

L'Esprit Divin absorbera l'esprit humain à la fin de

la Période de Jupiter, et l'Esprit Vital à la fin de la Période de Vénus ; l'Intellect perfectionné, représentant tout ce que l'esprit aura amassé pendant son pèlerinage à travers les sept Périodes, sera absorbé par l'Esprit Divin à la fin de la Période de Vulcain. (Il n'y a pas de contradiction entre ce qui précède et une assertion faite ailleurs, assertion selon laquelle l'âme émotionnelle sera absorbée par l'esprit humain dans la cinquième Révolution de la Période de Vulcain, parce que cet aspect de l'Esprit se trouvera alors contenu dans l'Esprit Divin).

Viendra ensuite un long intervalle d'activité subjective au cours de laquelle l'Esprit Vierge assimilera tous les fruits des Périodes septénaires de Manifestation active. Il sera alors absorbé en Dieu de Qui il émane et de Qui il émergera à nouveau à l'aube d'un autre Grand Jour, comme un de ses aides glorieux. Pendant son évolution passée, ses capacités latentes auront été transmuées en pouvoirs dynamiques. Il aura acquis le *Pouvoir de l'Ame* et un *Intellect Créateur,* comme fruit de son pèlerinage à travers la matière. Il sera passé de *l'impuissance à l'Omnipotence,* de *l'ignorance à l'Omniscience.*

CHAPITRE XVII

MÉTHODE POUR OBTENIR LA CONNAISSANCE PERSONNELLE

LES PREMIERS PAS

Il est temps maintenant d'indiquer le chemin que devra suivre quiconque veut faire des recherches personnelles sur les faits dont il a été question au long de notre étude. Ainsi que nous l'avons dit au début, il n'est accordé à personne de « dons » particuliers. Chacun peut apprendre pour son propre compte la vérité concernant le pèlerinage de l'âme, l'évolution passée du monde et sa future destinée sans être forcé de s'en remettre à la bonne foi d'autrui. Il existe une méthode grâce à laquelle on peut acquérir cette précieuse faculté qui permet à l'étudiant sincère de se rendre apte à faire des recherches dans les domaines hyperphysiques, méthode qui permet de développer les pouvoirs d'un Dieu si on la suit avec persévérance.

Un simple exemple nous permettra d'en préciser les premiers éléments. Le plus habile ouvrier du monde en est réduit à l'impuissance s'il est privé des outils propres à son métier. A vrai dire, on reconnaît déjà un bon artisan à ses exigences sur la qualité et l'état des outils qu'il emploie, car il sait bien que la qualité de son travail dépend autant de leur excellence que de son habileté personnelle.

L'Ego possède plusieurs instruments : un corps dense, un corps vital, un corps du désir et un intellect. Ce sont là ses outils, et ce qu'il pourra accomplir en travaillant à acquérir de l'expérience dans chaque vie, dépend de leur qualité et de leur état. S'ils sont médiocres et émoussés, il n'obtiendra qu'un minimum de développement spirituel, et la vie sera improductive, en ce qui concerne l'esprit.

Nous mesurons généralement le « succès » d'une vie par des comptes en banque, par la position sociale atteinte ou le bonheur qui résulte d'une existence exempte de soucis et passée dans un milieu confortable.

Celui qui envisage la vie sous cet aspect oublie tout ce qui est important et durable : l'individu se laisse aveugler par l'éphémère et l'illusoire. Un compte en banque lui paraît être un succès si réel qu'il perd de vue le fait qu'aussitôt que l'Ego abandonne le corps, il devra renoncer à son or ou à tout autre trésor terrestre ; qu'il peut même avoir à rendre compte des moyens employés pour amasser cette fortune et être bouleversé en voyant d'autres personnes la dépenser. Il oublie que l'importance de la position sociale disparaît aussi au moment de la rupture de la corde d'argent. Il se peut alors que les flatteurs de la veille se mettent à railler et même que les amis fidèles de la vie passée frémissent à la pensée de passer une heure dans la seule compagnie du mort. Tout ce qui se rapporte *uniquement* à cette vie n'est que vanité. Seul, ce que nous pouvons emporter avec nous, en tant que trésor de l'esprit, en passant le seuil, possède une valeur réelle.

Une plante de serre chaude peut paraître très belle alors qu'elle s'épanouit à l'abri de sa maison de verre ; mais si la chaleur vient à manquer, elle se fanera et mourra, tandis que la plante élevée au grand air, et exposée à toutes les intempéries, survivra au froid comme à la sécheresse et portera chaque année des fleurs nouvelles. Au point de vue de l'âme, un bonheur constant fourni par un milieu qui offre sécurité, bien-être et protection, sont choses regrettables. Le chien de luxe, si choyé et si caressé, est sujet à des maladies dont le chien errant, qui doit se battre pour les quelques rogatons qu'il tire d'une poubelle, n'a pas à souffrir. La vie de celui-ci est dure, mais il est alerte, éveillé et plein de ressources. Sa vie est riche en événements et il récolte des moissons d'expériences, tandis que le chien de luxe qui passe son temps à être dorloté a une vie affreusement monotone.

L'homme se trouve dans un cas quelque peu semblable. Il est sans doute pénible d'avoir à lutter contre la misère et la faim mais, au point de vue de l'âme, cela est infiniment préférable à une vie passée dans une oisiveté dorée. Dans les cas où la fortune est mise au service d'une philanthropie *judicieuse*, qui aide l'homme en l'élevant *réellement*, elle peut devenir un grand bienfait et un moyen de développement pour son possesseur ; mais quand elle est employée à des fins égoïstes et pour opprimer les autres, on ne peut la considérer autrement que comme une véritable calamité.

L'Ame est placée ici-bas pour acquérir de l'expérience par l'intermédiaire de ses véhicules, instruments fournis à chacun au moment de sa naissance et qui sont bons, mauvais ou quelconques selon les résultats que nous avons tirés des expériences passées. Tels qu'ils sont, c'est avec eux que nous devons travailler, avec eux ou pas du tout.

L'homme qui a secoué l'apathie commune et qui éprouve le désir ardent de progresser se pose naturellement cette question : « Que dois-je faire ? »

Si ses outils ne sont pas en bon état, l'ouvrier ne peut produire un bon travail ; de même, les instruments de l'Ego doivent être purifiés et sensibilisés : il peut alors commencer à travailler dans un but défini. A mesure que l'homme travaille avec ces merveilleux outils, ceux-ci s'améliorent par l'emploi qu'on en fait, et ils deviennent de plus en plus efficaces pour l'accomplissement du travail qui a pour but *l'Union avec le Soi Supérieur.*

Il y a trois degrés dans ce travail de subjugation de la nature inférieure, mais on ne les franchit pas en totalité l'un après l'autre. Dans un certain sens, on peut dire qu'ils vont de pair, de telle sorte qu'à l'époque actuelle, le premier reçoit le plus d'attention, le second moins et le troisième moins encore. Plus tard, quand le premier degré aura été complètement dépassé, les deux autres recevront naturellement plus d'attention.

Trois aides nous sont données pour atteindre ces trois degrés. On peut les voir dans le monde extérieur où les ont placées les Grands Guides de l'humanité.

Le premier secours nous est venu des religions de race qui, en aidant les hommes à subjuguer *leur corps du désir*, préparent son union avec le Saint-Esprit.

On a pu observer sa mise en œuvre complète le jour de la Pentecôte. Comme le Saint-Esprit est le Dieu de Race, toutes les langues en sont l'expression. C'est pourquoi, lorsque les apôtres ont été complètement unis et remplis du Saint-Esprit, ils se sont mis à parler différentes langues et sont devenus capables de convaincre leurs auditeurs. Leurs corps du désir avaient été suffisamment purifiés pour amener l'union désirée, et c'est là un des gages du résultat que le disciple obtiendra un jour : le pouvoir de parler toutes les langues. On peut citer aussi comme exemple historique moderne le fait que le Comte de Saint-Germain (qui était une des incarnations récentes de Christian Rosenkreuz, fondateur de notre Ordre Sacré) parlait toutes les langues, si bien que tous ceux auxquels il adressait la parole pensaient qu'il était un de leurs compatriotes. Lui aussi avait accompli l'union avec le Saint-Esprit.

Pendant l'époque Hyperboréenne, avant que l'homme ne reçût un corps du désir, il n'y avait qu'un seul mode universel de communication. Quand le corps du désir aura été suffisamment purifié, tous les hommes se comprendront de nouveau, car alors la différenciation en races aura cessé d'exister.

La deuxième aide dont l'humanité dispose actuellement est la Religion du Fils, la Religion Chrétienne, qui a pour objet *l'Union avec le Christ* par la purification et la maîtrise du corps vital.

Saint Paul fait allusion à cet état futur lorsqu'il dit : « Jusqu'à ce que le Christ soit formé en vous », et il exhorte ses disciples à se débarrasser de tout fardeau, tels des hommes qui vont prendre part à une course.

Le principe fondamental du développement du corps vital est la répétition. La répétition des expériences agit sur ce corps pour créer la mémoire. Les Chefs de l'humanité, qui désiraient nous donner une aide inconsciente par la pratique de certains exercices, ont institué la prière afin que des pensées pures et élevées agissent sur le corps vital — c'est pourquoi ils nous recommandent de « prier sans cesse ». Des railleurs ont souvent demandé ironiquement pourquoi il est tellement nécessaire de tant prier, car si Dieu est omniscient, Il sait tout ce dont nous avons besoin et s'Il ne l'est pas, il est peu probable que nos prières atteignent leur but. D'ailleurs, ajoutent-ils, s'Il n'est pas omniscient, Il ne saurait être omnipotent et par conséquent Il est incapable de nous exaucer. En outre, il est plus d'un chrétien sincère et convaincu qui pense que c'est une faute envers le Trône de grâces de l'importuner de nos suppliques continuelles.

De telles idées sont fondées sur une conception erronée des faits. En vérité, Dieu est omniscient et Il n'a pas besoin que nous lui rappelions nos besoins, mais si nous prions comme nous devons le faire, nous élevons notre pensée et notre cœur vers Lui, ce qui tend à développer notre corps vital et à le purifier. Mais la grande difficulté est de savoir prier. Nous nous préoccupons généralement beaucoup plus des valeurs temporelles que de nos progrès spirituels. Certaines Eglises font des prières spéciales pour la pluie, et les aumôniers d'armées et de flottes ennemies n'hésitent pas à prier avant une bataille pour que le succès favorise leurs armes !

De telles prières s'adressent au Dieu de Race qui combat pour Son peuple, accroît ses troupeaux, remplit ses greniers et subvient à ses besoins matériels. De telles prières ne possèdent même pas de pouvoir purificateur ; elles émanent du corps du désir qui résume la situation comme suit : « maintenant, Seigneur, j'obéis de mon mieux à tes commandements et je désire que tu remplisses ton rôle en retour ».

Le Christ a donné aux hommes une prière qui, comme Lui-même, est unique et complète. Elle contient sept prières distinctes : une prière pour chacun des sept principes de l'homme, le corps triple, l'esprit triple et le trait d'union de l'intellect. Chaque prière a pour but spécial de favoriser le progrès de la partie de l'homme composite à laquelle elle se rapporte.

La prière pour les trois corps a pour but de les spiritualiser et d'en extraire l'âme triple.

La prière pour l'esprit triple le prépare à recevoir l'essence extraite, l'âme triple.

La prière pour le trait d'union qu'est l'Intellect tend à le maintenir dans son rôle essentiel qui consiste à servir de lien entre la nature supérieure et la nature inférieure de notre être.

La troisième aide que recevra l'humanité sera la religion du Père. Nous ne pouvons nous faire qu'une très vague idée de ce qu'elle sera, si ce n'est qu'elle offrira un idéal encore plus élevé que celui de Fraternité et qu'elle permettra la spiritualisation du corps physique.

Les Religions du Saint-Esprit, ou Religions de Race, ont été destinées à faire progresser l'humanité par l'effet d'un sentiment de parenté limité à un certain groupe : famille, tribu ou nation.

Le but de la Religion du Christ est d'assurer le progrès ultérieur de l'humanité en la transformant en une Fraternité Universelle composée d'individus distincts.

L'idéal de la Religion du Père sera d'éliminer toute distinction en fondant tous les êtres en Un Seul, de telle sorte qu'il n'y aura plus ni Toi ni Moi et que les hommes ne feront plus qu'Un en réalité. Cet idéal ne sera pas atteint tant que nous habiterons ce globe physique, mais dans une phase ultérieure de notre évolution, quand nous serons devenus conscients de notre unité avec le Tout et quand chacun de nous sera capable d'utiliser les connaissances acquises par tous les autres. De même que chaque facette d'un diamant reçoit toute la lumière qui traverse les autres facettes avec lesquelles elle se confond, bien que ses arêtes l'isolent et lui donnent une individualité *sans état de séparation*, l'esprit individuel *gardera la mémoire de ses expériences particulières* tout en offrant à tous *les fruits* de son existence individuelle.

Tels sont les degrés et les phases par lesquels l'humanité est inconsciemment conduite.

Dans le passé, l'Esprit de Race régnait seul. L'homme se contentait d'un gouvernement patriarcal et paternel, auquel il ne prenait aucune part. De nos jours, dans le monde entier, nous observons les signes de la dissolution de l'ancien système. Le régime de caste, qui était le rempart de l'Angleterre dans l'Inde, s'est effondré. Au lieu de rester divisés en petits groupes, les Indiens ont cherché à s'unir pour demander que l'oppresseur se retire et les laisse vivre en liberté sous le gouvernement du peuple, par le peuple et pour le peuple. La Russie est déchirée par la lutte de ceux qui cherchent à se débarrasser d'un gouvernement dictatorial et autocratique. La Turquie s'est éveillée et elle a fait un pas important vers la liberté [1]. Ici, en Amérique, où nous croyons jouir à présent d'une liberté pour laquelle d'autres peuples n'ont pu jusqu'ici que faire des vœux ardents en luttant pour la conquérir, nous ne sommes pas encore satisfaits. Nous sommes en train d'apprendre qu'il y a encore d'autres oppressions que celle d'une monarchie autocratique. Nous voyons qu'il nous reste à obtenir la liberté industrielle. Nous nous irritons du joug des trusts et d'un système insensé de concurrence. Nous tendons vers une coopération, actuellement pratiquée au sein des seuls trusts pour leur profit particulier. Nous voudrions édifier une forme de société dans laquelle « chaque homme pourra s'asseoir sous sa vigne et sous son figuier, sans personne pour l'inquiéter » (Michée 4 : 4).

Ainsi, dans le monde entier, les anciens systèmes de gouvernement paternaliste sont en train de changer. Les nations, comme telles, ont fait leur temps et travaillent, à leur insu, pour un idéal de Fraternité Universelle, d'accord avec le plan de nos Guides invisibles qui, bien que ne prenant pas officiellement part aux conseils des nations, n'en influencent pas moins la direction des événements.

Tel est le lent processus par lequel les différents corps de l'homme sont généralement purifiés, mais ceux qui aspirent à la connaissance supérieure travaillent *consciemment* pour atteindre ce but et ils emploient des méthodes bien définies en rapport avec leur constitution.

METHODES OCCIDENTALES POUR LES OCCIDENTAUX

Dans l'Inde, différentes méthodes sont en usage dans les divers systèmes de Yoga (Yoga veut dire Union) et là, comme dans le monde occidental, l'aspirant recherche l'union avec le Soi supérieur ; mais, pour être efficaces, les méthodes employées pour accomplir cette union ne peuvent être les mêmes pour tous. La constitution des véhicules d'un Indien diffère de celle d'un Caucasien. Les Indiens ont vécu pendant des milliers et des milliers

(1) Publié en 1910.

d'années dans un milieu et sous un climat totalement différents des nôtres. Ils sont attachés à une manière de penser différente et leur civilisation, bien qu'étant d'un ordre très élevé, diffère de la nôtre dans ses effets. Il serait donc inutile pour nous d'adopter leurs méthodes qui sont le résultat des plus hautes connaissances occultes et qui leur sont parfaitement adaptées, mais qui conviennent aussi mal à des Occidentaux qu'un régime d'avoine à un lion.

Dans certains systèmes, par exemple, le yogi doit prendre des postures spéciales, afin que certains courants cosmiques puissent passer à travers son corps d'un manière particulière pour produire des résultats bien définis. Cette recommandation serait absolument inutile pour un Caucasien car, en raison de sa manière de vivre, ces courants n'ont pas sur lui le moindre effet. S'il veut obtenir des résultats, sa méthode doit être en harmonie avec la constitution de ses véhicules. C'est pour cette raison que les « Mystères » ont été institués dans différentes parties de l'Europe pendant le Moyen Age. Les Alchimistes étaient des étudiants assidus de la science occulte supérieure. Si le peuple croyait que l'objet de leurs études et de leurs expériences était la transmutation des métaux inférieurs en or, cela tenait à ce qu'ils avaient choisi cette manière symbolique de décrire leur véritable travail qui était la transmutation de la nature inférieure en esprit. L'œuvre était ainsi présentée pour endormir les soupçons des prêtres, cela sans faire de déclaration mensongère. Il était et il est encore exact d'affirmer que les Rose-Croix forment une société consacrée à la découverte et à l'usage de la formule nécessaire pour fabriquer la « Pierre Philosophale ». Il est exact que la plupart d'entre nous ont manié et manient encore cette pierre merveilleuse. Elle existe pour tous, mais elle n'a d'utilité que pour celui qui la façonne lui-même. La formule est donnée au cours de l'entraînement ésotérique et, à ce point de vue, un Rosicrucien ne diffère pas d'un occultiste de toute autre école. Tous travaillent à l'élaboration de cette pierre convoitée, mais chacun emploie sa propre méthode, puisqu'il n'y a pas deux individus semblables et que, par suite, un travail réellement effectif est toujours individuel.

On peut diviser toutes les écoles occultes en sept courants, comme sont divisés les « Rayons » de Vie, les Esprits Vierges.

Chaque Ecole ou Ordre appartient à l'un des sept Rayons, comme le fait chaque membre de la famille humaine. Par conséquent, tout individu qui cherche à s'unir à un groupe occulte, dont les « Frères » n'appartiennent pas à son Rayon, ne peut le faire avec profit pour lui-même. Les membres de ces groupes sont des frères dans un sens plus intime qu'ils ne le sont avec le reste de l'humanité.

Si l'on compare ces sept Rayons aux sept couleurs du spectre, on pourra mieux saisir peut-être leur relation mutuelle. Si, par exemple, un rayon rouge allait s'allier à un rayon vert, il en résulterait une discordance. Le même principe s'applique aux Esprits. Chacun d'eux doit avancer avec le groupe auquel il appartient pendant la période de manifestation et cependant ils n'en font qu'un. De même que les sept couleurs réfractées par notre atmosphère se fondent en une seule couleur blanche, ainsi les conditions illusoires de notre existence concrète font que les Esprits Vierges paraissent groupés et cette apparence de groupement durera aussi longtemps que la phase actuelle de notre existence.

L'Ordre des Rose-Croix a été créé particulièrement pour les hommes auxquels un haut degré de développement intellectuel a fait repousser les impulsions du cœur. Le mental demande impérieusement une explication logique de tous les phénomènes, du mystère du monde, des questions de la vie et de la mort. La raison d'être de l'existence et la manière dont elle opère n'ont pas été donnés par les prêtres qui ordonnent de ne « pas chercher à approfondir les mystères de Dieu ».

Pour tout être humain qui a le bonheur (ou le malheur) de posséder un intellect avide de savoir, il est de la plus grande importance qu'il reçoive toutes les informations qu'il désire, de sorte qu'une fois les exigences du mental satisfaites, le cœur puisse parler. Le savoir intellectuel n'est pas en lui-même un but, mais un moyen pour atteindre un certain but. Par suite, les Rose-Croix veulent avant tout convaincre ceux qui aspirent à la connaissance que tout dans l'univers peut être raisonnablement expliqué, et gagner ainsi l'attention du mental rebelle. Quand celui-ci aura cessé de critiquer et qu'il sera prêt à accepter provisoirement comme vérité *probable* les enseignements qui ne peuvent pas être immédiatement vérifiés, alors, et alors seulement, l'entraînement ésotérique se montrera efficace en développant les facultés supérieures grâce auxquelles l'homme peut passer de la foi à la connaissance par l'évidence. Cependant, même quand il en est arrivé là, l'élève constate que, à mesure qu'il progresse et qu'il devient capable de faire des recherches pour son propre compte, il pressent des vérités qui restent hors de sa portée et qu'il sait être des vérités, bien qu'il ne soit pas assez avancé pour pouvoir les pénétrer et les approfondir.

L'élève fera bien de se rappeler que tout ce qui n'est pas logique ne saurait exister dans l'univers et que la logique est le guide le plus sûr à travers tous les mondes. En outre, il ne doit pas oublier que ses facultés sont limitées et qu'une logique supérieure à la sienne peut devenir nécessaire pour résoudre un problème donné. Il est possible en effet que ce problème ne puisse s'expliquer que par des raisonnements qui dépassent l'entendement de l'élève dans la phase actuelle de son développement. Il ne faut pas oublier non plus qu'il est absolument nécessaire d'avoir une foi inébranlable en l'Instructeur.

Nous recommandons spécialement les paragraphes précédents à l'attention de tous ceux qui désirent s'orienter vers les connaissances supérieures. Si l'on prend la peine de suivre les instructions données, il faudra avoir toute confiance en leur efficacité pour atteindre le but qu'on se propose. Il ne servirait à rien de les suivre sans enthousiasme. Le manque de foi peut tuer la fleur la plus belle que l'esprit ait fait éclore.

Le travail se poursuit simultanément sur les différents corps de l'homme. On ne peut influencer un des corps sans affecter les autres, mais on peut concentrer le travail principal sur l'un quelconque de ces corps.

Si l'on apporte une attention particulière à l'hygiène et au régime alimentaire, c'est naturellement le corps physique qui sera le plus affecté mais, en même temps, le corps vital et le corps du désir seront influencés, car à mesure que nous incorporons au corps physique des matériaux meilleurs et plus purs, ses molécules s'enveloppent d'un éther planétaire et aussi d'une substance du désir d'une plus grande pureté ; par suite, les parties planétaires du corps vital et du corps du désir sont purifiées. Si la nourriture et l'hygiène font l'objet unique de nos soins, notre corps du désir et notre corps vital pourront demeurer à peu près aussi impurs qu'auparavant, mais il nous sera plus facile d'être en contact avec tout ce qui est le Bien que si nous nous étions nourris d'aliments plus grossiers.

D'autre part, si, en dépit des tracas et des soucis, l'aspirant cultive l'égalité d'humeur et développe en même temps des goûts artistiques et littéraires, le corps vital produira sur les choses physiques un effet de délicatesse et de raffinement ; il fera aussi naître des sentiments et des émotions d'une nature ennoblissante dans le corps du désir.

Chercher à cultiver les émotions réagit également sur les autres véhicules et contribue à leur développement.

LA SCIENCE DE L'ALIMENTATION

Si nous nous occupons d'abord du corps physique, en considérant les moyens matériels dont nous disposons pour le développer et en faire le meilleur instrument possible à l'usage de l'esprit, et si nous étudions ensuite quels moyens spirituels permettent d'arriver au même but, nous aurons, en fait, atteint tous les autres véhicules ; c'est donc cette méthode que nous suivrons.

Le premier état visible de l'embryon humain est un petit globule pulpeux qui présente la consistance d'une pâte ou d'une gelée analogue à de l'albumine, ou blanc d'œuf. On peut y observer aussi diverses particules de matière plus dense. Ces particules augmentent graduellement de volume et de densité jusqu'à ce qu'elles entrent en contact les unes avec les autres. Les différents points de contact se transforment lentement en articulations ou charnières. Ainsi, une charpente distincte de matière plus dense, un squelette, se forme peu à peu.

Pendant la formation de cette charpente, la matière

pulpeuse environnante s'accumule, change de forme jusqu'à ce qu'elle arrive au degré d'organisation désigné sous le nom de fœtus. Celui-ci augmente de volume et de consistance et développe ses organes jusqu'au moment de la naissance. Alors commence la première enfance.

Ce procédé de solidification se poursuit : l'être passe par les diverses conditions du bas-âge, de l'enfance, de l'adolescence, de la maturité et de la vieillesse pour arriver enfin à la mort.

Une *augmentation de dureté* caractérise chacune de ces phases. Les os augmentent de densité et de consistance, de même que les tendons, les cartilages, les ligaments, les tissus, les membranes, l'enveloppe et la substance même de l'estomac, du foie, des poumons et des autres organes. Les articulations se dessèchent et se raidissent. Elles commencent à craquer quand elles sont mises en mouvement, parce que le liquide synovial qui les lubrifie se raréfie et devient trop épais pour remplir sa fonction.

Le cœur, le cerveau et tout le système musculaire, l'épine dorsale, les nerfs, les yeux, etc., suivent le même processus de solidification et deviennent de plus en plus rigides. Des millions de petits vaisseaux capillaires qui se ramifient et s'étendent dans tout le corps, comme les branches d'un arbre, s'obstruent peu à peu et se transforment en fibres solides que le sang ne peut plus pénétrer.

Les plus gros vaisseaux sanguins, les veines et les artères, perdent leur élasticité, se rétrécissent et ne peuvent plus transporter la quantité nécessaire de sang. Les liquides du corps s'épaississent et deviennent malsains, par accumulation de déchets. La peau se flétrit, se ride et se dessèche. Les cheveux tombent à cause du manque de matière sébacée. Les dents se gâtent et tombent faute de gélatine. Les muscles moteurs perdent leur tonus et les mouvements du corps deviennent maladroits et lents. Les sens s'affaiblissent ; la circulation du sang se ralentit. Le corps perd de plus en plus ses anciennes facultés. Naguère élastique, sain, alerte, flexible, actif et sensitif, il devient rigide, lent et ensensible. Finalement, il meurt de vieillesse.

La question se pose donc : Quelle est la cause de cette

cristallisation graduelle du corps, qui amène la rigidité, la décrépitude et la mort ?

Au point de vue purement physique, les chimistes semblent tous convenir qu'elle résulte surtout de l'augmentation de la quantité de phosphate de chaux (matière osseuse), de carbonate de chaux (craie commune) et de sulfate de chaux (gypse), avec un peu de magnésie et une quantité insignifiante d'autres matières solides.

Ce qui différencie le corps d'un vieillard de celui d'un enfant est un degré plus grand, de dureté et de rigidité, causé dans le corps du vieillard par une proportion plus grande de matière calcaire. Les os d'un enfant sont composés de trois parties de gélatine pour une partie de matière solide. Pendant la vieillesse, la proportion est inversée. Quelle est la source de cette accumulation mortelle de matière solide ?

Il est inutile de chercher à démontrer que le sang nourrit le corps entier et que tout ce que celui-ci contient, de quelque nature que ce soit, s'est trouvé tout d'abord dans le sang. L'analyse montre que le sang contient des substances solides de même nature que les agents de solidification et, retenez bien ceci, que le sang *artériel* contient plus de matière solide que le sang *veineux*.

Ce fait a une grande importance, car il prouve qu'à chaque cycle le sang dépose des matières solides qui finissent par envahir l'organisme. Il faut donc que sa provision de matière solide soit renouvelée pour qu'il continue son apport mortel. Comment ? Il ne peut y avoir qu'un seul moyen : l'absorption d'aliments liquides et solides. Il n'existe pas d'autre procédé.

Les aliments liquides et solides qui nourrissent le corps représentent donc la source première de la matière calcaire solide que le sang dépose dans tout l'organisme et qui cause la décrépitude et finalement la mort. Pour entretenir la vie physique, il est nécessaire que nous mangions et que nous buvions mais, comme nous disposons d'une grande variété d'aliments solides et liquides, il convient, vu les faits cités plus haut, que nous recherchions quels sont ceux qui contiennent la plus faible proportion de substances nocives. S'il nous est possible de trouver des aliments de ce genre, notre vie sera prolongée. Du point de vue occulte, il est désirable que nous demeurions aussi longtemps que possible dans chacun de nos corps physiques surtout si nous nous sommes engagés dans la voie du noviciat. Il faut tellement d'années pour faire l'éducation d'un corps vivant en passant par l'enfance et l'ardente jeunesse, avant que l'esprit puisse arriver à obtenir sur lui une certaine maîtrise que, plus nous pouvons conserver un corps qui a fini par être influencé facilement par les suggestions de l'esprit, mieux cela vaudra. Par conséquent, il est très important que l'élève fasse d'abord un choix judicieux d'aliments sains qui ne déposeront dans le corps que la plus faible quantité de substances susceptibles de l'obstruer et qui, en même temps, entretiendront l'activité des organes d'assimilation et d'excrétion.

La peau et le système urinaire sauvent l'homme d'une mort précoce en éliminant la plus grande partie de la matière solide que nous absorbons avec nos aliments ; sans eux, pas un de nous ne pourrait vivre plus de dix ans.

On a calculé que l'eau de source ordinaire non distillée contient du carbonate de chaux et d'autres composés de chaux dans une telle proportion que la quantité habituelle consommée journellement par un adulte sous forme de thé, café, soupe, etc., suffirait pour former en l'espace de quarante ans un bloc solide de craie ou de marbre ayant les proportions d'un homme de grande taille. Alors qu'on trouve du phosphate de chaux dans l'urine des adultes, on n'en trouve pas dans celle des enfants, parce que, pour eux, la formation rapide des os nécessite la conservation de ce sel dans l'économie du corps ; c'est là un fait particulièrement significatif. Pour la même raison, pendant la période de gestation, il y a très peu de matière solide dans l'urine de la mère, car cette matière est utilisée pour la construction du fœtus. Mais, dans les circonstances ordinaires, il y a beaucoup de matière solide dans l'urine des adultes et c'est grâce à cela que la vie physique peut atteindre sa durée normale actuelle.

L'eau non distillée, employée comme boisson, peut être la pire ennemie de l'homme mais l'eau est, autrement, notre meilleure alliée : elle débouche les pores de la peau, favorise la circulation du sang, ce qui empêche le dépôt des sels de chaux solides, cause de mort à plus ou moins longue échéance.

Harvey, qui a découvert la circulation du sang, disait que la bonne santé est le signe de la circulation libre de ce liquide et que la maladie est le résultat d'une circulation imparfaite.

Les bains aident beaucoup à maintenir la santé du corps, et l'aspirant à la vie supérieure devrait en faire un usage fréquent. La transpiration, qu'elle soit ou non perceptible, entraîne hors du corps plus de matière solide que n'importe quel autre procédé.

Tant qu'on fournit du combustible et que le feu est débarrassé des cendres, il continue à brûler. Les reins ont leur importance dans l'élimination des déchets mais, en dépit de la grande quantité de matière solide évacuée par l'urine, il en reste suffisamment dans bien des cas pour former des calculs dans la vessie, qui causent des douleurs atroces et provoquent souvent la mort.

Que personne ne s'y trompe : l'eau bouillie ne contient pas moins de calcaire. Celui qui se dépose au fond de la bouilloire est laissé par l'eau qui s'est évaporée. Si la vapeur était condensée, nous aurions de l'eau distillée qui aide puissamment à entretenir la jeunesse du corps.

Il n'y a absolument pas de matière solide dans l'eau distillée ou dans l'eau de pluie, la neige ou la grêle (excepté ce qui a pu être entraîné au contact des toits des maisons, etc.) ; mais le café, le thé ou la soupe qui ont été faits avec de l'eau ordinaire, même si elle a été bouillie très longuement, ne sont pas débarrassés des particules solides ; au contraire, plus elle a bouilli, plus elle en est chargée. Les personnes qui souffrent de maladies urinaires ne devraient jamais boire que de l'eau distillée.

D'une manière générale, les légumes et les fruits mûrs contiennent la plus grande proportion de matière nutritive et la plus petite de substances solides.

Comme nous écrivons pour l'aspirant à la vie supérieure et non pas pour la majorité du public, nous pouvons dire aussi que les aliments d'origine animale devraient être, si possible, absolument évités. Celui qui tue ne peut pas avancer beaucoup sur le chemin de la sainteté. Nous faisons même pis que de tuer nous-mêmes car, pour éviter de commettre personnellement cet acte et en récolter néanmoins les avantages, nous incitons un de nos semblables à faire métier de tueur, ce qui arrive à faire de lui un être si brutal que la loi ne lui permet pas de faire partie d'un jury chargé de statuer sur le cas d'un assassin, son métier l'ayant trop accoutumé à l'action de tuer.

Les aspirants savent que les animaux sont des frères plus jeunes et qu'ils seront humains dans la Période de Jupiter. Nous les aiderons alors à la façon dont les anges nous aident actuellement, eux qui ont traversé le stade humain pendant la Période de la Lune. Pour l'homme qui aspire à un idéal élevé, tuer directement ou par intermédiaire, est hors de question.

Certains produits alimentaires de provenance animale, tels que le lait, les fromages et le beurre, peuvent être employés. Ils sont le résultat des *opérations* de la vie et il n'est pas besoin de tragédies pour les convertir en aliments. Le lait, qui est un aliment important pour l'étudiant en occultisme, ne contient pas, pour ainsi dire, de matière non assimilable et il a sur le corps une influence qu'aucun autre aliment ne possède.

Pendant la Période de la Lune, l'homme se nourrissait du lait de la Nature. Il absorbait une nourriture universelle ; l'usage du lait tend à le mettre en rapport avec les forces Cosmiques et à le rendre capable de guérir ses semblables.

On suppose couramment que le sucre, ou toute autre substance analogue, est nuisible à la santé générale et particulièrement pour les dents, provoquant leur carie et le mal de dents qui en résulte. Cela n'est vrai que dans certaines circonstances. Le sucre est nuisible dans certaines maladies, telles que le diabète et la dyspepsie, ou bien, si on le garde longtemps dans la bouche sous forme de bonbons ; mais si on l'emploie avec modération quand on est en bonne santé, en augmentant peu à peu la quantité que l'on consomme au fur et à mesure que l'estomac s'y accoutume, on constatera qu'il est très nourrissant. La santé des Noirs s'améliore beaucoup au moment de la récolte de la canne à sucre, malgré le surcroît de travail ; on attribue ce fait à leur goût pour le jus de canne. On peut en dire autant des chevaux, des vaches et autres animaux dans les régions où la canne à sucre est cultivée ; ils aiment tous beaucoup les mélasses dont on les nourrit. Ils engraissent à l'époque de la récolte, et leur poil devient lisse et brillant. Des chevaux nourris pendant quelques semaines avec des carottes bouillies prennent une robe soyeuse à cause du sucre contenu dans ce légume. Le sucre est nutritif et bienfaisant, et ne contient absolument aucun déchet.

Les fruits constituent un régime idéal. En réalité, les arbres les produisent pour engager les animaux et l'homme à les manger et à disséminer ainsi leurs graines. Les fleurs attirent de même les abeilles qui vont porter le pollen de pistil en pistil.

Les fruits frais contiennent une eau parfaitement pure et de la meilleure sorte, capable de pénétrer tout l'organisme d'une manière merveilleuse. Le jus de raisin en particulier est un dissolvant remarquable. Il clarifie et stimule le sang et permet son passage dans les capillaires déjà obstrués et desséchés, si l'obstruction n'est pas trop avancée. Grâce à un régime de jus de raisin non fermenté, les personnes dont les yeux sont caves, la peau ridée et le teint brouillé, deviennent rosées, potelées et actives. L'augmentation de perméabilité permet à l'esprit de se manifester plus librement et avec une nouvelle vigueur. Nous empruntons les tableaux donnés plus loin, (se rapportant à l'ancienne table) à une des publications du Département Fédéral de l'Agriculture (Etats-Unis) ; ils nous renseignent fort bien sur la quantité d'aliments nécessaires pour des degrés divers d'activité et aussi sur les divers composants des aliments cités.

Considéré d'un point de vue purement chimique, on pourrait comparer le corps à une chaudière dont les aliments forment le combustible. Plus le corps est actif, plus il lui faut de combustible. Il serait absurde pour un homme d'abandonner un régime qui l'a nourri convenablement depuis des années, pour adopter une nouvelle méthode sans se demander sérieusement si elle est la meilleure pour remplir le but désiré. Eliminer simplement la viande du régime accoutumé nuirait sans aucun doute à la santé de la plupart d'entre nous. Le seul moyen sûr est d'en faire l'expérience, après avoir étudié le sujet à fond, et d'agir avec discernement. On ne peut pas donner de règles fixes, car le régime alimentaire varie pour chaque individu. Nous ne pouvons mieux faire que de donner la valeur des aliments et de décrire l'influence générale de chaque élément chimique en laissant à l'aspirant le soin de décider du régime qui lui conviendra le mieux.

Nous ne devrions pas non plus laisser l'apparence extérieure d'une personne influencer notre opinion sur son état de santé. Certaines idées générales ont cours au sujet de l'apparence extérieure que doit offrir une personne en bonne santé, mais elles ne sont basées sur aucune raison valable. Des joues rouges peuvent être un signe de santé chez un certain individu et de maladie chez un autre. Il n'y a pas de règle spéciale qui permette de reconnaître l'état de bonne santé, si ce n'est le sentiment d'aise et de bien-être qu'éprouve l'individu lui-même, indépendamment des apparences.

Le tableau qui suit est basé sur les composés chimiques suivants :

L'eau est le dissolvant par excellence.

Les protéines, ou albumines, construisent la chair, mais elles contiennent une certaine quantité de matière non assimilable.

Les graisses maintiennent la chaleur du corps et forment la réserve d'énergie.

Les hydrates de carbone ou sucres sont les principaux producteurs d'énergie.

La calorie est prise comme unité de chaleur, et le tableau montre combien en contient chaque article comestible. Afin que nous puissions tirer la plus grande somme d'énergie possible de nos aliments, nous devons faire attention au nombre de calories qu'ils contiennent, car c'est par elles que nous obtenons l'énergie nécessaire pour accomplir notre travail journalier. Nous indiquons ci-après le nombre de calories nécessaires pour entretenir le corps en bon état selon les conditions spéciales auxquelles il est soumis.

Pour un homme faisant une *très* grande dépense musculaire	5.500 calories
Pour un homme faisant une assez grande dépense musculaire	4.150 —

Pour un homme accomplissant un travail musculaire relativement léger	3.400	—
Pour un homme accomplissant un travail léger	3.050	—
Pour un homme faisant un travail sédentaire	2.700	—
Pour un homme ne faisant pas d'exercices musculaires	2.450	—
Pour une femme accomplissant un travail manuel léger ou modéré	2.450	—

Tableau des valeurs nutritives des parties comestibles des aliments

Aliments et poids	Grammes	Eau %	Valeur énergétique Calories	Protéines (albumines) Grammes	Corps gras (total des lipides) Grammes	Hydrates de carbone (amidons) Grammes	Calcium Milligrammes	Fer Milligrammes	Vitamines A Unités
FRUITS									
Abricots	114	85	55	1	Traces	14	18	0,5	2,890
Abricots séchés	150	25	390	8	1	100	100	8,2	16,350
Avocats	108	74	185	2	18	6	11	0,6	310
Bananes	150	76	85	1	Traces	23	8	0,7	190
Cataloups melons	385	91	60	1	Traces	14	27	0,8	6,540
Cerises	130	80	80	2	Traces	20	26	0,05	130
Citrons	106	90	20	1	Traces	6	18	0,4	10
Dattes dénoyautées	178	22	490	4	1	130	105	5,3	90
Figues séchées	21	23	60	1	Traces	15	26	0,6	20
Fraises	149	90	55	1	1	13	31	1,5	90
Framboises	123	84	70	1	1	17	27	1,1	160
Mandarines	114	87	40	1	Traces	10	34	0,3	350
Oranges	180	85	60	2	Traces	16	49	0,5	240
Pamplemousses	285	89	55	1	Traces	14	22	0,6	10
Pastèques	925	93	115	2	1	27	30	2,1	2,510
Pêches	114	89	35	1	Traces	10	9	0,5	1,320
Plaquemines (Kakis)	125	79	75	1	Traces	20	6	0,4	2,740
Poires	182	83	100	1	1	25	13	0,5	30
Pommes	150	85	70	Traces	Traces	18	8	0,4	50
Jus de pommes 1/4 l.	250	88	120	Traces	Traces	30	15	1,5	0
Raisins	153	82	65	1	1	15	15	0,4	100
Raisins secs	160	18	460	4	Traces	124	99	5,6	30

OLEAGINEUX								
Amandes écalées	142	5	850	26	77	28	332	6,7	0
Arachides, grillées	144	2	840	37	72	27	107	3,0	0
Noix du Brésil	140	5	915	20	94	15	260	4,8	Traces
Noix de cajou, rôties	135	5	760	23	62	40	51	5,1	140
Noix de coco, râpées	97	51	335	3	34	9	13	1,6	0
Noix d'Europe	100	4	650	15	64	16	99	3,1	30
LEGUMES									
Asperges, cuites	175	94	35	4	Traces	6	37	1,0	1,580
Bettes, cuites	165	91	50	2	Traces	12	23	0,8	40
Carottes	50	88	20	1	Traces	5	18	0,4	5,500
Céleri en branches	40	94	5	Traces	Traces	2	16	0,1	100
Chou	100	92	25	1	Traces	5	49	0,4	130
Chou-fleur, cuit	120	93	25	3	Traces	5	25	0,8	70
Choucroute en conserve	235	93	45	2	Traces	9	85	1,2	120
Concombres	207	96	30	1	Traces	7	35	0,6	Traces
Courges en conserve	228	90	75	2	1	18	57	0,9	14,590
Courgettes, cuites	205	96	20	2	Traces	7	52	0,8	820
Epinards, cuits	180	92	40	5	1	6	167	4,0	14,580
Gombo (Okra) cuit	85	91	25	2	Traces	5	78	0,4	420

	Grammes	Eau %	Valeur énergétique Calories	Protéines (albumines) Grammes	Corps gras (total des lipides Grammes	Hydrates de carbone (amidons) Grammes	Calcium Milligrammes	Milligrammes Fer	Vitamines A Unités
Graines germées :									
Mung, 1 tasse	90	89	40	6	2	4	46	0,7	90
Soya, 1 tasse	107	89	30	3	Traces	6	17	1,2	20
Haricots blancs	256	76	230	15	1	42	74	4,6	Traces
Haricots de Lima	160	71	180	12	1	32	75	4,0	450
Haricots verts	125	92	30	2	Traces	7	62	0,8	680
Laitues pommées	220	95	30	3	Traces	6	77	4,4	2,130
Navets, cuits	155	94	35	1	Traces	8	54	0,6	Traces
Oignons cuits	110	89	40	2	Traces	10	30	0,6	40
Panais cuits	155	82	100	2	1	23	70	0,9	50
Patates douces, cuites	110	64	155	2	1	36	44	1,0	8,910
Pois verts, cuits	160	82	115	9	1	31	50	4,2	1,120
Pois cassés	248	80	190	13	1	34	42	3,2	20
Pommes de terre, cuites au four	99	75	90	3	Traces	21	9	0,7	Traces
Tomates	150	94	35	2	Traces	7	20	0,8	1,350
Tomates en conserve	242	94	50	2	Traces	10	15	1,2	2,180

CEREALES									
Flocons d'avoine, cuits	236	86	130	5	2	23	21	1,4	0
Germes de blé	68	11	245	18	7	32	49	6,4	0
Macaroni, cuit	130	64	190	6	1	39	14	1,4	0
Semoule de maïs, compl.	118	12	420	11	5	87	24	2,8	600
Pain blanc	454	36	1'225	39	15	229	318	10,9	Traces
Pain complet	454	36	1'105	48	14	216	449	10,4	Traces
Pain de seigle	454	36	1'100	41	5	236	340	7,3	0
Riz blanc	168	73	185	3	Traces	41	17	1,5	0

Il ressort de ce tableau que le chocolat est l'aliment le plus nourrissant que nous connaissions. Par contre le cacao en poudre est le plus dangereux de tous les aliments, puisqu'il contient trois fois autant de cendres que la plupart des autres et même dix fois pour certains. C'est un aliment puissant, mais aussi un poison puissant, car il encrasse l'organisme plus rapidement que n'importe quelle autre substance.

Il va sans dire qu'au début, il faudra tâtonner quelque peu pour trouver le régime le mieux approprié, mais on se trouvera bientôt récompensé par la santé, la longévité et le libre exercice du corps qui nous permettront de nous livrer à des études supérieures et de nous y appliquer avec persévérance. Au bout d'un certain temps, l'étudiant se sera si bien familiarisé avec le sujet de son régime alimentaire qu'il n'aura plus besoin d'y consacrer particulièrement son attention.

Alors que le tableau précédent montre la proportion de substances chimiques dans chaque article cité, il ne faut pas oublier que l'organisme ne les utilise pas complètement, parce qu'il y a toujours quelques portions que le corps refuse d'assimiler.

Nous ne digérons que 83 % environ des protéines des légumes, 90 % de leur graisse et 95 % des hydrates de carbone.

Pour les fruits, nous assimilons environ 85 % de leurs protéines, 90 % de leur graisse et 95 % des hydrates de carbone.

Le cerveau est le mécanisme coordinateur au moyen duquel nous commandons les mouvements du corps et exprimons nos idées. Il a été construit avec les mêmes matériaux que toutes les autres parties du corps avec, en plus, le phosphore, qui est propre à cet organe seulement.

On peut en conclure logiquement que le phosphore est l'élément spécial qui permet à l'Ego d'exprimer sa pensée et d'influencer son corps physique. C'est aussi un fait admis que la proportion et la variation de cette substance correspondent à la qualité et au degré d'intelligence de l'individu. Les idiots ont très peu de phosphore ; les penseurs subtils en ont beaucoup et, dans le monde animal, le degré de conscience et d'intelligence est proportionné à la quantité de phosphore contenue dans le cerveau.

Il est donc très important pour l'aspirant qui veut utiliser son corps pour un travail mental et spirituel, de fournir à son cerveau la substance nécessaire à cet effet. La plupart des légumes et des fruits contiennent une certaine quantité de phosphore, mais il est assez curieux que ce soient les feuilles, généralement jetées au rebut, qui en contiennent en plus grande proportion. On le trouve en quantité considérable dans les raisins, les oignons, la sauge, les haricots, les clous de girofle, les ananas, dans les feuilles et la tige d'un grand nombre de légumes, et aussi dans le jus de la canne à sucre, mais pas dans le sucre raffiné.

Le tableau suivant montre la proportion d'acide phosphorique qu'on trouve dans certains aliments :

100 000 parties	contiennent	
d'orge	210 parties	d'acide phosphor.
de fèves	292 parties	»
de bettes (côtes)	167 parties	»
de bettes (feuilles)	690 parties	»
de sarrasin	170 parties	»
de carottes séchées	395 parties	»
de carottes (feuilles)	963 parties	»
de graines de lin	880 parties	»
de lin (tiges)	118 parties	»
de panais	111 parties	»
de panais (feuilles)	1 784 parties	»
de pois	190 parties	»

On peut ainsi résumer brièvement ce qui précède :

1) Le corps, pendant tout le cours de la vie, est soumis à un processus de solidification.

2) Cette solidification est produite par des substances calcaires déposées par le sang, principalement du phosphate et du carbonate de chaux, qui ossifient les différentes parties du corps et les changent en os et en matières analogues.

3) Cette ossification détruit la flexibilité des vaisseaux, des muscles et d'autres parties du corps susceptibles de mouvement. Elle épaissit le sang et engorge complètement les capillaires, de telle sorte que la circu-

lation des liquides et l'activité de l'organisme se trouvent diminuées dans leur ensemble, ce qui finit par provoquer la mort.

4) On peut retarder ce processus de solidification et prolonger la vie en évitant avec soin les aliments qui contiennent beaucoup de matière calcaire, en buvant de l'eau distillée et en favorisant l'élimination des déchets par la peau au moyen de bains fréquents.

Cela explique pourquoi certaines religions prescrivent des ablutions fréquentes, parce qu'elles favorisent la santé et purifient le corps physique. Les jeûnes sont également prescrits pour la même raison. Ils donnent à l'estomac un repos bien nécessaire, permettant au corps d'éliminer les matériaux qui ne peuvent plus servir, et, s'ils ne sont ni trop fréquents, ni trop prolongés, ils favorisent ainsi la santé ; mais généralement on peut obtenir des résultats équivalents ou supérieurs en donnant au corps les aliments convenables, qui sont encore les meilleurs médicaments.

Le premier soin d'un médecin est toujours de s'assurer si l'excrétion est normale, car c'est le moyen principal qu'emploie la Nature pour débarrasser le corps des poisons que contiennent tous les aliments.

Nous conclurons en recommandant à l'aspirant de s'en tenir aux aliments qu'il digère le plus facilement, car plus il lui est facile d'extraire l'énergie qu'ils contiennent, plus l'organisme aura le temps de se reposer avant qu'il devienne nécessaire d'absorber à nouveau des aliments. On ne devrait jamais boire du lait comme on boit un verre d'eau, car il forme alors dans l'estomac une boule de fromage sur laquelle les sucs gastriques n'ont aucune action. On devrait le boire à petits coups, comme le thé et le café. De cette manière, il formera dans l'estomac un grand nombre de petits globules qui seront facilement assimilés. Employé convenablement, c'est un de nos meilleurs aliments. Les agrumes sont des antiseptiques puissants, et les céréales, le riz en particulier, sont des antitoxiques d'une grande efficacité.

Maintenant que nous avons expliqué, au point de vue purement matériel, quels sont les besoins du corps, nous allons examiner le sujet au point de vue occulte et considérer l'effet du régime alimentaire sur les deux corps invisibles qui interpénètrent le corps physique.

Le terrain spécial d'élection du corps du désir se trouve dans les muscles et le système nerveux cérébro-spinal, comme nous l'avons déjà démontré. Nous mentionnerons comme exemple l'énergie que déploie une personne qui agit sous l'effet d'une forte émotion ou de la colère. En pareil cas, tout le système musculaire se raidit, et il n'y a pas de travail qui soit aussi épuisant qu'un accès de colère. Il laisse parfois le corps abattu pendant des semaines. C'est là qu'on peut voir la nécessité d'améliorer le corps du désir par la maîtrise du caractère et en épargnant au corps physique la souffrance qui résulte de l'activité déréglée du corps du désir.

Si nous considérons le sujet au point de vue occulte, la manifestation de notre conscience dans le Monde Physique résulte de la lutte constante entre le corps du désir et le corps vital.

La tendance du corps vital est d'amollir et de construire. Il manifeste principalement son activité dans le sang, les glandes et aussi dans le système nerveux sympathique, car il a empiété sur le terrain d'élection du corps du désir (le système nerveux musculaire et volontaire), quand il a commencé à faire du cœur un muscle volontaire.

La tendance du corps du désir est de durcir ; il a de son côté envahi le domaine du corps vital en prenant possession de la rate et en formant les globules blancs du sang qui ne sont pas les « gendarmes de l'organisme », comme le pensent actuellement les hommes de science, mais des destructeurs. Le corps du Désir se sert du sang pour transporter ces minuscules destructeurs dans toute l'étendue du corps. Ils passent à travers la paroi des artères et des veines quand nous éprouvons une contrariété et spécialement en cas de grande colère. Le mouvement précipité des forces dans le corps du désir fait alors gonfler les veines et les artères et ouvre un passage aux globules blancs dans les tissus du corps où ils forment la base de la matière non assimilable qui tue le corps.

Avec la même quantité et la même sorte de nourriture, une personne d'un caractère serein et jovial vivra plus longtemps et sera plus active que celle qui se tracasse ou qui se met en colère. Cette dernière créera et distribuera dans son corps plus de globules blancs destructeurs que la première. Si un chimiste analysait le sang de ces deux personnes, il trouverait beaucoup moins de matière calcaire dans le corps de celle qui possède un caractère agréable que dans celui de la personne acariâtre.

Cette destruction se poursuit constamment et il n'est pas possible d'éviter complètement la formation des globules destructeurs ; tel n'est pas d'ailleurs le but souhaitable. Si le corps vital avait toute liberté d'action, il continuerait à construire et emploierait toute l'énergie disponible dans ce but. Il n'y aurait ni conscience, ni pensée. C'est parce que le corps du désir arrête cette activité et durcit les parties intérieures que la conscience se développe.

Il fut un temps où, dans un passé extrêmement reculé, nous nous débarrassions des concrétions comme le font maintenant les mollusques, en gardant le corps mou, flexible et sans os ; mais alors, notre état de conscience était analogue à celui qu'ont actuellement les mollusques. Pour nous permettre de faire des progrès, il devenait nécessaire de conserver les concrétions. Le degré de conscience manifesté par n'importe quelle espèce est proportionné au développement de la charpente osseuse *interne* du corps. L'Ego a besoin d'os solides et de moelle rouge et à moitié liquide pour être capable de produire les globules rouges du sang, afin de se manifester.

C'est là le plus haut point de développement du corps physique. Les animaux supérieurs ont une charpente osseuse interne analogue à celle de l'homme ; cependant, ils n'ont pas d'esprit intérieur. Cela n'infirme en rien nos conclusions, car ils appartiennent à un courant d'évolution différent du nôtre.

LA LOI D'ASSIMILATION

La loi d'assimilation nous empêche d'assimiler toute particule que, en tant qu'esprits, nous n'avons pas vaincue et soumise. Les forces consacrées à cette activité sont principalement, ne l'oublions pas, nos « morts » qui sont maintenant au « Ciel ». Ils y apprennent à construire des corps qui seront employés ici-bas ; mais ils travaillent selon certaines lois qu'ils ne peuvent pas méconnaître. Il y a de la vie dans chaque particule d'aliment que nous absorbons. Avant de pouvoir incorporer cette vie à notre corps par le procédé d'assimilation, nous devons la maîtriser et l'assujettir. Autrement, l'harmonie ne pourrait régner dans notre corps. Les diverses parties dont il est composé agiraient indépendamment les unes des autres comme elles le font quand la vie coordinatrice se retire. C'est ce que nous appelons la dissolution, le processus de désagrégation, l'opposé direct de celui d'assimilation. Plus les particules à assimiler sont individualisées, plus il faudra d'énergie pour les digérer, et plus brève sera la durée de leur assimilation jusqu'au moment où elles chercheront à affirmer de nouveau leur individualité.

Les hommes ne sont pas organisés de telle manière qu'ils puissent utiliser les minéraux pour aliments. Quand une substance purement minérale, telle que le sel, est absorbée, elle passe à travers le corps en n'y laissant que très peu de déchets. Ce qu'elle laisse a toutefois une action très nuisible. Si l'homme était capable de se nourrir de minéraux, ceux-ci formeraient un régime idéal, à cause de leur stabilité et du peu d'énergie nécessaire pour les maîtriser et les soumettre à la vie du corps. Nous mangerions moins abondamment et moins souvent que nous le faisons de nos jours. Un jour ou l'autre, nos laboratoires nous fourniront des aliments chimiques dont la qualité surpassera de beaucoup celle de notre nourriture actuelle, et ces aliments seront toujours frais. Ceux qui proviennent des plantes supérieures et surtout du règne animal encore plus élevé sont, positivement, repoussants à cause de la rapidité avec laquelle ils se décomposent sous l'effort des particules individuelles qui les constituent et qui cherchent à échapper à la domination de l'ensemble.

Le règne végétal est immédiatement supérieur au règne minéral. Les plantes ont une organisation qui leur permet d'assimiler les composés minéraux de la Terre. Les hommes et les animaux peuvent assimiler les plantes et obtenir ainsi les composés chimiques nécessaires pour sustenter leur corps et, comme la conscience du règne végétal est celle du sommeil sans rêves, elle n'oppose pas de résistance. Il ne faut que peu d'énergie pour assimiler les particules ainsi obtenues. Comme elles ne sont que faiblement individualisées, la vie qui réside en elles ne cherche pas à se séparer de notre corps aussi rapidement que les aliments provenant de formes plus développées. Par conséquent, l'énergie dérivée d'un régime de fruits et de légumes est plus durable que celle tirée d'un régime carné ; de plus, il n'est pas nécessaire de renouveler aussi souvent une proportion d'aliments qui fournit d'autant plus d'énergie qu'il en faut moins pour les assimiler.

Les aliments de provenance animale sont formés de particules travaillées et pénétrées par un corps du désir individuel, et qui ont été ainsi individualisées à un degré beaucoup plus élevé que les particules constituant les plantes. Il y a dans les premières une âme individuelle des cellules, saturée par les passions et les désirs de l'animal. Il faut en premier lieu une énergie considérable pour s'en rendre maître et l'assimiler, et, de plus, elle n'est jamais aussi complètement incorporée dans l'économie du corps que les parties constituantes des plantes qui n'ont pas de tendances individuelles aussi prononcées. Il en résulte que l'homme qui suit un régime carné doit consommer une plus grande quantité d'aliments et aussi manger plus fréquemment que le végétarien. En outre, cette lutte intérieure avec les particules carnées cause une plus grande usure générale du corps et rend celui qui suit un régime carné moins actif et moins endurant que le végétarien, comme l'ont démontré toutes les compétitions entre les partisans des deux méthodes.

Par conséquent, puisque la chair des animaux herbivores offre une alimentation aussi instable, il est évident qu'en essayant d'utiliser la chair des animaux carnivores dont les cellules ont une individualité encore plus marquée, nous serions obligés d'en absorber une quantité énorme. Nous passerions la plus grande partie de notre vie à manger et, malgré cela, nous serions toujours maigres et nous aurions toujours faim. On peut voir, par l'exemple du loup et du vautour, que tel est l'effet produit ; leur maigreur et leur voracité sont devenues proverbiales. Les cannibales mangent de la chair humaine, mais seulement en de rares occasions et comme un luxe. Comme l'homme ne s'en tient pas exclusivement à un régime carné, sa chair n'est pas celle d'un animal entièrement carnivore ; néanmoins, l'appétit du cannibale est devenu proverbial lui aussi.

Si la chair des animaux herbivores était l'essence de ce qu'il y a de meilleur dans les plantes, la logique voudrait alors que la chair des carnivores en soit la quintessence. La chair du loup ou du vautour serait ainsi la plus désirable. Nous savons que tel n'est pas le cas, bien au contraire. Plus nous nous rapprochons du règne végétal, plus nos aliments nous fournissent d'énergie. S'il en était autrement, la chair des animaux carnivores serait recherchée par les autres animaux de proie ; mais on trouve dans la nature très peu d'exemples de « loups qui se mangent entre eux ».

VIVRE ET LAISSER VIVRE

Le premier commandement que reconnaît la science occulte est : « Tu ne tueras point », et sa très grande importance ne doit pas échapper à l'aspirant à la vie supérieure. Nous qui sommes incapables de créer quoi que ce soit, ne serait-ce qu'un grain de poussière, quel droit avons-nous donc de détruire la plus humble forme ? Toute forme est une expression de la vie unique, la Vie de Dieu. Nous n'avons pas le droit de détruire la forme par l'intermédiaire de laquelle la vie cherche à faire de nouvelles expériences et l'obliger ainsi à construire un nouveau véhicule.

Ella Wheeler Wilcox montre la véritable compassion des âmes supérieures en illustrant cette maxime dans les beaux vers qui suivent :

I am the voice of the voiceless (1) ;
Through me the dumb shall speak
Till a deaf world's ear
Shall be made to hear
The wrongs of the wordless weak.

---

(1) Je suis la voix de l'inarticulé :
Par moi les muets parleront
Jusqu'à ce que l'oreille d'un monde aujourd'hui sourd
Soit forcée d'entendre
La plainte du faible qui restait sans voix.

The same force formed the sparrow
That fashioned man, the king.
The God *of the Whole*
Gave a spark of soul
To furred and feathered thing.

And *I am my brother's keeper;*
And I will fight his fight,
And speak the word
For beast and bird
Till the world shall set things right.

On objecte parfois qu'en faisant usage de légumes et de fruits, on détruit également la vie, mais cette assertion a pour base une conception erronée. Quand le fruit est mûr, il a accompli son objet qui est de servir d'enveloppe pour la maturation de la semence: si on ne le mange pas, il se gâte et il est perdu. De plus, il a pour but de servir de nourriture au règne animal et à l'homme afin de donner à la semence l'occasion de se développer dans un terrain fertile. En outre, de même que l'ovule et le liquide séminal des êtres humains sont stériles sans l'atome-germe de l'Ego qui se réincarne et sans la matrice de son corps vital, de même tout œuf ou semence sont, par eux-mêmes, privés de vie. S'ils sont soumis aux conditions convenables d'un incubateur ou du sol, ils reçoivent alors la vie de l'esprit-groupe et saisissent ainsi l'occasion qui leur est offerte de produire un corps physique. Si l'œuf ou la semence sont cuits, broyés, ou s'ils ne sont pas soumis aux conditions nécessaires à la manifestation de la vie, l'occasion est perdue, mais rien de plus.

Dans la phase actuelle de notre évolution, nous savons bien, au fond de nous-mêmes, qu'il est mal de tuer. Nous aimons et protégeons les animaux dans tous les cas où notre avidité ou notre intérêt égoïste ne nous aveugle

---

La même force qui a modelé l'homme Roi
A façonné le petit moineau ;
Le Dieu du *Grand Tout*
A donné une étincelle d'âme
Au monde porteur de poils ou de plumes.

Et *je suis le gardien de mon frère:*
Je veux lutter pour sa défense,
Et élever ma voix
En faveur des bêtes et de l'oiseau
Jusqu'à ce que tout soit rétabli à travers le monde.

pas. La loi protège même un chien ou un chat contre tous sévices *arbitraires*. Sauf dans le cas de la chasse, la plus indigne de nos cruautés envers la création animale, c'est toujours par amour de l'argent que nous tuons les animaux et que nous les élevons pour les tuer. Les fanatiques de la chasse abattent des créatures sans défense, sans autre but que de satisfaire leur vanité. Il est difficile de comprendre comment des gens qui, par d'autres côtés, paraissent sensés et bons, peuvent, à un moment donné, étouffer tous leurs meilleurs instincts, retourner à une sauvagerie sanguinaire et tuer pour le seul désir du sang et la joie de détruire. La chasse est assurément un retour vers l'instinct sauvage et animal le plus bas et ne peut jamais être élevée au rang de sport présentant un caractère « viril ».

Ne serait-il pas préférable de voir l'homme jouer le rôle d'ami et de protecteur des faibles ? Quel est celui qui ne prend pas plaisir à visiter Central Park, à New-York, et à caresser et nourrir les écureuils qui, par centaines, courent de tous côtés, dans la certitude qu'ils ne seront pas inquiétés ? Et qui n'est pas satisfait d'y lire la pancarte suivante : « Les chiens qu'on trouvera pourchassant les écureuils seront abattus » ? C'est une sanction sévère pour les chiens, mais elle a le bon côté de montrer l'accroissement du sentiment favorisant la protection des faibles contre les forts qui ne raisonnent pas et sont sans pitié. Le règlement ne prévoit pas de punition pour les hommes pris à chasser les écureuils, car cela serait inimaginable. La confiance que ces petites bêtes ont mise dans la bonté des hommes est telle que personne n'oserait la tromper.

L'ORAISON DOMINICALE

Une des aides spirituelles du progrès de l'homme est la prière appelée Oraison Dominicale ou « Pater ». On peut la considérer comme une formule abstraite, algébrique, pour le développement et la purification de tous les véhicules de l'homme ; l'idée de prendre le soin convenable du corps physique s'y trouve exprimée par les mots : « Donne-nous aujourd'hui notre pain quotidien ».

La prière qui traite des besoins du corps vital est :

« Pardonne-nous nos offenses, comme nous pardonnons à ceux qui nous ont offensés ».

Le corps vital est le siège de la mémoire. Il contient les images subconscientes de tous les événements passés de notre vie, qu'ils soient bons ou mauvais, et aussi celles des torts que nous avons infligés ou subis et des bienfaits reçus ou dispensés. Or, nous savons que les annales de la vie sont formées de ces images transcrites sur le corps du Désir au moment de la mort aussitôt après l'abandon du corps physique. Nous n'ignorons pas non plus que toutes les souffrances de l'existence d'après-vie ont pour cause les événements que ces images reproduisent.

Si, au moyen de prières continuelles, nous obtenons le pardon du tort que nous avons fait aux autres et si nous faisons toute réparation possible ; si nous purifions notre corps vital en pardonnant à ceux qui nous ont fait du tort, et si nous éliminons tout sentiment d'antagonisme, nous nous épargnerons bien des souffrances après la mort. De plus, nous préparons la voie à l'établissement de la Fraternité Universelle qui dépend particulièrement de la victoire du corps vital sur le corps du désir. Sous forme de mémoire, le corps du désir grave sur le corps vital l'idée de vengeance. Au milieu des tracas de la vie quotidienne, c'est une victoire à notre actif que de faire montre d'un caractère égal. Aussi l'aspirant devrait-il s'efforcer de discipliner son caractère, car cet effort a une influence sur les deux corps. Le « Pater » possède également cette influence, car lorsque nous découvrons que nous faisons tort à notre prochain, nous nous interrogeons et cherchons à en trouver les causes. La colère en est une et elle prend naissance dans le corps du désir.

La plupart des hommes possèdent à la fin de leur vie physique le même tempérament que dans leur jeunesse, mais l'aspirant doit systématiquement l'emporter sur tous les efforts que fait le corps du désir pour s'assurer la suprématie. Il peut atteindre ce but en concentrant sa pensée sur un idéal élevé ; cet exercice fortifie le corps vital et possède une efficacité beaucoup plus grande que les prières ordinaires des Eglises. *L'occultiste* emploie la concentration de préférence à la prière, parce qu'elle s'accomplit à l'aide de l'intellect qui est froid et privé de sentiment, alors que la prière est généralement dictée par l'émotion. Quand elle est dictée par la consécration désintéressée à un idéal élevé, la prière est très supérieure à la froide concentration : elle ne peut jamais être froide car, sur les ailes de l'Amour, elle porte les effusions du mystique vers la Divinité.

La prière pour le corps du désir est : « Ne nous soumets pas à la tentation ». Le désir est le grand tentateur de l'humanité. C'est le mobile principal de toute activité, et il est bon qu'il en soit ainsi, tant que nos actions servent les desseins de l'esprit ; mais quand le désir s'attache à une chose dégradante, à une chose qui avilit la nature de l'homme, il est vraiment nécessaire de prier pour n'être pas induit en tentation.

L'Amour, la Richesse, le Pouvoir et la Célébrité ! — Tels sont les quatre mobiles les plus importants de l'activité humaine. Le désir de l'une ou l'autre de ces choses est le mobile de toutes les actions de l'homme ou de son inaction. Les grands Guides de l'humanité ont eu la sagesse de les présenter aux hommes pour les inciter à l'action, afin qu'ils puissent s'instruire par l'expérience et acquérir la sagesse. L'aspirant peut continuer sans crainte à les prendre pour mobiles de ses actes à condition de les transmuer en quelque chose de supérieur. Il devra triompher de l'amour égoïste qui recherche la possession d'un autre corps, et de tous les désirs qui le poussent à acquérir des richesses, le pouvoir et la célébrité, pour des raisons mesquines et personnelles.

L'Amour auquel il doit aspirer est celui qui vient de l'âme et qui englobe tous les êtres, humbles ou éminents ; un amour qui croît en proportion directe des besoins de celui qui en est l'objet.

Il ne doit pas désirer d'autre Richesse que celle qui consiste uniquement en une abondance d'occasions de servir ses semblables ;

D'autre Pouvoir que celui qui sert à élever le niveau de l'humanité ;

D'autre Célébrité que celle qui augmente ses capacités pour répandre la bonne nouvelle, afin que tous ceux qui souffrent puissent rapidement trouver consolation pour leur cœur affligé.

La prière pour l'intellect est : « Délivre-nous du mal ». Nous avons vu que l'intellect sert de trait d'union entre

TABLEAU 19

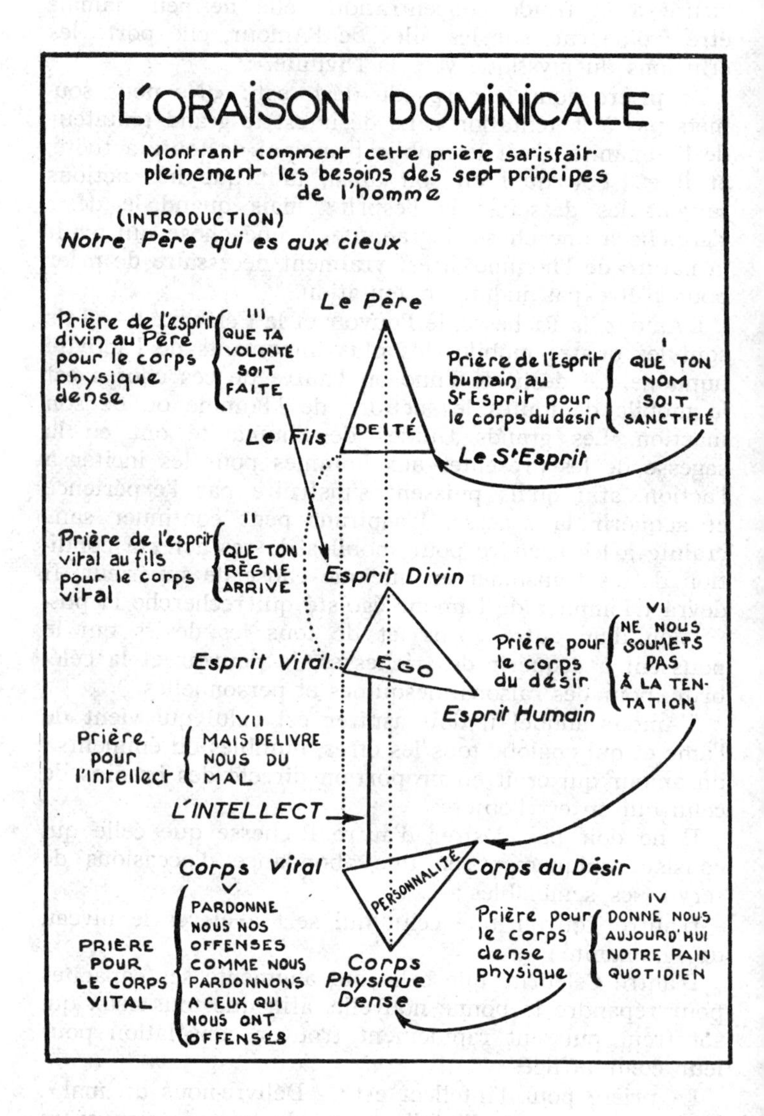
L'ORAISON DOMINICALE
Montrant comment cette prière satisfait pleinement les besoins des sept principes de l'homme
(INTRODUCTION)
Notre Père qui es aux cieux
Le Père
Prière de l'esprit divin au Père pour le corps physique dense
III
QUE TA VOLONTÉ SOIT FAITE
Prière de l'Esprit humain au St Esprit pour le corps du désir
I
QUE TON NOM SOIT SANCTIFIÉ
DEITÉ
Le Fils
Le St Esprit
Prière de l'esprit vital au fils pour le corps vital
II
QUE TON RÈGNE ARRIVE
Esprit Divin
Prière pour le corps du désir
VI
NE NOUS SOUMETS PAS À LA TENTATION
Esprit Vital
EGO
Esprit Humain
Prière pour l'intellect
VII
MAIS DELIVRE NOUS DU MAL
L'INTELLECT
Corps Vital
PERSONNALITÉ
Corps du Désir
PRIÈRE POUR LE CORPS VITAL
V
PARDONNE NOUS NOS OFFENSES COMME NOUS PARDONNONS A CEUX QUI NOUS ONT OFFENSÉS
Corps Physique Dense
Prière pour le corps dense physique
IV
DONNE NOUS AUJOURD'HUI NOTRE PAIN QUOTIDIEN

la nature supérieure et la nature inférieure. Les animaux sont libres de suivre leurs désirs sans la moindre restriction. Dans leur cas, il n'y a ni bien ni mal, parce que l'intellect, qui donne la faculté de discernement, leur fait défaut. La manière dont nous nous protégeons des animaux qui tuent et volent, diffère de celle que nous employons envers les hommes qui agissent de même. On ne tient même pas pour responsable l'homme privé de raison. On admet qu'il est inconscient et, par suite, on l'empêche seulement de mal faire.

C'est seulement lorsque s'est ouverte la vision mentale de l'homme qu'il a eu la connaissance du bien et du mal. Quand le trait d'union de l'intellect s'allie au Moi Supérieur et qu'il obéit à ses ordres, nous avons l'homme à l'idéal élevé. Au contraire, l'union de l'intellect avec les désirs inférieurs produit une personne sans idéal ; l'objet de cette prière est donc de nous épargner les expériences qui résultent de l'alliance de l'intellect avec le corps du désir inférieur et tout ce que cela implique.

L'aspirant à la vie supérieure accomplit l'union de la nature supérieure et de la nature inférieure, en méditant sur des sujets élevés. De plus, il cimente cette union par la Contemplation et dépasse ces deux conditions par l'Adoration qui élève l'esprit jusqu'au trône même de Dieu.

L'Oraison Dominicale, destinée à l'usage général de l'Eglise, donne la première place à l'adoration, afin d'atteindre l'état d'exaltation spirituelle nécessaire pour offrir une supplique qui présente les besoins des véhicules inférieurs.

Chaque aspect de l'esprit triple, en commençant par l'aspect inférieur, s'élève par l'adoration jusqu'à son aspect correspondant dans la Divinité. Quand les trois aspects de l'esprit sont tous en présence du Trône de Grâce, chacun d'eux offre la prière appropriée aux besoins de sa contrepartie matérielle, et tous les trois s'unissent pour la prière finale en faveur de l'intellect.

L'esprit humain s'élève jusqu'à sa contrepartie, l'Esprit-Saint (Jéhovah) et dit : « Que Ton Nom soit sanctifié ».

L'esprit vital s'incline devant sa contrepartie, le Fils (Christ) et dit : « Que Ton Règne arrive ».

L'esprit divin s'agenouille devant sa contrepartie, le Père, en priant : « Que Ta Volonté soit faite ».

Alors l'aspect le plus élevé de l'esprit, l'esprit divin, présente sa requête à l'aspect le plus élevé de la Divinité, le Père, pour sa contrepartie, le corps physique : « Donne-nous aujourd'hui notre pain quotidien ».

Le second aspect, l'esprit vital, adresse sa prière à sa contrepartie, le Fils, pour le corps vital, son reflet dans la nature inférieure : « Pardonne-nous nos offenses comme nous pardonnons à ceux qui nous ont offensés ».

L'aspect inférieur de l'esprit, l'esprit humain, s'adresse alors à l'aspect inférieur de la Divinité pour le plus élevé des trois corps, le corps du désir : « Ne nous soumets pas à la tentation ».

Finalement, tous ensemble, les trois aspects de l'esprit de l'homme s'unissent pour offrir la plus importante des prières, au profit de l'intellect, avec les mots : « Délivre-nous du mal ».

L'introduction : « Notre Père, Qui es aux Cieux », n'est rien de plus qu'une adresse sur une enveloppe.

Le tableau 19 illustre les explications qui précèdent d'une manière simple et facile à retenir ; il montre la relation entre les différentes prières et les véhicules correspondants.

LE VŒU DE CHASTETÉ

L'état mental du maniaque sexuel est une preuve de l'exactitude de ce qu'affirment les occultistes, à savoir qu'une partie de la force sexuelle construit le cerveau. Une telle personne devient idiote et incapable de penser parce qu'elle épuise et extériorise, non seulement la partie positive ou négative de la force sexuelle (suivant qu'il s'agit d'un homme ou d'une femme) qui devrait être normalement utilisée par l'intermédiaire des organes sexuels pour la reproduction, mais, elle gaspille en outre, une partie de la force qui devrait servir à développer le cerveau et le rendre capable de produire la pensée — d'où sa faiblesse mentale.

Par contre, une personne ayant un penchant naturel pour les choses spirituelles est peu portée à utiliser la force sexuelle génératrice, et tout ce qu'elle n'emploie pas de cette manière peut être transmué en force spirituelle.

C'est pourquoi l'initié, lorsqu'il a atteint un certain degré de développement, fait vœu de chasteté. Ce n'est pas là un vœu facile à tenir, et celui qui désire favoriser son progrès spirituel ne devrait pas le prendre à la légère. Bien des gens qui ne sont pas encore mûrs pour la vie supérieure se sont voués, dans leur ignorance, à une vie d'ascétisme. Ils sont aussi dangereux pour la communauté que le maniaque sexuel.

Dans la phase actuelle de l'évolution humaine, la fonction sexuelle doit servir à procréer des corps qui permettent à l'esprit d'acquérir de l'expérience. La classe de gens la plus prolifique et qui obéit sans réserve à l'impulsion créatrice est la classe inférieure ; aussi est-il difficile pour les entités qui veulent s'incarner de trouver de bons véhicules et un milieu leur permettant d'exercer leurs facultés d'une manière profitable et durable, pour elles-mêmes et pour le reste de l'humanité. En effet, dans les classes aisées, qui pourraient offrir des conditions plus favorables d'incarnation, il se trouve beaucoup de familles qui n'ont que peu ou pas d'enfants. Non parce qu'elles vivent dans l'abstinence, mais pour des motifs entièrement égoïstes, à seule fin d'avoir plus d'aises et de loisirs et de satisfaire sans contrainte leurs désirs sexuels sans s'imposer la charge d'une famille. Dans la classe moyenne moins riche, les familles sont également limitées, mais, dans ce cas, c'est en partie pour des raisons économiques, afin de pouvoir donner à un ou deux enfants l'instruction et l'éducation que leurs moyens ne leur permettraient pas de donner à quatre ou cinq.

L'homme exerce ainsi sa prérogative divine en apportant le désordre dans la nature. Les Egos qui s'incarnent doivent saisir les occasions qui s'offrent à eux, parfois dans des circonstances défavorables. D'autres Egos qui ne peuvent pas en faire autant doivent attendre l'occasion d'un milieu favorable. C'est ainsi que, par nos actions, nous nous influençons les uns les autres et que les fautes des parents retombent sur leurs enfants ; car de même que le Saint-Esprit est l'énergie créatrice dans la nature, ainsi l'énergie sexuelle est sa réflexion dans l'homme ; le mauvais emploi ou l'abus de ce pouvoir est donc le péché qui ne peut être pardonné et qu'il nous faut expier par une diminution d'efficacité des véhicules, afin que nous apprenions la sainteté de la force créatrice.

Les aspirants à la vie supérieure, qui sont remplis d'un ardent désir de vivre une noble vie spirituelle, considèrent souvent avec horreur la fonction sexuelle à cause de la moisson de souffrance récoltée par l'humanité à la suite de l'abus qu'elle en a fait. Ils sont enclins à se détourner avec dégoût de ce qu'ils considèrent comme impur, sans s'apercevoir que ce sont justement des personnes de leur sorte qui, ayant bien développé leurs véhicules par une nourriture saine et appropriée, par des pensées élevées, par une vie pure et spirituelle, sont les mieux préparées pour produire les corps physiques indispensables au développement des entités qui cherchent à s'incarner. C'est un fait connu des occultistes que, au détriment de la race humaine, un grand nombre d'Egos d'un ordre élevé sont incapables de s'incarner à l'époque actuelle, uniquement parce qu'ils ne peuvent trouver de parents qui soient assez purs pour leur procurer les véhicules physiques nécessaires.

Les personnes qui, pour la raison mentionnée précédemment, s'abstiennent d'accomplir leur devoir envers l'humanité, accroissent les taches solaires au point de ne plus voir le Soleil lui-même. La fonction sexuelle a une grande importance dans l'économie du monde. Il n'y a pas de plus grand privilège pour l'Ego qui en fait un usage convenable, car alors elle produit des corps purs et sains, tels que ceux dont l'homme a besoin pour son développement ; d'un autre côté, il n'y a pas de pire malédiction pour celui qui en abuse, car elle est en ce cas la source des maux les plus terribles que la chair puisse endurer.

Un axiome dit que « nul ne vit uniquement pour lui-même ». Nos paroles et nos actions affectent constamment nos semblables. Soit que nous remplissions bien notre devoir, soit que nous le négligions, nous favorisons ou nous gâchons la vie, tout d'abord de ceux qui se trouvent dans notre entourage immédiat, et finalement, celle de tous les habitants de la terre et même au-delà. Celui qui n'a pas rempli son devoir envers sa famille, son pays et l'humanité n'a pas le droit de chercher à vivre la vie supérieure. Mettre, par égoïsme, tous les obstacles de côté et vivre uniquement pour hâter notre progrès spirituel est aussi répréhensible que de n'avoir aucun souci de la vie spirituelle. C'est même pire, car ceux qui remplissent de leur mieux leur devoir dans la vie ordinaire et qui se consacrent au bien-être de ceux qui dépendent d'eux, sont en voie de cultiver la qualité essentielle de fidélité. Il est certain qu'ils avanceront en temps voulu jusqu'au point où ils deviendront conscients de leurs besoins spirituels et ils y apporteront la fidélité qu'ils auront développée ailleurs. Celui qui, de propos délibéré, se dérobe à ce qui est à présent son devoir pour embrasser la vie spirituelle, sera certainement forcé de suivre à nouveau le chemin du devoir dont il s'est éloigné à tort, sans qu'il lui soit possible d'y échapper tant que la leçon n'aura pas été apprise.

Certaines peuplades de l'Inde font de la vie l'excellent partage suivant : l'homme passe les vingt premières années de sa vie à s'instruire ; de vingt à quarante ans, il se consacre au devoir d'élever une famille, et il emploie les années suivantes pour son développement spirituel, exempt de tout souci matériel qui pourrait inquiéter ou distraire son esprit.

Pendant la première période, les parents subviennent aux besoins de l'enfant ; dans la seconde, l'homme, non seulement pourvoit aux besoins de sa propre famille, mais prend soin de ses parents, alors que ceux-ci consacrent leur attention aux choses supérieures ; et, pendant le reste de sa vie, ses enfants l'entretiennent à leur tour.

Cette méthode paraît être très rationnelle et elle est très satisfaisante dans un pays où tous, du berceau à la tombe, éprouvent des aspirations spirituelles à un tel degré qu'ils négligent à tort d'améliorer leur sort matériel, à moins d'y être poussés par l'aiguillon d'une nécessité cruelle. Les enfants s'empressent de venir en aide à leurs parents, sachant bien qu'il en sera de même pour eux plus tard, et qu'ils pourront ainsi se consacrer entièrement à la vie supérieure après avoir accompli leur devoir envers le pays et l'humanité. Toutefois, dans le monde occidental où l'homme ordinaire n'éprouve pas d'aspirations spirituelles et se consacre nécessairement à son propre développement sur le plan matériel, il ne serait pas possible de généraliser une telle manière de vivre.

Les aspirations spirituelles ne se font jamais sentir avant leur temps et elles sont toujours accompagnées de conditions particulières dans lesquelles nous devons, ou non, chercher à les satisfaire. Nous devons faire face aux obligations qui nous paraissent être des restrictions. Si la charge d'une famille empêche la consécration complète qu'il désire, l'aspirant aurait assurément tort de négliger ses devoirs et de consacrer tout son temps et toute son énergie à son développement spirituel. Il doit s'efforcer de satisfaire ses aspirations, sans négliger ses devoirs envers sa famille.

Si le désir de vivre dans la chasteté s'empare d'une personne qui est déjà unie par les liens du mariage, elle ne doit pas oublier les obligations qu'une telle situation lui crée. Elle aurait grand tort de pratiquer l'abstention dans de telles circonstances et d'essayer de se soustraire à l'accomplissement *naturel* de son devoir. En ce qui concerne l'accomplissement de ce devoir même, le niveau établi pour les aspirants à la vie supérieure n'est pas le même que celui qui peut être observé par les hommes et les femmes ordinaires.

La plupart considèrent le mariage comme sanctionnant une liberté illimitée dans la satisfaction des désirs sexuels. Il peut bien en être ainsi aux yeux de la loi, mais il n'y a pas de loi ou de coutume humaine qui ait le droit de décider de cette question. La science occulte enseigne que la fonction sexuelle ne devrait *jamais* être utilisée pour le plaisir des sens, mais dans le *seul* but de la reproduction. Par conséquent, un aspirant à la vie supérieure serait bien fondé de se refuser à son conjoint, sauf dans le but de reproduction, et alors seulement si le couple est en excellente santé physique, morale et mentale, car autrement les parents risquent de donner naissance à un être chétif ou même dégénéré.

Tout individu est maître de son corps et il est responsable devant la loi de cause à effet de tout usage impropre résultant de l'abandon de ce corps à un autre, par manque de volonté.

En raison de ce qui précède, et considérant le sujet au point de vue de la science occulte, c'est à la fois un devoir et un privilège (qui devrait être exercé avec reconnaissance) pour toute personne saine de corps et d'esprit de procurer des véhicules à autant d'entités que lui permettent sa santé et ses moyens. Comme nous l'avons déjà dit, les aspirants à la vie supérieure contractent une obligation toute particulière à cet égard, parce qu'une plus grande pureté de vie a entraîné la purification de leurs corps ; ils sont, par suite, mieux qualifiés que l'humanité ordinaire pour engendrer des véhicules purs. Ils permettent ainsi à des entités d'un ordre supérieur de trouver des véhicules convenables et d'aider au progrès de l'humanité, en offrant à ces Egos l'occasion de s'incarner et d'exercer leur influence à une époque plus rapprochée qu'il ne serait autrement possible.

Si nous employons la force sexuelle de la manière indiquée, l'acte sexuel n'aura lieu qu'un petit nombre de fois pendant la vie, et presque toute la force sexuelle pourra être utilisée pour le développement spirituel. Ce n'est pas l'usage, mais l'abus de cette force qui cause le mal et fait obstacle à la vie spirituelle. Aussi n'est-il nécessaire pour personne de renoncer à la vie supérieure spirituelle sous prétexte qu'il ne lui est pas possible de vivre dans la chasteté. Car l'abstinence totale n'est pas une nécessité tant qu'on passe par les initiations mineures. Le vœu de continence absolue n'est indispensable que pour les grandes initiations et même alors il se peut qu'un acte unique de fécondation soit demandé en sacrifice comme dans le cas où il a fallu procurer un corps au Christ.

Nous pouvons ajouter qu'il est pire de souffrir d'un désir ardent, de penser jusqu'à l'obsession à la satisfaction des sens, que de vivre, avec modération, dans les liens du mariage. Le Christ a enseigné que les pensées impures sont aussi mauvaises et même pires que les actes impurs, parce que les pensées peuvent être répétées indéfiniment, tandis qu'il y a, au moins, une certaine limite aux actes.

L'aspirant à la vie supérieure ne peut réussir dans ses efforts qu'autant qu'il peut subjuguer la nature inférieure, mais il devrait se garder d'aller d'un extrême à l'autre.

L'HYPOPHYSE ET LA GLANDE PINEALE

Dans le cerveau et dans la position approximative indiquée au tableau 20, se trouvent deux petits organes qu'on appelle l'hypophyse et la glande pinéale. la médecine n'a que peu de chose à dire à leur sujet ; elle parle de la glande pinéale comme d'un « troisième œil atrophié », et cependant ni cette glande, ni l'hypophyse ne sont en voie de s'atrophier. Ce fait embarrasse les savants, car la nature ne conserve rien d'inutile Dans tout le corps, nous trouvons des organes qui s'atrophient ou se développent ; les premiers sont pour ainsi dire les bornes qui jalonnent la route par laquelle l'humanité est passée pour atteindre son état actuel de développement ; les derniers font prévoir dans quel sens se feront des améliorations et des progrès à l'avenir. Par exemple, les muscles au moyen desquels les animaux remuent les oreilles sont également présents chez l'homme, mais ils sont en train de s'atrophier : peu de gens peuvent les utiliser. Le cœur appartient à la classe des organes qui indiquent un développement futur ; comme nous l'avons déjà montré, il est en voie de devenir un muscle volontaire.

L'hypophyse et la glande pinéale appartiennent à à une classe particulière d'organes. A l'époque actuelle, ils ne sont ni dans un état d'évolution, ni en dégénérescence, mais dans un état d'inactivité. A une époque très reculée, quand l'homme était encore en contact avec les mondes « intérieurs », ce sont ces organes qui lui servaient d'intermédiaires Ils sont destinés à reprendre ce rôle dans une phase ultérieure de notre évolution. Ils ont été en relation avec le système nerveux involontaire ou sympathique pendant la Période de la Lune, la dernière partie de l'Epoque Lémurienne et la première partie de l'Epoque Atlantéenne où l'homme voyait les mondes intérieurs. Des images s'offraient à lui tout à fait indépendamment de sa volonté. Les centres de perception de son corps du désir tournaient dans une direction opposée à celle des aiguilles d'une montre, ainsi que le font les centres de perception des médiums qui suivent d'une manière négative le mouvement de la terre qui tourne sur son axe dans l'autre direction. Chez la plupart des gens,

TABLEAU 20

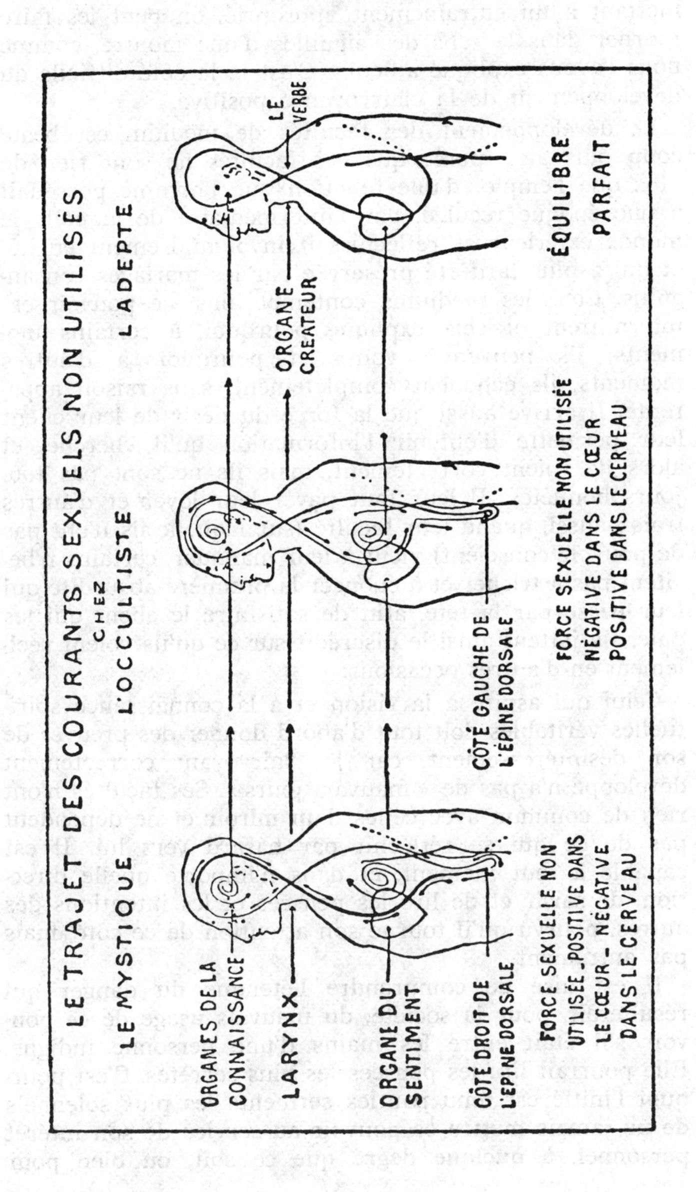
LE TRAJET DES COURANTS SEXUELS NON UTILISÉS
LE MYSTIQUE
CHEZ
L'OCCULTISTE
L'ADEPTE
ORGANES DE LA CONNAISSANCE
LARYNX
ORGANE DU SENTIMENT
CÔTE DROIT DE L'EPINE DORSALE
FORCE SEXUELLE NON UTILISÉE _POSITIVE DANS LE CŒUR _ NÉGATIVE DANS LE CERVEAU
CÔTE GAUCHE DE L'EPINE DORSALE
FORCE SEXUELLE NON UTILISÉE NÉGATIVE DANS LE CŒUR POSITIVE DANS LE CERVEAU
LE VERBE
ORGANE CREATEUR
ÉQUILIBRE PARFAIT

ces centres de perception sont inactifs, mais en se soumettant à un entraînement approprié, on peut les faire tourner dans le sens des aiguilles d'une montre, comme nous l'avons expliqué ailleurs. C'est là le côté difficile du développement de la clairvoyance positive.

Le développement des facultés de médium est beaucoup plus aisé, parce que ces facultés ne sont rien de plus que l'emploi d'une fonction que l'homme possédait à une époque reculée, par l'intermédiaire de laquelle le monde extérieur se réfléchissait involontairement en lui, et qui a plus tard été préservée par les mariages consanguins. Chez les médiums contemporains, ce pouvoir est intermittent et cela explique pourquoi, à certains moments, ils peuvent « voir » et pourquoi, à d'autres moments, ils échouent complètement, sans raison apparente. Il arrive aussi que la force du désir de leur client leur permette d'obtenir l'information qu'il cherche, et alors ils voient correctement, mais ils ne sont pas toujours honnêtes. Il leur faut payer leur loyer et d'autres frais ; aussi, quand leur faculté (sur laquelle ils n'ont pas de pouvoir conscient) vient à leur manquer, certains n'hésitent pas à tricher et à énoncer la première absurdité qui leur passe par la tête, afin de satisfaire le client qui les paie. Ils jettent ainsi le discrédit sur ce qu'ils voient réellement en d'autres occasions.

Celui qui aspire à la vision et à la connaissance spirituelles véritables doit tout d'abord donner des preuves de son désintéressement, car le clairvoyant correctement développé n'a pas de « mauvais jours ». Ses facultés n'ont rien de commun avec celles d'un miroir et ne dépendent pas de ce qui se réfléchit par hasard vers lui. Il est capable à tout moment, et dans n'importe quelle direction, de saisir et de lire les pensées et les intentions des autres, pourvu qu'il tourne son attention de ce côté, mais pas autrement.

Il est aisé de comprendre l'étendue du danger qui résulterait, pour la société, du mauvais usage de ce pouvoir s'il était entre les mains d'une personne indigne. Elle pourrait lire les pensées les plus secrètes. C'est pourquoi l'initié est tenu par les serments les plus solennels de ne jamais mettre ce pouvoir au service de son intérêt personnel, à quelque degré que ce soit, ou bien pour s'éviter une souffrance physique ou morale. Il peut donner à manger à cinq mille personnes s'il le veut, mais il ne doit pas changer une pierre en pain pour apaiser sa propre faim. Il peut guérir les paralytiques et les lépreux, mais, de par la Loi de l'Univers, il lui est défendu de panser ses propres blessures, fussent-elles mortelles. Lié par ses serments de désintéressement absolu, l'Initié, bien qu'il puisse sauver les autres, ne peut se sauver lui-même.

Aussi, le véritable clairvoyant qui a réellement quelque chose à offrir n'annoncera jamais qu'il est prêt à exercer ses facultés contre paiement, mais il donnera ses services et les donnera sans compter, toutes les fois qu'il jugera que cela est compatible avec la destinée mûre et engendrée par la Loi de cause à effet chez la personne qu'il veut aider.

La clairvoyance correctement développée est la seule dont on se serve pour faire des recherches à propos de faits occultes, et c'est la seule qui puisse être utilisée dans ce but. Par conséquent, l'aspirant doit éprouver, non pas le désir de satisfaire une curiosité inutile, mais le désir sacré et désintéressé d'aider l'humanité. A défaut d'un tel désir, il est impossible de faire des progrès dans l'acquisition de la clairvoyance positive.

Pendant les âges qui se sont écoulés depuis l'Epoque Lémurienne, l'homme a construit graduellement le système nerveux cérébro-spinal qui se trouve sous la dépendance de la volonté. Dans la dernière partie de l'Epoque Atlantéenne, ce système avait évolué au point où il était devenu possible pour l'Ego de prendre complètement possession du corps physique. C'était à l'époque, déjà mentionnée, où un certain point du corps vital est venu en correspondance avec un autre point du corps physique, à la racine du nez ; l'esprit intérieur est alors devenu conscient du monde physique, mais la plus grande partie de l'humanité a perdu la conscience des Mondes Intérieurs.

Depuis lors, la liaison entre la glande pinéale, l'hypophyse et le système nerveux cérébro-spinal s'est lentement effectuée, et elle est maintenant presque achevée.

Pour entrer de nouveau en contact avec les Mondes Intérieurs, il suffit de réveiller l'activité de l'hypophyse et de la glande pinéale. Cela, fait, l'homme aura recouvré la faculté de percevoir les Mondes Supérieurs, mais à un degré plus élevé que dans le passé, parce que cette faculté sera reliée au système nerveux volontaire et qu'elle sera, par conséquent, sous la dépendance de sa Volonté. Cette faculté de perception intérieure lui ouvrira toutes les sources de la connaissance et deviendra un moyen d'acquérir les informations en comparaison duquel toutes les autres méthodes de recherche ne sont que jeux d'enfant.

L'entraînement ésotérique que nous allons maintenant décrire, autant qu'il est possible de le faire publiquement, éveille l'activité de ces organes.

ENTRAINEMENT ESOTERIQUE

La plupart des gens dépensent pour la satisfaction de leurs sens la plus grande partie de leur force sexuelle ; par conséquent, chez eux, le courant ascendant que montre le tableau 20 est très faible.

Quand l'aspirant à la vie supérieure commence à réprimer de plus en plus ces excès et à donner son temps à des pensées et à des efforts spirituels, un clairvoyant expérimenté peut voir que la force sexuelle inutilisée commence à monter. Elle s'élève en un volume de plus en plus grand et passe par le chemin indiqué au tableau 20 ; elle traverse le cœur et le larynx, ou bien l'épine dorsale et le larynx, ou les deux, puis elle passe directement entre le corps pituitaire et la glande pinéale et se dirige vers le point sombre qui se trouve à la racine du nez où siège le « Veilleur Silencieux », l'aspect le plus haut de l'esprit.

Généralement, ces courants ne prennent pas l'un des deux chemins indiqués dans le tableau à l'exclusion complète de l'autre, mais le volume principal des courants sexuels passe d'habitude par l'un des deux chemins, selon le tempérament de l'aspirant. Chez celui qui cherche l'illumination par des moyens purement intellectuels, le courant passe surtout par l'épine dorsale et en faible partie par le cœur. Chez les mystiques, dont l'intuition est supérieure à la connaissance, les courants s'élèvent en traversant le cœur.

Ces deux sortes d'aspirants progressent d'une manière anormale, chacun d'eux devra, un jour ou l'autre, s'occuper de développer ce qu'il a négligé, afin d'obtenir un épanouissement tout à fait harmonieux. C'est pourquoi les Rose-Croix s'efforcent de donner des enseignements qui satisfassent les deux classes, bien qu'ils tâchent particulièrement de convaincre les plus intellectuels, car ce sont eux qui ont le plus besoin d'être aidés.

Toutefois, ce courant, même s'il atteignait les proportions d'un Niagara et s'il durait jusqu'au jour du Jugement dernier, serait par lui-même inutile. Pourtant, comme il n'est pas seulement un accompagnement nécessaire mais une condition requise, au préalable, pour tout travail conscient dans les Mondes Intérieurs, il doit être développé dans une certaine mesure avant que le véritable entraînement ésotérique ne commence. L'aspirant doit mener pendant un certain temps une vie morale, consacrée aux pensées spirituelles, avant qu'il ne soit possible de commencer le travail qui lui donnera la connaissance personnelle des royaumes hyperphysiques et qui lui permettra de devenir, dans le sens le plus vrai, un aide de l'humanité.

Quand le candidat a vécu de cette manière pendant un temps suffisant pour établir le courant d'énergie spirituelle et qu'on le trouve digne de recevoir une éducation ésotérique, on lui enseigne certains exercices qui ont pour but de faire vibrer le corps pituitaire. En raison de ces vibrations, l'hypophyse vient heurter la ligne de force la plus proche et la fait légèrement dévier. (Voir le tableau 20). A leur tour, ces vibrations agissent sur la ligne de force la plus rapprochée, et le processus se poursuit ainsi jusqu'à ce que la force initiale des vibrations soit épuisée, d'une manière comparable à celle dont les vibrations d'une corde d'un piano éveillent un certain nombre de sons harmoniques dans d'autres cordes dont les notes sont à intervalles convenables.

Quand l'augmentation des vibrations de l'hypophyse a fait dévier suffisamment les lignes de force pour atteindre la glande pinéale, le résultat cherché est obtenu : un pont a été jeté sur l'espace qui sépare ces deux organes, pont qui mène du Monde Physique au Monde du Désir. Sa construction assure à l'homme la clairvoyance et lui permet de tourner ses regards dans la direction qui lui plaît. Il voit à la fois l'intérieur et l'extérieur des objets physiques. L'espace et la matière ont cessé d'exister pour lui en tant qu'obstacles à ses observations.

Il n'est pas encore un clairvoyant *expérimenté,* mais il *est* clairvoyant *à volonté.* La faculté qu'il possède diffère beaucoup de celle d'un médium, qui est presque toujours un voyant involontaire et qui ne peut voir que ce qui s'offre à sa vue, ou bien, en mettant les choses au mieux, dont les facultés ne sont guère plus que négatives. Mais la personne chez laquelle ce pont a été une fois construit, est toujours assurée de pouvoir entrer en contact avec les Mondes Intérieurs, car elle peut établir ou interrompre à volonté la connexion. Peu à peu, l'observateur apprend à discipliner les vibrations du corps pituitaire, de telle sorte qu'il peut entrer en contact avec la région des Mondes Intérieurs qu'il désire visiter. La faculté est entièrement soumise à sa volonté. Point n'est besoin pour lui de se mettre en état d'hypnose ou de faire quoi que ce soit d'anormal, pour élever sa conscience jusqu'au Monde du Désir. Il lui suffit seulement de *vouloir* voir, et il voit.

Comme nous l'avons expliqué dans la première partie de cet ouvrage, le néophyte doit apprendre à voir dans le Monde du Désir, et surtout il doit apprendre à comprendre ce qu'il voit. Dans le Monde Physique, les objets sont denses, solides et ne changent pas d'apparence en un clin d'œil, tandis que dans le Monde du Désir, ils se transforment de la manière la plus inopinée. C'est là une source d'erreurs continuelles pour le clairvoyant négatif et involontaire, et même pour le néophyte qui pénètre dans ce monde sous la conduite d'un instructeur ; mais l'éducation qu'il reçoit l'amène bientôt au point où, en dépit de tous les changements de la Forme, il peut voir la Vie qui les cause et la connaître telle qu'elle est malgré toutes ces transformations énigmatiques.

Il est utile d'établir une autre distinction qui est d'une grande importance. Le pouvoir qui permet à quelqu'un de *percevoir* les objets d'un certain monde *n'est pas* identique à celui qui permet de pénétrer dans ce monde et d'y *agir.* Le clairvoyant volontaire, bien qu'il ait pu recevoir quelque instruction et qu'il soit capable de discerner le vrai du faux dans le Monde du Désir, se trouve pratiquement, par rapport à ce Monde, dans la même position qu'un prisonnier derrière les barreaux d'une fenêtre vis-à-vis du monde extérieur : il peut le voir, mais il ne peut pas opérer dans ce monde. Aussi, l'éducation ésotérique ne fait pas que d'ouvrir la vision intérieure de l'aspirant ; au moment propice, ce dernier apprend de nouveaux exercices lui permettant de former un véhicule au moyen duquel il peut agir dans les Mondes intérieurs d'une manière parfaitement consciente.

CONSTRUCTION DU VEHICULE INTERIEUR

Dans la vie ordinaire, la plupart des gens vivent pour manger, boire et satisfaire leurs passions sans aucune contrainte ; ils s'emportent à la moindre provocation. Bien que, à en juger d'après les apparences, ils soient très « respectables », ils causent presque quotidiennement un désordre à peu près total dans leur organisme. Le corps du désir et le corps vital passent la période entière du sommeil à réparer le dommage causé pendant la journée, sans laisser de temps pour un travail supplémentaire d'aucune sorte. Mais à mesure que l'homme commence à sentir la nécessité de la vie supérieure, à tenir sa force sexuelle et son caractère en bride, à cultiver une disposition sereine, ses véhicules éprouvent moins de perturbations pendant les heures de veille ; par conséquent, il lui faut moins de temps pour réparer le dommage pendant le sommeil. Il lui est alors possible de quitter le corps physique pour de longues périodes pendant les heures de sommeil et d'agir avec les véhicules supérieurs dans les Mondes Intérieurs. Comme le corps du désir et l'intellect ne sont pas encore organisés, on ne peut pas les employer comme véhicules distincts de conscience. Le corps vital tout entier ne peut pas non plus quitter le corps physique, car cette séparation entraînerait la mort. Aussi, il est évident qu'il faut prendre certaines mesures pour se procurer un véhicule organisé qui soit subtil et construit de manière à subvenir aux besoins de l'Ego dans les Mondes Intérieurs, comme c'est le cas pour le corps physique dans le Monde Physique.

Ce véhicule organisé est le corps éthérique ; si l'on pouvait trouver moyen de le détacher du corps physique sans causer la mort, le problème serait résolu. En outre, le corps vital est le siège de la mémoire, sans laquelle il serait impossible de communiquer à notre conscience physique le souvenir des expériences hyperphysiques et d'en retirer ainsi tout le profit possible.

Rappelons-nous que les Hiérophantes des temples antiques choisissaient certains individus dont ils formaient des castes telles que celles des Brahmanes ou des Lévites dans le but de procurer des véhicules appropriés, réservés à des Egos suffisamment avancés pour recevoir l'Initiation. Ils s'y prenaient de manière à ce que le corps éthérique pût se séparer en deux parties, comme le corps du Désir de tous les hommes au début de la Période de la Terre. Lorsque l'Hiérophante faisait sortir ses élèves hors de leur corps physique, il laissait avec ce corps une partie du corps éthérique, formée du premier et du deuxième éther, pour accomplir les fonctions purement animales (les seules qui soient actives pendant le sommeil). L'élève emportait avec lui un véhicule capable de perception, grâce à sa liaison avec les centres de sensation du corps du désir et capable aussi de se souvenir. Ce véhicule possédait ces facultés, parce qu'il était composé du troisième et du quatrième éther, qui assurent les perceptions sensorielles et la mémoire.

C'est là, à vrai dire, la partie du corps éthérique que l'aspirant conserve d'une vie à l'autre et qu'il immortalise en tant qu'Ame Intellectuelle.

Depuis que le Christ est venu pour effacer les péchés du monde, (pas ceux de l'individu) en purifiant le corps du désir de notre planète, la liaison entre le corps physique et le corps éthérique de l'homme a été relâchée à un point tel que, au moyen d'un entraînement spécial, on peut les séparer comme nous l'avons décrit plus haut. C'est pourquoi les portes de l'initiation sont ouvertes à tous.

La partie supérieure de notre corps du désir, qui constitue l'Ame Emotionnelle, peut être détachée chez la plupart d'entre nous (elle pouvait l'être même avant l'avènement du Christ) ; aussi quand, par la concentration et l'usage de la formule convenable, les parties les plus subtiles des véhicules ont été séparées pour être employées pendant le sommeil, ou à n'importe quel autre moment, les parties inférieures du corps du désir et du corps éthérique sont encore là pour continuer de régénérer le véhicule physique, partie purement animale.

La partie du corps éthérique qui se détache est hautement organisée, comme nous l'avons vu. C'est la contrepartie exacte du corps physique. N'étant pas organisés, le corps du désir et l'intellect ne sont utilisables que parce qu'ils sont en relation avec le corps physique dont l'organisation est supérieure. Quand ils en sont séparés, ils ne sont que de médiocres instruments ; aussi, avant que l'homme puisse se retirer du corps physique, il faut que les centres de perception du corps du désir soient éveillés.

Pendant la vie ordinaire, l'Ego se trouve à *l'intérieur* de ses corps et son énergie est dirigée vers *l'extérieur.* L'homme applique toute sa volonté et toutes ses forces à dominer le monde extérieur. Il n'est capable à aucun moment d'échapper aux impressions de son milieu pour travailler librement à ses véhicules pendant ses heures de veille. Quand le sommeil le lui permet, c'est-à-dire quand le corps physique a perdu conscience du monde extérieur, l'Ego se trouve *en dehors* de ses corps dense et éthérique et il peut opérer sur eux un travail utile si l'esprit réside encore en eux et garde la maîtrise absolue de ses facultés comme pendant l'état de veille. Cette double condition réalisée, l'esprit peut travailler intérieurement et rendre ses véhicules capables de sensations.

Or, cette condition est atteinte par la concentration. Par elle, l'activité des sens est arrêtée et l'homme se trouve en apparence dans le même état que lorsqu'il est plongé dans le sommeil le plus profond, et cependant l'esprit demeure dans ses véhicules et en pleine conscience. La plupart d'entre-nous ont fait l'expérience de cet état, au moins dans une certaine mesure, en nous absorbant dans la lecture d'un livre. Nous vivons alors au milieu des scènes que décrit l'auteur et nous oublions ce qui nous entoure. Si quelqu'un nous parle, nous n'entendons pas et n'avons pas conscience de ce qui se passe autour de nous ; cependant, nous sommes parfaitement conscients de ce que nous lisons et du monde invisible créé par l'auteur ; nous vivons dans ce monde et sentons pour ainsi dire les battements de cœur des divers personnages de l'histoire. En cessant d'être indépendants, nous sommes mêlés à la vie que l'auteur a créée pour nous dans le livre.

L'aspirant à la vie supérieure développe la faculté qui lui permet de s'absorber *à volonté* dans le sujet qu'il choisit ou, plus généralement encore, dans un objet très simple qu'il imagine. Ainsi, quand il atteint la condition et le moment précis où l'activité de ses sens s'arrête complètement, il concentre sa pensée sur les divers centres de sensation du corps du désir et *ceux-ci commencent à tourner sur eux-mêmes.*

Tout d'abord, leur mouvement est lent et difficile à obtenir, mais peu à peu ils se font une place dans le corps physique et le corps éthérique, lesquels apprennent à s'accommoder de cette nouvelle activité. Puis vient un jour où, le mode de vie approprié ayant formé la division requise entre la partie supérieure et la partie inférieure du corps éthérique, l'aspirant fait un suprême effort de volonté ; un mouvement en spirale dans un grand nombre de directions se produit et l'aspirant se trouve *en dehors de son corps physique.* Il l'observe comme il observerait une autre personne. La porte de sa prison est maintenant ouverte. Il est libre d'aller et venir ; il jouit de la même liberté dans les Mondes Intérieurs que dans le Monde Physique ; il agit à volonté dans ces Mondes et il aide ceux qui, dans n'importe lequel de ces Mondes, désirent ses services.

Avant que l'aspirant n'apprenne à quitter volontairement son corps, il peut avoir travaillé dans son corps du désir pendant son sommeil, car chez certaines personnes le corps du désir s'organise avant que la division du corps vital puisse s'accomplir. Dans ces conditions, il est impossible de transmettre à la conscience de veille ces expériences subjectives ; mais, dans ce cas, on notera généralement, comme premier signe de développement, la cessation de tout rêve confus. Puis, après un certain temps, les rêves deviendront plus clairs et tout à fait logiques. L'aspirant rêvera qu'il se trouve dans certains endroits et en compagnie de certaines gens (il importe peu que ces gens soient connus ou non de lui pendant ses heures de veille) et il agit d'une manière aussi raisonnable que s'il était éveillé. S'il rêve d'un lieu qui lui soit accessible pendant les heures de veille, il peut parfois obtenir la preuve de la réalité de son rêve, s'il prend note d'un détail physique quelconque de la scène et s'il vérifie son impression nocturne le jour suivant.

Plus tard, il s'apercevra que, durant ses heures de sommeil, il est capable de visiter tout endroit qu'il désire sur la surface de la Terre et de l'examiner d'une manière beaucoup plus complète que s'il y était allé dans son corps physique, parce que son corps du désir lui permet de pénétrer partout, en dépit des serrures et des murailles. S'il persiste dans ses efforts, un jour viendra finalement où il n'aura plus besoin d'attendre que le sommeil vienne interrompre la liaison entre ses véhicules, mais où il pourra consciemment se rendre libre.

On ne peut pas donner au premier venu des renseignements sur la manière de libérer les véhicules supérieurs. Ce n'est pas une certaine formule *verbale* qui entraîne la séparation mais plutôt *un acte de volonté ;* toutefois, la manière de diriger la volonté est individuelle. Cette information ne peut être donnée que par un instructeur compétent. Comme toutes les informations vraiment ésotériques, elle n'est jamais vendue, mais elle n'est communiquée au disciple que parce qu'il s'est rendu digne de la recevoir. Nous ne pouvons faire autre chose ici que d'indiquer les premiers pas qui mènent à l'acquisition de la faculté de clairvoyance volontaire.

Le moment le plus favorable pour s'exercer est le matin, dès l'éveil, avant que les tracas et les soucis de la vie quotidienne ne se soient présentés à l'esprit.

A cet instant où vous venez d'émerger des Mondes intérieurs, vous êtes ramené en contact avec eux plus facilement qu'à n'importe quel autre moment de la journée. Ne prenez pas le temps de vous habiller ou de vous asseoir sur le lit, mais que votre corps reste dans un état complet de détente et faites en sorte que, aussitôt éveillé, votre première pensée soit pour les exercices. Par détente du corps, nous ne voulons pas dire qu'il suffit de prendre une position confortable ; on peut avoir tous les muscles *tendus dans l'attente* et cela seul suffit pour annuler l'effet de l'exercice, car, dans ces conditions le corps du désir contracte les muscles. Il ne peut en être autrement tant que notre intellect n'est pas parfaitement calme.

CONCENTRATION

La première chose à faire est de s'exercer à fixer sa pensée sur un idéal et de l'y maintenir *sans la laisser dévier*. C'est là une tâche d'une difficulté extrême, mais il faut l'avoir accomplie au moins dans une certaine mesure avant qu'il soit possible de faire d'autres progrès. La pensée est le pouvoir que nous utilisons pour former des images, des tableaux, des formes-pensées, selon les idées qui nous viennent de nous-mêmes. Elle est notre faculté principale, et nous devons apprendre à en avoir la maîtrise absolue pour que ce que nous produisons ne soit pas une illusion saugrenue ayant pour cause des conditions extérieures, mais une véritable création engendrée en nous par l'Esprit (Voir figure 1).

Les sceptiques diront que tout cela est affaire d'imagination, mais comme nous l'avons déjà dit, si un inventeur n'avait pas été capable d'imaginer des choses comme le téléphone et autres instruments qui nous sont si précieux, nous ne les posséderions pas. Les conceptions de l'inventeur ne sont pas au point dès l'origine, autrement ses inventions fonctionneraient d'emblée à la perfection, ce qui est rarement le cas. Il faut passer par de nombreux insuccès et des expériences en apparence inutiles avant que la machine ou l'instrument nouvellement créé soit utilisable.

Donc, l'imagination de l'aspirant occultiste ne lui est pas toujours, d'emblée, un guide infaillible. Il lui est nécessaire de l'exercer et d'exercer sa pensée en prenant l'habitude de se concentrer chaque jour — le matin de préférence — sur un seul sujet ou sur une seule idée à l'exclusion de toute autre préoccupation. La pensée est douée d'un pouvoir puissant que nous gaspillons continuellement en la laissant se disperser comme l'eau qui se répand au-dessus d'un précipice sans être captée pour en faire une force motrice.

Les rayons solaires répandus sur toute la surface du globe y déversent une chaleur assez modérée, mais que l'on concentre au moyen d'une lentille un faisceau de ces rayons, ils deviennent brûlants au point de produire un feu au point focal.

La pensée est le moyen le plus puissant que nous possédions pour acquérir des connaissances. Si nous la concentrons sur un sujet, elle se creusera un chemin à travers tous les obstacles et résoudra le problème. Si nous mettons en jeu la quantité voulue de force mentale, il n'y a rien qui soit au-delà de notre pouvoir de compréhension. Tant que nous la dispersons, la force de la pensée n'a que peu d'utilité pour nous ; mais dès que nous sommes prêts à prendre la peine de la faire travailler, toutes les connaissances sont à notre portée.

On entend des gens s'écrier avec impatience : « Ah ! je ne peux pas penser à cent choses à la fois ! » alors que c'est justement ce qu'ils ont pris l'habitude de faire et ce qui cause la difficulté même dont ils se plaignent. Il y a des gens qui pensent constamment à des quantités de choses autres que celle qui demande leur attention. Tout succès résulte de la persistance de la concentration sur le but désiré.

C'est là une chose que l'aspirant à la vie supérieure doit absolument apprendre à faire. Il n'a pas le choix. Au début, il s'apercevra que sa pensée erre sur tout ce qui se trouve sous la calotte des cieux sauf l'idéal sur lequel il avait décidé de concentrer son esprit. Mais que cela ne le décourage pas ! Peu à peu, il deviendra plus facile pour lui de dominer ses sens et de maintenir ses pensées sur un objet sans les laisser dévier ou se disperser. Avec de la persévérance, encore et toujours de la *PERSEVERANCE,* il finira par remporter la victoire. Sans persévérance, on ne peut obtenir de résultats durables. Il est inutile de faire les exercices deux ou trois matinées ou même deux ou trois semaines de suite pour tout abandonner pendant le même laps de temps. Pour qu'ils soient efficaces, il faut faire ces exercices consciencieusement, tous les jours, sans faute.

L'aspirant peut choisir n'importe quel sujet suivant son tempérament et ses tendances mentales, pourvu que le sujet soit pur et qu'il tende à élever l'esprit. Le Christ offrira un bon sujet pour certains ; d'autres qui aiment particulièrement les fleurs feront plus de progrès en les choisissant comme sujet de concentration. L'objet importe peu mais, quel qu'il soit, nous devons l'imaginer conforme à la réalité dans tous ses détails. Si c'est le Christ, nous devons imaginer un Christ véritable, dont les traits soient mobiles, les yeux pleins de vie et dont l'expression ne soit ni figée ni morte. Nous devons construire un idéal vivant et non pas une statue. Si c'est une fleur, nous pouvons imaginer la graine enfouie dans la terre et, concentrant fermement en elle toute notre pensée, nous ne tarderons pas à la voir éclater, étendre ses racines qui s'enfoncent dans le sol selon une spirale. Partant des racines principales, nous voyons pousser et se ramifier des quantités de menues radicelles qui vont dans toutes les directions. Bientôt, la tige s'élance. Elle perce la surface du sol et l'on voit apparaître une petite pousse d'un vert tendre. Un rejeton se montre et puis un autre. Une ramille s'élance de la tige principale puis une autre et encore une autre ; des petites tiges sortent des ramilles, portant des bourgeons à leur extrémité ; bientôt, il y a un grand nombre de feuilles. Finalement, un bouton paraît au sommet et s'enfle jusqu'à ce qu'il commence à s'ouvrir et que les pétales de la rose se montrent sous l'enveloppe verte. La fleur s'épanouit à l'air ; elle exhale un parfum exquis dont nous avons parfaitement conscience lorsqu'il nous est apporté par la brise embaumée de l'été qui doucement agite cette belle plante, devant notre vision mentale.

C'est seulement lorsque nous « imaginons » de telles scènes, et avec autant de netteté, que nous entrons dans le véritable esprit de la concentration. On ne doit pas se faire seulement des représentations superficielles et vagues.

Des voyageurs revenus des Indes racontent comment certains fakirs ayant planté devant eux une graine, l'ont vue germer, grandir et produire des fruits qu'ils ont pu goûter, à leur grande stupéfaction. Ce prodige était l'effet d'une concentration si intense que l'image devenait visible, non seulement pour le fakir lui-même, mais aussi pour les spectateurs. On rapporte un cas où les membres d'un comité de savants ont tous vu des merveilles s'accomplir devant eux, dans des conditions où toute supercherie était impossible ; malgré cela, les photographies prises au cours de l'expérience n'ont donné aucun résultat. Les plaques sensibles n'avaient pas enregistré d'image, parce qu'il n'y avait pas eu d'objets matériels, concrets, à photographier.

Au début, les images que se formera l'aspirant n'auront qu'une piètre ressemblance avec la réalité, mais s'il persévère, il finira par évoquer une image plus réelle et plus vivante que celle des objets du Monde Physique.

Quand il sera capable de se représenter de telles images et qu'il aura réussi à concentrer sa pensée sur l'image créée, il pourra essayer de l'abandonner soudain en veillant à ce que son esprit soit absolument dégagé de toute pensée, et il attendra la venue de ce qui paraîtra dans cet espace vacant.

Il se peut que pendant longtemps rien n'apparaisse, et l'aspirant doit prendre bien garde de ne pas se créer de visions. Mais s'il persévère dans ses exercices et qu'il les exécute chaque matin, patiemment et consciencieusement, le jour viendra où, dès qu'il aura laissé disparaître la scène sur laquelle il a concentré volontairement sa pensée, le monde du Désir qui l'environne se révélera tout à coup à sa vision intérieure. Au début, il n'obtiendra peut-être qu'un vague aperçu de ce monde environnant, mais ce sera tout de même pour lui un gage de ce qu'il pourra voir, plus tard, à volonté.

MEDITATION

Quand l'aspirant s'est exercé pendant un certain temps à concentrer sa pensée sur un objet ordinaire quelconque et à construire une forme-pensée vivante au moyen de sa faculté d'imagination, il pourra, par la méditation, apprendre tout ce qui a rapport à l'objet ainsi créé.

Supposons que l'aspirant ait concentré son esprit sur l'image du Christ. Il est très aisé, par la pensée, de rappeler à la mémoire les incidents de Sa vie, de Ses souffrances et de Sa résurrection ; mais la méditation nous permet d'en apprendre encore bien davantage. Des connaissances que jusqu'ici nous n'avions jamais espéré obtenir inonderont l'âme d'une lumière radieuse. Toutefois, il est préférable de prendre comme exercice un sujet de peu d'intérêt et dont l'étude n'a pas l'attrait du merveilleux. Essayez, par exemple, d'apprendre l'histoire complète — disons — d'une allumette ou d'une table ordinaire.

D'abord, représentez-vous bien la forme de la table et pensez à la nature du bois dont elle est faite et à sa provenance. Songez alors à la petite graine d'où est sorti l'arbre qui a fourni le bois. Cette graine est tombée sur le sol de la forêt. Suivez des yeux l'arbre qui croît d'année en année, tantôt couvert par la neige de l'hiver, tantôt chauffé par le soleil d'été, et voyez-le qui gagne en hauteur, en même temps que ses racines s'enfoncent toujours plus profondément dans le sol. Ce n'était tout d'abord qu'un arbuste agité par la brise, plus tard un arbre majestueux dont les branches s'élancent toujours plus haut vers le ciel. A mesure que les années s'écoulent, le tronc augmente de diamètre, jusqu'au jour où, finalement, le bûcheron paraît avec sa hache et sa scie. Notre arbre est abattu et dépouillé de ses branches : il n'en reste plus que le tronc ; celui-ci est divisé en billes que l'on transporte par des chemins durcis par la gelée jusqu'au bord de la rivière, pour y attendre le retour du printemps, alors que la fonte des neiges grossit le courant des eaux. On construit avec les billes un grand radeau dont les tronçons de notre arbre font partie. Nous connaissons toutes leurs petites particularités et nous pourrions les reconnaître instantanément parmi des milliers d'autres, tant est claire l'image que nous en avons formée dans notre esprit. Nous suivons le radeau qui descend avec le courant et nous notons le panorama qui se déroule ; nous nous familiarisons avec les hommes qui ont la charge du radeau et qui dorment dans de petites huttes construites sur leur cargaison flottante. Finalement, nous voyons celle-ci arriver à la scierie. On sépare les troncs les uns des autres. Des crocs placés sur une chaîne sans fin saisissent les billes une à une et les retirent de l'eau. Voici venir une de celles qui nous intéressent et dont la partie la plus large deviendra le dessus de notre table. Des hommes armés de leviers munis de crochets la font passer, en la roulant, du fleuve jusque sur le quai. Nous pouvons entendre le long gémissement des grandes scies avides qui tournent si rapidement qu'elles n'offrent à nos yeux qu'une image indécise. Le bois est placé sur un chariot et poussé vers une de ces scies. En un instant, les dents d'acier ont mordu dans sa substance et ont divisé le tronc en planches. On en choisit une partie qui servira à faire la charpente d'une maison, mais on enverra le meilleur lot dans une fabrique de meubles après l'avoir mis au four pour dessécher le bois afin qu'il ne se contracte pas avec le temps. Plus tard, on le retire du four et on le fait passer sous une très grande machine à raboter armée d'un grand nombre de lames tranchantes. Là, on le scie en planches minces de diverses longueurs qu'on colle ensemble pour former le dessus de la table. On se sert des morceaux les plus épais pour tourner les pieds qu'on place dans le châssis qui supporte le dessus. Il ne reste plus qu'à polir le tout au papier de verre, à le cirer ou à le vernir, et la table est alors complètement terminée. Elle est expédiée avec d'autres meubles dans le magasin de vente et nous la suivons après que, l'ayant achetée, nous la faisons venir chez nous pour l'introduire dans notre salle à manger.

Ainsi, par la méditation, nous nous sommes familiarisés avec les diverses branches d'industrie nécessaires pour convertir l'arbre de la forêt en un meuble. Nous avons vu toutes les machines, tous les hommes et pris note des particularités des divers endroits. Nous avons même observé l'activité vitale qui a fait sortir cet arbre d'une graine minuscule et nous avons appris que des objets en apparence très ordinaire, cachent une longue histoire, d'un puissant intérêt. Une épingle, l'allumette qui nous sert pour allumer le gaz, le gaz lui-même et la pièce dans laquelle ce gaz brûle, toutes ces choses ont des histoires intéressantes à nous dire, et qui valent la peine d'être apprises.

OBSERVATION

Une des choses qui facilite le plus les efforts de l'aspirant, est la faculté d'observation. La plupart des gens traversent la vie avec un bandeau sur les yeux. On peut vraiment dire en parlant d'eux qu'ils ont « des yeux pour ne point voir, et des oreilles pour ne point entendre » (Marc 8 : 18). La grande majorité des gens font preuve d'un manque déplorable d'observation.

La plupart sont excusables jusqu'à un certain point à cause de leur vue qui n'est pas normale. Il est difficile d'imaginer jusqu'à quel point la vie à la ville est préjudiciable, à cet égard. A la campagne, l'enfant apprend à utiliser les muscles de l'œil jusqu'à leur limite ; il les relâche et les contracte, selon les besoins, pour voir les objets extérieurs situés à des distances considérables ou près de lui, dans la maison. Mais l'enfant élevé en ville voit pratiquement *tout* d'une faible distance et il emploie rarement les muscles de ses yeux pour observer les objets éloignés ; aussi perd-il presque complètement cette faculté et il en résulte beaucoup de cas de myopies et autres troubles de la vue.

Il est très important, pour celui qui aspire à la vie supérieure, d'être capable de voir tout ce qui l'entoure avec des contours clairs, bien définis dans tous les détails. Pour une personne dont la vue est défectueuse, l'usage de lunettes équivaut à la découverte d'un nouveau monde. La clarté et la précision remplacent alors l'indécision première. Si l'état des yeux nécessite l'emploi de deux foyers différents, on ne devrait pas se contenter de deux paires de lunettes, une pour voir les objets rapprochés et l'autre pour voir les objets éloignés, ce qui oblige à des changements fréquents. Ces changements ne sont pas seulement ennuyeux, mais il peut arriver qu'on oublie une des deux paires. Il vaut mieux se servir de lunettes bi-focales qui permettent d'observer les plus menus détails.

DISCERNEMENT

L'aspirant après avoir fait le nécessaire pour que sa vue soit normale, doit observer systématiquement les êtres et les choses et en tirer des conclusions dans le but de cultiver la faculté de raisonnement logique. La logique est le meilleur instructeur dans le Monde Physique, aussi bien que le guide le plus sûr dans n'importe quel monde.

En pratiquant cette méthode d'observation, on ne doit pas perdre de vue qu'elle est employée à seule fin de rassembler des faits et non pas dans le but de critiquer, tout au moins de faire des critiques malveillantes. Une critique constructive qui souligne les défauts et indique le moyen d'y porter remède, est la base de tout progrès ; mais une critique destructive qui renverse brutalement, à la fois ce qui est bon et ce qui est mauvais, sans viser à un progrès supérieur est, pour le caractère, un ulcère qui doit être extirpé. Les commérages et les racontars oiseux sont des entraves et des obstacles. Naturellement, il n'est pas question de dire que ce qui est noir est blanc, ni de fermer les yeux sur une manière d'agir manifestement mauvaise, mais les critiques ne devraient être faites que dans le but d'aider et non pas pour noircir de gaîté de cœur la réputation de nos semblables, tout simplement parce que nous avons découvert chez l'un ou l'autre une légère imperfection. Nous rappelant à ce propos la parabole de la paille et de la poutre, il est bon de réserver pour nous-mêmes les critiques les plus impitoyables. Aucun de nous n'est parfait au point d'avoir épuisé toutes les possibilités d'avancement. Moins la conduite d'un homme est blâmable, moins il est enclin à trouver à redire à celle d'un autre et à lui jeter la première pierre. Si nous voulons faire remarquer ses défauts à quelqu'un, tout en lui proposant diverses manières de s'en défaire et de progresser, au moins devons-nous le faire sans y mettre d'animosité personnelle. Nous ne devons pas cesser de rechercher le bien qui se trouve au fond de toute chose. Il est très important de cultiver cette attitude de discernement.

Quand l'aspirant a pratiqué pendant quelque temps les exercices de concentration et de méditation et qu'il est arrivé à un certain résultat positif, il lui faut encore s'élever à un degré supérieur.

Nous avons vu que la concentration consiste à maintenir la pensée centralisée sur un seul objet. Elle nous permet de construire une image claire, objective et vivante de la forme sur laquelle nous désirons acquérir des connaissances.

La méditation est l'exercice qui nous permet de retracer l'histoire de l'objet de nos recherches, d'entrer pour ainsi dire dans cette histoire, afin de recueillir toute information possible sur la relation qu'il possède avec le monde en général.

Ces deux exercices s'appliquent aux *choses* de la manière la plus profonde et la plus complète qu'on puisse imaginer. Ils conduisent l'aspirant vers un degré encore plus élevé, plus profond et plus subtil de développement mental qui traite de *l'âme des choses.*

Ce degré s'appelle la Contemplation.

CONTEMPLATION

La contemplation ne consiste pas dans un effort de la pensée ou de l'imagination pour obtenir des connaissances, comme dans le cas de la Méditation. Elle a simplement pour but de maintenir un objet dans notre vision mentale et à laisser son âme nous parler. Reposant tranquillement et les muscles détendus sur un sofa ou sur un lit, non pas d'une manière passive mais en éveil, nous attendons l'information qui nous sera sûrement donnée si nous avons atteint le point convenable de développement. La *Forme* de l'objet semble alors disparaître et nous ne voyons plus que la *Vie* au travail. La Contemplation nous enseignera ce qu'est la Vie, de même que la Méditation nous avait instruit de ce qu'est la Forme.

Lorsque nous atteignons ce degré et que nous avons, par exemple, devant nous, un arbre de la forêt, nous perdons entièrement de vue la Forme même et ne voyons plus que la Vie, qui, dans ce cas, est un esprit-groupe. Nous découvrirons avec surprise que l'esprit-groupe de l'arbre embrasse les divers insectes qui se nourrissent de sa substance et que les plantes parasites et leur hôte sont des émanations d'un seul et même esprit-groupe, car plus nous nous élevons dans les mondes invisibles, plus le nombre des formes séparées et distinctes est restreint, et plus complète est la prédominance de la Vie Unique. Le chercheur prend alors conscience du fait suprême d'une Vie Unique, la Vie Universelle de Dieu ; c'est alors un fait évident qu'en Lui « nous avons la vie, le mouvement et l'être ». Les minéraux, les plantes, les animaux et l'homme, tous, sans exception, sont des manifestations de Dieu ; et c'est ce fait qui est à la base de la fraternité, d'une fraternité qui embrasse tout, de l'atome au soleil, parce que toute chose émane de la Divinité. Les conceptions de fraternité basées sur d'autres fondements tels que distinctions de classe, affinités de Races, similitudes d'occupations, etc. sont très inférieures à celles fondées sur cette base réelle, comme le perçoit clairement l'occultiste quand il voit la Vie Universelle circuler dans toutes les formes.

ADORATION

Quand l'aspirant a atteint, par la Contemplation, ce degré élevé et qu'il a compris que c'est, en vérité, Dieu qu'il contemple dans la Vie qui pénètre toute chose, il lui reste encore à atteindre le degré le plus élevé : celui de l'Adoration par laquelle il s'unit à la Source Universelle. Il atteint par cet acte le but le plus élevé auquel l'homme puisse parvenir avant l'époque où s'accomplira l'union permanente, à la fin du Grand Jour de Manifestation.

L'auteur est d'avis qu'il est impossible d'atteindre les hauteurs de la Contemplation et le degré final d'Adoration sans l'aide d'un instructeur. Cependant l'aspirant n'a jamais à craindre que, faute d'un instructeur, l'époque où il lui sera possible d'atteindre ces degrés soit retardée et il n'est pas nécessaire non plus qu'il se mette à sa recherche. Il lui suffit de travailler lui-même à son propre perfectionnement et de poursuivre ses efforts avec *persévérance* et avec zèle. Il arrivera ainsi à purifier ses véhicules qui commenceront à briller dans les mondes intérieurs, ce qui ne pourra manquer d'attirer l'attention d'instructeurs toujours à la recherche de tels sujets qu'ils sont très désireux et très heureux d'aider et d'encourager dans leurs efforts sincères vers la pureté. L'humanité a grand besoin d'aides capables de travailler sur les plans invisibles. Par conséquent « persévérez et vous arriverez » mais n'allez pas imaginer qu'en passant d'un instructeur à l'autre, vous feriez une recherche sérieuse. Ce n'est pas dans notre monde obscur qu'il convient d'être en quête. C'est nous-mêmes qui devons allumer cette lumière qui s'irradie toujours des véhicules du candidat zélé. Cette lumière est l'étoile même qui nous guide vers un instructeur ou plutôt qui le guide vers nous.

En pratiquant les exercices recommandés, on obtient des résultats dans un temps variable qui dépend de l'application, du degré d'avancement de chaque individu ; il est, par conséquent, impossible de fixer une durée définie. Certains aspirants qui sont près d'atteindre le but obtiennent des résultats au bout de quelques jours ou de quelques semaines ; d'autres doivent travailler pendant des mois, des années et même pendant leur vie entière sans obtenir de résultats *visibles.* Cependant, les résultats sont là et l'aspirant qui persiste fidèlement verra, un jour ou l'autre, sa patience et sa fidélité récompensées dans cette vie ou dans une vie future. Les Mondes Intérieurs s'ouvriront à ses yeux et il deviendra un citoyen de mondes où les occasions de servir seront incomparablement supérieures à celles du Monde Physique.

A partir de ce moment, que ce soit à l'état de veille ou de sommeil, pendant ce que les hommes appellent la vie et ce qu'ils appellent la mort, l'aspirant ne cessera plus de mener une existence pleinement consciente et il profitera de toutes les conditions qui tendent à hâter son avancement vers des postes de confiance toujours plus élevés, afin de servir à l'élévation de la race humaine.

CHAPITRE XVIII

CONSTITUTION DE LA TERRE ET ÉRUPTIONS VOLCANIQUES

Même parmi les occultistes, la mystérieuse construction de la Terre passe pour être un problème des plus difficiles à élucider. Ils savent qu'il est plus facile d'étudier le monde du Désir et la région de la Pensée concrète et de rapporter dans le Monde Physique le résultat de leurs investigations que d'étudier d'une manière approfondie les secrets de notre planète la Terre. En effet, pour le faire à fond, il faut être passé par les neuf mystères mineurs et par la première des Grandes Initiations.

Les scientifiques ne savent que très peu de chose sur ce sujet. En ce qui concerne les phénomènes sismiques, ils changent très souvent de théories, parce qu'ils découvrent constamment des faits qui rendent insoutenables leurs hypothèses précédentes. Avec le soin remarquable dont ils sont coutumiers, ils ont examiné l'écorce extérieure de la Terre, mais seulement jusqu'à une profondeur insignifiante. Quant aux éruptions volcaniques, ils cherchent à les expliquer, comme ils cherchent à expliquer tout le reste, en donnant des raisons purement mécaniques. Ils dépeignent le centre de la Terre comme étant une fournaise ardente et ils en concluent que les éruptions sont causées par la filtration accidentelle des eaux et par d'autres phénomènes analogues.

Dans un certain sens, leurs théories ne sont pas sans fondement, mais, comme toujours, ils négligent les causes spirituelles qui sont, pour l'occultiste, les vraies causes.

Pour lui, en effet, le globe est loin d'être une masse inerte et « morte » ; au contraire, il sait que notre planète est pénétrée dans toutes ses parties par l'Esprit, levain qui provoque des transformations aussi bien à l'intérieur de la Terre qu'à sa surface.

Les différentes sortes de quartz, les métaux, la disposition des diverses couches stratifiées, tout a une signification beaucoup plus haute que celle que le chercheur matérialiste n'a jamais été capable de saisir. Pour l'occultiste, la façon dont ces matériaux sont disposés est pleine de signification. Sur ce sujet comme sur les autres, les sciences occultes sont, par rapport aux sciences expérimentales, ce qu'est la physiologie par rapport à l'anatomie. L'anatomie donne des détails sur la forme et la contexture des os, des muscles, des ligaments, des nerfs, etc., leur position respective, mais elle ne fournit aucune explication sur leur fonctionnement et leur usage. La physiologie, par contre, étudie non seulement la position et la structure de chacune des parties, mais elle en précise la fonction.

Connaître les différentes couches de la Terre et la position respective des planètes dans le ciel, sans avoir également connaissance de leur rôle et de leur signification dans la vie et dans le plan du Cosmos, est aussi vain que de connaître simplement la position des os ou des nerfs, etc., sans rien comprendre de leur rôle dans l'économie fonctionnelle du corps.

LE NOMBRE DE LA BETE

Pour la vue clairvoyante bien développée des Initiés aux divers degrés des Mystères, la Terre paraît être formée de différentes couches superposées, comparables à celles d'un oignon. Il y a neuf de ces couches, plus le noyau central ; en tout dix divisions. Ces couches ne sont révélées aux Initiés que graduellement. Une nouvelle couche leur devient accessible après chaque initiation, de sorte qu'à la fin des neuf initiations mineures, ils ont accès à chaque division mais pas encore, aux secrets du noyau central.

Ces neuf degrés sont ce qu'on appelait anciennement

les « Mystères Mineurs ». Ils font passer consciemment le néophyte par tout ce qui a rapport à son évolution antérieure, à commencer par l'activité de l'existence involontaire, pour lui permettre de comprendre le mode d'opération et la signification du travail qu'il accomplissait alors inconsciemment. On lui montre comment les neuf principes de la constitution actuelle (corps triple, âme triple, esprit triple) ont été développés et comment les grandes Hiérarchies Créatrices ont travaillé sur l'Esprit Vierge, en éveillant l'Ego qu'il contenait et en l'aidant à former le corps. On lui montre aussi le travail qu'il a lui-même accompli pour extraire du corps triple tout ce qu'il possède maintenant de l'âme triple. On le fait passer successivement par les neuf degrés des Mystères Mineurs, les neuf couches du globe.

Le nombre 9 est le nombre-racine de notre phase actuelle d'évolution. Il a, dans notre système, une signification qu'aucun autre nombre ne possède. C'est le nombre d'Adam, de la vie qui a commencé son évolution en tant qu'Homme et qui a atteint la phase humaine pendant la Période de la Terre. Dans la langue hébraïque, comme dans l'ancienne langue grecque, il n'y a pas de chiffres, mais chaque lettre a une valeur numérique. En hébreu, « Adam » s'écrit « ADM ». La valeur de « A » est 1 ; celle de « D » est 4 et celle de « M » est 40. Si nous additionnons ces *chiffres,* nous obtenons : 1+4+4+0=9, le nombre d'Adam ou de l'humanité.

Si nous passons du livre de la Genèse, qui traite de la création de l'homme dans un passé lointain, au livre de l'Apocalypse, qui traite de sa condition future, nous trouvons que le nombre de la bête qui entrave le progrès est 666. En additionnant ces chiffres, 6+6+6=18 et finalement 1+8=9, nous avons de nouveau le nombre de l'humanité, qui est elle-même la cause de tout le mal qui s'oppose à son propre progrès. Continuant jusqu'au passage qui donne le nombre de ceux qui seront sauvés, nous trouvons que ce nombre est 144.000. Additionnons comme auparavant : 1+4+4+000=9, soit de nouveau le nombre de l'humanité, ce qui montre que, pratiquement, elle sera sauvée dans sa totalité, car le nombre de ceux qui sont incapables de faire des progrès dans notre évolution actuelle est négligeable en comparaison de la somme totale. Même ceux qui échoueront ne seront pas perdus, car ils continueront leur évolution dans un prochain Jour de Manifestation.

L'état de conscience des minéraux et des plantes n'est à vrai dire que de l'inconscience. La première lueur de conscience commence avec le règne animal. Nous avons vu aussi que, d'accord avec la classification, il y a treize degrés dans le règne animal : trois classes de Radiaires, trois classes de Mollusques, trois classes d'Articulés et quatre classes de Vertébrés.

Si nous considérons l'homme comme formant un degré par lui-même, et si nous notons qu'il y a treize Initiations de l'homme à Dieu à partir du moment où il a commencé à se rendre capable de devenir une Intelligence Créatrice consciente, nous obtenons de nouveau le même nombre 9, car $13+1+13=27$ et $2+7=9$.

Ce nombre est aussi dissimulé dans l'âge du Christ, 33 ($3\times3=9$) et de manière analogue dans les 33 degrés de la Maçonnerie. Dans l'antiquité, la Maçonnerie était un système d'Initiation aux Mystères Mineurs qui ont, comme nous l'avons vu, neuf degrés, mais les Initiés l'ont souvent écrit sous la forme 33. De même, nous entendons parler du 18e degré des Rose-Croix ; c'est seulement là un « déguisement » pour le profane, car il n'y a jamais plus de neuf degrés dans les Mystères Mineurs ; et les Maçons, de nos jours, n'ont conservé qu'une très faible partie du rituel occulte dans leurs divers degrés d'initiation.

Il y a aussi les neuf mois de la gestation pendant lesquels le corps se développe jusqu'à ce qu'il atteigne son degré actuel d'efficacité ; il y a dans le corps neuf ouvertures : les deux yeux, les deux narines, les deux oreilles, la bouche et les deux orifices inférieurs.

Quand l'homme, dans sa progression, a traversé les neuf initiations mineures et qu'il a obtenu l'accès de chacune des couches de la Terre, il lui reste encore à obtenir l'accès du noyau central. Ce noyau lui devient accessible en vertu de la première des Grandes Initiations, au cours de laquelle il apprend à connaître le mystère de l'intellect, la partie de son être qui a commencé son évolution sur la Terre. Quand il est prêt pour la première des Grandes Initiations, il a déjà développé son intellect au degré que tous les hommes atteindront à la fin de la Période de la Terre. Dans cette Initiation, il reçoit la clef qui lui permettra d'entrer dans la phase ultérieure, et tout le travail qu'il accomplira dès lors sera celui de l'humanité de la Période de Jupiter, qui ne nous concerne pas actuellement.

Après avoir passé la première des Grandes Initiations, il devient un Adepte. Les deuxième, troisième et quatrième Initiations ont trait aux degrés de développement par lesquels passera l'humanité ordinaire dans les Périodes de Jupiter, de Vénus et de Vulcain.

Ces treize Initiations sont représentées symboliquement par le Christ et les douze Apôtres. Judas Iscariote représente les tendances traîtresses de la nature inférieure du néophyte. Jean, l'apôtre bien-aimé, représente l'Initiation de Vénus, et le Christ Lui-même symbolise l'Initié Divin de la Période de Vulcain.

Les rites de l'initiation, ainsi que leur nombre, varient avec les diverses écoles de science occulte, mais c'est là uniquement affaire de classification. On remarquera que toutes les descriptions qui peuvent en être faites sont de plus en plus vagues à mesure qu'on avance vers les initiations supérieures. Là où il est question de sept degrés ou davantage, on ne révèle presque rien sur la sixième initiation et absolument rien sur la septième. La raison en est qu'il y a une autre division à considérer, celle qui comprend les six degrés de « Préparation » et les quatre initiations qui conduisent le candidat jusqu'à la fin de la Période de la Terre où il obtient le rang d'adepte. Il doit y avoir encore trois autres degrés, si la philosophie de l'Ecole est assez avancée pour aller jusque-là. L'auteur ne connaît que les Rose-Croix qui aient quelques informations à donner au sujet des trois périodes qui ont précédé celle de la Terre. Les autres Ecoles se bornent à mentionner que ces trois périodes ont existé, mais leur rapport avec notre phase actuelle d'existence n'est pas précisé. Il existe encore d'autres doctrines occultes annonçant simplement qu'il y aura ultérieurement trois autres plans d'évolution, mais qui ne fournissent sur ce sujet aucun détail. Il va sans dire que, dans ces conditions, il n'est pas fait mention des trois dernières initiations.

Le tableau 21 donnera une idée de la disposition des

TABLEAU 21

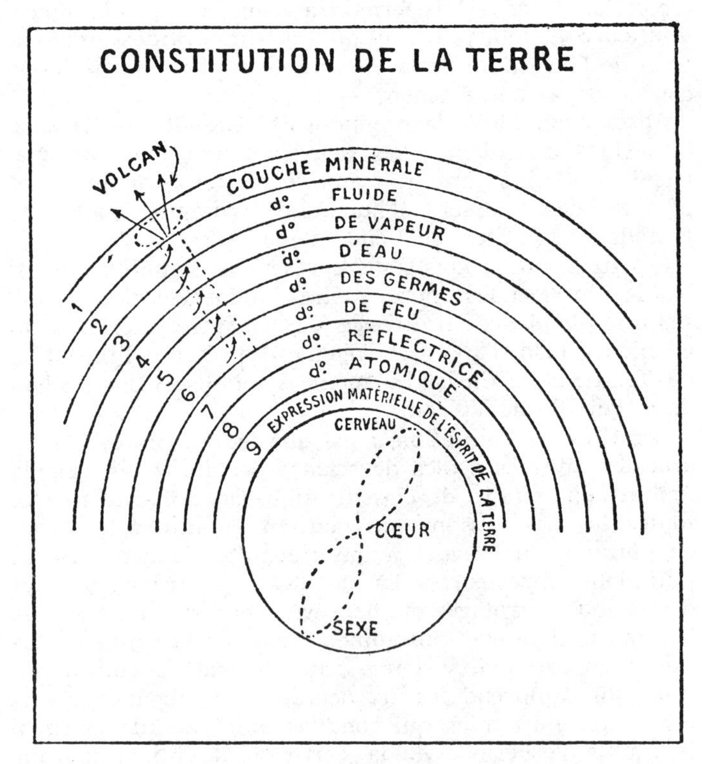

couches de la Terre ; nous avons omis le noyau central pour pouvoir indiquer plus clairement la forme en lemniscate des courants dans la neuvième couche. Dans ce tableau, les couches sont représentées comme étant d'épaisseur égale, bien qu'en réalité quelques-unes soient beaucoup plus minces que d'autres. En commençant par la surface, elles sont disposées dans l'ordre suivant :

1) La Terre Minérale. C'est la croûte rocheuse de la Terre dont s'occupent les géologues dans la mesure où l'homme est capable de la pénétrer.

2) La Couche Fluide. La matière dont cette couche est composée est plus fluide que celle de la croûte extérieure; cependant, elle n'est pas liquide : elle a plutôt la consistance d'une pâte épaisse. Elle a une qualité d'expansion

analogue à celle d'un gaz extrêmement volatil et elle n'est tenue en place que par la pression énorme de la couche extérieure. Si cette dernière couche était retirée, toute la couche fluide disparaîtrait à travers l'espace dans une explosion terrifiante. Ces deux premières couches correspondent aux Régions Chimique et Ethérique du Monde Physique.

3) La Couche de Vapeur. Dans les deux premières couches, il n'y a pas, à vrai dire, de vie consciente, mais dans la troisième couche, la vie abonde et palpite sans cesse, comme dans le Monde du Désir qui entoure et pénètre la Terre.

4) La Couche d'Eau. Elle contient les possibilité germinatives de tout ce qui existe à la surface de la Terre. Là, se trouvent les forces archétypales qui sont à la base de l'activité des esprits-groupes et aussi les forces archétypales des minéraux, car c'est là l'expression directe, physique, de la région de la Pensée concrète.

5) La Couche des Germes. Les hommes de science matérialistes ont été déçus dans les efforts qu'ils ont faits pour découvrir l'origine de la vie, pour trouver comment les premières créatures vivantes sont sorties d'une matière auparavant inanimée.

En réalité, si l'on accepte l'explication occulte de l'évolution, on devrait plutôt rechercher l'origine des choses « mortes ». *La Vie se trouvait là avant les Formes inanimées.* Elle a construit ses corps avec une matière ténue et vaporeuse, longtemps avant de se condenser pour former la croûte solide de la Terre. *C'est seulement lorsque la vie a quitté les formes qu'elles ont pu devenir dures et mortes.*

Le charbon n'est que la concrétion de formes végétales, comme les coraux sont celle de formes animales.

La vie quitte les *formes* et les *formes* meurent. Jamais la vie n'est entrée dans une forme inerte pour l'éveiller à l'existence. C'est la vie qui abandonne les formes et c'est ainsi qu'elles meurent. C'est là l'origine des choses « mortes ».

Dans cette cinquième couche se trouve la source primordiale de la vie d'où est sortie l'impulsion qui a construit toutes les formes de la Terre. Elle correspond à la région de la Pensée Abstraite.

6) La couche de Feu. Si étrange que cela puisse paraître, cette couche est douée de sensations. C'est en effet de cette région que le plaisir et la douleur, la sympathie et l'antipathie font sentir leurs effets sur la Terre. On croit généralement qu'en aucun cas la Terre n'est susceptible d'éprouver de sensations. Et pourtant quand l'occultiste observe la récolte des blés mûrs, la cueillette des fruits sur les arbres à l'automne ou celle des fleurs, il sait quel plaisir la Terre elle-même en éprouve. C'est un soulagement analogue à celui qu'éprouvent les vaches quand leurs mamelles gonflées de lait sont soulagées par le veau qui les téte. La Terre connaît la joie d'avoir produit la nourriture nécessaire à sa progéniture de formes vivantes. C'est à l'époque des récoltes que cette joie est à son comble.

Par contre, quand des plantes sont arrachées avec leurs racines, il est clair pour l'occultiste que la Terre ressent de la douleur. C'est pour cette raison qu'il n'emploie pas pour sa nourriture les plantes comestibles qui croissent sous la surface du sol, car elles sont saturées de force terrestre et manquent, par contre, d'énergie solaire. De plus, elles sont détériorées par leur extraction violente hors du sol. La seule exception que l'occultiste se permette de faire à cette règle c'est de manger modérément des pommes de terre, qui à l'origine croissaient à la surface de la terre et qui ne sont cultivées sous sa surface que depuis une époque relativement récente. Les occultistes préfèrent se nourrir de fruits qui poussent au soleil, parce qu'ils contiennent plus d'énergie solaire et qu'ils ne causent à la Terre aucune sensation pénible quand on les cueille.

On pourrait supposer que l'exploitation des mines est très douloureuse pour la Terre, mais c'est le contraire qui est vrai. Toute désagrégation de la croûte solide lui cause une sensation de soulagement, et toute solidification est pour elle une source de douleur. Là où un torrent de montagne provoque l'érosion du sol et l'entraîne vers les plaines, la Terre se sent allégée. Là où la matière désagrégée est déposée à nouveau, sous la forme d'un banc de sable à l'estuaire d'un fleuve, par exemple, la Terre éprouve une sensation correspondante de malaise.

De même que les sensations chez les animaux et les hommes sont dues à leur corps vital distinct, ainsi le pouvoir de sensation de la Terre est particulièrement actif dans cette sixième couche qui correspond au Monde de l'Esprit Vital. Pour comprendre le plaisir qu'elle ressent par suite de la désagrégation de roches dures dans les mines et la douleur que lui cause le dépôt d'alluvions, nous devons nous rappeler que la Terre est le corps physique d'un Grand Esprit qui, pour nous procurer un milieu dans lequel nous puissions vivre et amasser des expériences, a dû solidifier ce corps jusqu'à son état actuel.

Cependant, à mesure que l'évolution avance et que l'homme apprend les leçons qui dépendent de ce maximum de solidification, la Terre diminue de densité et son esprit se libère de plus en plus. C'est ce que Saint Paul voulait dire quand il déclarait que toute la création « soupire et souffre les douleurs de l'enfantement » dans l'attente du Jour de libération (Romains 8 : 22).

7) La Couche Réflectrice. Cette partie de la Terre correspond au Monde de l'Esprit Divin. Il y a dans la science occulte ce qu'on appelle les « Sept Secrets Inexprimables ». Pour ceux qui ne les connaissent pas ou qui n'ont pas, tout au moins, une idée de leur portée, les propriétés de cette couche doivent paraître singulièrement absurdes. C'est en elle que toutes les forces que nous connaissons comme « Lois de la Nature » résident en tant que forces morales, ou plutôt immorales. Au début de la carrière consciente de l'homme, elles étaient beaucoup plus hostiles qu'à présent. Mais il semble qu'à mesure que l'humanité progresse moralement, ces forces s'améliorent dans la même proportion ; d'un autre côté, tout relâchement moral tend à les déchaîner et leur faire causer des ravages à la surface de la Terre, tandis qu'un effort vers un idéal plus élevé les rend moins hostiles à l'homme.

Les forces qui résident dans cette couche sont donc, à chaque instant, la réflexion exacte de l'état moral de l'humanité. Au point de vue occulte, la « Main de Dieu », qui frappait Sodome et Gomorrhe, n'est pas une superstition ridicule ; car, de même que nous sommes individuellement responsables devant la Loi de cause à effet qui apporte à chacun la juste rétribution de ses actes, bons ou mauvais, ainsi il y a une responsabilité de communauté et une responsabilité nationale qui apportent à certains groupes d'hommes la rétribution que méritent leurs actes collectifs. Les forces de la nature sont les agents généraux de cette justice compensatrice qui cause les inondations, les séismes ou, au contraire, la formation bienfaisante de dépôts de pétrole ou de charbon pour divers groupements humains, selon leurs mérites.

8) La Couche Atomique. Tel est le nom donné par les Rose-Croix à la huitième couche de la Terre qui est l'expression du Monde des Esprits Vierges. Elle semble avoir la propriété de multiplier un grand nombre de fois les choses qu'elle contient ; cela ne s'applique toutefois qu'aux choses définitivement formées. Un morceau de bois informe ou une pierre brute n'y ont pas d'existence mais, sur tout ce qui a été modelé ou qui possède la vie et la forme (telle une fleur ou une image), cette couche possède un pouvoir de multiplication à un degré stupéfiant.

9) L'Expression Matérielle de l'Esprit de la Terre. Il y a ici des courants en lemniscate qui sont en relation intime avec le cerveau, le cœur et les organes sexuels de la race humaine. Cette couche correspond au Monde de Dieu.

10) Centre de l'Etre de l'Esprit de la Terre. A l'heure actuelle, nous ne pouvons rien dire à ce sujet, sauf qu'il est l'ultime terrain nourricier de tout ce qu'il y a à l'intérieur de la Terre et à sa surface, et qu'il correspond à l'Absolu.

Un certain nombre de puits, ou cheminées, à divers endroits, font communiquer la sixième couche, ou couche de feu, avec la surface de la Terre. Nous appelons « cratères volcaniques » leur extrémité extérieure. Quand les forces naturelles de la septième couche sont suffisamment déchaînées pour pouvoir se manifester par une éruption volcanique, elles mettent en mouvement la couche de feu (6), et l'agitation se propage vers l'extérieur jusqu'à la bouche du cratère. La plus grande partie de la matière expulsée est empruntée à la substance de la deuxième couche, car elle est la contre-partie dense de la sixième couche, de même que le corps vital, deuxième véhicule de l'homme, est, en plus dense, la contre-partie de l'Esprit Vital, sixième principe. Cette couche fluide, dont la propriété d'expansion et d'explosion est très grande, chasse une quantité illimitée de matériaux à l'endroit de l'éruption. Ceux des matériaux qui ne sont pas lancés dans l'espace se durcissent au contact de l'atmosphère extérieure et forment ainsi la lave et les cendres, jusqu'à ce que, semblable au sang s'échappant d'une blessure, qui se coagule et arrête finalement l'épanchement, la lave finisse par sceller l'orifice qui communique avec les parties intérieures de la Terre.

Comme on pourrait aisément le déduire du fait que l'immoralité et les tendances anti-spirituelles de l'humanité éveillent l'activité destructive des forces de la Nature dans la septième couche, ce sont généralement les peuples dissolus et dégénérés qui succombent à ces catastrophes. Ces gens et tous ceux venus des différentes contrées dont la destinée, engendrée sous la Loi de cause à effet, entraîne, pour des raisons diverses, une mort violente, se trouvent rassemblés par des forces supra-humaines à l'endroit où le cataclysme doit se produire. Pour celui qui réfléchit, les éruptions du Vésuve, par exemple, permettront de corroborer cette assertion. Le nombre de ces éruptions enregistrées depuis deux mille ans montre que leur fréquence a augmenté en même temps que croissait le matérialisme. Au fur et à mesure que les éruptions volcaniques se faisaient plus nombreuses, la science matérialiste niait formellement et avec de plus en plus d'arrogance tout ce qui est du domaine spirituel. Alors que dans le premier millénaire après Jésus-Christ, il n'y a eu que six éruptions, on en a compté cinq en l'espace de 51 ans, ainsi que nous allons le montrer : Après le Christ, la première éruption fut celle qui détruisit les villes d'Herculanum et de Pompéi, au cours de laquelle périt Pline l'Ancien, en l'an 79 de notre ère. Les autres éruptions se sont produites au cours des années 203, 472, 512, 652, 982, 1036, 1158, 1500, 1631, 1737, 1794, 1822, 1855, 1872, 1885, 1891, 1906.

Il résulte de ces dates que, pendant les dix premiers siècles, il y a eu six éruptions et qu'il y en a eu douze pendant les dix siècles suivants, dont cinq ont eu lieu, comme nous l'avons déjà dit, dans l'espace de 51 ans.

Du nombre total de dix-huit éruptions, les neuf premières ont eu lieu pendant ce qu'on appelle « l'âge de l'obscurantisme », c'est-à-dire pendant les seize siècles qui ont vu le monde occidental dominé par ce qu'on se plaît à appeler les « païens », ou bien par l'Eglise Romaine. Toutes les autres se sont succédées pendant les trois derniers siècles, depuis la naissance et pendant le développement de la Science Moderne, dont les tendances sont matérialistes et qui a presque poussé la spiritualité dans ses derniers retranchements, particulièrement dans la deuxième moitié du dix-neuvième siècle. Aussi les éruptions qui correspondent à cette période comprennent-elles presque le tiers du nombre total de celles qui ont eu lieu pendant notre Ere.

Pour neutraliser cette influence démoralisante, les Frères Aînés de la Sagesse, qui travaillent sans cesse pour le bien de l'humanité, ont fait pendant ce même temps beaucoup de révélations sur les choses occultes. Ils se sont dit qu'en répandant ces enseignements et en instruisant le petit nombre de ceux qui veulent bien les recevoir, ils pourraient encore refouler la marée montante du matérialisme qui, autrement, peut avoir des conséquences très graves pour les matérialistes eux-mêmes. Après avoir nié pendant si longtemps l'existence de tout ce qui est spirituel, ils se trouveront peut-être incapables de recouvrer leur équilibre quand ils découvriront que, bien que privés de leur corps physique, ils sont encore vivants. De telles personnes peuvent avoir à subir une destinée trop lamentable pour qu'on puisse l'envisager avec sérénité. Une des causes de la tuberculose si redoutée est précisément le matérialisme. Il se peut qu'elle ne soit pas imputable à l'incarnation actuelle, mais qu'elle soit le résultat de croyances et d'affirmations matérialistes des générations passées.

Nous avons parlé de la mort de Pline l'Ancien, à l'époque de la destruction de Pompéi. Il est intéressant de retracer le destin d'un homme de science de ce genre, non pas à cause de sa propre personnalité, mais pour mettre en lumière la manière dont l'occultiste lit dans la mémoire de la Nature, comment les impressions y sont gravées et l'effet des caractéristiques du passé sur les tendances actuelles.

Quand un homme meurt, son corps physique se désagrège, mais on peut retrouver la somme totale de ses forces dans la septième couche de la Terre, la couche réflectrice qui constitue, pour ainsi dire, un réservoir dans lequel les formes passées sont préservées, en tant que forces. Si, connaissant l'époque de la mort d'un homme, nous faisons des recherches dans ce réservoir, il nous sera possible d'y retrouver sa forme. Non seulement elle est emmagasinée dans la septième couche, mais encore la huitième couche atomique la multiplie, de telle sorte qu'un certain type de forme humaine peut être reproduit, modifié par d'autres, et être ainsi utilisé à maintes reprises pour la formation d'autres corps. Les tendances intellectuelles d'un homme tel que Pline l'Ancien ont pu être reproduites mille ans après sa mort et sont partiellement la cause de la floraison actuelle des scientifiques matérialistes.

Les savants matérialistes de notre époque ont encore beaucoup à apprendre et à désapprendre. Ils ont beau s'acharner à combattre ce qu'ils appellent par dérision les « illusions » de l'occultiste, ils seront forcés de reconnaître ces vérités et de les accepter les unes après les autres. Ce n'est qu'une question de temps.

Mesmer, qui avait été envoyé par les Frères Aînés, a été tourné en ridicule ; mais quand les matérialistes ont changé le nom de la force qu'il avait découverte, en l'appelant « hypnotisme » au lieu de mesmérisme, elle a immédiatement été considérée comme étant « scientifique ».

A la fin du siècle dernier, Madame Blavatsky, élève fidèle des Maîtres de l'Orient, a déclaré que la Terre obéissait à un troisième mouvement en plus des deux mouvements qui sont la cause des jours, des nuits et des saisons. Elle a fait remarquer que l'inclinaison de l'axe de la Terre est due à un mouvement qui, au cours des âges, amène le pôle nord dans la position où se trouve maintenant l'équateur et, plus tard, dans la position occupée par le pôle sud. Ce mouvement, dit-elle, était connu des anciens Egyptiens, et le fameux zodiaque de Denderah montre qu'ils avaient enregistré l'accomplissement de trois de ces révolutions. Ces assertions, comme aussi l'ensemble de son ouvrage insurpassé « La Doctrine Secrète », ont été tournées en ridicule.

Il y a quelques années, un astronome de Bombay,

M. B.-E. Sutcliffe, a découvert et démontré mathématiquement que Laplace avait fait une erreur dans ses calculs. La découverte de cette erreur et sa rectification confirmaient, par démonstration mathématique, l'existence du troisième mouvement de la Terre, tel qu'il avait été défini par Mme Blavatsky. Cette découverte permettait aussi d'expliquer le fait, demeuré jusque-là embarrassant, qu'on trouve des plantes et des fossiles tropicaux dans les régions polaires, car un mouvement terrestre de ce genre produit nécessairement, au cours des âges, des périodes glaciaires et tropicales pour chaque partie du Globe, d'après son changement de position par rapport au Soleil. M. Sutcliffe envoya ses démonstrations au journal « Nature » (1), mais ce journal refusa de les publier, et quand l'auteur eut annoncé sa découverte dans une brochure, il s'est attiré une terrible avalanche d'amères critiques. Il est vrai qu'il était un étudiant convaincu et assidu de la « Doctrine Secrète », et cela suffit pour expliquer la réception hostile réservée à sa découverte et à ses corollaires inévitables.

Plus tard, un Français, M. Béziau, qui n'était pas un astronome de métier mais un ouvrier mécanicien, construisit un appareil démontrant la possibilité d'un tel mouvement. L'appareil figura à l'Exposition de Saint-Louis (1904) et fut chaudement recommandé par M. Camille Flammarion, comme étant digne d'attention. Il y avait là quelque chose de concret, une « machine » ; aussi, l'éditeur du « Monist », bien qu'il décrivît l'auteur comme étant un homme quelque peu enclin à des « illusions mystiques » (parce qu'il croyait que les anciens Egyptiens connaissaient ce troisième mouvement), n'en ferma pas moins généreusement les yeux sur cette particularité et déclara que, néanmoins, il n'avait pas perdu confiance dans la théorie de M. Béziau. Il publia une explication et un essai de M. Béziau, dans lequel le mouvement en question et ses effets sur la surface de la Terre étaient décrits en termes analogues à ceux employés par Mme Blavatsky et par M. Sutcliffe. M. Béziau n'étant pas nettement qualifié d'occultiste, il lui fut permis de défendre sa découverte.

(1) Il s'agit du journal anglais de ce nom.

On pourrait citer de nombreux exemples montrant comment les enseignements occultes ont été corroborés plus tard par les sciences dites « exactes ». Ainsi, la théorie atomique qui fut soutenue par quelques philosophes grecs et, plus tard, dans la « Doctrine Secrète », a été redécouverte en 1897 par le Professeur Thomson.

Dans l'ouvrage remarquable de M. Sinnett, *Le Développement de l'Ame,* publié en 1896, l'auteur a affirmé qu'il y a deux planètes au-delà de l'orbite de Neptune, dont une seule, pensait-il, serait découverte par les astronomes modernes. Dans le numéro d'août 1906 de « *Nature* » on affirme que le Professeur Barnard, avec l'aide du réflecteur de 90 cm de Lick, avait découvert ladite planète en 1892. Il n'y avait pas eu d'erreur à ce sujet, et cependant il avait attendu 14 ans avant d'annoncer sa découverte (1).

Toutefois, il est inutile de se mettre en peine pour cela. Le point important est que la planète soit là et que le livre de M. Sinnett la signalait dix ans avant que le Professeur Barnard ait affirmé en avoir fait antérieurement la découverte. Il se peut que si cette affirmation avait été faite avant 1906, elle aurait dérangé quelque théorie profondément enracinée !

Il existe de nombreuses théories de ce genre. Celle de Copernic n'est pas entièrement juste et il y a un grand nombre de faits qui ne peuvent être expliqués au moyen de la seule théorie nébulaire tant vantée. Tycho-Brahé, le célèbre astronome danois, avait refusé d'accepter la théorie de Copernic. Il avait de bonnes raisons pour s'en tenir à celle de Ptolémée, parce qu'il savait qu'avec cette dernière on peut calculer correctement les mouvements des planètes, tandis qu'avec la théorie de Copernic, il faut se servir d'une table de corrections. Le système de Ptolémée est exact au point de vue du Monde du Désir et il offre certains points qui sont nécessaires dans le Monde Physique.

Plus d'un lecteur trouvera fantastiques les déclarations faites dans les pages précédentes. Nous n'y pouvons rien. L'avenir apportera à tous la connaissance des faits exposés dans ce chapitre. Ce livre s'adresse seulement au petit nombre de ceux qui, ayant libéré leur esprit des entraves

---

(1) Il s'agit de la planète Pluton.

de la science et de la religion traditionnelles, sont prêts à accepter ces enseignements, jusqu'à ce que leur fausseté ait été prouvée.

CHAPITRE XIX

CHRISTIAN ROSENKREUZ ET L'ORDRE DES ROSE-CROIX

VERITES ANTIQUES SOUS UNE FORME MODERNE

Ayant trouvé dans le public un désir général d'information sur l'ordre des Rose-Croix et vu le fait que nos étudiants eux-mêmes ne saisissent pas exactement quelle place importante occupent les Rose-Croix dans notre civilisation occidentale, nous ne croyons pas inutile de fournir quelques renseignements authentiques sur ce sujet.

Tout, en ce monde, même notre évolution, est soumis à des lois ; les progrès spirituels et matériels vont de pair. Le Soleil, notre source de lumière, semble, comme chacun sait, voyager de l'est à l'ouest, apportant successivement la lumière et la vie à chaque contrée du Globe. Mais le soleil visible n'est qu'une partie du soleil, de même que notre corps physique n'est qu'une partie de l'homme complexe. Il y a un soleil invisible et spirituel dont les rayons favorisent le développement de l'âme successivement sur chaque partie de la Terre, de même que le Soleil favorise la croissance des formes, et cette impulsion spirituelle avance aussi dans la même direction que l'impulsion physique, soit d'est en ouest.

Six ou sept cents ans avant Jésus-Christ, une nouvelle vague de spiritualité est venue des rivages occidentaux de l'Océan Pacifique pour éclairer la nation chinoise. Jusqu'à nos jours des millions de Célestes ont embrassé la religion de Confucius. Par la suite, nous constatons l'effet de cette vague spirituelle qui a donné naissance à la religion du Bouddha, religion fondée pour éveiller les aspirations de millions d'Hindous et de Chinois de l'Ouest. Cette vague, dans son progrès vers l'Ouest, est apparue chez les Grecs, plus intellectuelle, dans les philosophies sublimes de Pythagore et de Platon, et finalement elle passe sur le monde occidental, parmi les pionniers de la race humaine où elle prend la forme élevée de la religion chrétienne.

La religion chrétienne s'est graduellement frayée un chemin vers l'Ouest jusqu'aux rives de l'océan Pacifique et c'est là que les aspirations spirituelles se sont massées et concentrées. C'est là qu'elles atteindront leur point culminant avant de franchir à nouveau l'Océan pour susciter en Orient une nouvelle ère d'éveil spirituel, dans des conditions plus élevées que celles qui dominent maintenant dans cette partie du globe.

Le jour et la nuit, l'été et l'hiver, le flux et le reflux se suivent selon la loi d'alternance des cycles ; de même l'apparition, dans n'importe quelle partie du monde, d'une vague spirituelle est suivie d'une période de réaction matérialiste, cela afin que notre développement soit mieux équilibré.

La Religion, l'Art et la Science sont les trois moyens les plus importants d'éducation de l'homme et forment une trinité qui ne peut être divisée sans fausser le point de vue de toutes nos recherches.

La *Religion véritable* comprend aussi la science et l'art, car elle nous apprend les bienfaits d'une belle vie, vécue en harmonie avec les lois de la nature.

La *Science véritable* est artistique et religieuse au plus haut degré, car elle nous apprend à respecter les lois qui gouvernent notre bien-être et à nous y conformer ; elle explique pourquoi la vie religieuse contribue à la santé et à la beauté physiques.

L'Art véritable est aussi instructif que la Science, et son influence est aussi exaltante que celle de la religion. L'architecture nous offre un exemple sublime des lignes de forces cosmiques dans l'Univers. Elle remplit le spectateur, dont les inclinations sont spirituelles, d'une dévotion et d'une adoration puissantes et engendrées par la conception de la grandeur et de la majesté souveraines de la Divinité. La sculpture et la peinture, la musique et la littérature nous inspirent le sentiment de la beauté transcendante de Dieu, source et but immuables de ce monde merveilleux.

Il ne faut rien de moins qu'un enseignement aussi universel pour répondre d'une manière permanente aux besoins de l'humanité. Autrefois, même dans une époque aussi proche de la nôtre que la civilisation grecque, la *Religion,* les *Arts* et les *Sciences* faisaient l'objet d'un enseignement conjoint dans les Temples des Mystères. Toutefois, pour que chacune de ces branches puisse continuer à se développer, il était devenu nécessaire qu'elles soient séparées pour une certaine durée.

Pendant ce qu'on a appelé « l'Age de l'Obscurantisme », ou Moyen Age, la *Religion* était toute-puissante et maintenait les Sciences et les Arts sous une étroite tutelle. Vint ensuite la période de la Renaissance, où s'affirmèrent les *Arts* sous toutes leurs formes. Toutefois, la Religion continuait à être aussi puissante que précédemment, aussi les Arts ne lui ont été que trop asservis. Finalement, la *Science* est venue au premier plan et, de sa main de fer, elle a subjugué la Religion.

Les chaînes dans lesquelles la Religion enserrait la Science avaient été très funestes pour l'humanité, mais tout au moins l'homme entretenait un idéal supérieur, car il espérait en une vie meilleure et plus élevée. Aujour d'hui, le fait que la Science étouffe la Religion est infiniment plus désastreux, car maintenant l'*Espérance* elle-même, le seul don que les dieux aient laissé au fond de la Boîte de Pandore, pourrait disparaître devant le *Matérialisme* et l'*Agnosticisme.*

Un tel état de choses ne saurait durer, car une réaction doit intervenir si l'on veut éviter que l'humanité détruise le Cosmos. Pour prévenir une telle calamité, il faut que la *Religion,* les *Sciences* et les *Arts* s'unissent à nouveau en une expression plus élevée du *Bien,* de la *Vérité* et de la *Beauté* qu'avant leur séparation.

Les événements futurs projettent leur ombre devant eux. Aussi, dès que les grands Chefs de l'humanité ont constaté la tendance matérialiste à l'extrême qui domine aujourd'hui le monde occidental, ils ont pris certaines mesures pour s'y opposer et transmuer cette tendance au moment propice. Ils n'ont pas voulu étouffer la science comme cette dernière avait étouffé la religion, car ils connaissaient les avantages décisifs qui devront finalement résulter d'une nouvelle collaboration de la religion avec une science plus spiritualisée.

Toutefois, une religion spirituelle ne peut s'unir à une science matérialiste, pas davantage que de l'huile ne pourrait se mélanger à de l'eau, et, pour cette raison, des mesures ont été prises afin de rendre la Science plus spirituelle et la Religion plus scientifique.

Au XIIIe siècle, un Instructeur d'une haute spiritualité, portant le nom symbolique de Christian Rosenkreuz (Chrétien-Rose-Croix) est apparu en Europe pour commencer ce travail d'unification. Il a fondé l'Ordre mystérieux de la Rose-Croix dans le but d'apporter les lumières de l'Occultisme à la Religion Chrétienne si mal comprise, et d'expliquer les mystères de la Vie et de l'Etre au double point de vue scientifique et religieux.

Bien des siècles se sont écoulés depuis la naissance du Fondateur de l'Ecole des Mystères qui porta le nom de Christian Rosenkreuz. Nombreux sont ceux qui prennent cette existence pour un mythe. Il n'en est pas moins vrai que la naissance de Christian Rosenkreuz a marqué le début d'une ère nouvelle dans la vie spirituelle du monde occidental. Cet Ego, depuis lors, s'est constamment réincarné dans l'une ou l'autre contrée de l'Europe. Il a pris un nouveau corps chaque fois que celui qu'il venait d'employer ne pouvait plus lui être utile ou lorsque les circonstances exigeaient qu'il change le théâtre de ses activités. Ajoutons qu'il est aujourd'hui en incarnation. Initié d'un degré exalté, il est un facteur puissant dans les événements de l'Occident, dans lesquels, inconnu du monde, il joue un rôle actif.

Il a travaillé avec les alchimistes bien des siècles avant les débuts de la science moderne. C'est lui qui, par un intermédiaire, a inspiré les œuvres maintenant mutilées de Francis Bacon. Jacob Bœhme, et d'autres ont reçu de lui l'inspiration qui donne à leurs écrits un tel pouvoir d'illumination spirituelle. Nous retrouvons son influence dans les œuvres immortelles de Gœthe et dans les chefs-d'œuvre de Wagner. Tous les esprits intrépides qui refusent d'être entravés par l'orthodoxie de la science ou par celle de la religion et qui, rejetant les apparences, pénètrent au centre spirituel des choses, sans souci des diffamateurs ou des flatteurs, tirent leurs inspirations de la même source où vint puiser et où puise encore le grand esprit de Christian Rosenkreuz.

Son nom même est le résumé de la manière et des moyens par lesquels l'homme moderne est transformé en un Surhomme Divin.

Ce Symbole,

Christian Rosen Kreuz
(Le) *Chrétien* (à la) *Rose* (et à la) *Croix*

montre la fin et le but de l'évolution humaine, la voie à suivre et les moyens à employer pour atteindre ce but. La croix blanche, la tige verte et grimpante, les épines, les roses rouge-sang, recèlent la solution des mystères du monde, l'évolution passée de l'Homme, sa constitution présente et surtout le secret de son développement futur.

Ce symbole, muet pour le profane, révèle à l'initié la manière dont il doit travailler, jour après jour, pour tailler et polir cette pierre précieuse entre toutes, la Pierre Philosophale, plus précieuse que le diamant Koh-i-noor, plus précieuse que toutes les richesses de la Terre. La Rose-Croix lui rappelle comment l'humanité, dans son ignorance, gaspille follement la substance rare dont elle dispose, au lieu de la faire servir à la formation de ce trésor sans prix.

Pour maintenir la fermeté et la constance de l'Initié à travers toutes les circonstances, la Rose-Croix, pour mieux l'inspirer, exalte la glorieuse récompense réservée à celui qui remporte la victoire sur lui-même, et désigne le Christ comme étant l'Etoile de l'Espérance, « les Prémices de la récolte », Celui qui a façonné « la Pierre Merveilleuse » pendant son incarnation dans le corps de Jésus.

Certaines recherches ont révélé que, dans tous les systèmes de religion, il y avait un enseignement réservé aux prêtres et qui n'était pas donné aux masses. Le Christ, lui aussi, parlait en paraboles à la multitude, mais il en expliquait à ses disciples le sens caché afin qu'ils en aient une compréhension plus profonde, vu le développement de leur esprit.

Saint Paul donnait le « lait » aux *petits enfants,* les plus jeunes membres de la communauté, mais il réservait la « nourriture solide » pour les *forts* qui avaient fait des études plus approfondies. Ainsi, il y a toujours eu un *enseignement secret* et un *enseignement public.* L'enseignement secret était donné dans les Ecoles des Mystères, comme on disait alors, ces Ecoles ayant subi de temps à autre, certaines transformations répondant aux besoins nouveaux des nations parmi lesquelles elles étaient appelées à travailler.

L'Ordre des Rose-Croix n'est pas simplement une société secrète, c'est une des Ecoles des Mystères. Les Frères Hiérophantes des Mystères Mineurs, Gardiens des Enseignements sacrés, représentent, dans la vie du monde occidental, un pouvoir plus puissant que celui des Gouvernements visibles, bien qu'ils puissent seulement intervenir auprès des hommes ou ne les privant pas de leur libre arbitre.

Comme le mode de développement de l'aspirant dépend dans chaque cas de ses prédispositions, deux voies lui sont offertes : la voie *mystique* et la voie *intellectuelle.* Le mystique est le plus souvent dénué de connaissances intellectuelles. Il obéit aux impulsions de son cœur et s'efforce d'accomplir la volonté divine telle qu'il la *pressent.* Il s'élève spirituellement sans avoir conscience d'un but bien précis, mais arrive finalement à la connaissance.

Au Moyen Age, les hommes n'étaient pas aussi intellectuels qu'ils le sont de nos jours, et ceux qui sentaient l'appel d'une vie supérieure suivaient ordinairement la voie mystique. Mais pendant ces derniers siècles, depuis les débuts de la science moderne, une humanité plus *intellectuelle* peuple la terre ; la tête a complètement dominé le cœur, le matérialisme a subjugué toute impulsion spirituelle et la plupart des intellectuels ne croient qu'à ce qu'ils peuvent toucher, goûter ou manier. Aussi est-il nécessaire d'en appeler à leur raison pour que le cœur puisse croire ce que l'intelligence a sanctionné. C'est pour répondre à ce besoin que les enseignements des Mystères offerts par les Rose-Croix tâchent de coordonner les faits scientifiques avec les vérités spirituelles.

Dans le passé, ces enseignements sont restés secrets pour tous, sauf pour un petit nombre d'initiés. De nos jours encore, ils font partie des connaissances les plus mystérieuses et les plus secrètes du monde occidental. Toutes les soi-disant révélations du passé, au sujet des mystères des Rose-Croix, ont été frauduleuses ou bien elles sont le résultat de la perfidie de quelque personne étrangère à l'ordre, qui, peut-être par hasard, aura surpris des fragments de conversation inintelligibles pour quiconque n'en possède pas la clef. On peut vivre sous le même toit qu'un Initié, à quelque école qu'il appartienne, et avoir avec lui des liens de la plus grande intimité, il n'en gardera pas moins jalousement son secret au fond de son cœur tant que son ami n'a pas atteint le degré de développement qui lui permettra de devenir un Frère Initié. La révélation des secrets ne dépend pas de la Volonté de l'Initié, mais des qualités de l'aspirant.

De même que tous les autres Ordres des Mystères, l'Ordre des Rose-Croix est formé selon des données cosmiques ; si nous prenons plusieurs boules de même diamètre et cherchons combien il en faut pour en couvrir une et la cacher complètement, nous trouverons que douze boules sont nécessaires pour en cacher une treizième. La division finale de la matière physique, le véritable atome de l'espace interplanétaire, présente aussi ce groupement de douze autour d'un. Les douze signes du Zodiaque qui entourent le Système Solaire, les douze demi-tons de la gamme musicale comprenant l'octave, les douze apôtres rassemblés autour du Christ, etc., sont autant d'exemples de ce groupement de douze plus un. C'est pourquoi l'Ordre des Rose-Croix est composé de douze Frères et d'un treizième : le Chef de l'Ordre.

Il faut noter cependant certaines autres divisions. Nous avons vu que sur les Douze Hiérarchies Créatrices des Légions Célestes qui ont été actives dans notre système d'évolution, cinq d'entre elles sont libérées, n'en laissant plus que sept chargées de notre progrès ultérieur. C'est en accord avec ce fait que l'homme actuel, l'Ego incarné, le microcosme, travaille dans le monde par l'intermédiaire des sept orifices visibles de son corps : les deux yeux, les deux oreilles, les deux narines et la bouche, alors que cinq autres orifices sont partiellement ou complètement fermés : les seins, le nombril et les deux organes d'excrétion.

Les sept roses qui forment une couronne au centre de notre bel emblème, et l'étoile dont les cinq branches s'irradient derrière elles, sont un symbole des douze grandes Hiérarchies créatrices qui ont aidé l'esprit humain dans son évolution à travers les conditions minérales, végétales et animales du passé, alors qu'il était inconscient et incapable de prendre soin de lui-même, si peu que ce fût. Parmi ces douze légions de grands êtres, trois classes ont travaillé pour l'homme et avec lui de leur propre gré, sans y être forcées le moins du monde.

Les trois branches qui pointent vers le haut de l'emblème rosicrucien symbolisent précisément ces trois classes. Deux autres des grandes Hiérarchies qui sont sur le point de se retirer sont représentées par les deux faisceaux lumineux de l'étoile qui, du centre, rayonnent vers la partie inférieure. Les sept roses nous révèlent que sept Grandes Hiérarchies Créatrices travaillent encore sur la Terre au développement des êtres. Comme toutes ces classes diverses, de la plus petite à la plus grande, ne sont que les parties d'un Seul Grand Tout que nous appelons Dieu, l'emblème est, dans son ensemble, un symbole de la Divinité en manifestation.

« Ce qui est en bas est comme ce qui est en haut », ou « Sur la Terre, comme au Ciel », tel est l'axiome d'Hermès. Les instructeurs supérieurs de l'humanité sont groupés d'après les mêmes données 7, 5 et 1. Il y a sur la Terre sept écoles des Mystères Mineurs et cinq écoles des Mystères Majeurs. Elles sont toutes groupées et forment un ensemble placé sous la direction d'un Chef Suprême, appelé le Libérateur.

Dans l'Ordre des Rose-Croix, sept Frères travaillent dans le monde partout où les circonstances l'exigent. Ils paraissent parmi les hommes comme d'autres hommes, ou travaillent dans leurs corps invisibles avec leur prochain ou sur lui. Toutefois, il faut bien se rappeler qu'ils n'influencent jamais une personne contrairement à sa volonté ou à son désir : ils renforcent seulement le bien partout où ils le trouvent.

Les cinq autres Frères ne quittent jamais le Temple et, quoiqu'ils possèdent des corps physiques, ils accomplissent tout leur travail dans les mondes invisibles.

Le treizième Frère est le Chef de l'Ordre. Il est en

relation avec un conseil central supérieur composé des Hiérophantes des Mystères Majeurs qui n'ont aucun contact avec l'humanité ordinaire, mais seulement avec ceux qui ont passé toutes les initiations mineures.

Le Chef de l'Ordre est caché au monde extérieur par les douze Frères, comme est cachée la boule centrale de notre exemple. Les élèves de l'Ecole eux-mêmes ne le voient jamais ; néanmoins, aux Services tenus chaque nuit dans le Temple, à son entrée, tous *sentent* sa présence, qui est le signal du commencement de la cérémonie.

Groupés autour des Frères de la Rose-Croix, se trouvent un grand nombre de « frères lais », leurs élèves, vivant dans différentes parties du monde occidental. Ils sont néanmoins capables de quitter à volonté leur corps, d'assister aux services et de participer au travail spirituel du Temple, car ils ont tous été « initiés » par un des Frères Aînés. La plupart sont capables de se rappeler leurs expériences, mais dans certains cas où la faculté de quitter le corps a été acquise dans le cours d'une vie antérieure consacrée au bien, il s'est trouvé que des maladies contractées durant la vie présente ayant entraîné l'abus de médicaments, ont appauvri le cerveau, le rendant incapable d'enregistrer le souvenir des tâches accomplies hors du corps.

INITIATION

On croit généralement qu'une initiation n'est autre chose qu'une cérémonie assez mystérieuse au cours de laquelle on devient membre d'une société secrète, et par laquelle on peut faire passer quiconque consent à payer un certain prix ; une somme d'argent dans la plupart des cas.

Alors que ceci est vrai de la soi-disant initiation des ordres fraternels, et aussi de celle de la plupart des ordres pseudo-occultes, c'est une erreur complète quand il s'agit des initiations aux divers degrés des Fraternités vraiment occultes, et la moindre compréhension des qualités requises en fera immédiatement comprendre la raison.

Tout d'abord, il n'existe pas de clef d'or pour ouvrir les Portes du Temple ; seul compte le mérite — non l'argent — or, le mérite ne s'acquiert pas en un jour. Il est le produit accumulé des bonnes actions passées. Le candidat à l'initiation ignore habituellement qu'il est « surveillé ». Vivant généralement parmi les autres hommes, il les sert pendant des années, sans attendre de récompense, jusqu'à ce qu'un jour, l'instructeur paraisse dans sa vie : c'est un Hiérophante des Mystères Mineurs, attaché au pays où il réside. A ce moment, le candidat a déjà cultivé en lui-même certaines facultés et accumulé certaines capacités pour aider et servir ses semblables, capacités dont il n'a généralement pas conscience et qu'il ne sait pas utiliser convenablement. La tâche de l'initiateur est maintenant simple ; il révèle au candidat ses facultés latentes, ses capacités qui sommeillent et l'initie à leur emploi ; il lui explique ou lui apprend, *pour la première fois,* la manière de transmuer son énergie statique en pouvoir dynamique.

L'initiation peut être accomplie ou non au cours d'une cérémonie, mais il convient de remarquer qu'étant le résultat inévitable d'efforts spirituels prolongés, conscients ou non de la part du candidat, elle ne peut avoir lieu avant que le développement intérieur nécessaire n'ait accumulé les pouvoirs latents dont elle ne fait qu'enseigner la mise en œuvre ; pas plus qu'on ne peut causer d'explosion en faisant jouer la détente d'un fusil, s'il n'a pas été chargé au préalable.

Il n'y a pas à craindre non plus que l'instructeur néglige quiconque a atteint le développement requis. Toute action bonne et désintéressée augmente, dans des proportions énormes, l'éclat et le taux de vibration de l'aura du candidat et, comme l'aimant attire l'aiguille, ainsi l'éclat de cette lumière attire l'instructeur.

Bien entendu, il est impossible, dans un livre destiné au public, de décrire les degrés de l'initiation des Rose-Croix ; d'abord, ce serait là un abus de confiance. De plus, les mots nous manqueraient pour nous exprimer d'une manière adéquate. Mais il est permis de donner un exposé de cette initiation et d'en montrer le but.

Les Mystères Mineurs se rapportent uniquement à l'évolution humaine pendant la Période de la Terre. Pendant les trois premières révolutions et demie de la vague de vie sur les sept globes, les Esprits Vierges n'ont pas développé la conscience de soi ; c'est pourquoi nous ignorons comment nous sommes parvenus à notre degré d'évolution actuel. Le candidat doit recevoir des éclaircissements sur ce sujet ; aussi, pendant la période d'initiation du premier degré, sous l'influence des Hiérophantes, sa conscience est tournée vers cette page de la mémoire de la nature sur laquelle est gravée l'image de la première révolution, alors que nous récapitulions le développement de la Période de Saturne. Toujours en pleine possession de sa conscience à l'état de veille et sans perdre de vue les événements de sa vie présente en ce vingtième siècle, le candidat passe en revue les progrès accomplis par les Esprits Vierges dont il a lui-même fait partie pendant la révolution de Saturne. Ainsi, il apprend quelles ont été les premières mesures prises, dans la Période de la Terre, pour arriver au but fixé qui lui sera révélé dans un degré d'initiation ultérieur.

Après avoir appris la leçon telle qu'elle est pratiquement décrite au chapitre X, le candidat a acquis sur ce sujet des connaissances personnelles directes ; il est entré en contact avec les Hiérarchies Créatrices dans leur travail pour et avec l'homme ; par suite, il est capable d'apprécier les bienfaits de leurs travaux dans le Monde et, dans une certaine mesure, de se mettre en ligne avec elles pour collaborer autant que possible à leurs efforts.

Quand le moment est venu pour lui de gravir le second degré, on lui fait de même tourner son attention sur les conditions de la seconde Révolution de la Période de la Terre, telle qu'elle est reproduite dans la mémoire de la nature : en pleine conscience, il passe alors en revue les progrès accomplis à cette époque par les Esprits vierges, un peu comme Peter Ibbetson, héros d'un livre de Georges du Maurier (livre intéressant par la description qu'il nous donne de certaines phases du subconscient) qui passait en revue son enfance pendant les nuits où « il rêvait des choses vraies ». Dans le troisième degré, le candidat suit l'évolution de la troisième révolution ou Révolution de la Lune et, dans le quatrième degré, il voit les progrès accomplis dans la première moitié de notre Révolution actuelle.

Chaque degré comporte toutefois un enseignement

complémentaire ; en plus du travail correspondant à chaque révolution, l'élève voit aussi le travail de l'Epoque correspondante pendant notre séjour sur le globe D, la Terre.

Dans le premier degré, il suit le travail accompli pendant la Révolution de Saturne et sa dernière récapitulation dans l'Epoque Polaire.

Dans le second degré, il suit le travail de la Révolution du Soleil et sa réplique, l'Epoque Hyperboréenne.

Dans le troisième degré, il observe le travail de la Révolution de la Lune et voit comment ce travail a été le fondement de la vie pendant l'Epoque Lémurienne.

Dans le quatrième degré, il voit l'évolution de la dernière demi-Révolution avec la période correspondante pendant notre séjour actuel sur la Terre, c'est-à-dire la première moitié de l'époque atlantéenne qui a pris fin quand la dense atmosphère de brouillard s'est dissipée et que le Soleil s'est mis à briller pour la première fois sur les continents et les mers. Ainsi s'est terminée la nuit de notre inconscience : les yeux de l'Ego incarné se sont complètement ouverts, et l'être humain a pu utiliser la Lumière de la Raison pour résoudre le problème de la conquête du monde. Telle a été l'époque à laquelle l'être humain, tel que nous le connaissons, a pris naissance.

Lorsque, dans les systèmes d'initiation de l'antiquité, le candidat restait en état d'hypnose pendant trois jours et demi, cela correspondait à la partie de l'initiation que nous venons de décrire. Les trois jours et demi se rapportent au développement qui était passé en revue et nullement à des jours de vingt-quatre heures. La durée de cette initiation varie avec chaque candidat mais, dans tous les cas, on lui fait voir le développement inconscient de l'humanité pendant les Périodes passées. Quand on parle de son réveil, le quatrième jour, au lever du soleil, c'est une manière mystique d'expliquer que son initiation au travail d'involution de l'homme cesse au moment où le soleil se lève sur la claire atmosphère de l'Atlantide. Le candidat est alors salué comme un « premier-né ».

S'étant ainsi familiarisé avec le chemin parcouru dans le passé, le candidat est amené par le cinquième degré jusqu'à la fin de la Période de la Terre, où une humanité glorieuse recueillera les fruits des sept globes traversés en chacun des Jours de manifestation durant lesquels elle a accompli son évolution, jusque sur le premier des cinq globes obscurs que nous habitons pendant les nuits cosmiques. Le plus dense de ces globes est situé dans la région de la Pensée abstraite. Il s'agit en réalité du « Chaos » dont il a été question précédemment. Ce globe est aussi le Troisième Ciel. Quand Saint Paul déclare avoir été ravi jusqu'au troisième Ciel et avoir entendu des choses qu'il ne lui était pas permis de révéler, il fait allusion à des expériences correspondant au cinquième degré des Mystères des Rose-Croix actuels.

Le candidat du cinquième degré qui en connaît l'aboutissement est instruit des moyens qui seront employés pour y parvenir durant les trois dernières révolutions et demie de la Période de la Terre.

Les quatre degrés qui lui restent à franchir seront consacrés à l'éclairer à cet égard. La pénétration qu'il aura ainsi acquise lui permettra de coopérer intelligemment avec les Puissances qui travaillent pour le Bien, et l'aidera à hâter le jour de notre émancipation.

Pour dissiper une notion inexacte assez répandue, nous désirons expliquer à nos élèves qu'on n'est pas un Rose-Croix parce qu'on étudie les enseignements rosicruciens ; même l'admission au Temple ne nous donne pas le droit de prendre ce nom. L'auteur de ce livre, par exemple, n'est qu'un frère lai, un élève, et ne voudrait en aucune circonstance s'appeler un Rose-Croix.

Nous n'ignorons pas que, lorsqu'un jeune garçon est passé par l'école primaire, il n'est nullement apte à enseigner. Il lui faut auparavant passer par les cours secondaires et les Facultés et, même alors, il se peut qu'il ne se sente pas la vocation de l'enseignement. De même, à l'école de la Vie, quand un homme a obtenu des grades à l'Ecole des Mystères des Rose-Croix, il n'est pas, pour autant, un Rose-Croix. Les lauréats des différentes écoles des Mystères Mineurs passent dans les cinq Ecoles des Mystères Majeurs. Dans les quatre premiers degrés, ils reçoivent les quatre Grandes Initiations et parviennent finalement jusqu'au Libérateur. Ils reçoivent alors des enseignements sur d'autres évolutions et peuvent choisir : soit de rester ici-bas pour assister leurs frères, soit d'entrer comme aides dans d'autres évolutions. Ceux qui décident de rester pour nous aider reçoivent différents postes, selon leurs goûts et leurs penchants naturels. Les Frères de la Rose-Croix sont parmi ces Ames Miséricordieuses, et ce n'est rien de moins qu'un sacrilège que de traîner dans la boue ce nom de Rose-Croix en l'appliquant à nous-mêmes, alors que nous ne faisons qu'étudier leurs sublimes enseignements.

Pendant ces quelques derniers siècles, les Frères ont travaillé en secret pour l'humanité ; chaque nuit, à minuit, un service est célébré dans le Temple où, assistés par les frères lais capables d'abandonner temporairement leur travail dans le monde (car beaucoup d'entre eux vivent dans des contrées où il fait encore jour, alors qu'il est minuit à l'endroit où se trouve le Temple de la Rose-Croix), les Frères Aînés rassemblent, de toutes les parties du Monde Occidental, les pensées de sensualité, de cupidité, d'égoïsme et de matérialisme, et cherchent à les transmuer en amour pur, en bienveillance, en altruisme et en aspirations spirituelles pour les renvoyer dans le monde afin d'encourager tout effort vers le Bien. Sans cette source puissante de vibrations spirituelles, il y a longtemps que le matérialisme aurait anéanti tout effort vers la spiritualité, car on n'a jamais vu une époque aussi sombre au point de vue spirituel que ces trois cents dernières années de matérialisme.

Toutefois, le temps est venu de compléter cette méthode de développement secret par un effort plus direct, dans le but de disséminer des connaissances bien définies, logiques et profondes, sur l'origine, l'évolution et le futur développement du monde et de l'homme ; de montrer à la fois l'aspect scientifique et spirituel de ces notions ; de diffuser des enseignements qui n'affirment rien qui soit contraire à la raison et à la logique, qui satisfont le mental, car ils offrent une solution raisonnable de tous les mystères et qui, enfin, sans chercher à éluder les questions, donnent des explications à la fois claires et précises.

Mais (et c'est là, un « mais » très important) *les Rose-Croix ne considèrent pas la compréhension intellectuelle de Dieu et de l'Univers comme une fin en soi ;* tant s'en faut ! Plus l'intellect est développé, plus grand est le danger d'en faire un mauvais usage. *Aussi, ces enseignements scientifiques, logiques et complets, sont-ils donnés à l'homme afin que son cœur puisse croire ce que l'intelligence a sanctionné et pour qu'il commence à vivre la vie mystique.*

LA FRATERNITÉ ROSICRUCIENNE

La Fraternité Rosicrucienne a été fondée pour répandre ces enseignements et tout le monde peut s'y inscrire comme *étudiant* à l'exception des *hypnotiseurs* et de ceux qui exercent la profession de *médium, voyant, chiromancien* ou *astrologue.* Les demandes d'admission peuvent être adressées à l'un des Centres de l'Association Rosicrucienne *.

Il n'y a ni frais, ni cotisation pour obtenir l'Initiation. L'argent ne peut acheter nos enseignements ; l'avancement dépend du mérite de l'aspirant.

Après avoir complété le cours préliminaire, l'élève est inscrit au siège d'Oceanside sur la liste des « étudiants réguliers » pour une période de deux ans. Après quoi, s'il est pénétré de la véracité de ces enseignements et prêt à rompre toute relation avec tout autre ordre occulte ou religieux, *à l'exception des églises chrétiennes et des ordres fraternels,* il peut prendre les engagements qui l'admettent au rang de *candidat.*

Nous ne prétendons pas insinuer par là que toutes les autres écoles d'occultisme sont sans valeur. Loin de là. Ne dit-on pas que tous les chemins mènent à Rome ? Mais nous atteindrons notre but avec beaucoup moins d'efforts si nous suivons un seul chemin, au lieu d'aller en zigzags de l'un à l'autre. Tout d'abord, notre temps et notre énergie sont limités et sont, de plus, réduits par nos devoirs envers notre famille et envers la société, devoirs qui ne doivent pas être négligés dans l'intérêt de notre propre développement. C'est pour faire le meilleur usage possible de la petite somme d'énergie que nous pouvons légitimement dépenser pour notre développement et pour éviter de gaspiller le peu de temps dont nous disposons, que les Chefs spirituels insistent pour que nous nous séparions de tous les autres ordres.

Le monde représente un ensemble d'occasions qui s'offrent à nous mais qui ne nous sont profitables que si

---

* Voir page 722 renseignements divers.

nous possédons certaines facultés pour l'acquisition desquelles nous avons à accomplir des efforts dans certains domaines. Or, le développement de ces facultés spirituelles nous met à même de servir nos frères, mais aussi de leur nuire. Aussi ce développement ne se justifie-t-il que lorsque nous nous proposons très sincèrement et profondément de servir l'humanité.

La méthode d'éducation des Rose-Croix diffère de toutes les autres sur un point bien précis : elle cherche, dès le départ, à libérer l'aspirant de toute dépendance d'autrui ; elle lui apprend à *ne compter que sur lui-même* en *toutes circonstances,* afin de pouvoir affronter, *seul, toutes* les situations, quelles qu'elles soient, et de solutionner *tous* les problèmes qu'il rencontre. Seul, celui dont le caractère est aussi solidement développé est capable d'assister les faibles.

Quand un certain nombre de personnes se réunissent dans le but de se développer selon des méthodes *négatives,* elles obtiennent souvent des résultats rapides pour la bonne raison qu'il est plus facile de se laisser emporter à la dérive que de remonter le courant. Toutefois, le médium n'est pas maître de ses actions. Il est seulement l'esclave, la chose de l'esprit qui le dirige. Aussi les candidats doivent-ils éviter d'assister à des réunions de ce genre.

Même les classes qui se réunissent dans une disposition d'esprit positive ne sont pas recommandées par les Frères Aînés, parce que les facultés latentes de tous les membres s'additionnent et que toute personne qui obtient alors des visions des mondes intérieurs, les doit en partie aux facultés des autres. La chaleur développée par le charbon au centre d'un foyer s'augmente de celle du charbon qui l'entoure : de même la clairvoyance obtenue dans un groupe, si positif soit-il, est comme une plante de serre chaude obtenue artificiellement. Le clairvoyant d'un groupe semblable est trop dépendant de l'entourage pour qu'on puisse lui confier le soin de s'occuper des autres.

C'est pourquoi chaque Candidat de l'Association Rosicrucienne accomplit ses exercices dans la retraite de sa chambre. Il se peut que, par cette méthode, les résultats s'obtiennent plus lentement, mais, quand ils paraissent, ils se manifestent sous la forme de pouvoirs cultivés personnellement et dont l'usage est indépendant de ceux d'autrui. De plus, les méthodes des Rose-Croix élèvent et fortifient le caractère en même temps qu'elles développent les facultés spirituelles. Elles protègent ainsi l'élève contre la tentation de sacrifier des facultés divines à un prestige public.

Quand le candidat a rempli les conditions requises et complété le terme de son noviciat, il peut adresser une demande directement à la Section Esotérique du Siège d'Oceanside pour recevoir des instructions personnelles des Frères Aînés.

LE SIEGE INTERNATIONAL DE LA FRATERNITE ROSICRUCIENNE

Après la fondation de la Fraternité Rosicrucienne (Association dont le but est de diffuser les enseignements des Rose-Croix et d'aider les aspirants dans la voie du progrès) il est devenu nécessaire de créer un Siège permanent avec les installations et l'équipement indispensables au développement de notre œuvre. A cet effet, un terrain a été acquis à proximité de la ville d'Oceanside (Californie, Etats-Unis) à 140 km au sud de Los Angeles et à 55 km au nord de San Diego, ville située non loin de la frontière mexicaine.

Cette propriété occupe une situation dominante, offrant une vue magnifique sur l'océan Pacifique, à l'Ouest, et sur de très belles montagnes, neigeuses en hiver, à l'Est, au-delà de la vallée et de l'ancienne Mission San Luis Rey (Saint Louis, Roi de France).

La Californie du Sud est exceptionnellement favorable au développement spirituel, grâce aux éthers très denses dont l'atmosphère est chargée, particulièrement à *Mount Ecclesia,* nom donné par Max Heindel à notre domaine.

La construction de bâtiments a débuté en 1911. La *Chapelle,* construite en 1913 et dans laquelle se célèbrent chaque jour deux services d'un quart d'heure chacun, a été rénovée en 1962. Le dimanche matin a lieu un service comportant une allocution. Le public est le bienvenu à tous les services célébrés à la chapelle.

Le *Temple,* centre de notre activité de guérison spirituelle, a été inauguré à Noël 1920. Un service, auquel n'assistent que les candidats, y est célébré chaque soir.

Le *bâtiment administratif* a été construit en 1917 et rénové en 1962. En 1975, un nouveau bâtiment administratif a été construit à proximité de l'ancien ; il contient des bureaux pour les divers services : Editions, Esotérique, Espagnol, Comptabilité et Exécutif. Au premier étage de l'ancien bâtiment sont les services Français, Allemand, d'Astrologie et de la Rédaction. Les réserves de brochures et d'autres textes s'y trouvent également. Le rez-de-chaussée du même bâtiment abrite les ateliers d'imprimerie et de reliure, ainsi que notre assortiment de livres. La forte augmentation de nos ventes de livres au cours des dernières années nous a obligé à faire imprimer ailleurs la plupart de nos livres (1), mais notre « Magazine », *Rays from the Rose-Cross* (Rayons de la Rose-Croix) est toujours réalisé dans nos ateliers, de même que nos nombreuses brochures et autres imprimés de diffusion.

Le *réfectoire* — ou « cafeteria » — sert des repas végétariens au personnel et au public. Il a été construit en 1914, agrandi en 1939, rénové en 1962 et modernisé en 1977.

Le bâtiment du *sanatorium* a été inauguré en 1931 et utilisé pendant un certain nombre d'années pour loger et traiter des patients atteints de maladies non contagieuses. Il nous sert maintenant de *Maison d'accueil* (Guest House) pour nos membres en visite et nos collaborateurs.

Le bâtiment du *Service de guérison* a été construit en 1940. Il abrite les bureaux où travaillent les secrétaires chargés de ce département.

Avec les années, ce terrain naguère broussailleux s'est transformé en un véritable parc, avec de nombreux palmiers, eucalyptus, poivriers d'Amérique et autres arbres d'agrément, sans parler des arbustes et des parterres de fleurs.

---

(1) Les livres en français sont édités sous la responsabilité des Centres français.

Nos cours par correspondance

Si vous avez été intéressé par les enseignements contenus dans cet ouvrage, nous vous recommandons les autres livres de Max Heindel, dont la liste figure en tête de ce volume, ainsi que nos cours par correspondance (Philosophie, Astrologie, Bible) mentionnés en dernière page. A l'intention de ceux qui désireraient devenir membres de notre Association, nous précisons que l'achèvement du cours préliminaire de philosophie représente le premier pas vers l'affiliation.

LE SYMBOLISME DE LA ROSE-CROIX

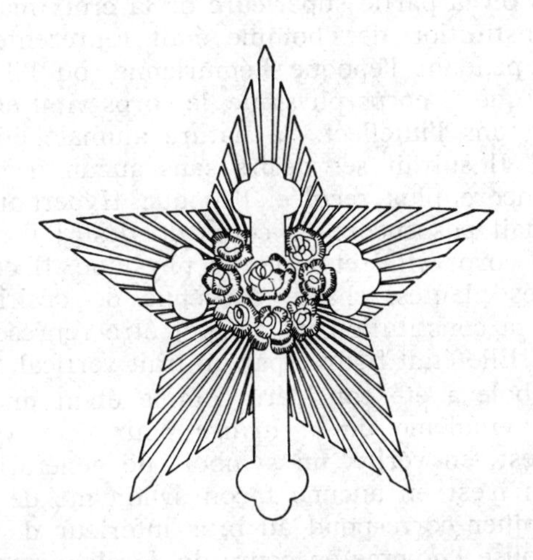

Quand nous cherchons la signification d'un mythe, d'une légende ou d'un symbole de valeur occulte, il est absolument nécessaire de comprendre que, de même qu'un objet, dans notre monde à trois dimensions, peut ou plutôt doit être considéré sous toutes ses faces pour que nous en ayons une compréhension entière et complète, de même tous les symboles ont un certain nombre d'aspects. Chaque point de vue recèle une phase différente des autres et tous ont également droit à notre considération.

Pris dans son intégralité, le merveilleux symbole de la Rose-Croix contient la clef de l'évolution passée de l'homme, de sa présente constitution, de son futur développement et aussi la méthode pour atteindre ce but. Lorsqu'il est représenté avec une seule rose au centre, il symbolise l'esprit d'où émanent les quatre véhicules : le corps physique, le corps vital, le corps du désir et l'intellect, quand l'esprit a pénétré dans ses instruments et qu'il est devenu l'esprit humain intérieur. Mais il fut une époque où cet état de choses n'était pas possible : l'esprit triple planait au-dessus de ses véhicules, étant incapable de les habiter. La croix se dressait alors seule, sans la rose, symbolisant les conditions qui prévalaient durant le premier tiers de l'époque Atlantéenne. Il y eut même un temps où la partie supérieure de la croix manquait et où la constitution de l'homme était représentée par le Tau (T), pendant l'époque Lémurienne, où l'homme ne possédait que le corps physique, le corps vital et le corps du désir, sans l'intellect. Sa nature animale était toute-puissante. Il suivait ses désirs sans aucun frein. A une époque encore plus reculée, l'époque Hyperboréenne, il ne possédait pas encore de corps du désir ; il avait seulement le corps vital et le corps physique. Il était alors comme les plantes, chaste et dénué de désirs. En ce temps-là, sa constitution ne pouvait être représentée par une croix. Elle était figurée par un trait vertical, un pilier.

Ce symbole a été considéré comme étant un symbole phallique, emblème de la luxure pour ceux qui l'adoraient. C'est, en vérité, un symbole de génération, mais génération n'est en aucune façon synonyme de dégradation : le pilier correspond au bras inférieur de la croix, qui symbolise l'homme en cours de développement, alors qu'il était comme les plantes. Les plantes n'ont ni passion, ni désir et ne connaissent pas le mal. Elles se reproduisent et perpétuent leur espèce d'une manière si pure, si chaste que, bien comprise, c'est un modèle que l'humanité, passionnée et tombée dans le péché, devrait adorer comme un idéal. C'est dans cette intention que ce symbole avait été donné aux races primitives. Le phallus et le yoni employés dans les temples grecs d'initiation ont été donnés par les grands-prêtres dans cet esprit et sur la façade étaient écrits les mots énigmatiques : « Homme, connais-toi toi-même », qui, s'ils sont bien compris, correspondent au symbole de la Rose-Croix, car ils montrent la raison de la chute de l'homme dans le désir, la passion et le péché, et donnent la clef de sa libération, comme le font les roses sur la croix.

Les plantes sont innocentes, *mais non pas vertueuses,* puisqu'elles n'ont ni choix, ni désirs. L'homme possède les deux : il est libre de suivre ou non son désir, afin d'apprendre à se dominer.

Quand il était hermaphrodite, comme les plantes, il pouvait, de *lui-même,* reproduire son espèce sans l'aide d'un autre être, mais, bien que chaste et innocent comme les plantes, il était aussi, comme elles, inconscient et inerte. Pour se développer, il lui a fallu le désir qui éperonne et l'intellect qui guide, et c'est pour cela que la moitié de sa force créatrice a été conservée pour la création du cerveau et du larynx. L'homme avait alors une forme sphérique, analogue à celle de l'embryon, et le larynx actuel faisait partie de l'organe de reproduction, partie qui est restée attachée à la tête quand le corps a pris une position verticale. Aujourd'hui même, nous pouvons voir la relation des deux organes par ce fait qu'un jeune garçon, qui exprime le pôle positif du pouvoir générateur, change de voix à l'époque de la puberté. De même, quand nous considérons que l'abus des forces sexuelles mène à la folie et que le profond penseur a peu d'inclination pour le plaisir des sens, il est clair que la même force qui, *extériorisée,* sert à engendrer un autre corps, édifie le cerveau quand elle est *retenue.* Le penseur met toute sa force créatrice au service de sa pensée, au lieu de la gaspiller pour la satisfaction des sens.

A l'époque où l'homme commençait à conserver la moitié de sa force créatrice dans le but mentionné plus haut, sa conscience était centrée sur *lui-même,* pour la construction de ses organes. Il était capable de les *voir* et, pour ce travail, il se servait de la même force créatrice, alors sous la domination des Hiérarchies Créatrices, que celle dont il se sert de nos jours dans le monde *extérieur* pour la construction d'avions, de maisons, d'automobiles, de téléphones, etc. Il n'avait pas alors, conscience de la manière dont était employée l'autre moitié de sa force créatrice, *extériorisée* pour la génération d'un autre corps.

L'acte de génération était alors accompli sous la direction des Anges. A certaines époques de l'année, ceux-ci réunissaient les hommes d'âge viril dans de grands temples et c'est là que l'acte de reproduction s'accomplissait. Tout d'abord l'homme n'en était pas conscient : ses yeux n'avaient pas encore été ouverts. Bien qu'ayant besoin de la collaboration du sexe opposé qui possédait l'autre pôle de la force créatrice nécessaire à la génération, puisqu'il en conservait une partie pour la construction de ses organes internes, à l'origine des temps, l'homme ne connaissait pas sa femme et n'avait pas conscience du monde extérieur. Il vivait en lui-même, mais les conditions étaient différentes quand il prenait, avec un autre être, un contact aussi intime que celui de l'acte de génération. A cet instant, l'esprit perçait le voile de la chair et Adam *connaissait* Eve. Il cessait de se connaître lui-même, et c'est ainsi que sa conscience s'est dirigée de plus en plus vers le dehors, vers le monde extérieur, lui faisant perdre sa perception intérieure. Cette perception, il ne la recouvrera entièrement que lorsqu'il ne lui sera plus nécessaire d'avoir un partenaire dans l'acte de génération, lorsqu'il sera assez développé pour utiliser à volonté *toute* sa force créatrice. De nouveau, il se *connaîtra lui-même,* comme à l'époque de son existence quasi végétale, mais avec cette différence capitale qu'il aura l'usage conscient de sa force créatrice et qu'il ne sera pas limité dans cet usage à la seule reproduction de son espèce : il pourra créer tout ce qui lui plaira. Il ne se servira pas non plus de ses organes actuels de reproduction ; c'est le larynx, dirigé par l'esprit au moyen du mécanisme coordinateur du cerveau, qui *prononcera* le *verbe créateur.* Ainsi, les deux organes construits chacun par la moitié de la force créatrice fourniront à l'homme, dans l'avenir, le moyen par lequel il deviendra finalement un créateur conscient et indépendant.

Déjà de notre temps, l'homme façonne la matière par la pensée et par la voix, ainsi que le démontrent les expériences scientifiques au cours desquelles des pensées ont pu créer une image sur un film photographique et la voix humaine des figures géométriques dans du sable, etc. Plus il deviendra désintéressé, plus l'être humain libérera la force créatrice dont il a la maîtrise. Ses forces mentales en seront augmentées et pourront être utilisées pour aider ses semblables et les élever, au lieu de les dégrader en les soumettant à sa volonté. Il apprendra à *se maîtriser lui-même* au lieu de s'efforcer de maîtriser les autres, à moins qu'il ne le fasse temporairement *pour leur bien* et jamais pour un motif égoïste. Seul celui qui est maître de lui est qualifié pour gouverner les autres et décider à quel moment il convient de le faire et à quels moyens il doit avoir recours.

Ainsi nous voyons qu'avec le temps la passion sensuelle qui préside généralement à l'acte de reproduction fera place à une méthode plus pure et plus efficace. C'est aussi ce que représente l'emblème des Rose-Croix où la rose est placée au centre de la croix entre les quatre bras. Le bras inférieur, le plus long, représente le bas du corps et les jambes. Les deux bras horizontaux, les bras. Le bras supérieur, très court, est mis pour la tête. *La rose est à la place du larynx.*

La rose, comme toute autre fleur, est l'organe de reproduction de la plante. Sa tige verte contient le sang de la plante, sans passion et sans couleur. La rose rouge-sang représente le sang humain chargé de passion ; mais, dans la rose, le liquide vital est chaste, pur et non sensuel. C'est un excellent symbole de l'organe générateur dans la condition de pureté et de sainteté à laquelle l'homme parviendra quand il aura débarrassé son sang du désir sensuel et qu'il l'aura purifié, quand il sera devenu chaste et pur, participant de la nature du Christ.

C'est pourquoi les Rose-Croix souhaitent ardemment voir paraître le jour où les roses fleuriront sur la croix de l'humanité ; c'est pour cela que les Frères Aînés accueillent l'âme de l'aspirant par les mots de bienvenue des Rose-Croix : « Que les roses fleurissent sur votre croix ». Et c'est aussi pour cela qu'aux réunions des Centres de la Fraternité, le chef accueille les étudiants, candidats et disciples, par les mêmes mots de bienvenue et que ceux-ci lui répondent en disant : « Et sur la vôtre également ».

Saint Jean parle de sa purification (1re Epître 3 : 9) et dit : « Celui qui est né de Dieu ne saurait commettre de péché, *car il garde en lui sa semence* ». La chasteté est une condition absolument nécessaire au progrès de l'aspirant. Toutefois, il faut tenir compte du fait qu'on n'exige pas de l'homme une continence absolue tant qu'il n'a pas atteint le moment où il est prêt pour les Grandes Initiations, et que c'est notre devoir envers l'humanité de perpétuer la race humaine. Si notre condition physique, mentale, morale et pécuniaire le permet, nous pouvons accomplir l'acte de génération comme un saint sacrifice offert sur l'autel de l'humanité, mais non pour le plaisir des sens. L'acte ne devrait pas non plus être accompli dans un état d'esprit austère ou avec répugnance, mais en acceptant comme un privilège la joie de se donner soi-même dans le but de fournir à un ami qui cherche à s'incarner, le corps et le milieu nécessaires à son développement. Nous l'aiderons ainsi à faire fleurir les roses sur sa propre croix.

*
* *

EXERCICES DU MATIN ET DU SOIR DE L'ASPIRANT ROSICRUCIEN

L'Exercice du Soir

(mentionné pages 118-119)

L'exercice du soir, la *Rétrospection,* a une valeur plus grande que toute autre méthode pour faire avancer l'aspirant dans le sentier du progrès. Son effet est tel qu'il permet, à celui qui le pratique, d'apprendre par anticipation, non seulement toutes les leçons de l'existence présente, mais encore des choses qui sont d'ordinaire réservées à ses existences futures.

Le soir, après s'être mis au lit, l'aspirant doit se détendre dans une complète attitude de repos, en relâchant tous ses muscles. Puis il passe en revue les faits de la journée, *en ordre inverse,* en commençant par le soir, en continuant par l'après-midi et la matinée et en terminant enfin par le matin. Il s'efforce de se représenter chaque fait, chaque scène, de façon *imagée,* aussi fidèlement que possible, en cherchant à reproduire devant son mental tout ce qui s'est passé dans le but *de juger ses actions, de se rendre compte si ses paroles avaient bien le sens qu'il voulait leur donner ou si, au contraire, elles pouvaient donner lieu à une autre interprétation ; enfin de s'assurer si, en parlant à autrui, il avait soit exagéré, soit diminué la valeur des faits relatés.* Il examinera en même temps l'attitude morale qu'il avait en présence de chaque scène. Par exemple : aux repas, a-t-il mangé pour vivre ou a-t-il vécu pour manger, pour flatter son palais ? Qu'il se juge lui-même en *blâmant* ce qui est blâmable ; en *louant,* au contraire, ce qui est louable.

Certaines personnes trouvent parfois difficile de rester éveillées jusqu'à ce que l'exercice soit terminé. Dans ce cas, elles peuvent s'asseoir dans le lit au lieu de rester couchées, jusqu'à ce qu'il leur soit possible de suivre la méthode prescrite.

Les effets de cet examen de conscience sont immenses et dépassent tout ce que l'on peut imaginer. *Premièrement,* le travail qui consiste à rétablir l'harmonie des véhicules est accompli *en pleine conscience* et dans un laps de temps plus court que le corps du désir ne pourrait le faire pendant le sommeil, laissant ainsi beaucoup plus de temps disponible durant la nuit pour agir ailleurs. *Deuxièmement,* nous vivons notre Purgatoire et notre Premier Ciel *chaque soir* et nous incorporons à l'esprit, comme *sentiments justes,* l'essence de l'expérience acquise pendant la journée qui vient de s'écouler. Nous évitons ainsi le Purgatoire après la mort et nous diminuons le temps que nous devons passer au Premier Ciel. *Enfin, et c'est très important,* en ayant extrait jour par jour l'essence des expériences qui constitue le développement de l'âme et l'ayant incorporée à l'esprit, nous vivons réellement dans une disposition d'esprit en harmonie avec les lignes directrices d'un progrès ordinairement réservé à des existences futures. En accomplissant fidèlement cet exercice, nous enlevons, jour après jour, de notre mémoire subconsciente des choses indésirables, *de sorte que nos fautes sont effacées. Notre aura comcommence à resplendir de l'or spirituel, extrait des expériences de chaque jour par rétrospection et nous attirons ainsi l'attention de l'Instructeur.*

« Le juste verra Dieu », a dit le Christ. L'Instructeur ouvrira rapidement nos yeux *dès que nous serons prêts* à entrer dans la « Nef de l'Enseignement », c'est-à-dire dans le Monde du Désir où nous attendent les premières expériences d'une vie consciente en dehors du corps physique.

L'Exercice du Matin

Le second exercice, la *Concentration,* doit être pratiqué le matin, aussitôt que possible après le réveil. L'aspirant ne doit pas se lever pour ouvrir les volets ou pour toute autre action non indispensable mais, s'il se sent à l'aise, il doit immédiatement détendre tous ses muscles et commencer à se concentrer. L'instant du réveil est très important, car l'esprit vient à peine de quitter le Monde du Désir et, il est beaucoup plus facile de rétablir le contact avec ce monde qu'à n'importe quel autre moment de la journée.

Ainsi que l'explique la quatrième conférence du « Christianisme de la Rose-Croix », pendant le sommeil, les courants du corps du désir sont impétueux et ses centres sont animés d'un mouvement giratoire très rapide. Mais, dès que ce corps rentre dans l'enveloppe physique, ses courants et ses centres sont presque arrêtés net par la matière dense et par les courants nerveux du corps vital qui transmettent, dans les deux sens, les messages cérébraux. Le but de l'exercice du matin est de ramener le corps physique au même degré d'inertie et d'insensibilité que pendant le sommeil, tandis que l'esprit est parfaitement éveillé, alerte et conscient. Nous nous trouvons alors, dans des conditions favorables pour que les centres de sensation du corps du désir puissent commencer leur mouvement giratoire, tout en étant emprisonnés dans le corps physique.

Cette expression « concentration » est un mot qui intrigue beaucoup de gens et qui n'est pas compris par tout le monde ; nous allons essayer d'en expliquer clairement la signification. Un dictionnaire en donnera plusieurs définitions applicables à notre cas. L'une est : « action de réunir dans un centre ». Une autre, tirée de la chimie, est : « action de réduire à un haut degré de pureté et de force en éliminant des constituants sans valeur ». Si nous appliquons la première de ces définitions au cas qui nous occupe, elle signifiera qu'en concentrant nos pensées vers un centre, sur un point, nous augmenterons leur puissance, d'après le même principe qui fait que la force des rayons lumineux est augmentée en les concentrant sur un point à travers le foyer d'une lentille. En écartant de notre mental, pendant un certain temps, tous les autres sujets, notre pouvoir de pensée est employé totalement pour atteindre le but ou résoudre le problème sur lequel nous nous concentrons. Dans ce cas, nous pouvons être absorbés dans notre sujet au point de ne pas entendre un coup de canon tiré au-dessus de notre tête. Des gens peuvent être tellement « perdus » dans la lecture d'un livre qu'ils en oublient tout le reste. L'aspirant qui cherche la lumière spirituelle doit acquérir la faculté de s'absorber dans l'idée qui forme l'objet de la concentration de ses pensées, au point de fermer totalement sa conscience au monde des sens et de fixer toute son attention sur le monde spirituel. S'il apprend à le faire, il verra le côté spirituel d'un objet ou d'une idée illuminé de lumière spirituelle et il obtiendra ainsi, de la nature intérieure des choses, une connaissance à laquelle l'homme ordinaire ne songe même pas.

Quand il aura atteint ce degré d'abstraction, les centres sensoriels du corps du désir commenceront à tourner lentement sur eux-mêmes à l'intérieur du corps physique et se feront ainsi, peu à peu, une place. Avec le temps, ce phénomène s'accentuera de plus en plus, de sorte qu'il faudra un effort de moins en moins grand, pour provoquer cette rotation.

Le sujet choisi pour la concentration peut être tout idéal élevé, mais il est préférable qu'il soit d'une nature telle qu'il élèvera l'aspirant au-dessus des choses ordinaires tombant sous les sens, et au-delà du temps et de l'espace. Il n'existe pas de meilleur sujet que les cinq premiers versets de l'Evangile de saint Jean. En les méditant chaque matin, phrase par phrase, l'aspirant acquerra avec le temps une merveilleuse compréhension intérieure du commencement de l'Univers et du plan de la Création, qui dépasse tout ce que les livres les plus savants pourraient enseigner.

Au bout d'un certain temps, lorsque l'aspirant aura bien appris à maintenir sans relâche devant lui, pendant cinq minutes environ, l'idée sur laquelle il concentre sa pensée, il essaiera de l'abandonner subitement en laissant à sa place une lacune. Qu'il ne pense absolument à rien, mais qu'il attende simplement pour voir ce qui se passera dans ce vide mental. Il arrivera un moment où, dans cet espace vide, apparaîtront les visions et les scènes du Monde du Désir. Lorsque l'aspirant s'y sera accoutumé, il pourra demander que telle ou telle image se présente devant lui. Il en sera ainsi, de telle sorte qu'il pourra étudier à sa guise ce qu'il aura demandé à voir.

Il faut bien se pénétrer de ce fait qu'*en suivant les instructions qui précèdent, l'aspirant se purifie lui-même. Son aura commencera à resplendir et attirera sûrement l'attention d'un Instructeur* qui chargera quelqu'un de donner l'aide nécessaire pour qu'un nouveau pas dans le progrès puisse être accompli. Même si des mois et des années se passent sans résultats *visibles*, soyez assurés qu'aucun effort n'aura été tenté en vain : les Grands Instructeurs les voient et les apprécient. Ils désirent avoir votre aide autant que vous pouvez être vous-mêmes, désireux de la leur donner. Toutefois, il peut y avoir des raisons pour lesquelles il n'est pas opportun que nous travaillions pour l'humanité dans cette existence ou à un moment donné. Parfois, ces empêchements disparaissent et nous sommes alors admis à contempler la lumière au moyen de laquelle nous verrons par nous-mêmes.

Une légende ancienne dit que lorsque l'on cherche un trésor, il faut que ce soit dans la nuit et dans un silence absolu. Prononcer une parole avant que le trésor ne soit mis au jour et en sûreté, le ferait disparaître à tout jamais. C'est une parabole mystique sur la recherche de la lumière spirituelle. Si nous bavardons et si nous racontons à autrui nos expériences personnelles vécues pendant notre heure de concentration, nous les perdons. Elles ne peuvent supporter d'être transmises verbalement et elles s'évanouiront alors dans le néant. De ces expériences, il nous faut extraire par la méditation une connaissance complète des lois cosmiques qui sont à leur base. Dès lors, nous ne les raconterons pas, car nous verrons qu'il s'agit seulement de l'enveloppe qui cache la connaissance

D'emblée, nous comprendrons que ces lois ont une valeur universelle, car elles expliquent les faits de la vie et nous enseignent la manière de tirer parti de certaines conditions ou d'en éviter d'autres. La loi elle-même peut donc être librement divulguée pour le bienfait de l'humanité suivant l'appréciation de celui qui l'a découverte. Alors, les expériences qui ont révélé cette loi apparaîtront dans leur vrai jour, c'est-à-dire comme étant seulement d'un intérêt passager, sans mériter qu'on ne s'y arrête davantage. *Par conséquent, l'aspirant doit considérer tout ce qui se passe pendant qu'il concentre sa pensée comme une chose sacrée et doit le garder strictement pour lui.*

Enfin, *évitez de considérer ces exercices comme une tâche ennuyeuse. Estimez-les, au contraire, à leur haute valeur ; ils sont nos plus grands privilèges.* C'est seulement en les appréciant comme tels que nous pourrons leur rendre pleine justice et récolter tous les bienfaits qui en découlent.

QU'EST-CE QUE LA VÉRITÉ ?

Pilate a posé la question « Qu'est-ce que la Vérité ? » mais comme il était incapable de trouver en lui-même la solution, il n'a reçu aucune réponse.

Jésus-Christ a dit : « La Vérité vous affranchira », et Platon, avec l'intuition du Mystique, disait : « Dieu est Vérité, et la Lumière est son ombre ». Quant à l'apôtre Jean, qui disait « Dieu est Lumière », il était le plus proche du Maître, aussi recevait-il sans doute des enseignements plus élevés que les autres disciples, lesquels n'étaient pas capables de les recevoir. Quelque grande que soit l'abondance de vérité qui existe au monde, rappelons-nous qu'elle n'est pas pour nous si nous sommes incapables de la recevoir. Chacun peut percevoir la beauté des différentes nuances de lumière et de couleur qui nous entourent, excepté ceux qui ont le malheur d'être aveugles. Celui qui ne peut percevoir le monde de la couleur qui l'environne de toutes parts est réellement bien à plaindre. La Vérité, elle aussi, nous entoure de toutes parts et peut toujours être trouvée si nous sommes capables de la percevoir. Par les exercices de la Fraternité Rosicrucienne (Rétrospection et Concentration) nous avons reçu un excellent moyen d'entrer en contact avec la Vérité.

Platon et saint Jean ont dit que « Dieu est Lumière » ; et si nous avons la chance de pouvoir examiner l'espace céleste avec les meilleurs instruments qui soient, nous verrons qu'il n'y a pas de limites à la lumière. Elle est partout ; et le symbole de la lumière évoque l'idée de l'omniprésence et de la grandeur du Dieu que nous adorons. Jean nous dit, au début de son Evangile, que « Au commencement était le Verbe » ; c'est là une merveilleuse solution du problème de la Vérité, car en remontant aux origines, nous sommes dans le royaume de la Vérité.

Au temps présent, nous sommes plongés dans la matière, ce qui nous rend incapables de prendre directement contact avec cette Vérité, mais en revenant au commencement de tout ce qui existe, nous sommes en pensée avec Dieu, ce qui nous permet de mieux reconnaître la Vérité. Platon parle d'un temps où « régnait l'obscurité ». L'Ancien Testament, lui aussi, nous parle des ténèbres, cet état de la matière primordiale, ou « arkhé », à laquelle une forme a été donnée par Dieu, le Grand *Archi*tecte, le constructeur primordial de l'Univers.

En pensant à Celui qui a construit l'Univers à l'origine (Arkhé) nous entrons en contact avec lui, avec Dieu, dans cette « arkhé » par laquelle débutent les cinq versets sur lesquels nous méditons. La suite de ce même verset nous apporte une seconde notion, celle du Verbe. Le terme de « Verbe » ne rend pas exactement le mot grec « Logos », lequel signifie à la fois la « parole » et la pensée logique qui est à sa base. En effet, une pensée logique doit forcément précéder la parole, ou le « Verbe ». Avant que ce dernier puisse exister, il faut un Penseur, et c'est pourquoi Jean écrit « èn arkhé ên o logos » (dans la matière primordiale était l'intelligence). Ceci exprime ce que nous cherchons à comprendre, à savoir qu'au commencement existait une masse homogène de matière, et qu'en cette matière homogène était Dieu ; que Dieu est devenu le « Verbe », ce son rythmé qui se répand dans l'Univers et qui donne forme à toute chose.

Un peu plus loin, saint Jean mentionne la Lumière. Au début, il y avait les ténèbres, car aucune vibration n'avait été envoyée dans la matière primordiale ; par conséquent il ne pouvait encore y avoir que de l'obscurité. Mais la première chose qui vient à y exister est, nous dit-on, la Lumière ; et la lumière et le son, du point de vue des plans supérieurs, se confondent. Certaines personnes sensibles n'entendent jamais un son sans voir en même temps un éclair de lumière et, d'autre part, ne voient jamais un éclair de lumière sans entendre en même temps un son. Saint Jean s'exprime de manière mystique lorsqu'il dit « au commencement (dans la matière primordiale) était Dieu » et « Dieu était le Verbe » ; en lui « était la vie », et la vie est devenue « la lumière des hommes ».

Dans ces quelques versets, nous avons la vérité abstraite, d'aussi près que nous pouvons l'obtenir, de tout le problème de la création. A l'intérieur du corps humain, cette lumière existe et luit jusqu'à ce jour ; c'est la lumière qui luit dans les ténèbres, la lumière cachée derrière le voile d'Isis. Nous sommes environnés d'esprits vivant dans les ténèbres, jusqu'à ce que les gloires de l'univers se révèlent par la fenêtre de l'âme. Nous percevons alors Dieu comme lumière, tout ce qui est « bien » comme lumière, et la vibration contraire comme ténèbres.

Mais la lumière n'a pas qu'une seule couleur, car il y a sept Esprits devant le Trône, chacun d'eux étant le porte-lumière d'un certain rayon. Chacun de nous provient d'un de ces rayons de lumière, et chacun réagit spécialement à l'un d'eux. Ainsi, chacun de nous voit la vérité sous un angle différent et, bien que nous remontions graduellement vers la même source, qui est Dieu, nous n'en avons pas moins, à des époques différentes, des points de vue différents. Mais quoique nous semblions différer d'opinion, la Vérité se trouve contenue dans ces cinq versets de l'Evangile de saint Jean, et c'est que nous sommes tous les enfants de la lumière. Chacun de nous a, en lui, l'esprit divin de lumière ; chacun apprend graduellement à connaître cette lumière et, grâce aux exercices, à exprimer toujours davantage cette lumière.

Lorsque le mystique aperçoit la lumière de l'aube, il l'accueille comme la venue quotidienne, dans son âme, du Fiat Créateur primordial « Que la Lumière soit ! » Lorsque, à la fin de sa course, la Lumière de la journée disparaît graduellement dans le ciel du couchant, il contemple, dans la glorieuse coloration qui accompagne ce phénomène, quelque chose d'inexprimable en langage humain, quelque chose qui peut être ressenti par l'âme. Si nous permettons à ces cinq versets de vivre en nous, comme ils vivent dans l'âme du mystique, nous aussi, nous connaîtrons la lumière, nous connaîtrons la vérité mieux que quoi que ce soit d'autre dans le monde.

Nous avons, au cours de nos vies successives, tous foulé des sentiers différents. Un temps, notre existence s'est déroulée sous le rayon de Mars, et nous avons suivi le sentier de l'activité et de la passion, sans nous préoccuper du sort des autres et de leurs souffrances. Dans une autre vie, nous avons été influencés par le rayon plus clair de la couleur vénusienne, et nous avons suivi le sentier de ceux qui aiment et qui voient les beautés de la vie. Plus tard, nous avons pris le sentier bleu foncé du rayon de Saturne et, plus tard encore, celui bleu clair du rayon de Jupiter. Ainsi, nous sommes tous dans l'attente de la perception supérieure qui provient du rayon jaune d'Uranus, bien que la plupart d'entre nous ne soient pas actuellement capables de le recevoir et que nous devions nous contenter du jaune inférieur, plus foncé, du rayon de Mercure. Nous travaillons tous à nous rapprocher graduellement de la lumière blanche qui provient du Soleil, cette lumière qui est l'union de toutes les couleurs. C'est à cette dernière que nous devons aspirer, car la lumière de n'importe quel autre rayon n'est que secondaire, et c'est de la grande Source centrale que proviennent toutes choses.

« Et les ténèbres, pourrait-on demander, est-ce qu'elles représentent le Mal ? » Non, le mal n'existe pas dans l'univers de Dieu. Pendant la journée, la lumière du soleil nous permet de percevoir les beautés de cette petite Terre qui gravite dans l'espace, et il se pourrait bien que, s'il n'existait que la lumière, nous ne percevions rien audelà de notre globe, ignorants du fait qu'il existe d'autres astres que le Soleil et la Lune. Mais quand vient la nuit et que la gloire du jour n'est plus, que le Soleil cesse d'éclairer le ciel, voilà que nous devenons capables de nous rendre compte, du moins dans une certaine mesure, de l'immensité de l'espace. Nous apercevons des mondes situés à des millions et des millions de kilomètres, et notre esprit est saisi d'admiration et de dévotion en songeant à la Vérité selon laquelle DIEU EST TOUT EN TOUS. (I Corinthiens 15 : 28).

INDEX PAR SUJETS

Note importante

L'Index a été classé en vue de faciliter l'étude par matières ; cependant, l'ordre alphabétique y est respecté autant que possible. Nous le faisons précéder d'une liste alphabétique des sujets qu'il contient.

Dans cette liste, en regard de chaque mot se trouve un numéro qui renvoie le lecteur à une page de l'Index. A cette page, ce mot est groupé avec d'autres qui traitent du même sujet.

Le lecteur est particulièrement prié de remarquer l'ordre *consécutif* des références. Par exemple, sous le titre « Corps Vital », la première référence parle du commencement de l'évolution de ce corps, la dernière renvoie à une page qui traite de sa spiritualisation finale, et celles données dans l'intervalle indiquent, *successivement et dans l'ordre,* les pages où son développement graduel est décrit. Ces références forment donc en elles-mêmes un excellent résumé sur le corps vital.

L'étude assidue et bien comprise de cet Index montrera que la « Cosmogonie des Rose-Croix » est un ensemble très complet de références. Nous recommandons aux étudiants l'*étude de l'Index* autant que celle du livre. Une simple lecture des références facilitera souvent la compréhension d'un sujet et mettra en lumière bien des choses qu'une étude superficielle du livre laisserait dans l'ombre.

LISTE ALPHABÉTIQUE DES SUJETS CONTENUS DANS CET INDEX

A

B

C

INDEX PAR SUJETS

Corps invisibles de l'homme (suite)

Il a été reconstruit dans la Période de la Lune par les Seigneurs de l'Individualité et les Seigneurs de la Sagesse, 215.

Il a été reconstruit pendant la Période de la Terre par les Anges et les Seigneurs de la Forme, 239-240.

Plus tard, dans l'Epoque Hyperboréenne, ils ont revêtu l'homme en devenir d'un corps vital perfectionné, 262-263.

Le corps vital est dans la troisième phase de son évolution, 85.

Il a son siège dans la rate : par l'intermédiaire de cet organe, le corps vital spécialise l'énergie solaire, 69, 77.

Le corps vital est formé de « pointes » qui pénètrent les atomes physiques et augmentent leur taux de vibration, 67.

Les Anges de Justice dirigent maintenant sa formation, afin que l'homme puisse récolter ce qu'il sème, 141.

Un corps vital distinct est nécessaire pour la croissance et l'assimilation, 64 à 66.

Il sert à donner sa forme au corps physique pendant la vie qui précède la naissance, 66, 143.

Le corps vital naît à la septième année et produit la croissance, 149.

Normalement, il demeure incorporé au corps physique de la naissance à la mort, 67.

Les éthers chimique, vital, lumière et réflecteur du corps vital mûrissent successivement, 148-149.

Le corps vital est de la polarité ou du sexe opposé au corps physique, 66.

Les jeunes Lémuriennes ont été les premières à développer la mémoire, parce qu'elles avaient un corps vital positif, 278.

Le sang et les glandes sont l'expression spéciale du corps vital, 389-390, 449.

Le corps vital positif de la femme produit l'intuition et occasionne aussi le flux périodique et les larmes, 66-67.

Le sang absorbe, par l'air aspiré, le panorama de la vie et le grave sur l'atome-germe et sur le corps vital, 99-100, 391.

A la mort, le corps vital se retire et le panorama de la vie en est extrait, 104, 110-111.

Corps invisibles de l'homme (suite)

CORPS DU DÉSIR :

Il a été donné dans la Période de la Lune par les Seigneurs de l'Individualité, 216.

Il est maintenant dans la seconde phase de son évolution, 85.

Aux derniers temps de la Lémurie et aux premiers temps de l'Atlantide, certains corps du désir se sont divisés en deux parties (supérieure et inférieure) devenant ainsi susceptibles d'être habités par un Ego humain, 235, 388.

Ces corps physiques ont pris une position verticale les soustrayant à la direction de l'esprit-groupe, 93-94, 235-236.

Le corps du désir de l'homme a maintenant des centres de sensation en formation, 72.

Les Seigneurs du Mental ont uni l'intellect à la partie supérieure du corps du désir et y ont implanté la personnalité distincte, 242.

Les corps du désir non divisés ont cristallisé leurs corps physiques, lesquels ont dégénéré depuis lors en ceux des anthropoïdes, 235.

Les Archanges travaillent à ces corps et aussi à la partie inférieure du corps du désir humain, causant la passion, 235, 242, 342.

Les corps du désir des animaux ne coïncident pas avec leurs corps physiques et sont aussi différemment constitués, 71, 85.

Seuls, les corps physiques qui ont du sang rouge et un foie peuvent avoir un corps du désir distinct, 77.

Chez les animaux à sang froid, l'esprit-groupe force les courants du désir *vers l'intérieur*, à travers le foie, 77.

L'esprit distinct qui réside dans le sang rouge et chaud force les courants du désir *vers l'extérieur*, à travers le foie, 77.

Ainsi, le corps du désir a son siège dans le foie, 77.

Le corps du désir a son champ d'opération spécial dans les nerfs volontaires et les muscles, 448.

Son activité dans la rate produit les globules blancs du sang, 449.

Les matériaux pour un nouveau corps du désir sont rassemblés par l'Ego avant chaque naissance, 140-141.

Corps invisibles de l'homme (suite)

Ce corps naît à 14 ans, quand l'éther vital du corps vital est complètement développé, à l'époque de la puberté, 147.

La lutte constante entre le corps du désir et le corps vital produit notre conscience de veille, 449.

Le corps du désir est temporairement extrait du corps physique pendant le sommeil, 101.

Il est extrait d'une façon permanente au moment de la mort, 104.

Pendant la vie, il a la forme d'un ovoïde ; mais il prend la forme du corps physique au moment de la mort, de telle sorte que l'homme a la même apparence qu'auparavant, 72.

Le corps du désir du suicidé a la sensation de « vide intérieur » tant que l'archétype de son corps physique persiste ; il endure ainsi des souffrances comparables à celles d'une faim intense, 112.

Le panorama de la vie gravé sur le corps du désir forme la base de notre existence après la mort. Il est très important que cette impression soit profonde ; comment l'assurer, 116-117.

Procédé de purification et d'extraction de la conscience, 112 à 118.

Désintégration du corps du désir quand l'atome-germe est extrait, 128.

Le corps du désir des enfants qui meurent ne se désintègre pas, 125.

Le corps du désir sera perfectionné dans la Période de Vénus et amalgamé à l'essence du corps physique et à celle du corps vital, 416.

Son essence, l'âme émotionnelle sera absorbée par l'esprit humain dans la Période de Vulcain, 418.

Prière pour la spiritualisation du corps du désir, 457.

INTELLECT :

La nécessité et le but de l'Intellect, 64, 295.

C'est un foyer comme celui de la lentille d'un appareil de projection, gardant toute sa valeur tant qu'il n'est pas sujet au dérèglement mental, 97, 387.

Il a été donné par les Seigneurs du Mental au début de l'Atlantide, 222.

L'Intellect était destiné à donner un objet à l'action, mais il s'est allié au corps du désir, donnant ainsi naissance à la ruse, 296.

Alors, les Religions de Race ont été fondées pour dompter le désir et libérer l'Intellect, 388.

Génie :

Guerre :

Hiérarchies créatrices et autres vagues de vie (par sujets) :

L'ETRE SUPRÊME :

DIEU :

LES SEPT ESPRITS DEVANT LE TRONE :

Hiérarchies Créatrices et autres Vagues de Vie (suite)

Les esprits-groupes des plantes et des animaux ovipares retiennent l'atome-germe hors de la semence et de l'œuf, jusqu'à ce que les conditions soient favorables, 454.

L'esprit-groupe est comme Jéhovah, un « Dieu jaloux » ; il a horreur des croisements entre espèces et il les empêche, 346-347, 349-350.

L'Instinct est la suggestion de l'esprit-groupe à laquelle l'animal se conforme, 87.

L'esprit-groupe souffre quand un animal est blessé, 87.

L'esprit-groupe est à l'origine des apparences, goûts et ressemblances des diverses plantes ou des divers animaux de son espèce, 79.

L'esprit-groupe est à l'origine des courants qui convergent vers l'intérieur chez les animaux à sang froid, 76-77.

Les courants dirigés vers l'extérieur, dans le corps du désir des animaux, sont produits par eux-mêmes, non par l'esprit-groupe, 77.

Les esprits-groupes des animaux agissent dans le sang, au moyen de l'air aspiré, 343.

Différence entre un esprit-groupe et un Ego humain, 85, 90.

Tableau montrant la situation actuelle des esprits-groupes, 84.

Humanité (par sujets) :

L'Humanité comparée aux minéraux, aux plantes et aux animaux, 63.

Origine de nos facultés : perception des sens, mouvement et pensée, 65-66.

L'homme est la plante invertie, 93.

Corrélation des sept principes humains avec les cinq mondes (Tableau 5), 96.

L'homme est un esprit triple, doué d'un intellect au moyen duquel il gouverne un corps triple et le transforme en âme, 103.

L'homme construit au ciel le corps dont il se sert sur la terre, 135.

Dans l'Epoque Hyperboréenne, nous avions les deux forces sexuelles, lunaire et solaire ; aussi, nous étions hermaphrodites, 267.

Cause de la grandeur et de la décadence des nations, 287.

Les sept Mondes sont des états divers de la matière, 39.
Toute matière physique est homogène à l'état primordial, 41.
La matière est incapable de véritable sensation, 41.
L'éther est de la matière physique ; le champ d'action des forces qui agissent sur les gaz, les liquides et les solides, 40.
La substance du désir est la matière du Monde du Désir qui cause les sentiments et pousse à l'action, 47.
La substance mentale est la matière de la Région de la Pensée Concrète dont nous nous servons pour concrétiser et réaliser nos idées, 40.
Usage de la matière du désir dans notre activité mentale, 97.
Raison d'être du pèlerinage des esprits dans la matière, 95.
Comment l'omniscience divine originelle des esprits est obscurcie par les trois voiles de la matière, 216-217.
L'esprit et la matière s'unissent dans le Chaos : seuls les atomes-germes des Globes des mondes demeurent, 246-247.
La Bible ne dit pas que la Terre a été tirée du néant : elle nomme une substance fondamentale, 317.
Comment la matière homogène primordiale devient la matière des divers Mondes, 370.

Médiums :
Pourquoi on ne peut se fier à eux, même quand ils sont honnêtes, 50.
Chez les médiums, la liaison entre le corps vital et le corps physique est plus relâchée que chez la plupart des gens, 240.
La matérialisation des esprits est obtenue par l'extraction du corps vital du médium à travers la rate, 68.

Mémoire :
La mémoire a été développée en premier lieu par les jeunes Lémuriennes, 278.
Jadis, elle était plus développée que maintenant. La troisième race Atlantéenne, les Toltèques, l'ont portée à sa plus grande perfection, 293.
Quand les hommes se mariaient dans leur famille, le sang commun leur apportait la mémoire des vies des ancêtres, 346-347.
La mémoire est triple : consciente, subconsciente et superconsciente. La mémoire consciente est imparfaite, mais la mémoire subconsciente enregistre tous les événements, 99-100, 155, 390.

Les Mondes (suite)

ETHER VITAL :

Agent de la reproduction, 45.
Parvient à sa maturité vers la quatorzième année quand l'enfant devient un adolescent capable de se reproduire, 149.
Son activité au pôle positif produit le sexe masculin, au pôle négatif le sexe féminin, 45.

ETHER LUMIÈRE :

C'est l'intermédiaire de nos perceptions sensorielles : les forces du pôle positif produisent la chaleur du sang, 45-46.
Chlorophylle et circulation de la sève dans les plantes, 46.

ETHER RÉFLECTEUR :

Archives de la mémoire de la nature et de celle de l'homme, 46-47.
L'Ego fait impression sur le cerveau par l'intermédiaire de cet éther, 47, 98.
C'est dans cet éther que les médiums et les psychomètres lisent les événements, 47.

MONDE DU DÉSIR :

C'est avant tout le domaine de la lumière et de la couleur ; les formes y sont très instables, mais le son y est plus harmonieux qu'ici-bas, quoiqu'il ne prenne pas naissance dans ce monde, 127.
La matière lumineuse du désir est divisée en sept régions ou états variables de densité comme force-matière, 47.
Dans les trois divisions les plus denses du Monde du Désir, se trouve le Purgatoire ; le Premier Ciel dans les trois plus hautes, et, entre les deux, il y a une région limitrophe monotone, 120.
Les forces et les sentiments jumeaux du Monde du Désir, 50 à 53.

RÉPULSION :

Une des forces jumelles du Monde du Désir qui tend à nous purifier du mal et à le détruire, 50-51.
Elle domine dans les trois régions inférieures, 51.
Exemples de son action, 51, 54.
Comment elle opère dans notre activité intellectuelle, 98.

Organisme humain (suite)

La rupture de la corde d'argent détermine l'arrêt du cœur, 107.
Le cœur, bien que muscle involontaire, a des stries transversales comme un muscle volontaire, 389.
Comment les stries transversales peuvent être développées, ce qui permettra à l'esprit de se rendre maître du corps, 393.
Comment le cœur, le larynx et l'épine dorsale deviennent le chemin des courants sexuels, 470.

LES MUSCLES :

Comment ils sont actionnés par les pensées de l'Ego, 97.
La partie supérieure du corps du désir a construit le système nerveux volontaire, 388.
Les muscles volontaires sont striés en long et en travers ; les muscles involontaires sont striés dans le sens de la longueur seulement, 389.
Les muscles constituent plus spécialement le terrain d'élection du corps du désir, 449.

LES NERFS :

La cause de la paralysie, 69.
Les nerfs volontaires ont commencé à être formés dans la Période de la Terre, le système sympathique dans la Période de la Lune, 239.
La partie supérieure du corps du désir a construit les nerfs volontaires, 388.
Le nerf pneumogastrique comme vecteur de l'intuition ou des « impressions premières », 391-392.
Le nerf pneumogastrique est le chemin de sortie de l'atome-germe à l'heure de la mort, 107.

LE CERVEAU :

Comment l'Ego agit sur les centres nerveux du cerveau, 97.
La construction du cerveau a débuté dans la Lémurie, 266-267, 283.
Construit depuis la séparation des sexes, 266-267.
La moitié de la force sexuelle est détournée pour construire le cerveau, 269, 283.
Prix de la faculté de penser, 269.
Les jeunes filles lémuriennes ont été les premières à développer la mémoire, 278.

Périodes, Epoques, etc. (suite)

PÉRIODE DE SATURNE :

L'activité d'une Période quelconque commence dans la Nuit Cosmique qui la précède, 208-209.

Situation des sept globes : ils étaient obscurs et chauds, pareils à un brouillard de feu en formation, 206-207.

La Bible fait aussi mention de cette période obscure, 322.

Il n'y avait qu'un seul élément : la chaleur ou le feu naissant, 234.

L'homme avait une existence quasi minérale et une sorte de conscience analogue à l'état de léthargie, 207-208, 213.

Description du sentier de l'évolution, 196 à 201.

Les Seigneurs de la Flamme rayonnent d'eux-mêmes le germe du corps physique et éveillent dans l'homme l'esprit divin, 208.

Quelques retardataires ont été laissés en arrière, 223-224.

Les Seigneurs du Mental étaient alors humains et agissaient sur nous comme nous travaillons maintenant avec les minéraux, 222, 420.

PÉRIODE DU SOLEIL :

Situation des sept globes : c'étaient des sphères lumineuses, 211.

Il y avait deux éléments : le feu et l'air, 234.

Description biblique de la Période du Soleil ; comment il est scientifiquement possible d'avoir de la lumière avant la création du soleil et de la lune, 322-323.

L'homme est passé par une période d'existence quasi végétale et avait un état de conscience semblable à celui du sommeil profond sans rêves, 214.

Description du chemin de l'évolution, 198-199.

Les Seigneurs de la Sagesse aident à reconstruire le corps physique : c'est le commencement de la croissance des glandes, du tube digestif et le début du corps vital comme forme-pensée, 212-213.

Les Chérubins éveillent l'esprit vital, 213.

Les retardataires de la Période de Saturne sont éveillés et deviennent analogues aux plantes, 225, 227.

Les animaux actuels ont commencé leur évolution dans la Période du Soleil et étaient alors minéraux, 224.

Périodes, Epoques, etc. (suite)

Les Archanges étaient humains dans la Période du Soleil ; ils travaillent à la fois avec les animaux et avec l'homme, 222, 342.

PÉRIODE DE LA LUNE :

Situation des sept Globes : ils étaient une masse d'eau et l'atmosphère était un brouillard de feu, 214.
Il y avait trois éléments : le feu, l'air et l'eau, 234.
La Bible décrit l'eau dense et le brouillard de feu, 323.
L'homme en formation est passé par une période d'existence quasi animale : il avait une conscience de vision intérieure comme dans les rêves, 218.
A cette époque, la conscience divine de l'esprit était complètement obscurcie ; c'était le début de la conscience de soi, 217.
Les Seigneurs de l'Individualité reconstruisent le corps physique et le corps vital ; le squelette, les muscles et les nerfs commencent à se former, 215.
Les Seigneurs de l'Individualité donnent, comme forme-pensée, le corps du désir ; les Séraphins éveillent l'esprit humain, 216.
Les êtres de la Période de la Lune étaient suspendus dans l'atmosphère et avaient une colonne vertébrale horizontale comme les animaux, 228.
Une séparation du globe s'est produite à la fin de la Période de la Lune, et la partie la plus petite a formé un satellite, 218-219.
Origine des migrations des oiseaux et des voyages de noces, 219-220.
Les parties divisées (globe et satellite) ont été désagrégées et plongées dans la Nuit Cosmique entre les Périodes de la Lune et de la Terre, 220.
Liste des catégories d'êtres au début de la Période de la Lune, 225-226.
Les Anges étaient humains : ils travaillent maintenant avec les plantes, les animaux et l'homme, 222, 342.
Les plantes actuelles étaient alors les minéraux, 226.
Les esprits Lucifériens sont des retardataires de la vague de vie des Anges, 284.

PÉRIODE DE LA TERRE :

Nous avons accompli trois révolutions et demie de la Période de la Terre, 200.

Périodes, Epoques, etc. (suite)

Les Archanges agissent sur la partie inférieure du corps du désir, 242.

A sa naissance, l'homme avait le sens de l'ouïe et du toucher ; il se servait inconsciemment de son corps, 275.

Il se voyait lui-même et les autres *intérieurement*, 276, 280.

La reproduction était dirigée par les anges, en harmonie avec les astres. Alors l'enfantement était sans douleur, 276.

Les relations sexuelles ont produit la conscience du corps physique quand « Adam *connut* Eve », 276.

Les esprits Lucifériens sont apparus à la conscience intérieure de la femme lémurienne, la poussant à affirmer sa personnalité, 285.

Quand « leurs yeux furent ouverts », les hommes sont devenus conscients de la perte de leur corps au moment de la mort et l'ignorance des influences des astres les a poussés à se reproduire à des moments défavorables ; aussi l'enfantement est devenu douloureux, 282.

La mémoire a d'abord été développée par les jeunes Lémuriennes, 278.

La Science et les Arts étaient enseignés dans les écoles lémuriennes d'Initiation sous la direction des Seigneurs de Mercure, 271, 280.

Les Seigneurs de Vénus étaient les chefs des multitudes, 271.

La grande majorité des Lémuriens est demeurée dans un état quasi animal, 286-287.

Raison d'être de l'élévation et de la décadence des nations, 287.

Les seize races depuis les derniers temps de la Lémurie jusqu'au commencement de la Nouvelle Galilée, 270.

Les Noirs sont ce qui reste de la race Lémurienne, 300.

EPOQUE ATLANTÉENNE :

L'Intellect a été développé par les aliments, 170.

L'Epoque Atlantéenne est le sixième jour de la Création, 326.

La chaleur interne du Globe et le froid extérieur produisaient une atmosphère de brouillard, 289.

Périodes, Epoques, etc. (suite)

Aux *premiers temps* de l'Atlantide, l'homme avait une perception *intérieure*, mais il ne voyait pas clairement le monde *extérieur*, 291.

Quand, plus tard, l'atmosphère s'est éclaircie, il a perdu contact avec le monde spirituel, 291.

RACES ATLANTÉENNES :

(1) Les *Rmoahals :*

Ils ont développé les sensations ; ils pouvaient éprouver du plaisir, de la douleur, de la sympathie, de l'antipathie ; leur parole avait un pouvoir magique, 291-292.

(2) Les *Tlavatlis :*

Sont devenus ambitieux, se souvenaient des grandes actions de leurs chefs ; ont instauré la royauté, 292.

(3) Les *Toltèques :*

Ont institué la monarchie. La succession héréditaire était alors justifiée, car le père pouvait transmettre ses facultés à son fils, 293.

(4) Les *Touraniens Primitifs :*

Ils ont abusé de leur pouvoir sur les classes inférieures ; c'étaient des idolâtres, 294.

(5) Les *Sémites Primitifs :*

Ils étaient un peuple élu, les ancêtres directs de nos Races Aryennes, 295, 329.

Ils devaient développer la pensée et ont été la dernière race à laquelle les mariages en dehors de la famille étaient défendus, 295, 329, 347.

Mais quelques-uns ont désobéi et sont devenus les Juifs actuels, 306-307, 329, 347.

Alors l'atmosphère s'est éclaircie et les mers se sont formées, 296-297.

Les Dieux se sont retirés, donnant à l'homme le libre arbitre et le rendant responsable devant la loi de cause à effet, 298-299, 347-348.

(6) Les *Akkadiens* et

(7) les *Mongols :*

Ont développé plus loin la pensée, mais manquaient de faculté d'adaptation, 300.

LES JUIFS :

Comment le patriotisme a retardé leur progrès, 308-309.

Et pourquoi le Christ est né parmi eux, 309.

l'Ancien Testament et la Religion Chrétienne du Nouveau Testament, 305, 310 à 312.
Saint Paul affirme que la Bible possède un sens allégorique ; toutefois ce sens ne peut être interprété que par ceux qui peuvent *voir* (2 Pierre 1 : 20). Le Christ et saint Paul ont donné des enseignements ésotériques à une minorité de disciples, 314 à 316.
Pourquoi les anciennes religions ont enseigné la doctrine de la réincarnation et pourquoi le Christianisme n'en fait pas spécialement mention, 171.
Le but des Religions de Race de Jéhovah est de subjuguer le *corps du désir* afin d'obtenir pour l'intellect un plus grand champ d'action, 329-330, 388, 426.
Le but de la religion chrétienne est de spiritualiser le *corps vital* par l'amour et la prière, 426-427, 454.
La Religion du Père spiritualisera le corps physique et rétablira l'unité, 428.

Rémission des péchés :

Rémission et subconscient, 100.
Comment elle raccourcit ou élimine la durée du Purgatoire, 119.
Les doctrines de la Rémission et de la Rédemption n'invalident pas mais complètent la Loi de cause à effet, 368-369.

Rêves :

Leur cause ; pourquoi ils sont confus pour la plupart, 103.
La conscience de rêve (par images intérieures) est rationnelle chez les animaux parce qu'elle est causée par l'esprit-groupe, 218.

Rose-Croix (Les) :

Une des sept écoles des Mystères mineurs, 430 à 432.
Christian Rosenkreuz et la Pierre philosophale, 505 à 513.
L'Initiation, l'Ordre de la Rose-Croix et l'Association Rosicrucienne, 513 à 523.

Sagesse :

Contraste de la sagesse humaine et de l'instinct animal, 87, 92.

Salut :

Le plan théologique du salut, 154 à 156.
Le plan évolutionnaire du salut, 224, 230-231, 302-303, 307-308.
Le salut par la Rédemption et la Rémission des péchés, 100, 119, 368, 393-394.

Théorie nébulaire :

Elle présuppose et nécessite un Créateur et une influence constante sur l'Univers, 318-319.

Transmigration (Métempsycose) :

Il ne faut pas la confondre avec la Réincarnation, 162.

Vagues de vie (par sujets) :

(*qui ont atteint la condition humaine dans notre système*)

SEIGNEURS DU MENTAL (*ils ont commencé leur évolution avant notre système*).

Ils sont devenus humains dans la Période de Saturne ; ils sont experts dans la construction de l'Intellect et travaillent seulement avec l'homme (qui était au stade minéral pendant la Période de Saturne), 222, 420.

Le Père est leur Initié suprême, 371.

Ils sont devenus des Intelligences Créatrices pendant la Période de la Terre, 222.

ARCHANGES (*Ont commencé leur évolution dans un système antérieur*).

Ils sont devenus humains pendant la Période du Soleil ; ils sont experts dans la construction de corps à partir de la matière du désir *inférieure.* Ils travaillent surtout avec les animaux (qui étaient au stade minéral pendant la Période du Soleil) mais aussi avec l'homme, 222, 342, 420.

Le Fils (Christ) est leur Initié suprême, 371.

Ils deviendront des Intelligences Créatrices pendant la Période de Jupiter, 421.

ANGES (*Ont commencé leur évolution avant notre système*) :

Ils sont devenus humains pendant la Période de la Lune : ils sont experts dans la construction de corps à partir de l'Ether. Ils travaillent surtout sur les plantes (les minéraux de la Période de la Lune), 222, 342, 421.

Leur Initié suprême est Jéhovah, le Saint-Esprit, 371.

Ils deviendront des Intelligences Créatrices dans la Période de Vénus, 421.

Vagues de Vie (suite)

ESPRITS VIERGES (*Notre humanité actuelle*) :

Ils ont commencé leur évolution comme minéraux dans la Période de Saturne, 207.

Ils sont devenus humains dans la Période de la Terre. Nous devenons maintenant experts dans la construction des formes avec les substances chimiques minérales, 421.

Dans la Période de Jupiter, nous vitaliserons les formes, 421.

Dans la Période de Vénus, nous leur donnerons le sentiment, 421.

Dans la Période de Vulcain, nous deviendrons des Intelligences Créatrices et donnerons un Intellect aux formes, 421.

ANIMAUX :

Ils ont commencé leur évolution dans la Période du Soleil ; ils deviendront humains dans la Période de Jupiter, 78, 224.

PLANTES :

Elles ont commencé leur évolution dans la Période de la Lune ; elles deviendront humaines dans la Période de Vénus, 227, 421.

MINÉRAUX :

Ils ont commencé leur évolution dans la Période de la Terre ; ils deviendront humains dans la Période de Vulcain, 231-232, 421.

Verbe (Le) :

Le Verbe incarné, le *Fiat* Créateur, 183.

Les cris des êtres de la Période de la Lune ont été les premiers échos du *Fiat* Créateur, 220.

L'Expression verbale de la pensée est le privilège suprême de l'humanité, 236.

Le larynx était à l'origine une partie de l'organe de reproduction ; dans l'avenir, il prononcera le « Mot perdu », le *Fiat* Créateur, 269, 356, 419.

Vertu :

Elle n'est pas synonyme d'innocence : elle présuppose connaissance et choix, 280.

INDEX ALPHABETIQUE

* d'Amérique.

---

* d'Amérique.

Corps vital (suite)

Ego (suite)

Initié (suite)

Lait (suite)

RENSEIGNEMENTS DIVERS
COURS PAR CORRESPONDANCE

sur la Philosophie des Rose-Croix, l'Astrologie et la Bible

1. Philosophie des Rose-Croix.

a) Cours préliminaire en douze leçons (P1).

Livre de textes à consulter : « Cosmogonie des Rose-Croix » de Max Heindel.

Dans cet ouvrage sont logiquement exposés les origines, l'évolution et le développement de l'humanité.

On y trouvera les bases d'une connaissance plus approfondie du sujet.

Cette philosophie cherche à faire du Christianisme un facteur vivant dans le monde et à concilier les manifestations éternelles de la Science, de l'Art et de la Religion.

b) Cours supplémentaire en 40 leçons et une série de 44 questions (P2).

2. Astrologie

Cours élémentaire : 27 leçons (A1).
Cours supplémentaire : 12 leçons (A2).
Cours supérieur : 13 leçons (A3).

Ces cours font comprendre l'importance de l'astrologie en la présentant sous ses aspects spirituels, comme une science divine. La seule réserve que nous fassions, c'est que nos étudiants ne se servent pas dans un but vénal des connaissances qu'ils auront acquises.

3. Bible (B).

Cours de 28 leçons, composées d'après les écrits de Max Heindel.

Les frais de cours (sauf les livres) sont couverts par des dons volontaires.

Des centres et groupes d'études fonctionnent dans de nombreuses villes d'Europe. Pour tous renseignements, nous consulter.

ACHEVÉ D'IMPRIMER EN FEVRIER 1989
SUR LES PRESSES DE L'IMPRIMERIE
LIENHART & Cie A AUBENAS D'ARDÈCHE

N° 3937. *Imprimé en France*

DÉPOT LÉGAL : Février 1989